ISBN 978-0-428-77361-8
PIBN 11306791

# Beschreibung und Geschichte

der

Universität und Stadt

# Tübingen,

herausgegeben

in Verbindung mit mehreren Gelehrten

von

Dr. H. F. Eisenbach.

Mit acht Kupfern und einer Charte.

Tübingen,
verlegt von C. F. Osiander.
1822.

# Beschreibung und Geschichte

der

# STADT UND UNIVERSITÆT

# Tübingen,

herausgegeben

in Verbindung mit mehreren Gelehrten

von

Dr H. F. Eisenbach.

Mit Kupfern und einer Charte.

―――――――― * ――――――――

Tübingen,

verlegt von C. F. Osiander.

1822.

# Vorrede.

Die Universität Tübingen war zwar seit ihrer Entstehung durch den gründlichen, ächtwissenschaftlichen Geist ihrer Gelehrten, die nicht nach auffallenden neuen Systemen und Theorieen haschten, sondern mit deutschem Fleiße und ächter Forschbegierde mehr im Stillen wirkten, vor vielen andern Akademien ausgezeichnet; aber in Rücksicht auf die Anzahl ihrer Lehrer und Studirenden, auf die Menge und Ausstattungsart ihrer literarischen Anstalten bis auf die neuere Zeit nur eine Hochschule des zweiten Ranges. Seit einigen Jahren aber sind so wichtige Veränderungen mit ihr vorgenommen worden, und sie hat in allen ihren Theilen so zugenommen, an Umfang und Größe, daß sie jezt dreist unter die ersten Universitäten Deutschlands gerechnet werden darf. Der Gedanke, dem In- und Auslande hiervon, und überhaupt von Allem, was in ältern und neuern Zeiten für Tübingen geschah, Rechenschaft zu geben, den neu Ankommenden mit mancher nüzlichen Nachricht zu erfreuen und dem Abgehenden noch ein liebes Andenken mit auf den Weg zu geben, bewog den Verfasser zur Herausgabe dieses Buchs.

Die Vorrede bestimme ich hauptsächlich zur dankbaren Erwähnung der vielen verehrten Gönner und Freunde, welche zum Besten meines Werks entweder selbst die Feder ergriffen, oder es auf eine andere Weise unterstüzt und bereichert haben. In dieser Hinsicht steht unter Allen oben an der Vizekanzler unserer Universität, Herr Professor Dr. v. Autenrieth. Dieser berühmte Mann, der so kräftig für das Aufblühen unserer Akademie wirkte, dem Tübingen sein jeziges Klinikum, die pathologische Sammlung in der Anatomie, die Vergrößerung der leztern und so manche andere zeitgemäße Einrichtungen verdankt, dessen größte Sorge noch immer auf den Flor unserer Universität gerichtet ist, dessen gediegene medizinische und andere naturwissenschaftliche Kenntnisse so allgemein anerkannt sind, der als Lehrer schon so nüzlich gewirkt hat und noch wirkt, und der sich auch in anderer Beziehung, als Mitglied der Ständeversammlung, für das Vaterland so verdient gemacht hat, opferte einen großen Theil seiner Zeit für meine vorliegende Arbeit auf. Er half nicht blos den Plan zu meinem Werke feststellen und wirkte mir durch seine Empfehlung so manche interessante Nachricht aus, sondern unterstüzte mich auch mit eignen Beiträgen, nämlich mit der Darstellung der Verfassung unserer Universität, und insbesondere der medizinischen Fakultät, mit der Beschreibung des Klinikums, mit der Darstellung der Erweiterungen unserer Hochschule durch Se. Majestät unsern jezigen König Wilhelm, und mit der Beschreibung der Verhältnisse des physischen Lebens der Einwohner Tübingens.

Die übrigen, sowohl hiesigen, als auswärtigen Gönner, die sich für mein Werk thätig interessirt haben, alle mit Namen aufzuführen, würde wohl für die Vorrede zu weitläufig seyn.

Besonders danke ich hier allen Herren Professoren, welche mir ihre Lebensläufe mittheilten.

Herr Professor Clossius erleichterte mir hierbei durch die Mittheilung mehrerer biographischen Notizen Vieles. Derselbe unterstüzte mich auch noch mit schäzbaren literarischen Notizen und erleichterte mir sehr die Benuzung der Universitäts-Bibliothek. Auch die Geschichte der Jurisprudenz, so wie die Beschreibung der Bibliothek und des Münzkabinet rührt von demselben her. An den erhaltenen Selbstbiographien habe ich mir nur hin und wieder nach dem Plane meines Werks, einige Abkürzungen erlaubt.

Die Beschreibung des evangelisch-theologischen Seminar's, die ich dem Herrn Ephorus Professor Jäger verdankte, wurde von dem Herrn Prälat Dr. Bengel, besonders im historischen Theile, noch bereichert. Herr Professor Jäger verdanke ich auch die Beschreibung des Seminariums, und bei Aufzählung der hiesigen Seminaristen, von 1760 an, ging er mir gleichfalls an die Hand.

Herr Professor Steudel berichtigte den Aufsaz über das hiesige Armenwesen; Herr Dekan

Prof. Münch denjenigen über das Schulwesen. Lezterem verdanke ich auch die statistischen Notizen über das Schulwesen, so wie den Aufsaz über die weibliche Bildungsanstalt des Fräuleins von May. Herr Prof. v. Dresch erlaubte mir die Benuzung der Manuskripte der Universitäts-Bibliothek und machte mich auf mehrere derselben aufmerksam. Bei der Darstellung der katholisch-theologischen Fakultät und des Konvikts wurde ich besonders durch die Herren Professoren Drey und Feilmoser, so wie durch den Herrn Direktor Koch unterstüzt.

Herr Prof. Schübler lieferte die Beschreibung des Naturalien-Kabinets, des botanischen Gartens (dessen Anfang ich nach aktenmäßigen, von Herrn Vizekanzler v. Autenrieth mir mitgetheilten Notizen veränderte), die Beschreibung der Gebirgsarten und der drei Naturreiche überhaupt, die meteorologischen und Höhen-Verhältnisse, auch der Brunnen (wobei die Temperatur-Beobachtungen von mir selbst gemacht wurden). Die Analysen des Georgen-, Markt- und Lüzelbrunnen gab mir der Vorsteher der Gmelinschen Apotheke, Herr Federhaff. Herr Professor

Schübler theilte mir auch das Manuskript des Ruff'schen Aufsazes über Landwirthschaft mit, aus welchem ich mit Erlaubniß des Herrn Verfassers manches benüzte.

Herr Prof. Hofacker lieferte mir die nach den besten Quellen bearbeitete Geschichte der Medizin, und Herr Prof. Rapp gab mir mehrere Notizen über die Anatomie und die anatomische Sammlung. Die Aufzählung der hiesigen Käfer verdanke ich dem Herrn Prof. Baur. Auch Herr Prof. v. Bohnenberger und Herr Hofrath Prof. Poppe gaben mir mehrere Notizen.

Herr Prof. Schott, der nebst dem Rektor des hiesigen Lyzeums, Herrn Kaufmann, den Aufsaz über das Schulwesen noch verbesserte, ging auch die Abhandlung über den Neuenbau mit mir durch, und gab mir mehrere Notizen über die alte Verfassung der Universität und Urkunden, nebst mündlichen Nachrichten über das Hochmann'sche Stipendium.

Von eigentlichen Mitarbeitern lieferten noch Herr Repetent Pahl die Geschichte der Theologie und die Beschreibung der Kirchen; Herr Repetent Klaiber der ältere, die Geschichte der

Philosophie. Besonders aber verdanke ich der Güte des Herrn Oberpostmeisters, Hauptmann v. Hoff, die angehängte Charte.

Die Benuzung der Stadtregistratur wurde mir von dem Herrn Oberbürgermeister Laupp und dem Stadtrath gestattet, wobei ich, so wie in andern Dingen, besonders die Gefälligkeit des Herrn Stiftungsverwalters Faber rühmen muß. Einzelne bedeutende Notizen erhielt ich ausserdem noch vom Herrn Dr. Hehl, Herrn Prokurator Knapp und vom Universitäts-Pedell Payer.

Die benüzte Literatur ganz anzuführen, würde zu weitläufig seyn. Blos meine Vorgänger in der Beschreibung Tübingen's will ich noch nennen. Die älteste mir zu Gesicht gekommene Beschreibung ist eine Dissertation praes. B. Raith, auct. J. L. Mez, Tubinga, sedes sat congrua musis. Tub. 1677. 4. Das erste ausführliche Werk über denselben Gegenstand aber ist: A. Ch. Zeller, Merkwürdigkeiten der Universität und Stadt Tübingen ꝛc. Tüb. 1743; ferner: des Prälaten A. F. Böck Geschichte der herzoglich-württemberg. Eberhard-Karls-Universität zu Tübingen. 1774. gr. 8. — Seit dieser Zeit ist nichts Allgemeines und Zusammenhängendes mehr über Tübingen erschienen, ausser einer Fortsezung der hiesigen Annalen und einzelne Programme von Herr Prof. Schott.

Man wird es mir wohl nicht als einen Fehler zurechnen, daß Styl und Orthographie, namentlich bei den Biographien und andern mitgetheilten Aufsäzen, oft verschiedenartig ausgefallen sind; denn ich fühlte es aus mehreren Gründen nicht rathsam, das von Andern Niedergeschriebene zu verändern. Von Druckfehlern habe ich blos die Sinn entstellenden angeführt.

Ein weiteres über die Ausführung zu sagen, erlaubt der längst überschrittene Raum nicht, den ich mir festgesezt hatte. Uebrigens empfehle ich diese Arbeit der Nachsicht billig denkender Leser.

Tübingen den 28. Februar 1822.

Der Herausgeber.

# Inhalts - Anzeige.

Seite

Vierter Abschnitt.

der Wissenschaften auf unserer Hochschule.



Fünfter Abschn[illegible]

Dritte Abtheilung. Juristische Fakultät.

Sechste Abtheilung. Staatswirthschaftliche Fakultät.



## Sechster Abschnitt.

### Verfassung und Einrichtungen der Hochschule.

## Siebenter Abschnitt.

### Beschreibung der Stadt und ihrer Einrichtung.

# Kurze Erklärung der acht Kupfertafeln.

1. Die Vignette auf dem Titelblatt — stellt die Vorderseite des Universitäts-Hauses (oder der Aula nova) dar, nach welcher dieses Gebäude etwas unansehnlich scheint, dasselbe hat aber eine bedeutende Länge und wie mehrere Häuser in Tübingen, nach hinten oder dem Neckar zu drey Stockwerke. Ausführlicher beschrieben findet man es Seite 489.

2. Tübingen. Hier ist die Stadt von der Mittags-Seite abgebildet. Auf der linken sieht man das Schloß, sodann in der Reihe, das theolog. Seminarium, das Clinikum, das Universitäts-Gebäude und die über alle andern Häuser auf der rechten Seite hervorragende lateinische Schule.

3. Das äussere Thor des Schlosses zu Tübingen mit der Ansicht auf das Neckarthal vornehmlich auf das benachbarte Dorf Derendingen. Dieses Thor steht ungefähr 50 Schritte von dem Schlosse entfernt und hat seiner schönen gothischen Verzierungen — und des Wappens wegen — wirklich etwas Imposantes. Im linken Flügel desselben wohnt der Wächter des Schlosses.

4. Das theologische Seminarium — von der Abend-Seite. Dieses Gebäude ist Seite 495. ausführlich beschrieben.

5. Der Bibliotheksaal zu Tübingen — wurde im Jahr 1819. erbaut, seine Länge beträgt 220 Fuß und seine Breite 50 Fuß. Dieser schöne Saal befindet sich im rechten Flügel des Schlosses. Auf

der Abbildung konnte nur der (rechte) Saal, von welchem man auf das Ammerthal sieht, angebracht werden, da das in der Mitte des Saales sich erhebende Bücher-Gestell, keine freie Aussicht auf beide Seiten gestattet.

6. Das Museum — von der Mittag- und Abendseite. Die nähere Beschreibung des Gebäudes findet sich Seite 664.

7. Das Bläsibad. Ein Wirthshaus drey Viertelstunden weit von Tübingen im angenehmen Steinlachthal und an der Straße nach Hechingen gelegen, — wird fleißig von Spaziergehenden besucht und hat eine kleine Badeanstalt.

8. Niedernau. Ein Bad, das von Tübingen aus, seiner anmuthigen Lage, guten Wirthschaft und seiner geringen Entfernung wegen (2½ Stunde) an Sonntagen im Sommer sehr häufig besucht wird. An diesen Tagen wird dort auch getanzt und meistens finden sich dann aus der ganzen Umgegend Leute ein. Von Badgästen wird diese Badanstalt, deren Eigenthümer Doctor Med. Naith ist, auch häufig und mit gutem Erfolg benutzt. Das Wasser enthält viel Schwefel und Eisentheile und wird auch getrunken.

9. Die Charte der Umgebungen von Tübingen.

Tübingen

Das theologische Seminarium zu Tübingen.

Das äusere Thor des Schloſses zu Tübingen.

Das Museum zu Tübingen.

Tübingen bei C. F. Osiander.

Das Bläßibaad bei Tübingen.

bei C. F. Osiander in Tübingen

Niedernau

## Verzeichniß der Herren Subscribenten.

Exple.

Herr von Alberti, Advokat in Künzelsau . 1.
= Ammermüller, Univ. Kam. Verw. zu Tübingen. 1.
= von Autenrieth, Vice-Kanzler in Tübingen 1.
= Bärlin, Präceptor in Tübingen . . 1.
= Bäuchlen, C. P. Hauslehrer bei dem Freiherrn v. Harling zu Münchingen . . 1.
= Bäumlein, Stud. in Tübingen . . 1.
= Bantlin, M. in Tübingen . . . 1.
= Dr. Bauer, Professor in Tübingen . . 1.
= Baur, C. Stud. in Tübingen . . . 1.
= Bauer & Schmid in Tübingen (Schreibpap.) 1.
= Bechtner, Oberförster in Weil im Schönbuch 1.
= Bellino, Gerichts-Actuar in Neuenbürg . 1.
= Dr. Bengel, Prälat und Professor in Tübingen 1.
Die Bibliothek der Stadt Tübingen . . 1.
= — — des Seminariums . . . 1.
Herr Bierer, OA. Gerichts-Actuar in Tüb. . 1.
= Bilfinger, Pfarrer in Weilheim . . 1.
= Binder, Diakonus in Sulz a. N. (Schreibp.) 1.
= Bleibel, Königl. Cameralverw. in Tübingen 1.
= Bräunlein, Buchhalter in Neuenbürg . 1.
= Brecht, Chemiker in Pforzheim . . 3.
= Brecht, Pfarrer in Mühlheim . . . 1.
= von Breitschwerd, Stud. in Tübingen . 1.
= von Breitschwerd, M. in Tübingen . . 1.

| | Expl. |
|---|---|
| Herr Brodtbeck, Stud. in Tübingen . . . | 1. |
| = Bührer, M. in Tübingen . . . . | 1. |
| = Cammerer, Stud. in Tübingen . . | 1. |
| = Conz, M. in Tübingen . . . . . | 1. |
| = Conz, Univers. Secret. in Tübingen . . | 1. |
| = Cotta, Stud. in Tübingen . . . . | 1. |
| = Denk, M. in Tübingen, mit ill. Kupfer. . | 1. |
| = Dietzsch, M. in Tübingen . . . . | 1. |
| = Duvernois, Med. Stud. in Tübingen . | 1. |
| = Duvernois, Jur. Stud. in Tübingen . | 1. |
| = Ebensperger, Stud. in Tübingen . . | 1. |
| = Eiffert, Sprachlehrer in Tübingen . . | 1. |
| = Eipper, Stud. in Tübingen . . . | 1. |
| = Eiselin, Conditor in Remmingsheim . . | 1. |
| = Eisenmenger, C. Stud. in Tübingen . | 1. |
| = Eisenmenger, G. Stud. in Tübingen . | 1. |
| = Eith, M. in Tübingen . . . . . | 1. |
| = Eith, Stud. in Tübingen . . . . | 1. |
| = Faber, Stud. in Tübingen . . . | 1. |
| = Dr. Faber, Ober-Tribunalrath in Tübingen | 1. |
| = Finckh, M., jun. in Tübingen . . . | 1. |
| = Fischer, Stud. von Weikersheim . . | 1. |
| = Dr. Fleischmann, Oberjustizrath in Tübingen | 1. |
| = von Forstner, Professor in Tübingen . . | 1. |
| = Frick, Seminar. in Tübingen . . . | 1. |
| = Fulda, Professor in Tübingen . . . | 1. |
| = Dr. Gaab, Prälat und Generalsuperintendent in Tübingen . . . . . . . | 1. |
| = von Gasser, Lieutenant in Tübingen . . | 1. |
| = Gentner, Substitut in Neuenbürg . . | 1. |
| = D. F. Gmelin, Professor in Tübingen . | 1. |

Exempl.

Herr Dr. Chr. H. Gmelin, Professor in Tübingen . . 1.
= Dr. Ed. Gmelin, Oberjustiz-Prokurator in Tübingen . . . . . . . 1.
= Gollhard, Stud. in Tübingen . . . . 1.
= Gräbener, Stud. in Tübingen . . . . 1.
= Grözinger, M. in Tübingen . . . . 1.
= Günzle, Stud. in Tübingen . . . . 1.
= Gutbrodt, Stud. in Tübingen . . . . 1.
= Haagen, M. in Tübingen . . . . 1.
= Härlin, M. in Tübingen . . . . 1.
= Haldenwang, Pfarrer in Mühlheim a. N. . 1.
= Hallberger M. in Tübingen . . . . 1.
= von Hanffstengel, C., Stud. in Tübingen 1.
= Hanser, Stud. in Tübingen . . . . 1.
= Hardegg, Stud. in Tübingen . . . 1.
= Harpprecht, M. in Tübingen . . . 1.
= Hartmann, M. in Tübingen . . . . 1.
= Hauff, M. in Tübingen . . . . . 1.
= Heerbrandt, Ober-Umgelder in Tübingen. . 1.
= Hegler, Stud. in Tübingen . . . . 1.
= Dr. Hehl in Tübingen. . . . . . 1.
= Hehl, Ober-Amtmann in Tübingen mit ill. Kupfer. . . . . . . . 1.
= Heydt, Repetent in Maulbronn . . . 1.
= Helfferich, Stiftungs-Verwalter in Kirchheim a. d. Teck, mit ill. Kupf. . . . 1.
= Hennenhofer, Stud. in Tübingen . . . 1.
= Henzler, M. in Tübingen . . . . 1.
= Herwig, M. in Tübingen . . . . 1.
= Heuß, Stud. in Tübingen . . . . 1.
= Hintrager, Pfarrer in Lomersheim . . . 1.

| | Expl. |
|---|---|
| Herr Hochstetter, Kam. Verwalter in Wurmlingen bei Tuttlingen . . . . . . | 1. |
| - Hochstetter, Kam. Verwalter in Murrhard . . | 1. |
| - Hochstetter, M. in Tübingen . . . . | 1. |
| - Hörner, Stud. in Tübingen . . . | 1. |
| - Dr. Carl Hofaker, Prof. in Tübingen . | 1. |
| - Hauptmann von Hoff, Ober-Postmeister in Tübingen . . . . . . | 1. |
| - Holzbauer, Präceptor in Bopfingen . . | 1. |
| - Honold, M. in Tübingen . . . . | 1. |
| - Baron von Hopfer auf Bläsiberg . . | 1. |
| - Huhn, Stud. in Tübingen . . . | 1. |
| - Hundeshagen, Professor in Tübingen . | 1. |
| - Jäger, Ober-Consistorialrath in Stuttgardt | 1. |
| - D. Irion, Kaiserl. Ruß. Hof-Rath in Tüb. . | 1. |
| - Kachel, Stud. in Tübingen . . . | 1. |
| - Kapff, Repetent in Tübingen . . . | 1. |
| - Kapff, Stud. in Hohenheim . . . | 1. |
| - Kauffmann, Rector in Tübingen . . | 1. |
| - Kauffmann, M. in Tübingen . . . | 1. |
| - Kaußler, Stud. in Tübingen . . . | 1. |
| - von Kellenbach, Oberst und Commandeur des 2ten Infanterie-Regiments in Stuttgardt | 1. |
| - von Keller, Bischof von Evara, Staatsrath und Commenthur des Ord. d. würt. Krone in Rottenburg . . . . . . | 1. |
| - Klein, Stud. in Tübingen . . . | 1. |
| - Kleinmann, Stud. in Tübingen . . | 1. |
| - Klinger, M. in Tübingen . . . . | 1. |
| - Knapp, Ober-Justizrath in Tübingen . | 1. |
| - Knapp, Oberjustiz-procurator in Tübingen | 1. |

| | Expl. |
|---|---|
| Herr Knapp, M. in Tübingen, mit ill. Kupf. | 1. |
| = Knauß, Cameral. Stud. in Tübingen | 1. |
| = Koch, Convicts=Director und Stadt=Pfarrer in Tübingen | 1. |
| = König, Baron von, Jur. Stud. in Tübingen | 1. |
| = Kohler, Med. Stud. in Tübingen | 1. |
| = Koller, Baron von, Jagdjunker in Donaueschingen | 1. |
| = Krauß, M. in Tübingen | 1. |
| = Krauß, Stud. in Tübingen | 1. |
| = Krieger, Kam. Verw. in Weil im Schönbuch | 1. |
| = Landerer, Stud. in Tübingen | 1. |
| = Leibius, Pfarrer in Friolzheim | 1. |
| = Löffler, Stud. in Tübingen | 1. |
| = Löflund, Seminar. in Tübingen | 1. |
| = Löflund, Buchhändler in Stuttgardt | 6. |
| = Ludwig, Stud. in Tübingen | 1. |
| = Lüttmann, Stud. in Tübingen, mit illum. K. | 1. |
| = Märklin, Stud. in Tübingen | 1. |
| = Magenau, Criminal=Amts=Actuar in Stuttgardt | 1. |
| = Mayer, Kamer. Amts=Buchhalter in Balingen | 1. |
| = von Mayer, Jur. Stud. aus Biberach | 1. |
| = Mappes, Med. Dr. in Frankfurt a. M. | 1. |
| = Marz, M. in Tübingen | 1. |
| = Mauchard, Dekan in Neuffen | 1. |
| = Mauz, Stud. in Tübingen | 1. |
| = Mebold, M. in Tübingen | 1. |
| = Mehring, M. in Tübingen | 1. |
| = Meyding, M. in Tübingen | 1. |
| = Meyer, Stadt=Pfarrer in Neuenbürg | 1. |

| | Expl. |
|---|---|
| Löbl. Metzlersche Buchhandlung in Stuttgardt . | 12. |
| Herr Mohl, M. in Tübingen . . . . . | 1. |
| - Mohr, Pfarrer in Warth, mit illum. Kupf. Schreibp. . . . . . . . | 1. |
| - Molter, Stud. in Tübingen . . . . | 1. |
| - Moser, M. Senior in Tübingen . . . | 1. |
| Löbl. Museum in Tübingen . . . . | 1. |
| Herr Nagel, Stud. in Tübingen . . . | 1. |
| - Nast, Stud. in Tübingen . . . . | 1. |
| - Niederhöfer, Stud. in Tübingen . . | 1. |
| - Niethammer, M. in Tübingen . . . | 1. |
| - Nördlinger, Posamenteur in Tübingen . | 1. |
| - Nübling, Stud. in Tübingen . . . | 1. |
| - Pahl, Repetent in Tübingen . . . | 1. |
| - Pahl, M. in Tübingen . . . . . | 1. |
| - Pauli, Repetent in Tübingen . . . | 1. |
| - Peyer, Vikarius in Oberboihingen . . | 1. |
| - Peyer, Univers. Pedell in Tübingen . . | 1. |
| - Petersen, Stud. in Tübingen . . . | 1. |
| - Pichler, M. in Tübingen . . . . | 1. |
| - Pistorius, Oberamts-Richter in Neuenbürg | 1. |
| - von Plank, Stud. in Tübingen . . . | 1. |
| - Dr. Poppe, Hofrath u. Professor in Tübingen | 1. |
| und mit illum. Kupf. | 2. |
| - Pressel, Stud. in Tübingen . . . | 1. |
| - Prommel, Stud. in Tübingen . . . | 1. |
| - D. Rapp, res. Oberjustiz-Procurator in Stuttgardt . . . . . . | 1. |
| - Reuß, Stud. in Tübingen . . . . | 1. |
| - Rheinberger, Stud. in Tübingen . . | 1. |
| - Rheinwald, M. in Tübingen . . . . | 1. |

Expl.

Herr Rieß, Gottl. Fr., in Tübingen . . . 1.
" Rößler, Med. Dr. in Kirchheim . . 1.
" Rößler, Pfarrer in Oberlenningen . . 1.
" Rothaker, Collaborator in Herrenberg . 1.
" Scharfenstein, M. in Tübingen . . . 1.
" von Schertel, Stud. in Erlangen . . 1.
" Schmid, Jur. Cand. von Herrenberg . . 1.
" Schmid, Stud. in Tübingen . . . 1.
" Schmolk, Ober-Wund- und Hebarzt in Pforzheim . . . . . . 1.
" Schmoller, Pfarrer in Simmersfeld, mit illum. Kupf. . . . . . . 1.
" Schnauffer, Stud. in Tübingen . . 1.
" Schnell, Cam. Verw. in Neuenbürg . . 1.
" Schnell, Kaufmann in Stuttgardt . . 1.
" Schön, M. in Tübingen . . . . 1.
" Schönhardt, Buchdrucker in Tübingen . 1.
" Schopper, Stud. in Tübingen . . . 1.
" Schott, Registrator in Ellwangen . . 1.
" Schreiber, Postbriefträger in Tübingen . 1.
" Schüle, M. in Tübingen . . . . 1.
" Schütz, Stud. in Tübingen . . . 1.
" Schuhmacher, Stud. in Tübingen . . 1.
" Seeger, M. in Tübingen . . . . 1.
" Sichel, Stud. in Tübingen, mit illum. Kupf. 1.
" Dr. Sigwart, Professor der Med. in Tüb. . 1.
" Silcher, Musik-Director in Tübingen . 1.
" Speidel, M in Tübingen . . . . 1.
" Dr. Spittler, Ober-Amtmann in Heilbronn 1.
" Sprenger, M. in Tübingen . . . 1.
" Stapf, Med. Stud. in Tübingen . . 1.

Expl.

Löbl. Stettin'sche Buchhandlung in Ulm . . . . 1.
Herr Dr. Steudel, Professor in Tübingen . . 1.
- Stiefel, Stud. in Tübingen . . . 1.
- Stoll, M. in Tübingen . . . . 1.
- Strauß, Stud. in Tübingen . . . 1.
- Sturm, Med. Dr. in Schwenningen . 1.
- Tafel, Professor in Tübingen . . . 1.
- Tafel, L., Stud. in Tübingen . . . 1.
- von Tessin, Freyherr W., in Tüb. (Schreibp.) 1.
- Veßnagel, Jur. Stud. . . . . 1.
- Unger, Stud. in Tübingen . . . 1.
- Vogt, M. in Tübingen . . . . 1.
- Wachter, Pfarrer in Lauben im Baierschen . 1.
- Wächter, Professor in Tübingen . . . 1.
- Wagenmann, Pfarrer in Berneck . . 1.
- Walker, Carl, Kaufmann in Tübingen . 1.
- Weber, Med. Dr. in Tübingen . . . 1.
- Weigelin, Pfarrer in Remmingsheim . 1.
- Wieland, Stud. in Tübingen . . . 1.
- Williards, Stud. in Tübingen . . . 1.
- Winter, Stud. in Tübingen . . . 1.
- Witt, Stud. in Tübingen . . . 1.
- Wolff, Med. Dr. in Neuenbürg . . 1.
- Wolff, Amtsschreiberey Substitut in Munderkingen . . . . . . . 1.
- Wolffer, Stud. in Tübingen . . . 1.
- Zahn, Stud. in Tübingen . . . 1.
- Zaißer, Stud. in Tübingen . . . 1.
- Zeller, Stud. in Tübingen . . . 1.
- Zwißler, M. in Tübingen . . . . 1.

## Erster Abschnitt.

## Geschichte Tübingens unter den Pfalzgrafen von Tübingen.

### Urgeschichte.

Von dem Alter und Ursprunge unserer Stadt (einst Thoningen, Tubingen, Tuingen, Duingen, Tuhlngen, Tuwingen, Duwingen, Toingen, Diebingen, Tobingen, Tübingen, Tybinga, auch einmal Taeigen genannt) findet man durchaus keine Spur, blos ein Mährchen können wir darüber erzählen. Als der Kaiser Titus Vespasianus Jerusalem belagerte, soll sich unter seinen Truppen ein gewisser Rabotus, Pfalzgraf von Tübingen, befunden und so tapfer gehalten haben, daß ihm dieser Kaiser eine Burg auf dem Bläsiberg schenkte, an welcher die Innschrift: T. V. B. (Titi Vespasiani beneficio) angebracht wurde; als hierauf in dem Thale (Engen) eine Stadt darneben entstand, erhielt diese den daraus zusammengezogenen Namen Tubingen. Diese Stadt wurde im fünften Jahrhunderte von den räuberischen Hunnen gänzlich zerstört und wieder neu aufgebaut an dem Orte, wo sie noch jezt steht. Die Pfalzgrafen, um ihrem

Geschlechte ein Ansehen zu geben, begünstigten dieses etymologische Mährchen und behaupteten noch im sechzehnten Jahrhunderte, sie haben eine Urkunde darüber auf Baumrinde geschrieben und einen von Vespasianus, ihrem Ahnherrn, geschenkten Becher. Als aber durch die Reformation sich ein Untersuchungsgeist auch über die andern Wissenschaften verbreitete und Geschichtsforscher diese Denkmäler zu sehen verlangten, waren sie verlohren gegangen. — Andere wizelnde Wortgrübler leiteten das Wort Diebingen von dem diebischen und räuberischen Charakter seiner Bewohner her. Andr. Goldmajer in seiner astrologischen Chronica sagt: Tübingen sey gegründet im J. 37 nach Christo den 14ten May um 5 Uhr 43 Minuten Vormittags; woraus er denn die bis dahin erfolgten Schicksale der Stadt astrologisch ableitet *).

---

*) Ich kann hier einen Stein nicht ganz mit Stillschweigen übergehen, aus dessen Innschrift man ehmals beweisen wollte, unser Schloß sey zur Zeit eines römischen Kaisers im 2ten Jahrhunderte schon erbaut gewesen. Er ist abgebildet in Petri Apiani (Bienenwiz) mathematici Ingolstadiens. Inscriptionibus Ingolst. 1534. p. 457. unter der Aufschrift:

MAX IN
AVG' EM GER MAX
DAC MAX ARM
MAX TRIB P
COS ET

## Pfalzgrafen von Tübingen.

So weit die Geschichte der Stadt ins graue Alterthum hinaufreicht, fast eben so weit haben wir bestimmte Nachrichten von den sie beherrschenden Pfalzgrafen. Sie hatten ihren Nahmen von dem hiesigen Bergschlosse (der Pfalz, palatium, nachher Hohentübingen genannt). Was diese Pfalzgrafen waren, ist nicht jedem meiner Leser bekannt, daher wird eine kurze Erklärung derselben nicht am unrechten Orte stehen. Sie entstanden aller Wahrscheinlichkeit nach aus den alten Kammerboten (missis camerae), welche Karlmann und Pipin, die Hausmaier der fränkischen Könige, in die Provinzen sandten *), in denen sie

Joh. Heroldus de Germaniae veteris locis antiquiss. cap. 8. einem Anhange seines Werks de Romanorum in Rhaet. litt. station. Basel. 1555. scheint denselben Stein vor Augen gehabt zu haben und sagt von ihm: fragmenta monumenti, quae Tubingae visuntur; er sucht daraus herzuleiten, daß der Kaiser Caracalla sich im hiesigen Schlosse aufgehalten habe, und giebt eine Auslegung davon, die man in Crusius Annales suevici p. 1. l. 4. c. 12. und in Zeller Gesch. von Tüb. Seite 10. nachlesen kann.

*) Unter comes palatii verstand man damals etwas anderes, doch scheint der Pfalzgraf, den Karl der Große in Pavia hatte, schon ein ähnliches Amt gehabt zu haben.

die Gewalt der freyern Herzoge vernichtet hatten, um daselbst ihre Einkünfte zu verwalten und etwaige Befreyungsversuche noch im Keime zu unterdrücken. Unter den Ottonen im zehnten Jahrhunderte findet man die erste Spur der an ihre Stelle getretenen kaiserlichen Pfalzgrafen, aber jezt nicht mehr Beamte, die der Kaiser nach Willkühr in die Provinzen schickt, sondern im Geist des Lehenwesens eine Würde und ein Recht, welches gewißen Familien oder den Eigenthümern von gewissen Burgen zusteht. Sie waren Richter im Namen des Kaisers und Verwalter über einen Theil der kaiserlichen Kammergüter; als aber diese von den Kaisern Carl IV und Wenzel in der Mitte des vierzehnten Jahrhunderts vollends verschwendet waren, und die Pfalzgrafen also auch nichts mehr zu verwalten hatten, so erlosch ihre Würde gänzlich. Mit dieser allgemeinen Geschichte der Pfalzgrafen hält die besondere der Tübinger ziemlich gleichen Schritt. Im eilften Jahrhunderte finden wir die erste Spur von ihnen und in der Mitte des vierzehnten finden wir sie durch Verschwendung dahin gebracht, ihre Pfalz zu verkaufen und ihrer Pfalzgrafenwürde bald nachher zu entsagen *).

*) Den Namen Pfalzgraf leitet die Glosse des ältesten Sachsenspiegels aus dem Italiänischen her: „ein Palantz bedutet sik ein bedwungen Ryke;“ andere leiten ihn von Pfal (Gränze) u. s. w. ab.

## Ihr Ursprung.

Soviel sich bei dem Dunkel, worein engherzige Staatskunst und selbstsüchtige Eitelkeit die ältere Geschichte unsers Vaterlandes hüllten, mit einer Wahrscheinlichkeit behaupten läßt, stammten die Tübinger Grafen aus dem Schlosse Ruck, nachher Ruchaspermont, in Hohenrhätien. Das Schloß Ruck bei Blaubeuren, von dem sie in neueren Zeiten den Namen „Herrn von Ruck" annahmen, war ohne Zweifel erst später zum Andenken an das Stammschloß erbaut. Sie stammten von den Herrn von Rotenfahn ab und führten bis auf die spätesten Zeiten eine rothe Kirchen-Fahne im gelben Felde in ihrem Wappen.

Ihre Pfalzgrafenwürde schrieb sich wahrscheinlich aus Hohenrhätien her, denn die ältesten bekannten Tübinger, wovon der erste, Roland, ums Jahr 840 gelebt haben soll, nannten sich blos Grafen, dagegen eben dieses Rolands Bruder, Roderich, wie die älteren Herren von Rotenfahn, ein Pfalzgraf von Hohenrhätien heißt.

Dieser Roderich wurde durch König Ludwig den Deutschen aus Hohenrhätien vertrieben und kaufte sich Güter am Bodensee.

Als später Tübingen an Württemberg verkauft wurde, so gaben sich die württembergischen Schriftsteller alle mögliche Mühe, zu beweisen, daß die Pfalzgrafenwürde an dem Schloß Tübingen nicht an der Familie der Tübinger, sondern an ihrem Schlosse (Pfalz) gehaftet habe und daß diese eigentlich Pfalzgrafen von Schwaben gewesen seyen. Man hoffte damals Rechtsansprüche dadurch zu begründen und so ist es leicht möglich, daß die Beweise des Gegentheils unterdrückt worden sind, wenn welche vorhanden waren.

## Familie der Pfalzgrafen.

Der Umfang dieses Werkes erlaubt mir nicht, eine ausführliche kritische Geschichte dieser Grafen zu liefern und ein trocknes Namen-Verzeichniß würde den meisten meiner Leser unangenehm seyn. Wer hierüber etwas Vollständiges lesen will, nehme J. F. Helfferich Schediasma hist. de comitum Suev. Pal. Tub. familia. Tüb. 1751. 4. (abgedruckt in Wegelin thesaur. rer. suev. T. III.) zur Hand. Freilich ist es ohne alle Kritik und Geschmack geschrieben; Sattler Topogr. von Württ., Zeller Tübingen und Crusius Annal. suev. enthalten gute Notizen; zu bedauern ist, daß die von Regierungsrath Scheffer in Stuttgart ausgearbeitete Geschichte der Pfalzgrafen von Tübingen nicht im Druck erschienen ist.

Die Grafen von Tübingen hatten sehr bedeutende Güter in Oberschwaben, und waren überhaupt gerade zu der Zeit sehr reich und mächtig, wo die Grafen von Württemberg schwach und unbedeutend zum erstenmale in der Geschichte auftreten. Sehen wir aber an diesen ein Beispiel, wie eine Familie durch weise Sparsamkeit und glückliche Umstände sich schnell zu einer glänzenden Höhe erheben kann, so sinken dagegen die Tübinger noch weit schneller zu der größten Dürftigkeit herunter; und wenn wir die Ursachen untersuchen, so finden wir immer das Gegentheil von dem, was Württemberg ersprießlich war. Starke Vermehrung der Familie, unglückliche Kriege, toller Aufwand, vorzüglich aber Stiftung oder reiche Begabung vieler Klöster, wovon besonders das benachbarte Bebenhausen wie eine Schmarozerpflanze am Marke seiner Wohlthäter saugte, bis diese genöthigt wurden, ihm ihre Stadt zu verpfänden, wobei blos die Scheu vor den mächtigen württembergischen Grafen sie nöthigte, diesen fetten Bissen fahren zu lassen.

Mit mehr Bestimmtheit, als der obengenannte Roland, erscheint um das Jahr 1060. Hugo I., Pfalzgraf, Graf von Tübingen, von Ruck, Herr von Gernhausen *) und vom Brenzthale. Dieser Hugo war mächtig genug, 1079 in seiner Burg dem Kaiser Heinrich IV. Widerstand zu leisten, dem damals beinahe alles in Alemannien unterworfen war.

Er hatte drey Söhne, Hugo II., Anshelm und Sigibot. Anshelm ist der Stifter des Klosters zu Blaubeuren; es war zuerst bei Egel-

*) Ruck und Gernhausen, beide an der Blau unweit Blaubeuren, deren Ruinen man noch sieht, lagen so nahe bei einander, daß das Sprichwört von ihnen gieng: „Hüt dich Ruck, daß dich Herrnhausen nicht erdruck.“

see, einem alten Schlosse oberhalb des sogenannten Hohenwang, eines auf der Alp liegenden Waldes zwischen Westerheim, Laichingen und Feldstetten, erbaut. Die Gegend war aber zu rauh und litt besonders auch Mangel an Wasser, er verlegte es daher mit Beistimmung und Hilfe seiner Söhne Heinrich und Hugo (1085) nach Blaubeuren in die Nähe seines Stammschlosses. Der Ort erhielt damals seinen Namen von der Quelle (altdeutsch: Buron (Bronn)) des Blauflusses, die Stadt entstand erst später. Heinrichs Gemahlin, Adelheit, reiste selbst nach Italien, um für das neue Kloster Privilegien auszuwirken und an der Kirche wurde gegen vierzig Jahre lang gebaut, bis sie eingeweiht werden konnte. Anfangs waren die Pfalzgrafen die Schirmvögte des Klosters, aber bald mußten sie dieser Vogtei entsagen und das Kloster kam an die Grafen von Helfenstein, auch riß es das Schloß Ruck an sich.

Heinrichs Sohn, Manigold, stiftete ein Kloster in dem Flecken Naw (jezt Langenau), welches seine Söhne, Albert, Ulrich und Walther, 1125 nach Anhausen an der Brenz versezten, wo es mehr Wasser, Holz, Getreide und andere Lebensbedürfnisse gab. Vielleicht wurde es auch erst 1135 versezt, wenigstens ertheilte der Pabst Eugen III. ihm erst im Jahre 1149 seine Bestätigung, und um jene Zeit war auch Walther Bischof in Augsburg. Er wurde es 1134 und blieb es gegen zwanzig Jahre; bald nach seiner Einkleidung fieng er das Augustiner-Kloster St. Georgii zu Augsburg an zu bauen und vollendete es im Jahre 1142. Acht Jahre nachher entsagte er seiner Bischofswürde, wurde Mönch zu Seligenstadt nnd starb daselbst (1153).

Zu der nämlichen Zeit (1122) hatten die Tübinger Pfalzgrafen auch die Schirmvogtei über das Sindelfinger Stift, welches, wie Böblingen, durch Erbschaft von Calw an sie kam, denn sie stammten mütterlicher Seits von den Calwer Grafen her.

## Belagerung Tübingens durch den Herzog von Spoleto.

Glänzend zeigt sich die Macht der Tübinger bei der Belagerung (1164), zugleich dem ältesten Denkmale der Geschichte der Stadt. Die Veranlassung hiezu war die Vermählung des Herzogs von Spoleto, Welfs VI., mit Ida, Tochter des Grafen Gottfried von Calw, und Erbin aller calwischen Güter, der reichsten Besizungen in Schwaben. Hugo III. *) von Tübingen, Pfalzgraf, Schirmvogt von Blaubeuren, Herr von Ruck und Gernhausen, Graf von Pfullendorf und Bregenz, ein Lehensmann dieses Welf, machte selbst

*) Dieser Hugo war ein Enkel Hugo's I., er allein scheint den Stamm der Tübinger Grafen wirklich fortgepflanzt zu haben.

Ansprüche auf die Erbschaft und es scheint, daß er, aufgemuntert durch den schwäbischen Herzog, Friedrich von Rotenburg (an der Tauber), einen Sohn des teutschen Königs Konrad III., den Welf muthwillig zum Streite reizte. Nach der wahrscheinlichsten Nachricht ließ er einen wegen Räubereyen gefangenen Dienstmann Welfs hinrichten und sein Schloß Moringen zerstören, indeß zwey der seinigen, zugleich ergriffen, mit leichter Strafe wegkamen. Dem Herzog, der sich bei ihm beschwerte, gab er eine kalte, nichtssagende Antwort; Welf wußte schon, wie er die Sache zu deuten habe; gerne wäre er selbst gen Tübingen gezogen, aber wichtige Angelegenheiten machten seine Gegenwart in Italien nothwendig, er rief daher seinen Sohn Welf VII. von dort zurück und übertrug ihm den Krieg. Ein mächtiges Heer sammelte sich unter dem Panner Welfs, welches Graf Heinrich von Vöringen trug; es waren da die Bischöfe von Augsburg, Speier und Worms, der Herzog von Zäringen, die Markgrafen von Baden und Vohburg, und eine Menge Grafen und Edle, worunter auch die Grafen von Calw; zusammen mochten es wohl 22000 Mann seyn. Ein stattliches Heer für jene Zeiten! — Hugo allein war ihm nicht gewachsen, aber er hatte mächtige Bundesgenossen, oben an steht Friedrich von Rotenburg mit 1500 Rittern, die von Zollern, und viele andere, worunter Lazius auch Württemberger aufzählt. Bei allem dem waren ihnen die Feinde an Zahl überlegen; den 6ten September 1164 *) am Samstag Abend kamen sie vor Tübingen und schlugen auf der Derendinger Halde Lager, in der Absicht, am Tage des Herrn von ihrem Zuge auszuruhen. Wahrscheinlich waren sie in Eilmärschen angekommen, um den Tübingern jede weitere Hilfe abzuschneiden, sie hatten sich daher erschöpft und fiengen am folgenden Tage Unterhandlungen an, um ausruhen zu können; einige aus dem Schlosse mochten ihre Ermattung bemerken, sie giengen auf dem Werd herunter und neckten die Feinde; es kam bald zu Thätlichkeiten, beyde Theile bekamen Hilfe von ihrer Seite und das Treffen wurde allgemein. Die Tübinger waren darauf gefaßt, die Welfischen vom Marsch ermüdet, durch die Unterhandlungen eingeschläfert, rannten in Unordnung herbei. Zwey Stunden nur hielten sie den Angriff aus, dann flohen sie in wilder Unordnung in die Klingen (speluncas) und Wälder; 900 wurden gefangen, Welf selbst kam nur mit zwey oder drey Begleitern auf die Burg Achalm. Zum Denkmale dieser Flucht errichtete man auf der Neckar-Wiese am Reutlinger Wege eine Kapelle eine Viertelstunde (stadium) von Tübingen, sie wurde zwi-

*) Christian Tübinger sezt diese Belagerung in das Jahr 1165, das Chronicon Urspergeuse in das Jahr 1163, aber an beiden Jahren fällt der 6te Sept. (8 idus Sept. (Crusius)) auf keinen Sonnabend.

schen 1560 und 1590 zerstört und hieß von der Flucht der Feinde Wändfeld *). In dieser Schlacht sollen zwar viele verwundet worden, aber beinahe niemand umgekommen seyn.

Der alte Welf kehrte auf diese Nachricht aus Italien zurück, verheerte das Gebiet des Pfalzgrafen, zerstörte seine Burgen Kelmünz und Weiler, ferner das Schloß Hildrizhausen und die feste Kirche zu Gilstin. Aber Friedrich von Rotenburg rief ein starkes Heer wilder Völker aus Böhmen, überfiel ihn nächtlicher Weile bei Gaitzibron und jagte ihn bis nach Ravensburg. Die Böhmen hausten schrecklich, wo sie hinkamen, und das ganze Land kam in große Noth. Da schlug sich Kaiser Friedrich der Rothbart ins Mittel; er berief einen Reichstag zu Ulm und befahl Hugo, sich unbedingt dem Welf zu ergeben oder das Reich zu verlassen. Welf war freilich Geschwisterkind des Kaisers und da blieb für den armen Hugo nichts übrig, als zu gehorchen. Er fiel dreymal vor Welf auf die Knie, dieser aber würdigte nicht ihn aufzuheben, sondern führte ihn als Gefange-

---

*) Sattler Topogr. hält es für wahrscheinlicher, daß die Kapelle wegen der häufigen Ueberschwemmungen errichtet worden sey, damit hier das Wasser umwende (umkehre), deßhalb habe man sie auch dem heil. Nikolaus, als Patron des Wassers, gewidmet. — Im Kußerdinger Walde findet sich noch eine sogenannte Wendackerklinge.

nen mit sich fort auf sein Schlöß Neuburg, in Churrhätien oberhalb Unter=Vaz gelegen. Nach dem Tode des jüngern Welf (1171) wurde er wieder frey.

In seiner Gefangenschaft hatte er gelobt, das vor sechzig Jahren von den Herzogen von Schwaben gestiftete, jezt aber ganz in Zerfall gerathene Kloster Ober=Marchthal an der Donau wieder herzustellen und er hielt Wort, er verjagte die sieben Weltgeistliche, welche es bisher besessen hatten und ersezte sie durch Prämonstratenser=Mönche. Sein Sohn Rudolf I. stiftete 1183 das Kloster Bebenhausen, wovon bei Bebenhausen ausführlicher die Rede seyn wird. Ebendieser baute den alten Burgstall des unter dornstettischem Schirme stehenden Klosters Reichenbach zwischen Beesenfeld und Illensperg, Königswart genannt, und ließ mehrere Innschriften daran sezen; „damit die in jener Gegend Jagende seiner gedenken und für das Heil seiner Seele beten möchten." (1209.) Wahrscheinlich war es eine Tochter dieses Rudolph, die ums Jahr 1209 sich mit dem Grafen Wilhelm von Montfort vermählte und so Urgroßmutter Graf Eberhard des Greiners wurde. Ausser ihr hatte Rudolf zwey Söhne, Rudolf und Wilhelm.

Sein Sohn Wilhelm hatte zwey Töchter, wovon die eine, Luitgarde, dem Grafen Burckhard von Hohenberg eine Tochter, Anna, schenkte, die Gemahlin Kaiser Rudolfs. — Ferner hatte er einen Sohn, Ulrich, der nachher mit seinen

Vettern (Rudolfs II. Söhnen), Rudolf III. und Eberhard, sein Erbgut theilte; er bekam den Asperg und nennt sich deshalb auch Graf von Asperg, diese erhielten Herrenberg und Tübingen.

Der gedachte Rudolf erbte nach dem Tode Graf Gottfrieds von Calw (um 1255) seine halbe Grafschaft. Er trat nicht in die Fußstapfen seiner frommen Vorfahren, bald fühlten die Chorherrn des Sindelfinger Stifts den Druck des neuen Schirmvogts; die gleichfalls unter seinen Erpressungen seufzenden Blaubeurer Mönche wußten ihn dazu zu bringen, daß er sich zu einer Schadloshaltung verstand und allen Ansprüchen auf die Vogtei innerhalb der Mauern des Klosters entsagte (1259). Er hieß der Schärer von dem Schlosse Scheer, nach welchem sich von jezt an immer eine Linie der Tübinger die Schärer nannte; und in dieser Linie scheinen die Nahmen Rudolf und Gottfried beinahe regelmäßig abzuwechseln, ein Umstand, der bei dem Mangel an Urkunden es sehr erschwert, die Glieder dieser ohnehin zahlreichen Familie aus einander zu lesen. In seinen reiferen Jahren scheint er sich jedoch bekehrt zu haben, er beschenkte Bebenhausen reichlich, untern andern mit dem Städtchen Waldhausen; und stiftete das Augustiner-Eremiten-Kloster zu Tübingen (1262).

## Verfall der Tübinger Pfalzgrafen.

Im Jahre 1280 überfiel der Pfalzgraf Gottfried von Tübingen, der Böblinger zugenannt, das Kloster Bebenhausen räuberischerweise, er fand aber zum Glück nicht vieles, und ersezte später, durch Gewissensbisse getrieben, den Schaden mehr als zwiefältig. Es mochte sich in den Tübinger Pfalzgrafen allerdings ein bitteres Gefühl regen, wenn sie die durch die fromme Gutmüthigkeit ihrer Vorfahren wohlgemästeten Mönche sahen, während sie selbst zusehends verarmten. Aber selbst der Kirchenraub half jezt nichts mehr, wer einmal von einer Höhe bis zu einer gewissen Tiefe durch eigene Schuld herabgesunken ist, der sinkt schnell und immer reißend schneller, bis er unaufhaltsam in den Abgrund stürzt. Kriegsunruhen vermehrten noch diese Zerrüttung der Finanzen, namentlich mit Graf Eberhard dem Erlauchten von Württemberg, vor dem blos ein Angriff Kaiser Rudolfs auf Stuttgart rettete (1286). Dieser Gottfried führte im folgenden Jahre die Eßlinger an, in ihrem Kampfe gegen Württemberg bei Türkheim. In der allgemeinen Sühne, die im folgenden Jahre gemacht wurde, mußte er seine Burg Roseck an König Rudolf übergeben. Im Jahre 1309 nahm er aufs Neue Theil an dem Reichskriege gegen Württemberg.

Schon die erstern beiden Feldzüge hatten Gottfried genöthigt, mehrere seiner Besizungen zu verkaufen, noch theurer aber kam ihn der Krieg gegen den Grafen Albert von Hohenberg zu stehen. Er hatte sich aufrichtig mit dem Württemberger versöhnt und stand ihm im Kriege gegen diesen Albert (1291) bei, der Krieg wurde aber durch eine Heirath zwischen Graf Ulrich von Württemberg und Alberts Tochter beendigt; und dieser wandte sich nun mit seiner ganzen Macht gegen Tübingen, alles vor sich her verheerend, das Dorf Lustnau wurde dabei gänzlich abgebrannt. Gleich im folgenden Jahre verkauften die Tübinger das Dorf Flacht an Maulbronn, und viele Güter an Bebenhausen, so 1296 das Städtchen Hagenloch, jezt ein Dorf, 1297 Vaihingen auf den Fildern an den Eßlinger Spital, 1298 die Schirmvogtei in Dettenhausen, 1299 die in Aldingen.

Den höchsten Grad mußte aber wohl die Geld-Verlegenheit erreicht haben, als Gottfried Schloß und Stadt Tübingen (1301) mit allem Zugehör für 81200 Pfund Heller an Bebenhausen verkaufte. Die Bebenhäuser mochten wohl fürchten, den erschlichenen Raub nicht behaupten zu können, sie gaben daher dieselbe unter dem Anpreisen ihrer Großmuth und Dankbarkeit für die von den Tübingern empfangenen vielen Wohlthaten noch vor Ablauf des Jahres aus freyem Antriebe gegen den Kaufschilling wieder zurück, und behielten sich nur den Kirchensaz und einige andere Rechte daselbst bevor. Auch versprach Gottfried, das Kloster fernerhin nicht als Kastenvogt, sondern blos als dankbarer Schuldner zu schüzen und zu schirmen *). Jeder Tübinger Bürger mußte, sobald er das zwölfte Jahr erreichte geloben, alle dem Kloster bisher gemachte Schenkungen zu bestättigen und ihm nie einen Schaden zuzufügen. Ein gleiches mußten alle Tübinger Beamte bei Antritt ihres Amtes dem Abte und Konvent versprechen. Gottfried versprach sogar für sich und seine Erben, keinen Menschen an seinen Hof oder in seinen Dienst zu nehmen, der früher dem Kloster Schaden gebracht und ihm noch keinen Ersaz gegeben hätte. Nicht einmal einen Bürger durfte man aufnehmen oder Burg und Stadt verkaufen oder sonst veräußern ohne des Klosters Wissen und Willen, „andere dergleichen beschwerlichen Bedingnussen nicht zu gedenken" (Sattler.)

Eben dieser Gottfried versezte 1304 und 1311 Böblingen, Calw, Dagersheim und Darmsheim, verkaufte 1304 Hildrizhausen, und starb 1316 mit Hinterlassung dreyer Söhne Wilhelms Heinrichs und Gottfrieds (Göz genannt). Heinrich wurde Kirchherr an der Kirche zu Altenburg bei Tübingen, er übergab 1328 seine Burg zu Altdorf an Bebenhausen, verkaufte 1333 seinen Antheil an Stammheim, und sein Dorf Jesingen. Er starb 1336 und sein Bruder Wilhelm

*) Die Stifter einer Klosters oder sonstige Schirm- und Kastenvögte konnten nähmlich fordern, daß ihnen im Falle der Noth ihre Schüzlinge mit Geld und Anleben beistehen mußten.

nahm aus Liebe zu ihm, seinen Namen an und nannte sich von jezt an bald Heinrich bald Wilhelm.

Ums Jahr 1335 geriethen die Grafen Götz und Wilhelm auf den Einfall, durch Bedrängung ihrer Unterthanen sich aus der Noth zu helfen, sie zwangen bald den bald jenen zu einem gezwungenen Anleihen; was man so schlimmen Gläubigern gab, war so gut als verlohren, daher entschloß sich die gesammte Bürgerschaft lieber auf einmal [illegible] Pfund Heller (4350 Gulden) Schulden zu übernehmen, dagegen sollten sie neun Jahre lang das Einkommen der Stadt für sich einziehen und die Grafen nur einige unbedeutende Gefälle behalten, auch durften diese während der neun Jahre keine weitere Schulden auf ihre Unterthanen machen; die Bürgerschaft sollte fortan das Recht haben ihre Schultheißen selbst zu wählen, die Grafen aber sie blos mit ihrem Amte belehnen. Graf Ulrich von Württemberg verbürgte den Vertrag, versprach, innerhalb der neun Jahre die Tübinger wie seine eigenen Unterthanen zu schüzen, und verlangte dafür, daß kein Vogt ohne sein Wissen angenommen werden sollte, dessen Wahl gleichfalls den Bürgern überlassen war, endlich mußten die Tübinger eidlich angeloben dem Grafen von Württemberg gegen männiglich beizustehen.

## Tübingen kommt an Württemberg.

Man konnte damals schon voraussehen, daß die Tübinger ihre so sehr zusammengeschmolzene und verschuldete Grafschaft nicht lange mehr behalten würden und in der That stand es auch nicht einmahl mehr neun Jahre an. Im Jahre 1342 tratt Gottfried von Tübingen mit Ulrich wegen Verkaufs der Stadt in Unterhandlung, er mochte dabei äußern, daß er nicht sehr gesonnen sey seine früher deshalb geschlossenen Verträge zu halten, kurz Ulrich dem jeder auch nur scheinbare Vorwand sich zu bereichern willkommen war, nahm ihn gefangen. Diese Gewaltthat konnten die übrigen mächtigen Herrn in Schwaben nicht so ruhig mit ansehen, das Umsichgreifen der Würtemberger mußte sie für ihre eigene Existenz besorgt machen. Es kamen daher die Hohenberger (Horb und Rotenburg) und die Heiligenberger (Fürstenberger) den Tübingern zu Hilfe und zogen vereint mit ihnen gegen Ulrich; der Kaiser legte jedoch die Sache friedlich bei und noch vor Ablauf des Jahres (5 December) kam der Verkauf der Stadt und des Schloßes zwischen Ulrich und den Pfalzgrafen Gottfried und Wilhelm zu Stande. Die Kaufsumme war 20,000 Pfund Heller (5857 Gulden) und die Pfalzgrafen behielten sich blos die Hundslege in Bebenhausen nebst der Jagd im Schönbuch vor. Auf die Hundslege verzichtete Graf Göz auch noch zwey Jahre später um 250 Pfund Heller. Der Kauf hatte indessen manches gegen sich, das die Grafen von Württemberg blos durch ihre Macht zum Schweigen bringen konnten. Vorzüglich beschwerlich waren ihnen die dem Kloster Bebenhausen (1302) eingeräumte Rechte, aber das Kloster war zu schwach, dieselbe durchzusezen und begab sich unter Württembergischen Schuz (1343).

## Geschichte der Grafen von Tübingen nach dem Verkaufe ihrer Stadt.

Wer an der Geschichte dieses einst so mächtigen, jezt gänzlich erloschenen, Hauses einigen Antheil genommen hat, der wird begierig seyn seine lezten Schicksale zu erfahren, selbst wenn sie nicht mehr in Beziehung mit unserer Stadt stehen. Sie waren auch jezt gar nicht unbedeutend, einige Zeit stritten sie gegen Württemberg über die Rechtmäßigkeit des geschehenen Verkaufs, aber wer damals nicht mit Eisen streiten konnte, siegte selten mit der Feder. Gottfried vermählte sich mit einer Gräfin Klara von Freyburg, die ihm das Schloß Lichtenek im Breisgau zubrachte und von jezt an schrieb sich die Familie: Grafen von Tübingen und Herrn auf Lichtenek. Diese Klara, eine Tochter Graf Friedrichs, war eine Frau von hochstrebendem Geiste und wußte sich so im Ansehen zu erhalten, daß ihr nach ihres Vaters Tode die Freyburger die

Schirmherrschaft in ihrer Stadt überließen. *) Aber sie wurde von Markgraf Heinrich von Hachberg darin angefochten, besonders weil sie nach der Landgrafschaft des Breisgaus strebte; sie sah sich daher genöthigt ihre gesammten Rechte zu verkaufen, wogegen sie die Schlößer Lichtenek und Breisgau erhielt.

Ein anderer Zweig der Tübinger waren damals die Herrn von Geroltsek, einer Grafschaft in Baden, deren Stamm 1634 erlosch, sie hatten auch (noch 1623) zu Strasburg einen Hof, welcher der Tübinger Hof hieß. — Bald nach dem Verkaufe von Tübingen veräußerten die Tübinger Grafen auch Böblingen, Calw, Herrenberg, Sindelfingen und Zavelstein nebst den zugehörigen Dörfern, und ihre Rechte im Schönbuch und Glemswald.

Viele Zweige dieser Familie waren nun genöthigt in Dienste zu tretten, so finden wir (1377) einen Graf Ulrich von Tübingen in dem Heere des Grafen Ulrichs von Württemberg, und um diese Zeit hörten sie auch auf sich Pfalzgrafen zu schreiben. — Sie verschwägerten sich bis zur gänzlichen Erlöschung ihrer Familie mit bedeutenden Häusern z. B. Zweybrüken und Bitsch, Hohenlohe, Limburg, Leiningen, Lh-

*) Sie war es auch gewesen, die die Grafen von Heiligenberg und von Hohenberg zu Gunsten Gözens gegen Ulrich unter die Waffen gebracht hatte.

wenstein und andern. Ein Graf Konrad von Tübingen war 1584 Rector magnificus zu Tübingen.

Ums Jahr 1600 vermählte sich eine Gräfin Agatha von Tübingen mit dem Grafen von Erpach, und von ihr stammt in gerader Linie der württembergische Herzog Karl Alexander ab. 1631 starb Georg Eberhard von Tübingen der lezte seines Geschlechts, und seines verstorbenen Bruders einzige Tochter Elisabeth Bernhardina vermählte sich mit einem Grafen von Salm und Neuburg. Um die Erbschaft der Tübinger entstand nach ihrem Tode ein Streit zwischen den Grafen von Löwenstein und denen von Salm und Neuburg, worauf die Grafen von Kronberg 1653 dieselbe erhielten.

Noch war ein Zweig, dieses einst so mächtigen Geschlechtes übrig, durch einen unehlichen Sohn fortgepflanzt, sie schrieben sich blos Herrn von Tübingen, hielten sich zu Tübingen auf und wohnten in dem Hause des ehmaligen Buchhändler Cotta. Der lezte hieß Hans Jerg (Johann Georg) von Tübingen, er war Hauptmann auf dem hiesigen Schloße und starb 1663 in seinem 63sten Jahre; mit ihm erlosch seine Familie gänzlich.

## Zweiter Abschnitt.

## Geschichte Tübingens unter Würtemberg.

Die Geschichte der Stadt ist von jezt an mit der allgemeinen Geschichte Württembergs so verwebt, daß der Geschichtsschreiber blos einzelne, Tübingen insbesondere betreffende, Begebenheiten herausheben kann. Sie hatte zu der Zeit, als sie an Württemberg kam, ihren heutigen Umfang noch nicht, sie bestand blos aus der sogenannten untern Stadt (dem nördlicheu Theile), die Häuser giengen nur bis an den Markt, der gegen dem Neckar zu gelegene obere Theil, wo jezt die schönsten Gebäude stehen, und das Haag waren mit Gebüsch bewachsen *). Die Zeit der Entstehung einzelner Hauptgebäude wird unten bei der Beschreibung derselben angegeben werden.

In der Verfassung der Stadt mußte natürlich eine große Veränderung vor sich gehen, leider fehlen uns aber hierüber die nöthigen Urkunden. Bisher ersezten die Pfalzgrafen die Stelle eines Obervogts in eigener Person; außerdem bestand

*) So finde ich es in allen alten Chroniken, freilich bleibt es immer sonderbar, daß die Stadtkirche außerhalb der Stadt gewesen seyn soll; wir haben aber auch bei andern Städten ähnliche Beispiele, z. B. bei Bietigheim, wo die Stadtkirche eine Viertelstunde von der Stadt entfernt war.

der Tübingische Rath aus einem Schultheiß und einigen Richtern. Nach dem Verkauf wurde ein Vogt und später auch noch ein Obervogt hieher gesezt; das Gericht und der Magistrat bekamen eine andere Gestalt. Das Schloß behielt seine eigene Jurisdiktion und die Stadt durfte blos ein paar Wächter darin aufstellen *).

## Hochschule zu Tübingen.

Tübingen blieb von nun an bei dem Hause Württemberg; in der Theilung des Landes zwischen den Söhnen Eberhard des jüngern (1442) erhielt Ulrich den untern Theil des Landes mit der Hauptstadt Stuttgart, Ludwig aber Tübingen und das Oberland, er selbst hielt sich zu Urach auf. Ihm folgte sein Sohn Ludwig II. und nach dessen Tode erbte sein Bruder Eberhard im Bart das Oberland (1457). Dieser vereinigte fünf und zwanzig Jahre später das ganze Land unter seinen Zepter und zugleich wurde durch den Münsinger Vertrag (1482) die Untheilbarkeit

---

*) Nach einem alten papiernen Zettel in H. C. Seckenb. sol. jur. et hist. T. II. p. 232 sq., Zeller p. 571. hatte die Stadt das jus asyli. und das sogenannte Freiäckerlein auf dem Wege nach Jesingen sollte daher seinen Namen haben. Da aber dieser Zettel auf irgend eine Art entstanden seyn kann, so lasse ich seine Aechtheit dahingestellt. Doch vergleiche man man, was unten über das Stadtrecht v. 1388 gesagt wird.

des Landes festgesezt. Er war in seiner Jugend durch untreue Vormünder vom Lernen abgehalten worden, und in einem Zeitalter, wie das seinige war, wäre das vielleicht kaum nöthig gewesen. Der herangereifte Mann schämte sich seiner Unwissenheit und ergrif nun die Wissenschaften auf einmal mit einem Eifer, der es ihm sogar noch möglich machte, als Schriftsteller aufzutreten. Je mehr ihm in seiner Jugend alle Gelegenheit zum Lernen gefehlt hätte, desto mehr wünschte er andern den Weg zu den Wissenschaften zu erleichtern. Er war der erste Graf in Deutschland, der eine Hochschule stiftete, zu einer Zeit, wo in ganz Europa kaum 50 Hochschulen waren. In diesen edlen Entschlüssen bestärkten ihn die Ermahnungen und das Beispiel seiner Mutter Mechthilde, die schon 1456 ihren zweiten Gemahl, den Erzherzog Albrecht VI. von Oestreich, bewogen hatte, zu Freiburg eine Hochschule zu gründen. Und so entstand in ihm der Entschluß, eine Hochschule zu Tübingen zu errichten, der, durch eine beträchtliche Schenkung Mechthildens erleichtert, im Jahre 1477 ausgeführt wurde *).

*) P. Sulger Annal. mon. Zwifalt. Saec IV. Per. V. Cap. V. p. 63. und Steinhofer wirtemb. Chronik II. p. 1022. behaupten aus sehr untriftigen Gründen, schon 1456 habe Graf Ulrich die Errichtung einer Hochschule im Sinne gehabt.

Eberhard als Mann ist einer der glänzendsten Namen in unserer Geschichte; aus wahrer Anerkennung seiner Verdienste erhob ihn Kaiser Maximilian 1495 zum Herzoge; er sagte einst bei seinem Grabe: „Hier liegt ein als kluger und tapferer Fürst, als ich keinen im Reiche gehabt. Ich habe mich seines Raths öfters mit Nuzen bedient." — — Eberhard behielt die Herzogswürde nicht lange, er starb zu Tübingen, wo er gerne und oft weilte, und wurde in dem von ihm errichteten Stifte St. Peter zu Einsiedel beigesezt, sein Sarg aber vierzig Jahre später in die Stiftskirche zu Tübingen gebracht.

Die Stiftung der Universität bewirkte eine gänzliche Veränderung aller bisherigen Verhältnisse; es entstand durch sie eine dreifache Jurisdiktion, ja als späterhin das Collegium illustre errichtet wurde, eine vierfache. Die Stadt, das Schloß, die Hochschule, das Collegium, jedes war von den Vorgesezten des andern ganz unabhängig. In der Stadt war ein adlicher Obervogt, gewöhnlich zugleich Präsident des Hofgerichts; ein Untervogt, der halbjährlich dem Rektor der Universität schwören mußte, die Rechte und Freiheiten der Hochschule zu beobachten und zu schüzen. Ueber das Schloß, die Besazung desselben und die dahin gehörigen Leute war der Schloßkommandant gesezt. — Litten auch zuweilen die Bürger unter den Freiheiten der Studenten, welche besonders Anfangs zur Zügellosigkeit verleiteten, so war doch dieses nicht in Betracht zu ziehen in Vergleichung mit dem Gewinn, der ihnen durch die erhöhte Gewerbsamkeit wurde. So scharf man aber die Studirende zur Ordnung und Sittlichkeit ermahnen mußte, eben so häufige Verbote gegen das leichtsinnige Borgen gewinnsüchtiger Bürger waren nöthig.

## Stadtrecht.

Um diese Zeit gab es im Lande sogenannte Obergerichte, an die sich die Partheien wenden konnten, wenn sie mit dem Spruche ihres Stadtgerichts unzufrieden waren. Die Stadtrechte der Orte, wo sich diese Obergerichte befanden, wurden unmerklich Gewohnheitsrecht für alle die Orte, die sich daselbst Raths erhohlten. Stuttgart hatte als Hauptstadt das Obergericht in dem einen Theil des Landes, Tübingen als Hochschule und Siz so vieler Rechtsverständigen in dem andern, daher behielt es auch seinen Rang als Hauptstadt bei, während andere Städte, wie Urach, ihn verlohren. Bald nach Stiftung der Hochschule drängte sich das römische Recht in die württembergischen Gerichtshöfe und stiftete daselbst im Kampfe mit den alten Gewohnheiten viele Verwirrung, darum gab Graf Eberhard den beiden Obergerichten des Landes besondere Stadtrechte, Tübingen erhielt das Seinige im Jahre 1493.

Es enthält Verordnungen über den Gerichtszwang des Vogts, des Gerichts und des Büttels;

über Prozesse, namentlich daß, um muthwillige Prozesse zu verhindern, jeder, ehe seine Sache vorgenommen wird, eine gewisse Summe niederlegen soll, die er wieder erhält, wenn er den Prozeß gewinnt. — Von der Konkursordnung, — worin einem insolventen Schuldner das Wirthshausgehen verboten wird. Auch Verordnungen wegen der Marklosung und des Erbrechts.

## Der Tübinger Vertrag und Treue der Tübinger im Bauernkriege.

Unter der Regierung Herzog Ulrichs entstanden durch die Noth der Zeiten überall im Lande umher unruhige Auftritte; bei Schorndorf vorzüglich rottete sich allerlei Gesindel zusammen, sie nannten sich den armen Konrad. Auch die Tübinger blieben nicht ganz ruhig, aber im Allgemeinen herrschte doch soviel guter Sinn, daß diese Stadt nebst Stuttgart den Herzog ihrer Treue und ihrer Bereitwilligkeit, ihm beizustehen, versicherte. Beide baten aber zugleich dringend um einen Landtag, um den gerechten Beschwerden des Landes abzuhelfen. Der Herzog berief auch wirklich die Stände den 20. Juni 1514 nach Stuttgart, die Stuttgarter machten aber so überspannte Forderungen, daß er unwillig wurde und denselben nach Tübingen verlegte (d. 25. Juni). Die Abgeordneten der Aemter weigerten sich, dahin zu kommen und waren überhaupt sehr schwierig, demungeachtet wurde der Herzog durch Hilfe einiger auswärtigen Fürsten mit seinen Unterthanen verglichen. Dieß ist der Ursprung des Tübinger Vertrags, der Grundlage unserer Freiheiten. Die Landstände gaben das Geld zur Deckung der Schulden des Herzogs her; dagegen wurde ihnen versichert, kein Krieg, keine Landesveräußerung solle ohne ihren Rath und Wissen, leztere nicht einmal ohne ihren Willen vorgenommen werden; sie haben für die künftigen Schulden des Herzogs nicht weiter zu haften; auch keine außerordentliche Hilfe mehr zu bezahlen. Kein Unterthan solle ohne Urtheil und Recht peinlich gerichtet werden, und jedermann freyen Abzug aus dem Herzogthum haben *). — — Alles dieses solle der Herzog und alle seine Nachfolger bei ihrem Regierungsantritte beschwören und erst dann von der Landschaft die Erbhuldigung empfangen.

Diesen Vertrag beschwor der Herzog den 12. Juli 1514. Zu gleicher Zeit wurde von den versammelten Ständen ein sogenannter Abschied, (der Tübinger Abschied, ausgefertigt, welcher vorzüglich die Abschaffung der vorgebrachten Beschwerden betraf.

Doch alle diese Versprechen konnten die gereizten Gemüther nicht besänftigen, aufs neue bra-

*) Blos dieses lezte Recht der Freizügigkeit war es, was die Württembergischen Unterthanen durch den Vertrag eigentlich gewannen, wie unser groser Geschichtsforscher Pfister dargethan hat.

chen die Unruhen im Remsthale aus und zwar in sehr bedenklicher Gestalt, die Tübinger aber wurden durch die Klugheit und Ermahnungen des treu an seinem Fürsten hängenden Vogtes Breuning in Ruhe erhalten, und bewogen, dem Herzog 500 wohlgerüstete Krieger zuzuschicken, das größte unter allen Hilfsfähnlein des Landes. Als die Aufrührer nnterworfen waren, wollte Ulrich die ihm bewiesene Treue belohnen. Er belobte nicht nur die Tübinger, sondern vermehrte auch ihr Wappen das bisher blos aus einer rothen Fahne im gelben Felde bestanden hatte, indem er zwei kreuzweis übereinander liegende Arme (das Symbol der Treue) hinzufügte, deren jeder ein Hirschhorn in der Hand hielt, ferner schenkte er ihnen 3 Feldschlangen, Tübingen und Stuttgart sollten künftig berechtigt seyn um Zusammenberufung eines Landtages zu bitten. Am schäzbarsten war ihnen jedoch das Versprechen, Tübingen solle fortan der immerwährende Siz des Oberhofgerichts bleiben *).

*) Da die Tübinger hieraus in neuern Zeiten ein Recht haben herleiten wollen, vermöge dessen die Stadt jederzeit der Siz eines Gerichtshof seyn solle, so halte ich es nicht für unnöthig die urkundlichen Worte aus Steinhofers wirt. Chronik IV. p. 177. herzusezen: „. . . Und damit auch die unßern von Tüwingen umb ihr obgemeldt underthönig Handlung, und Darstrekhung ihres Leibs und Guetts, auch etwas Ergözung künftiglich empfahen; So ist unßer

Aus Dankbarkeit gegen den Vogt Breuning beschlossen nun die Tübinger: sein Geburtstag solle alljährlich in der hiesigen Kirche öffentlich gefeiert werden, und seine Nachkommen sollte man in den hiesigen Spital aufnehmen, wenn sie es einst nöthig hätten, oder im Fall sie die nöthige Geschicklichkeit besäßen, ihnen eine Priesterstelle oder Pfründe geben, worüber die Tübinger zu verfügen hätten. — Der Herzog aber machte ihn nachher zu einem seiner Räthe.

Wahrlich, ein schönes Bild von Bürgertugend und Fürstendankbarkeit! — — O warum zwingt mich meine Pflicht als Geschichtsforscher auch die Schattenseite desselben darzustellen. Schon im folgenden Jahre vergaß Ulrich die ihm geleisteten Dienste. Breuning wurde bei ihm verläumdet, er habe die Flucht der Herzogin befördert und sonst gefährliche Händel angestiftet, und verlohr seine Stelle, wiewohl die Landstände für ihn baten und bezeugten, sie haben ihn immer recht-

Gmüet, Will, Meinung und Verschaffen, für uns, unßer Erben, und Nachkhommen, daß fürterhin allwegen unser Hovegericht zue Tüwingen seye, bleib und gehalten, und nicht da dannen verändert werde, Es wäre dann sach, daß sich künftiglich etwas sonder Ursachen, die unß, oder unßer Erben, unßerer Gelegenheit nach, zue solcher Veränderung bewegten, begeben würden;" ...... Stuttg. 1514. wirt. Landbuch de A. 1624. p 204. Mss. . Bürgermeister Bauer Beschreibung Wirt. f. 1082. Mss.

schaffen erfunden. 1517 wurde er nebst seinem Bruder Sebastian Breuning, Unteramtmann zu Weinsberg mit dem Schwerdte hingerichtet. Nachdem man den unglücklichen im Dienste des Vaterlandes alt und schwach gewordenen Greis ohne Verhör hatte in die Folterkammer schleppen lassen, wo er auf eine Leiter gebunden, mit glühenden Zangen gezwickt, mit Branntwein begossen und dieser darauf angezündet wurde, er blieb bei dieser Marter das erstemal standhaft, als er aber nach 13 Wochen wieder hergestellt war und dieselbe wiederholt werden sollte, so bekannte er, was man wollte.

## Eroberung des Schlosses.

Die Eroberung von Reütlingen (1519) vereinigte auf einmal, den sonst so schwer zusammenzutreibenden schwäbischen Städtebund; jeder fürchtete ein gleiches Schicksal, vorzüglich aber trieb sie die Familie der Hutten an, gereizt durch die Ermordung Hansens von Hutten (1515). Der Herzog zog gegen sie nach Ulm, hier verliessen ihn die Schweizer treuloser Weise und er sah sich genöthigt mit seinen Kindern und Schäzen nach Tübingen zu fliehen. Auf die dringenden Bitten seiner Freunde und auf das heilige Versprechen, sie wollen sich bis auf den lezten Mann wehren, verließ der Herzog die Stadt, um Hilfstruppen zu werben. Seine Kanzley, Schäze, ja sogar seine Kinder vertraute er ihrer Treue und hinterließ eine Besazung von 64 Rittern und 200 auserlesenen Kriegsleuten. Aber an eben dem Orte, wo er Treue mit so schnödem Undank belohnt hatte, erwartete ihn die gerechte Strafe. Kaum war er fort, so kam der schwäbische Bund durch den Schönbuch daher, schlug ein Läger auf dem Hügel bei dem sogenannten Käsebach, und belagerte das Schloß von der Ammerseite, auf der Neckarseite umschwärmten es leichte Truppen, worunter vorzüglich die Stratioten von der albanischen Küste durch ihre schnellen Pferde zum kleinen Gefecht brauchbar waren. Die Tübinger nahmen bei einem Ausfall einen vornehmen Offizier derselben gefangen, der bald darauf an seinen Wunden starb, und in der Stiftskirche sehr ehrenvoll begraben wurde, weil sie ihn für einen Grafen hielten. Er hieß Georg.

Auf diese Schärmüzel beschränkten die edlen Herrn ihre Heldenthaten; bald wurde ein Waffenstillstand geschlossen und am vierten Tage (den 28. Apr. 1519) das Schloß übergeben, mit der Bedingung, daß Stadt und Amt nebst dem Schloß und allem, was darin wäre, Herzog Ulrichs Sohn Christoph bleiben sollte.

Die Tübinger konnten sich natürlich den Rittern Ulriches nicht widersezen, man sezte denselben aber nachher zur ewigen Schande ein Denkmal. Ihre Namen wurden mit Goldenen Buchstaben auf eine schwarze Tafel geschrieben und in dem sogenannten Tafelzimmer des Schloßes aufgehängt *). Vergebens versuchte Ulrich noch in demselben Jahre die Stadt wieder zu erobern, er mußte das Land räumen und dieses kam 15 Jahre lang unter fremde Herrschaft. Die Kapitulation wurde schlecht gehalten, schon 1520 trat der schwäbische Bund Tübingen an den Kaiser ab; und so kam es 1522 an Erzherzog Ferdinand **).

Nach dem Siege bei Laufen (13. May 1534) fiel dem Herzog sein ganzes Land wieder zu, nur die Festungen Tübingen, Urach, Neuffen und Asperg widersezten sich und mußten mit Gewalt bezwungen werden. Er schlug sein Lager zu Lustnau: Stadt und Amt huldigten ihm den 17. May, das Schloß aber übergab der Obervogt Johann Erhard von Ow am 19ten unter der Bedingung: Ihm und dem Keller Johann von Münsinger, und den übrigen auf dem Schlosse befindlichen Edlen und Unedlen nebst ihrem Eigenthum freien Abzug zu gestatten, ferner ihm und gedachtem Münsiger ihrer Güter und Unterthanen innerhalb und ausserhalb Tübingens zu versichern, der Besazung aber freien Abzug mit fliegenden Fahnen zu gestatten. — Urach, Asperg und Neuffen ergaben sich erst nach Tübingen.

*) Sie stehen in Zeller, Sattler, u. a.

**) In diesen Zeitraum fällt der erste Anfang der Reformation, ich werde aber erst bei der Geschichte der Universität und der Theologie davon sprechen, womit sie unmittelbarer Beziehung steht.

1546. eroberte der blutgierige Herzog Alba das Land, der Herzog entfloh, Stadt und Amt Tübingen ergaben sich dem Kaiser, nicht so das Schloß, welches dreimal vergebens aufgefordert wurde, die Treue des Obervogts Sigismund Herter und des Kastellans Ulrich Schilling erhielten es seinem rechtmäßigen Landesherrn. Im folgenden Jahre kehrte Ulrich wieder in sein Land zurück, und 1550 starb er in seinem treuen Tübingen.

## Tübingen im dreißigjährigen Kriege.

Bis 1629 rühmte sich Tübingen, in den fanatischen Kriegen, welche ganz Deutschland den Untergang drohten, ein Asyl des Friedens und der Ruhe zu seyn, aber nach dem Wiener Restitutionsedikt zogen östreichische Truppen gegen Württemberg, der Regent Julius Friedrich schickte ihnen (1631) Truppen nach Blaubeuren entgegen, diese zogen sich nach Tübingen zurück. Der kaiserliche Feldherr Graf von Fürstenberg bemächtigte sich des Passes und der Staige bei Ehningen, die der Herzog nicht besezt hatte, und stellte sich am folgenden Tage vor dem Burgholze in Schlachtordnung. Vergebens schickte der Herzog Unterhändler an ihn; er marschirte bis an die Steinlacher Brücke vor und machte so kräftige Demonstrationen gegen den Herzog, der 8000 Mann auf dem Werd und seine übrigen Truppen bei Lustnau stehen hatte, daß dieser den 11. Juli kapitulirte und den Grafen zum Nachtessen auf das Schloß einlud. Die Kaiserlichen aber raubten und plünderten die ganze Gegend aus, und sezten Tübingen selbst in Gefahr. Es erhielt aber noch glücklicher Weise eine Schuzwache, doch mußte anfangs die Stadt wöchentlich 4000 Rthlr., die Universität aber 6000 bezahlen. Der Kommandant Obrist Stephan von Vervenna betrug sich mit vieler Schonung; die Kaiserlichen verließen zwar die Stadt wieder, als aber der Herzog von Lothringen, als General der katholischen Bundesarmee, (d. 14. Sept. 1635.) das Schloß zur Uebergabe aufforderte, konnte ihm der Kommandant Hans Jerg von Tübingen keinen Widerstand leisten, denn er hatte nur 70 Bürger aus der Stadt zur Besazung. In der Stadt war die gräßlichste Noth, Hunger und Seuchen hausten so sehr, daß sie in einem Jahre 1485 Menschen verlohr. — Dem Feinde mußten die Umstände nicht bekannt seyn, denn die Kapitulation war sehr ehrenvoll.

Dem Herzog Eberhard und seinem Stamme sollte das Recht an Schloß und Stadt vorbehalten bleiben, die Besazung mit Sack und Pack abziehen dürfen, das Schloß nebst allem Zugehörigen nicht zerstört werden, alle, die darein geflohen waren, besonders die Markgräfin Eva Christina von Brandenburg ungekränkt in der Stadt bleiben, alles geflüchtete Eigenthum abgefolgt und dem Bibliothekar Thomas Lansius der freie Zutritt zu der Bibliothek gestattet werden.

Im Juni 1636 eroberten es die Bayern, führten alles Geschüz und Munition mit sich fort, und sezten zum Ersaz Jesuiten in die Stadt. Mehrmals wurde Tübingen von Bayern besezt gehalten. Endlich kamen den 10. Februar 1647 die Franzosen unter Generallieutenant Hocquincourt vor Tübingen, und fiengen unter General Turenne den 13ten an, das Schloß zu belagern, worinn etwas über 200 Mann Besazung lag. Zuerst geschah der Angriff von der Ammerseite, nachher aber von der Neckarseite, wo die Franzosen von den Häusern in der Neckarhalde aus das Schloß beschoßen, denn auf dieser steileren Seite des Berges war es leichter unter den Schuß zu kommen. Auf ebender Seite unterminirten sie ein Rondel, und sprengten es in die Luft; ungefähr 18 Mann von der bayrischen Besazung kamen dabey um, ein Soldatenweib aber, das über eine Ackerlänge weit fortgeschleudert worden war, fiel unbeschädigt auf die Erde, stand wieder auf und lief ungehindert fort. Den 7. März ergab sich die Besazung; statt des gesprengten runden Thurmes wurde nachher das gegen die Neckarhalde zu stehende Bastion erbaut.

Vierzehn Jahre lang hatte dieser Schreckenszustand gedauert, als die Deutschen endlich müde waren, gegen einander zu wüthen und den westphälischen Frieden schloßen (1648). Der Herzog kam den 27. Nov. 1648 nach Tübingen und verlangte in eigner Person von Turenne die Abtretung der Festung, sie erfolgte auch und der würtembergische Obrist Ogier Fuchs zog in das Schloß ein, die Franzosen aber blieben noch in der Stadt.

## Andere Belagerungen.

Nach dem dreyßigjährigen Kriege wurde Tübingen noch zweymal feindlich behandelt. Im Jahre 1688 kam der französische General Montclar mit dem Brigadier Peysonnel und 1000 Reutern nebst einigen 100 Mann zu Fuß nach Tübingen. Sie verursachten einen großen Schrecken, es fand sich kaum Jemand, der nur geläufig französisch sprechen konnte; der berühmte Professor Johann Osiander*), der lange in Frankreich gewesen war und eine große Weltkenntniß hatte, wurde ihnen als Unterhändler nach Waldenbuch entgegengeschickt (3. Decemb.). Da man ihn hier an dem Schlagbaum nicht einlassen wollte, so versuchte er auf einer andern Seite in den Ort zu kommen, es war Nachts um zwey Uhr, die Schildwache rief ihm ihr: Qui vive? entgegen, wegen des rauschenden Wassers hörte er sie nicht und schon legte der Soldat auf ihn an, als ein benachbarter Wirth denselben zurück hielt. Der kommandirende General war noch nicht da, kam aber bald darauf mit mehreren Stabsoffizieren; der Brigadier Peysonnel fragte sogleich, ob kein

*) Sein Leben wird unten ausführlicher erzählt werden.

Tübinger da sey. Man brachte Osiander vor ihn; er wollte ihn allein sprechen, aber Osiander bestand darauf, den General Montclar selbst zu sprechen, und sezte es auch troz aller Weigerungen des Franzosen durch seine Hartnäckigkeit durch. Statt aber die gewünschten Sauvegarden zu erhalten, mußte er Pistolen und Degen abgeben und mit Peysonnel als Gefangener fortreisen. Doch endlich gelang es ihm, den Aufgebrachten zu besänftigen, ja sogar schmeichelhafte Aeusserungen von ihm zu erhalten; zulezt wußte er ihm sogar zu imponiren, und seine Freiheit nebst zwey Sauvegarden zu erhalten, und kam den andern Morgen um 5 Uhr wohlbehalten zurück. Die Schlüssel der Stadt wurden am nächsten Tage (5. Dec.) den Franzosen nach Lustnau entgegen gebracht.

Ein Glück für Tübingen war es, daß Osiander zu Paris das Haus einer Tante des Marquis Fequière besucht hatte, der einer von Montclar's Stabsoffizieren und ein Freund von Peysonnel war; nicht blos Tübingen, sondern ganz Würtemberg empfand die Wirkung dieser Verbindung. Das erste, was er erhielt, war, daß die Professoren mit Quartieren verschont blieben; bald darauf bewog er den General, einen Befehl zurück zu nehmen, daß in der hiesigen Kirche Messe gelesen werden sollte, denn dieß hätte in jenen Zeiten gewiß Mord und Todtschlag verursacht. Späterhin schickte Montclar, der Tübingen verlassen hatte, durch fehlgeschlagene Unternehmungen gereizt und den nahenden Feind fürchtend, Befehl an Peysonnel, die Stadt anzuzünden; Osiander erhielt Aufschub und bewirkte, daß die Anzündung in eine Plünderung verwandelt werden sollte, aber auch diese wußte der gewandte Staatsmann zu hintertreiben. Doch mit dem dritten Befehl, so viel Geld als möglich zu erpressen und die Mauern zu zerstören, gelang es ihm nicht so gut. Vergebens suchte er ihn zu bestechen. Peysonnel sezte eine große Summe fest, Osiander handelte davon 1000 Franken herunter, und erbettelte für sich 2000 Franken, die der uneigennüzige Mann dem akademischen Senat auf Abschlag an der Brandschazung schenkte, endlich ließ er noch 1000 Franken an der Summe zurückbehalten und Peysonnel schenkte auch noch dieses. Demungeachtet mußte die Universität 12000, die Stadt aber 20000 Gulden bezahlen. Noch hatte Peysonnel den zweiten Theil seines Auftrags zu vollziehen; er befahl das Schloß zu demoliren, die Stadtmauern und Thürme umher und die Bollwerke vor dem Schlosse zu sprengen. Osiander sollte die in der Nähe wohnenden Leute warnen. Vergebens wollte er den feindlichen General davon abhalten; er blieb auf seinem Entschluß. Da schlich sich der Kühne des Nachts durch die Wachen allein zu den angelegten Minen und trug ganze Pulverfäßchen heraus. Auf die anberaumte Zeit lud Peysonnel Osiandern zu sich aufs Schloß, um die Wirkung mit ihm anzusehen, aber wie erstaunte und ergrimmte er, als zwey Minen gar keine Wirkung thaten, die dritte blos ein Loch in das Bollwerk gegen den Neckar zu riß. Osiander besänftigte ihn, indem er die Schuld auf die Festigkeit der Mauern schob und brachte es auch dahin, daß er die Stadtmauern nur an drey Orten etliche hundert Fuß lang sprengte. Bey dem Abmarsch der Franzosen (den 16ten und 17. Dec.), die das Geschüz und Munition des Schlosses mit sich wegführten, fielen einige Unordnungen vor, die auch durch Osianders rastlose persönliche Thätigkeit beigelegt wurden; Peysonnel gab ihm zulezt noch 12 Dragoner, mittelst deren er die Zurückbleibenden vollends aus der Stadt jagte. In Herrenberg erhielt Peysonnel einen heftigen Verweis von dem Generale, daß er seine Befehle nicht vollzogen habe, er wollte hundert Mann zurückschicken, um die Stadtmauern vollends zu zerstören, aber auch dießmal ließ Osiander nicht nach, bis er sich mit dem Versprechen begnügte, daß die Tübinger selbst ihre Mauern einreißen würden. Dieß mußte freilich geschehen, aber Osiander veranstaltete, daß es mit der größten Langsamkeit ausgeführt wurde. Zulezt erhielt er Nachricht von herannahendem Sukkurs und befahl, die Arbeit ganz einzustellen, während er selbst noch zu Stuttgart in der Gewalt der Feinde war. Zum dankbaren Andenken an seine Verdienste sezten die Tübinger einen Stein mit einer Innschrift *) an die

*) Diese Inschrift steht bei Zeller Seite 598. Der Stein ist noch zu sehen.

Mauer unter der Mühle zwischen dem Lustnauer und dem Neckarthor.

1693 kam der französische General Melac (vulgo der Mordbrenner Melac) mit seinem Raubgesindel vor Tübingen, auch dießmal wurde dem Professor Osiander das Kommando von Schloß und Stadt anvertraut, er gieng dem Feinde kühn entgegen und unterhandelte mit ihm. Um seinen Unterhandlungen mehr Gewicht zu geben, ließ er während derselben vom Schlosse aus einen scharfen Stückschuß thun, der ihn selbst beinahe das Leben gekostet hätte, wenigstens wurde ihm Hut und Perücke vom Kopfe gerissen. Der Franzose erschrak und ließ sich mit einer starken Geldsumme abfinden; doch wurden die umliegenden Orte, namentlich Bebenhausen, ausgeplündert. Die Kugel, welche an Osiander vorbei geflogen war, wurde nachher aus der Erde gegraben und im Lustnauer Hofe zum Andenken aufbewahrt, später aber der Familie geschenkt. —

In den lezten Zeiten hätte Tübingen immer das Glück, den Kriegsschauplaz von sich entfernt zu sehen. Als Ludwigsburg entstand, wurde es die dritte Residenzstadt, behielt aber den Rang der zweiten Hauptstadt; unter der vorigen Regierung hörte es gänzlich auf, Residenzstadt genannt zu werden, wurde aber dafür die dritte unter den sieben guten Städten, in welcher Eigenschaft sie das Recht hat, ausser dem gewöhnlichen noch einen besondern Abgeordneten an die Ständeversammlung zu schicken.

# Dritter Abschnitt.
# Geschichte der Universität.

## Stiftung.

Daß unsere Hochschule dem Herzog Eberhard im Bart und nach ihm hauptsächlich dem Rath und der Unterstüzung seiner Mutter Mechthilde ihren Ursprung verdanke, wurde schon oben angeführt, es sind also hier nur noch die näheren Umstände bei ihrer Gründung anzugeben. Ewig berühmt werden in den Jahrbüchern unserer Hochschule die Namen eines Johannes Reuchlin (Capnio), Gabriel Biel und der beiden Bergenhausen (Naucleri) Johannes und seines Bruder Ludwigs bleiben; sie waren es vorzüglich, welche den Herzog zu dem erhabenen Unternehmen aufmunterten, ihm zu den weisen Einrichtungen riethen und dieselbe mit ihrer gewohnten Thätigkeit ins Werk sezen halfen. Auch der Abt von Blaubeuren, Heinrich Faber (Schmidt) steuerte nach Kräften zu dem großen Werke. Er wurde von dem Herzog 1476 nach Rom geschickt, um die päbstliche Erlaubniß zu Stiftung einer Hochschule auszuwirken, vorzüglich auch zu der Ueberlassung einiger Kirchengüter, um ihr ein Einkommen zu sichern. Der Pabst Sixtus IV. ertheilte auch seine Bestätigungsbulle *) ohne

*) Sie steht in Bök Anhang, Zeller p. 289., und

Schwierigkeiten zu machen: d. 13. Nov. 1476. Ihre Ankunft aber verzögerte sich und erst d. 5. März 1477 wurde sie durch den genannten Heinrich Faber zu Urach öffentlich bekannt gemacht. Den 3ten Juli erklärte Eberhard zu Urach feierlich die Stiftung. Die Universitätsmatrikel wurde am 14ten September eröffnet, die Vorlesungen der Professoren fiengen am ersten October an, an demselben Tage, wie die zu Mainz; am 9ten October versammelte sich der Senat zum erstenmale und an demselben Tage stellte Eberhard der neuen Hochschule ihren Freyheitsbrief aus, die Stadt besiegelte denselben (Graf Ulrich, Eberhards Vetter, den dieser auch einlud, ihn mit zu besiegeln, machte allerhand leere Einwendungen, und wollte die ertheilten zu großen Freyheiten beschränkt wissen) und Abt Heinrich, als apostolischer Kommissär, versah sie mit Statuten, diesen Tag kann man daher als den eigentlichen Stiftungstag *) betrachten. Erst 1481 erschien

---

an vielen andern Orten. Sattler sezt d. 15. Nov., andere den 8.; 10, auch 26ten Nov., es heißt aber in der Urkunde: „Idibus Novembr.“

*) D. G. D. Hoffmann, von dem eigentlichen Stiftungstag der Eberhard Carls Universität, u. s. w. Tübingen 1776. 4. bringt eine Menge Gründe für und gegen diese, an sich höchst unbedeutende, Sache vor. Er hält den 3ten Juli für den eigentlichen Tag an dem das Jubelfest zu feiern sey; durch besondere

vom Stifter selbst die erste förmliche Ordnung und Verfassung derselben und erst 1484 die kaiserliche Bestätigung.

## Einkünfte.

Das St. Martins Stift zu Sindelfingen wurde nebst seinen Einkünften nach Tübingen verlegt; Eberhard als Schirmvogt desselben konnte dieß mit päbstlicher Erlaubniß thun. Er räumte ihm die St. Georgenkirche ein und es hieß nun das St. Georgenstift. Die Professoren blieben Chorherrn dieses Stiftes, daher auch bis auf unsere Zeiten die vier ordentlichen Professoren der Theologie Frühprediger in dieser Kirche waren, der Kanzler aber Probst derselben genannt wurde.

Die ordentlichen Einkünfte der Universität waren damals wie aus der päbstlichen Bulle erhellt: 1.) Die Einkünfte der Kirchen zu Brakenheim, Stetten unter dem Heuchelberg, Asch, Ringingen und Eningen, jedoch mit der Bedin-

---

Umstände wurde dieser Gedächtnißtag immer verlegt, das erstemal auf den 26. Febr. 1578., das zweite auf den 22. October 1677., das dritte auf den 12. Oct. 1777. 1677 hatte man es der Ferien halber den 27. August feyern wollen, aber der Tod des Herzogs Wilhelm Ludwig machte einen Aufschub und störte die Prophezeihungen der Wahrsager, die eine glückliche Vorbedeutung darin hatten finden wollen, daß sein Name VVILhe LM LVDVVI g die Jahrzahl 1677 enthalte.

Rechtstag sehr viel versäume und vermissen die fünfzehn Gulden Verehrung noch, die man ihnen damals versprochen habe."

Im lezten Viertel des sechzehnten Jahrhunderts mußte sich Frischlin noch mit 60 Gulden begnügen und es galt für eine besondere Grosmuth als man sie bei seiner Heirath verdoppelte, denn bis 1541 mußten die Professoren der Philosophie ledig bleiben.

## Freiheiten.

Dem ersten Freiheitsbriefe gemäß verpflichtete sich Eberhard für sich und seine Nachkommen, alle Mitglieder der Universität an ihren Gnaden und Freiheiten, Rechten und Gewohnheiten zu schüzen und zu handhaben. Er befahl allen seinen Unterthanen, Edeln und Unedlen, Vögten, Schultheissen, Bürgermeistern, Bürgern und Bauern, sie an Gut, Ehre, Leib und Leben bei schwerer Strafe ungefährdtet zu lassen; den Amtleuten aber gebot er, im Fall eines Streits mit seinen Unterthanen, zur Stund ohn alles Verziehen und Aufschieben kurz austräglich Recht zu sprechen, bei Verlierung aller ihrer Aemter und Pön von hundert Gulden. Ferner ertheilte er allen Mitbürgern der Hochschule die Freiheit, allein vom Rektor derselben gerichtet werden zu dürfen; diesem aber gab er die Gewalt, Ausrichtung und Recht zu sprechen und zu thun über alle und jegliche Sachen und wenn ein Studirender ihm nicht gehorchen wölle, so solle er des Grafen Amtleute zu Hilfe rufen dürfen. Alle Studirende und sonst zu der Hochschule gehörende sollten beim Auf- und Abziehen für ihre Personen und all ihr Gut von Schazung, Zoll, Steuer und anderer Beschwerung auf immer frei seyn. Damit auch niemand von ihnen im Hauszins übernommen werde, so sollten zwei ehrbare Männer die Wohnungen nach Billigkeit und guter Gewohnheit der Stadt schäzen und darnach sollen die Miethgelder bezahlt werden. Alle diese Freiheit gilt auch von der Magister und Studenten Ehefrauen und Kindern, allem ihrem Hausgesinde, auch Pedellen, Schreibern, Einbindern, Illuminirern, welche zu Tübingen Wohnung haben. Juden und Wucherer sollten nicht in der Stadt wohnen, auch sollte niemand ohne besondere Erlaubniß des Rektors von Studirenden Bücher pfandweise nehmen oder kaufen dürfen. Endlich sollten ohne Erlaubniß der medicinischen Fakultät keine Aerzte und Wundärzte zugelassen werden. — Diese Freiheiten sollten alljährlich von dem Vogt und zwei Gerichtsherren gegen der Universität beschworen, und am St. Georgentag in der Stiftskirche von dem Stadtschreiber vor allem Volk auf der Kanzel öffentlich vorgelesen werden *).

*) Dieser Freiheitsbrief steht in Bök Anhang, Zeller p. 313. und sonst, er würde erweitert und erläutert vom Stifter selbst in Uebereinkunft mit Graf Ulrich

Der Kaiser Friedrich III. gab der neuen Hochschule den 20. Februar 1484. seine Bestätigung *). Besonders erlaubte er darin, daß Leute von allen Ständen und Würden, Ländern und Zungen in Tübingen die Reichsgeseze lehren

1481 und 1491. Zeller p. 327 f. Das einzige was in diesem Freiheitsbrief hinzugesezt wurde, ist, daß der welcher einem Magister oder Studenten an Leib, Gut oder Ehr verleze außer der gewöhnlichen Strafe und Schadensersaz noch 100 fl. Strafe erlegen solle. Ferner daß kein Vogt, Burgermeister, Amtmann u. s. w. einen Magister oder Studirenden verhaften solle, was er auch begangen habe; doch wurde der leztere Artikel durch Graf Ulrich auf Stadt und Amt Tübingen eingeschränkt. Aufs neue erläutert und ausgedehnt wurden sie von Eberhard II. 1496. von Ulrich 1498 und 1536. von Christoph 1551. von Ludwig 1569. Herzog Ludwig wollte diese Freiheiten aufs neue erläutern und dem Zeitgeiste anpassen, aber erst sein Nachfolger Friedrich I. kam damit zu Stande 1601. d. 18. Febr.; er ließ auch d. 1. Juli 1601. deshalb ein Reskript ins ganze Land e gehen. Nach ihm Ludwig Friedrich; als Regent 1628. Julius Friedrich, als Regent 1631. Eberhard III. 1633. Wilhelm Ludwig 1674. Friedrich Karl, als Regent 1677. Eberhard Ludwig 1693. Karl Alexander 1734. Karl Rudolph, Regent 1737. Kar Friedrich, Regent 1738. Karl 1744.

*) Man findet sie in Bök Anhang, Zeller p. 302. u. a. m. a. Orten.

und lernen und darin promoviren dürfen; auch sollten Doktores und Studirende im ganzen heiligen römischen Reiche die andern Hochschulen gestattete Freiheiten genießen. — — Endlich bestätigte Eberhard die Schenkung der Kirchen und Kanonikate (1486.) *) noch einmal förmlich.

## Statuten.

Der Innhalt der päbstlichen Statuten vom 9. Oct. 1477. war, daß zu Tübingen eine Universität d. h. eine untheilbare Gesammtheit unter einem Rektor sey; diese soll in 4. Fakultäten unterschieden seyn, wovon die Höchste die Theologische sey, dann die Juridische, hierauf die Medicinische und zulezt die der Artisten folge. Jede soll ein eigenes Kollegium unter einem Dekan bilden, dem Räthe und Statutarii zugegeben seyen, welche Statuten errichten und abändern, und diejenigen zulassen oder abweisen dürften, welche promoviren wollen. Der Dekan habe dabei vorzüglich genaue Prüfung anzuwenden, denn es sey besser, wenige und tüchtige Studirende zu haben, als viele von verdorbenen Sitten und geringen Kenntnissen. Die Universität soll sich nicht in die Sachen der einzelnen Facultäten mischen, es sey denn, daß diese gehörig aufgefordert, sich dennoch Nachläßigkeiten zu Schulden

*) S. Zeller p. 325.

kommen lasse. Hierauf folgen weitere Gesezte über die Verhältnisse der Fakultäten, vom Fiskus der Universität. Die Universität soll durch sämmtliche Regenten der obern Fakultäten, ferner durch vier Magistros artium und den Dekan die Artisten Fakultät unter Vorsiz des Rektors vorgestellt werden, und ihre gemachten Beschlüsse Gültigkeit haben. Ferner:

Von der Wahl des Rektors der Universität, seinem Amt und seiner Gewalt, vom Senat, den Promotionen, von den Bursen und ihren Rektoren, von den Sitten der Universitäts-Mitglieder, von der Inscription, vom Notar und Pedell, von der Verwaltung der Einkünfte, von den jährlich zweimal zu haltenden feierlichen Messen, denen alle Universitäts-Verwandte anwohnen und die mit einem Schmauße beendigt werden sollten.

Die von Graf Eberhard den 23 Apr. 1481. ausgestellte Ordnung und Verfassung ist mit 5 Siegeln versehen, nämlich dem des Grafen, des Abt Heinrichs von Blaubeuren, vermöge päbstlicher Vollmacht, dem der Universität, dem Probsts, und endlich dem des Kapitels der Stifts-Kirche zu Tübingen. Die Einrichtungen zu Bologna dienten dabei zum Vorbilde. In dieser Ordnung wird zuerst die Anzahl der Lehrer festgesezt auf drei in der heil. Schrift, zwei in den geistlichen und zwei in den weltlichen Rechten, zwei in der Arzneiwissenschaft und vier Meister der freien Künste *). Die leztere sollen im Kollegio leben und Kollegiaten heißen. Hierauf folgen Verordnungen über die Besoldungen und andere Einkünfte; die Lektionen, Disputationen, Repetitionen, und Kollationen; die Aufsicht über die Artisten, Strafen, Rechnungs-Ablegung, Präsentation auf die einverleibte Pfarreien, die Wahl der Professoren, Ertheilung der akademischen Würden, Verhalten der Professoren gegen einander, die Huldigung und den Eid der Treue, die Rechte und die Pflichten des Kanzlers. — Dieser Ordnung folgte auf Ansuchen der Universität eine zweite den 20. Dec. 1491. besiegelt von Graf Eberhard, von dem Kanzler, und von der Universität, welche die beyde erstere ausser Uebung brachte, daher sich auch die kaiserlichen Bestätigungen Karls V. und Rudolphs II. auf sie beziehen. Sie stimmt im Allgemeinen mit der von 1481. überein; die Zahl der Lehrer ist hier anders bestimmt, nämlich 3 in der h. Schrift, 3 in den geistlichen, 3 in den weltlichen Rechten, sonst wie oben. Von den Kollegiaten sollten zwei von dem alten Weg seyn, und zwei von dem neuen. **)

---

*) Im Widerspruche damit redet die Urkunde sogleich nachher von Sechs Doktoren der halligen geschrift und gaistlichen recht.

**) Durch diese Benennungen unterschieden sich die Nominalisten und Realisten, davon s. unten Geschichte der Philosophie.

— Sie enthält ferner Verordnungen, von den vier Deputirten aus jeder Fakultät, welche nebst dem Kanzler und einem Regierungs-Kommissär die Aufsicht über die von einem Syndikus zu verwaltende Einkünfte haben sollten, — über die Belangung der Universitäts-Beamten bei dem Kanzler.

Die Vortrefflichkeit der Geseze unserer Hochschule bewog auch andere die ihrigen darnach einzurichten, namentlich Ingolstadt (1507) und Helmstädt. (1576). Sie wurden von Zeit zu Zeit verbessert, vermehrt und dem Zeitbedürfniß angepaßt, von Herzog Ulrich 1498., 1518, 1535., 1544., 1545., von Erzherzog Ferdinand 1522., 1525., von Herzog Christoph 1551., 1557., 1562., von Ludwig 1593. von Friedrich I, 1601. (dieser gab auch den einzelnen Fakultäten besondere Statuten) Eberhard III, 1652., Karl 1752., 1770., — 1773., 1783. Ludwig Eugen 1794.

## Weitere Begebenheiten unter Eberhard im Bart.

Der neu errichteten Schule erster Kanzler war Johann Degen, der erste Rektor Johann Vergenhans, welcher im folgenden Jahre die Kanzlerwürde erhielt. — Eberhard kam oft nach Tübingen, hier wohnte er wie ein Privatmann bei dem Kanzler Vergenhans seinem alten Lehrer, im Kanzlers Haus unweit der Kirche, sein Gefolge schickte er auf das Schloß. Er fand eine Freude daran, sich über wissenschaftliche Gegenstände zu unterhalten, nach Tisch aber gab er jedem Gehör und hörte alle Beschwerden und Bitten gütig an; wenn er ausgieng, so grüßte er auf der Straße jeden Studirenden mit Worten, oder winkte ihm mit freundlichem Kopfnicken zu. Er nannte auch die Studirende nicht anders als seine Kinder.

Diese herablassende Güte des Grafen mußte natürlich die Lehrer aufmuntern, ihr Möglichstes zu thun, und so kam es, daß unsere Hochschule, troz der geisteslähmenden Armuth der Professoren, doch schon in ihrer ersten Periode wichtige und berühmte Männer aus ihrer Mitte hervorgehen sah. Unter den ersten Lehrern waren die Theologen Conrad Summenhard, Gabriel Biel, Jacob Lemp, Martin Plantsch, Wendelin Steinbach, die Juristen Johann Vergenhans, Joh. Ebinger, Georg Lamparter, der Mediziner Johann Widmann, die Philologen Johann Reuchlin und Heinrich Bebel vorzüglich ausgezeichnet. Auch wurde die Universität bald im Auslande bekannt und erhielt einen so starken Zulauf, daß in den ersten 45 Jahren 4889. Namen in die Universitäts-Matrikel inscribirt wurden. Tüchtige Männer, ausgezeichnete Gelehrte giengen aus ihr hervor und bald nach ihrer Stiftung wurden ein Philipp Melanchthon, ein Wolfgang Stahel, Ambrosius Volland, Hieronymus Schnepf, u. m. a. nach Wittenberg berufen, so daß diese leztere Hochschule nicht ohne Grund eine Kolonie von Tübingen genannt wurde.

Die neuen Studirenden sahen sich statt des bisher gewöhnlichen steifen Zwanges in den Genuß einer Freiheit versezt, für welche sie nicht erzogen waren; denn die neuen Geseze nach dem Muster italienischer Hochschulen gegeben, waren nichts volksthümlich. Kein Wunder also, daß bald eine wilde Zügellosigkeit einriß, die neben den damaligen strengen Sitten der Bürger doppelt auffiel. Sogar der Wüstling Eberhard der jüngere erließ deßhalb ein ernstliches Schreiben an den Senat; die Studirenden sollen sich einer emsigeren Beschäftigung mit den Wissenschaften befleissen, ihren Muthwillen aber, ihre kostbare Zehrung und unzüchtig Wesen vermeiden, damit sie selbst Würde und Ehre, die Schule aber Lob und Gedeihen erhalte.

## Anfang der Reformation.

Die wichtigste Begebenheit auf unserer Hochschule war die Einführung der Lehren Luthers und der daraus entstehende Kampf mit dem Pabstthum, welche so sehr auf alle öffentliche Verhältnisse einwirkten, daß sie nicht blos bei der Geschichte der Theologie erwähnt zu werden verdienen. Schon vor der Reformation waren die Gemüther in Württemberg für eine Religions-

Veränderung gestimmt. Konrad Sam, der 1498. zu Tübingen studirt hatte, ist der erste bekannte lutherische Prediger; er tratt zu Brackenheim (1520.) auf, und damals hätte sich höchst wahrscheinlich die neue Lehre im Lande verbreitet, wäre dieses nicht nach der Vertreibung Herzog Ulrichs (1519) unter östreichische Administration gekommen. Die Universität sezte zwar ihre Beschäftigungen fort, erhielt auch vom Erzherzog Ferdinand eine besondere Ordination; die lutherische Lehre wurde aber aufs heftigste verfolgt. Es ergieng ein strenges Verbot Luthers Schriften zu kaufen, zu lesen, zu behalten, zu drucken, abzuschreiben oder sonst diesen verkehrten Meinungen anzuhängen. Der abgesezte Herzog hatte die neue Lehre begünstigt, als er daher wieder in sein Land zurückgekehrt war, so fieng er sogleich an dieselbe einzuführen, wobei er um so weniger Schwierigkeiten fand, als die Landstände schon 1525. in einer an Erzherzog Ferdinand überreichten Bittschrift eine gründliche Kirchen-Verbesserung gewünscht hatten. Tübingen hieng am hartnäckigsten an der alten Lehre, die hiesigen Theologen Jacob Lemp, Peter Braun, Martin Plantsch, Balthasar Käuffelin fürchteten ihre gute Pfründen zu verlieren. Am längsten unter allen Städten Württembergs erhielt sich hier die Messe. Im December 1534. kam Simon Grynäus von Basel, er und Ambrosius Blarer, sezten endlich die Reformation durch. Den zweiten Februar 1535 wurde zum erstenmale das h. Abendmal in der hiesigen Stiftskirche nach Luthers Vorschriften gefeyert und den 2ten September hielt Ambrosius Blarer die erste evangelische Predigt.

Am 28ten September versammlete Blarer mit Hilfe des Tübinger Obervogts alle Pfaffen der Tübinger Vogtei ausserhalb der Stadt, auf dem Rathhause. Nach langen Erörterungen ergaben sich die von Mähringen, Schlaitdorf, Oferdingen, Weilheim, Walddorf, Gönningen und Mössingen. Die übrigen begehrten durch den Pfarrherrn von Bahlingen, der sich unberufen zu ihnen geschlagen hatte, Bedenkzeit, und Blarer erklärte in seinem Bericht: er habe wenig Hoffnung von ihnen etwas zu gewinnen. Im December predigte Martin Bucer aus Strasburg. Ausser diesen Männern erwarben sich vorzüglich Paul Konstantin Phrygio, Erhard Schnepf, Joachim Kammerer, Philipp Melanchthon und Johann Brenz Verdienste um die Reformation der Universität. Durch ihre vereinte Bemühungen wurde bei einer Zusammenkunft zu Nürtingen den 15. October 1536. eine neue Ordnung der Universität zu Stande gebracht, die der Herzog den 2ten November bestättigte. Durch diese wurden die zwei verschiedenen „Wege in der Weltweisheit.“ (Der Nominalismus und Realismus). aufgehoben, ein reiner und lauterer Vortrag derselben geboten, die Errichtung eines **Pädagogiums** als Vorbereitungsanstalt und einer Bibliothek vorgeschlagen, und befohlen, man solle künftig nur gelehrte, geschikte und christliche Männer zu Lehrern nehmen, und keine, die der rechten evangelischen Lehre zuwider seyen. Mehrere Lehrer wurden verabschiedet und andere an ihre Stelle gesezt. Die Hochschule sollte fortan 21 ordentliche Lehrer haben, nämlich 3 Theologen, 6 Juristen, 2 Mediciner, 4 in den guten Künsten, einer im Aristoteles, 2 Mathematiker, in der lateinischen griechischen und hebräischen Sprache für jede einen.

Die neue Ordnung verbreitete große Unzufriedenheit, viele Studirende verließen die Hochschule und giengen meist nach Freiburg. Von noch größerer Wichtigkeit aber war die Entwelchung des Kanzlers **Ambrosius Widmann** da er nach den Freiheiten der Hochschule allein fähig war die akademischen Würden zu ertheilen. Grynäus schlug zwar vor, dieselben gänzlich abzuschaffen, aber der Herzog durch Brenz bewogen, sezte nach vergeblichen Unterhandlungen mit Widmann den Johann Scheurer von Osterdingen 1538. an seine Stelle, der die Würden nicht mehr mit den Worten „Auctoritate Apostolica" sondern „Auctroitate publica et ordinaria, ab Imperatoribus concessa et confirmata" ertheilte. Widmann brachte es durch seine Protestation beim Kammergerichte dahin, daß dieses die zu Tübingen ertheilte akademischen Würden für ungültig erklärte, doch ließ er sich endlich 1556. zu einer förmlichen Uebergabe seiner Rechte an die Universität bewegen.

Herzog Ulrich stiftete auch (1536.) das theologische Stipendium, und half der philosophischen Fakultät durch die Verordnung (1544 den 20. Juli, erweitert 1545 den 25. Febr.) auf, daß ihr Dekan nebst zwei Mitgliedern im Senat Siz und Stimme haben sollte. Die Einführung des Interims während der zweiten Vertreibung des Herzogs (1548) verursachte neue Unruhen. Ulrich starb zu Tübingen 1550., sein Nachfolger Herzog Christoph nahm sich der Gesezgebung der Universität sehr an, besonders drang er auf bestimmtere und bleibendere Verordnungen, er schaffte das Interim ab, und 1552 wurde die lezte Messe gelesen, und das würtembergische Glaubensbekenntniß der tridentinischen Kirchenversammlung übergeben. Er errichtete auch das Pädagogium (1557.), brachte die Bursen wieder in Gang und das theol. Stift in grössere Aufnahme, Herzog Ludwig führte die 1580 zu Dresden bekannt gemachte Konkordienformel ein, und gründete (1592) das Kollegium illustre, wozu schon Herzog Christoph den Entwurf gemacht hatte. Der energische, nur etwas zu gewaltthätige Friedrich I. gab der Universität die genaueste und vollständigste Erläuterung ihrer Privilegien und das vollständigste Gesezbuch. Er bestimmte darinn die Zahl der Theologischen Professoren auf vier, der Juristen auf sechs, der Mediziner auf drei, der Artisten auf wenigstens zwölf, von leztern sollten aber nur der Dekan und zwei Prof. im Senat seyn, welche jährlich mit drei andern abwechseln sollten.

## Wirkungen des dreißigjährigen Krieges.

Erst spät empfand unsere Hochschule die Wirkungen dieses für ganz Deutschland verderblichen Bürgerkrieges. Das Restitutionsedikt von 1629. verbreitete zuerst auch hieher den Schrecken und bald sah man die feindlichen Völker zu Tübingen; das sich zwar anfangs durch einen Schirmbrief erhielt und vom kaiserl. General dem berühmten Johann v. Werth auch in der That eines gnädigen Schuzes genoß, aber die Abgaben und Einquartierungen waren um so drückender als der Hochschule die Einkünfte von Asch und Ringingen entzogen wurden, wodurch mehrere Lehrer ihre Einkünfte ganz oder zum Theil verlohren. Die mitgebrachten Pfaffen suchten jede Gelegenheit auf zu polemisiren, und wie hätten die eifrigen Tübinger Theologen schweigen können? Einst kam es bei einer solchen Gelegenheit in der öffentlichen Kirche zwischen zwei solchen Glaubenshelden vom Streiten zum Schimpfen, vom Schimpfen zu Schlägen; zum Glück war der feindliche General unpartheiisch. Ein anderesmal rief ein feindlicher Soldat dem Prediger Lukas Osiander auf die Kanzel zu, „warum predigest du nicht Gotteswort?" und rannte mit gezogenem Degen hinauf; Osiander durch die Gemeinde gewarnt, *) entgieng kaum dem Hiebe. Der alte 66 jährige Mann stieß hierauf den Soldaten hinunter, und schleppte ihn in vollem Glaubenseifer bis vor den Altar, wo alle Weiber über ihn herfielen und ihn mit Fäusten und Holzstücken jämmerlich zurichteten. — Zu Melch. Nicolai kam ein baierscher Hauptmann, und fragte ihn: „wie es die Israeliten einst den Kananitern gemacht hätten?" er sah zeitlich genug den Sinn der Frage ein, und entgieng dem Hiebe, der statt seiner die Thürschwelle traf. Binnen 4 Jahren von 1634 bis 38. starben 14 Professoren, durch Kummer, Angst, Pest und Hunger aufgerieben. **) Ihre Einkünfte waren beinahe auf gar nichts herunter geschmolzen, die meisten bestanden in Zehnten, und in diesen verzweiflungsvollen Zeiten wurde das Land nicht mehr angebaut. Im Stifte, wo sonst 170 bis 180 Studirende waren, befanden sich damals nur zwanzig. Obgleich der abwesende Fürst (Eberhard III.) von Strasburg aus so viel als mög-

---

*) Er konnte ihn wegen der gewundenen Gestalt der Kanzeltreppen nicht kommen sehen.

**) Tröstlich war es daß diese in den alten Zeiten so häufige Pest seit 1635 nie mehr die Universität zur Verlassung der Stadt nöthigte.

lich für die Erhaltung der Hochschule that, so wurde doch die Probstei weggenommen und ein neuer Probst eingesezt, *) das Kollegium illustre wurde von 1630. bis 1648. geschlossen, und die Studirende zerstreuten sich. Doch tratt bei dieser Schreckenszeit nie ein Zustand völliger Unthätigkeit ein, auch bewilligte (1641.) die Landschaft einen Beitrag von 10000 Gulden zu Erhaltung des theologischen Stifts und der Kirchendiener.

Vierzehn lange Jahre hatte diese Noth gedauert, da sezte ihr der westphälische Friede (1648.) ein Ende, noch in demselben Jahre wurde die Fürstenschule wieder eröffnet, für den Sohn Eberhards III., den Prinzen Johann Friedrich. Seit 1623. war die Universität nicht mehr visitirt worden, zum erstenmale geschah dieses wieder im May 1652. Sie war sehr in Verfall gekommen, die Professoren hatten nicht nur bei 35000. Gulden Kapitalien abgelöst, und folglich den Fond der Hochschule ohne fürstliche Erlaubniß angegriffen und zu ihrem Nuzen verwendet, sondern auch noch 12000. Gulden Schulden aufgenommen. Der Herzog ernannte daher zwey Bevollmächtigte, welche mit allen Professoren wegen ihrer Besoldung seit 1634.,

*) Die Universität protestirte dagegen und führte den Streit so lange fort, bis sie endlich (1649.) die Probstei wieder erhielt.

mit Rücksicht auf die der Hochschule entzogenen Einkünfte und auf den Fleiß oder Unfleiß der Lehrer abrechnen sollten. Auch ertheilte er ihr den 5ten Juni eine neue Ordnung wegen Verwaltung der Einkünfte und Pflichten der Lehrer, ließ einen botanischen Garten und ein Theatrum anatomicum anlegen. Auch die alten rohen zunftähnlichen Gebräuche (der Pennalismus genannt), die schon ziemlich in Abgang gekommen waren, wurden jezt völlig abgeschafft, (1655.) doch behielt man noch das Degentragen und die Deposition.*), bei welcher übrigens alle ärgerlichen Ausschweifungen verboten wurden. — Auch die Landschaft hatte schon eine Summe bewilligt zu Ersezung des Schadens, aber als sie erfuhr, wie schlimm die Professoren gewirthschaftet hatten, nahm sie dieselbe wieder zurück.

## Tübingen unter Herzog Karl.

Seit Eberhard des Bartigen Zeiten stand die Hochschule nie so sehr unter der unmittelbaren Einwirkung des Landesherrn. Schon zwey Jahre vor seiner Volljährigkeit sah man seine Mutter,

*) Die Deposition war eine Art die neue Ankömmlinge einzukleiden, wobei diese vielfältig gefoppt, und selbst körperlich mißhandelt wurden, und eine gewisse Geldsumme dafür bezahlen mußten. Einige Ueberreste dieser Sitten haben sich in dem Verhältniß der Füchse zu den Burschen erhalten.

die Herzogin Marie Auguste, in der hiesigen Aula nova bei einer medizinischen Inauguraldisputation öffentlich oppouiren den 11. Dec. 1742.

Sogleich nach seinem Regierungs-Antritt visitirte Karl die Hochschule (April 1744.) und kam selbst dahin; sieben Jahre später besuchte er sie zum zweitenmale (April 1751.) und von dieser Zeit an wurde die Sorge für dieselbe seine Lieblings-Beschäftigung. Schnell nacheinander wurde eine reich ausgestattete Sternwarte, ein neues chemisches Laboratorium, ein Hörsaal zur Experimental-Physik eingerichtet, und mit dem nöthigen Apparat versehen, das anatomische Theater erweitert und verbessert, die öffentliche Bibliothek vermehrt und durch weise Geseze gemeinnüziger gemacht, auch die seit Friedrichs I. Zeiten unverändert gebliebenen Geseze der Hochschule verbessert. *) Im Herbste 1767. hielt er sich über einen Monat lang daselbst auf, untersuchte selbst alle Einrichtungen, prüfte ihre Vorzüge und Mängel, übernahm in eigener Person die Rektorwürde, welche er durch einen Prorektor verwalten ließ. Dieser Proroktor war damals eine sehr wichtige Person, er war gleichsam der erste Minister eines souverainen Staates, keine Behörde durfte ihm in seinem Wirkungskreise etwas in

---

*) Dies sind die noch jezt gültigen Statuten, nur mit einigen Zusäzen vermehrt.

den Weg legen, keine ihn irgend zur Rechenschaft ziehen, alle seine Berichte giengen unmittelbar an Serenissimum selbst. — Zu derselben Zeit, so wie auch bei seiner mehrmaligen Anwesenheit wohnte er den Vorlesungen aller Professoren, den Disputirübungen und Reden vieler Studenten bei. *) Den 14. Decemb. 1769. erlaubte er der Hochschule sich nach seinem Namen zu nennen, und sie nennt sich seit dieser Zeit Eberhardo-Carolina. Auch hielt er selbst öffentliche Reden an die Universität. In den lezten Jahren der Regierung Karls sah Tübingen an der Ritter-Akademie eine Nebenbuhlerin entstehen, 1770. 1772. welche ihr einen Theil seiner Gunst und viele Schüler entzog, indem daselbst fünf Fakultäten (eine juristische, medizinische, philosophische, militärische und ökonomische) errichtet wurden. Herzog Ludwig Eugen hob bald nach seinem Regierungs-Antritte die Karls-Akademie auf, und versezte einen Theil ihrer Lehrer nach Tübingen, welches dadurch zwekmäßig erweitert wurde.

*) Alle damals gehaltenen Reden und Vorlesungen sind gesammelt in (Schotts) Kurzer Beschreibung der bei höchster Anwesenheit Sr. herz. Durchl., H. Carls, auf der hohen Schule zu Tübingen, vom 28 Oct. bis zum 3ten Dec. 1767. vorgegangenen akademischen Feyerlichkeiten, u. s. w. Tübingen 1768. 4.

## Neueste Schiksale von Tübingen.

Nach erlangter Königswürde erließ Friedrich II. den 18. März 1806. ein neues Organisations = Manifest, vermöge deßen eine eigene Studienoberdirektion errichtet, und ihr die Besorgung der Universität und anderer gelehrter Anstalten übertragen wurde. Bald darauf wurde befohlen alle diejenigen welche im Lande angestellt zu werden wünschten, sollten wenigstens zwei Jahre auf der Landesuniversität studiren. Dieses Absonderungssystem wurde (24. Dec. 1807) noch schärfer ausgedehnt und allen Vasallen und Unterthanen des Königs verboten, auf auswärtigen Universitäten zu studiren mit einziger Ausnahme der katholischen Theologen, weil für diese noch keine höhere Bildungsanstalt im Lande errichtet war. Zweckmäßiger war der Befehl, (15. Sept. 1808) daß keiner sich unter dem Vorwande des Studirens blos dem Vergnügen überlassen sollte, es war daher jeder angehalten halbjährlich wenigstens zwei Vorlesungen zu besuchen und die Professoren mußten Verzeichniße ihrer Zuhörer mit beigefügten Zeugnissen einschicken. Da das Studiren vom Soldatenstande frei machte, so durfte nach einem Befehl vom Merz 1808, kein Inländer weder studiren, noch sich den eximirenden freien Künsten widmen, ohne besondere Erlaubniß, die oft sehr erschwert wurde.

Der Druck jener Zeiten hatte besonders in den jungen Gemüthern den Freiheitsdrang aufgeregt, der nachher für ganz Deutschland so herrliche Früchte trug. Einige Studirende verbanden sich (1808.) mit mehreren jungen Leuten aus andern Ständen, um in die neue Welt auszuwandern und daselbst eine republikanische Kolonie anzulegen. Zu diesem Zwecke schossen sie ziemlich Geld zusammen, jeder sollte ein Handwerk erlernen, auch ertheilten sie mehreren ordentlichen Mädchen von geringern Ständen eine Art von höherer Bildung, um die neue Kolonie zu bevölkern. Ein gewisser Magister Hoch von Bietigheim, dessen Schulden sie zu bezahlen sich weigerten, wurde an ihnen zum Verräther. Man bemächtigte sich ihrer Papiere und da, was bei solchen Gelegenheiten gewöhnlich ist, auch überspannte Schwärmer Theil an der Gesellschaft genommen hatten, fand die Regierung die Sache ernsthaft genug, um den Justizminister von Ende mit einigen Kriminalrichtern und eine Abtheilung Soldaten hieher zu schicken. Die Verbündeten wurden auf das Schloß gefangen gesezt. Das Endurtheil fiel jedoch noch sehr gnädig aus. Am schlimmsten kam der Verräther weg, er wurde jedes Staatsdienstes für unfähig erklärt und der Ortspolizei seiner Vaterstadt übergeben, deren Gebiet er nicht verlassen durfte, und wo er sich hernach kümmerlich nährte.

Im Jahre 1811 wurden der Universität alle

ihre bisherigen Privilegien genommen und dagegen (den 17 Sept.) neue organische Geseze gegeben, nach welcher die oberste Aufsicht derselben dem Minister der geistlichen Angelegenheiten als Oberkurator übergeben und ihm die Oberstudiendirektion unmittelbar untergeordnet wurde, deren Präsident den Namen eines Kurators der Universität erhielt. In dieser Eigenschaft wurde ihm ein, von seinen Befehlen abhängiger Justitiar beigegeben. Der Wohnsiz beider war zu Tübingen. Die amtliche Wirksamkeit dieses Kurators hatte die Universität in allen ihren Beziehungen zum Gegenstande. Er wachte über die Vollziehung der Geseze, die Amtsführung und das moralische Betragen der Lehrer, den Fleiß und die Sittlichkeit der Studirenden, sorgte für die Erhaltung und Vervollkommnung der litterarischen Institute, und durfte auch unaufgefordert Vorschläge zu ihrer Verbesserung machen, er übte die Zivil-, Disziplinar- und Kriminaljurisdiktion, wiewohl unter manigfaltigen Einschränkungen. Schuldsachen, Inventur- Theilungs- und Pupillenwesen besorgte der Justitiar.

Minder wichtige Strafen bestimmte er unmittelbar, höhere mit Zuziehung einer Kommißion, aus dem Kanzler, Rektor und den vier Dekanen bestehend, in welcher er den Vorsiz führte. Noch wichtigere Fälle wurden an den Oberkurator gewiesen, der sie dem Justizministerium vorlegte. Den 2ten May dieses Jahres war schon eine Disziplinarkommißion angeordnet worden, deren Amt war, den Fleiß und die Sitten der Studirenden zu beobachten, und die in geeigneten Fällen ohne strenge juridische Untersuchung eine halbjährige Entlassung von der Hochschule verfügen durfte, wovon sie den Eltern oder Vormündern Nachricht und zugleich die Weisung ertheilte, während ihrer Abwesenheit über ihr sitlliches Betragen zu wachen. Der Rektor war jezt beinahe blos noch das Organ, um dem Senat und den Fakultäten die Befehle zu eröffnen, er präsidirte in jenem, und besorgte die Immatrikulation; auch wurde er nicht mehr vom Senate erwählt, sondern vom Minister der geistlichen Angelegenheiten als Oberkurator ernannt. Das Patronatrecht und die Verwaltung ihrer Einkünfte wurde der Universität gleichfals genommen, und leztere der Finanzkammer übergeben. In Beziehung auf das Wissenschaftliche, wurde ein Lehrstuhl für deutsche Sprache und Litteratur errichtet und für die Geschichte zwei ordentliche Lehrer bestimmt. Die Zeit der Studien wurde für die höheren Fakultäten auf wenigstens 4 Jahre festgesezt. Die Erlaubniß zum Studiren wurde erst nach vorgenommener Prüfung in den Vorbereitungswissenschaften ertheilt, und am Ende jeder Vorlesung so wie am Ende der akademischen Laufbahn strenge Prüfungen befohlen. Jährliche öffentliche Preisaufgaben sollten noch mehr zum Fleiße ermuntern.

Die erschwerte Erlaubniß zum Studiren und

die starken Aushebungen hatten die Hochschule beinahe gänzlich entvölkert; mit dem Sturze der französischen Oberherrschaft und Entstehung konstitutioneller Verfassungen änderte sich dieses alles. Schon in der Verfassungsurkunde von 1815 wurde festgesezt, daß jeder Inländer auswärtige gelehrte Anstalten besuchen dürfe. In dem Verfassungsentwurf von 1817 aber wurden der Universität ihre jezt bestehenden Rechte gegeben *). In demselben Jahre erhielt unsere Hochschule beträchtliche Erweiterungen, die fünf Jahre vorher gestiftete katholische Universität zu Ellwangen wurde hieher verlegt; eine neue katholisch theologische Fakultät gestiftet, und das Kollegium illustre zu einem Konvikt für 200 katholische Seminaristen eingerichtet; auch eine staatswirthschaftliche Fakultät erhielt ihr Daseyn. Mit dem Klinikum wurde eine chirurgische und Hebammenschule verbunden, die Zahl der ordentlichen Professoren auf 34 vermehrt, das Schloßgebäude für ihre Zwecke eingeräumt, ein neuer Bibliotheksaal und chemisches Laboratorium eingerichtet, das astronomische, physikalische und Naturalienkabinet, so wie die Modellsammlung beinahe gänzlich umgeschaffen. Im Jahre 1819 wurde ihr auch das abgenommene Patronatrecht wieder eingeräumt.

Aber vorzüglich in diesem Jahre (2. Jan.

---

*) S. unten die Beschreibung.

1821.) sprach sich die Liberalität der Regierung gegen unsere Hochschule aus, indem den Studirenden eine gesezliche begründete Repräsentativverfassung gestattet wurde, ein Glück dessen sich keine andere Universität rühmen kann. Diesem nach darf die Gesammtheit der immatrikulirten Studirenden einen Ausschuß von 15 Mitgliedern durch Stimmenmehrheit erwählen, der in jedem Semester zu zwei Drittheilen erneuert wird, so daß die früher Gewählten zuerst austretten. Um gewählt werden zu können muß man zuvor wenigstens ein halbes Jahr auf einer Hochschule als Studirender zugebracht haben, darf weder das Consilium abeundi, noch eine Warnung der Disziplinarkommission unterschrieben haben. Wer in eine Untersuchung verflochten ist, muß bis zu ihrer Beendigung austretten. Keiner darf unmittelbar nach seinem Austritte wieder gewählt werden. Die Wahl geschieht in Gegenwart des Rektors.

Dieser Ausschuß nun dient als Organ um hinreichend begründete, von ihm zuvor berathene Wünsche der Gesammtheit oder eines beträchtlichen Theils der Studirenden an die akademischen Behörden zu bringen und sich mit diesen hierüber weiter zu besprechen. Diesem Ausschuß theilt die Disziplinarkommißion ihre Warnungen und Straferkenntniße gegen Einzelne, nebst den Gründen derselben mit, damit auch er zu Verstärkung ihrer Wirkungen und zu Verbreitung höherer Sittlichkeit um so leichter mitwirken oder bei triftigen Gründen sich für Milderung der Strafe verwenden könne. Auch hat er das Recht Vorschläge für Einrichtungen zu machen, welche den Zweck der akademischen Laufbahn befördern; er darf auf Erlaubniß der Disziplinarkommission öffentliche und feierliche Versammlungen der Studirenden veranstalten und öffentliche Anschläge machen. Die Pflichten des Ausschusses sind Beförderung der Sittlichkeit, Verhütung jeder Störung der öffentliche Ruhe, besonders der Feindseligkeiten unter den Studirenden selbst und der geheimen Verbindungen. Er soll Neuankommende auf die Geseze aufmerksam machen und gegen Unordnungen warnen, ja er kann ganz unwürdige Studirende den Behörden bezeichnen.

Bei dieser ausgedehnten Gewalt des Ausschusses waren natürlich Vorkehrungen nöthig, um dieselben in den Schranken der Mäßigkeit zu erhalten, diese sind so liberal als möglich getroffen. Die Einrichtung wurde zur größten Zufriedenheit der Studirenden ins Werk gesezt und läßt die herrlichsten Früchte für unsere Hochschule hoffen.

## Vierter Abschnitt.

## Gang der Wissenschaften auf unserer Hochschule.

---

### Erste Abtheilung.

### Theologie.

Das Prinzipat unter den Wissenschaften führte in dem Zeitalter der scholastischen Hierarchie die Theologie. Deswegen mußte es dem Fürsten besonders am Herzen liegen, für dieses wissenschaftliche Fach des akademischen Lehrvortrags zu sorgen. Es lag gleich nach Gründung der Universität in seinen Planen, zur Bildung junger Theologen ein Dominikaner-Stift zu errichten, und die Eremiten des heiligen Augustins, meistens ungebildete und ungelehrte Menschen, in das Eremitenkloster von Gnadenzell zu verpflanzen, und an ihrer Stelle die gelehrten Dominikaner in Tübingen einzuführen. Der wohlgemeinte Plan schlug aber fehl; jezt konnten die Augustinermönche noch nicht aus Tübingen verdrängt werden. Ja im Jahr 1483. erfolgte nach der strengen Ordensregel eine verbessernde Reformation dieser Mönchsklasse.

Eberhard berief übrigens auf die theologischen Lehrstühle Männer, die durch den Ruf ihrer Gelehrsamkeit in ganz Teutschland berühmt waren.

Fassen wir den Zeitraum von Stiftung der Universität bis zur Reformation ins Auge, so stossen wir auf Lehrer, die damals in Teutschland zum Theil unter den Koryphäen der scholastischen Theologie glänzten. Da Bologna das Muster war, nach dem die erste Einrichtung der Universität geschah, so blieb sie lange, wie Spittler bemerkt, ein Eigenthum von Scholastikern und Kanonisten. Der Professoren der Theologie oder der Magister der Sentenzen waren gleich Anfangs so viele, daß kaum jeder seine Stunde zum lesen haben konnte.

Hier lehrten in dieser Zeit Johannes von Stein (à Lapide) ein gelehrter Schriftforscher, ein talentvoller Redner, im Leben und Umgang gleich gewandt und erfahren; Gabriel Biel, ein grosses Licht in der teutschen Scholastik, mit dem auch die leztere starb und endete; Konrad Summenhart, unbescholtene Rechtschaffenheit und Frömmigkeit in Gesinnung und Leben, anspruchslose Bescheidenheit zeichneten ihn aus, und seine teutschen Zeitgenossen nannten ihn den „Monarchen und Phönix" unter den Theologen —; Wendelin Steinbach, ein Schüler und Freund von Gabriel Biel, und Herausgeber mehrerer Schriften des Lezteren; Jakob Lempp — Philipp Melanchthon und Dionysius Reuchlin wären seine Schüler —; Martin Plantsch, in geistlichen und weltlichen Angelegenheiten gleich thätig und er=

fahren, der wohlthätige Gründer des von ihm genannten Martinianischen Stifts, (der Neubau) ein berühmter Kanzelredner; Paul Scriptoris, ein großer Mathematiker und berühmter Gegner des Duns Scotus; Peter Braun und Balthaser Käuffelin, welche beyde in die Zeit der Kirchenreformation der Universität fielen.

Sieht man auf den Geist der wissenschaftlichen Thätigkeit dieser Männer, so ist nicht zu leugnen, daß sie sich nicht über den damaligen Zustand der Gelehrsamkeit überhaupt erhoben, der das Gepräge eines noch unaufgeklärten Jahrhunderts an sich trägt; sieht man auf die schriftlichen Erzeugnisse ihres Geistes, so tragen auch diese im Allgemeinen die Farbe der damaligen scholastisch-hierarchischen Zelttheologen an sich. Die scholastische Philosophie, die schon mit dem neunten Jahrhundert aufzukeimen begonnen hatte, und erst durch die sogenannte Wiederherstellung der Wissenschaften, durch die Reformation, gestürzt wurde, war noch jezt die Königin der Wissenschaften. Sie stüzte sich hauptsächlich auf die aristotelische Philosophie, besonders in der Form und Methode der Spekulation, aber auch Plato fand seine Verehrer. Diese Philosophie war aber im Dienste eines fremden Prinzips, sie hatte seit dem carolingischen Zeitalter den Zwek, das dogmatische Religionssystem der Kirche zu vertheidigen, sie war ein dienendes Werkzeug der

Religionsdogmatik. Die Methode der dogmatischen Spekulation war lediglich durch die dialektische Form des Argumentirens bestimmt, welche die aristotelische Logik vorschrieb — ein Agregat logischer Regeln und ontologischer Begriffe. — Vorzüglich drehte man sich um die Lehre von Gott, die Dogmatik der Kirche galt einmal für unabänderlich, man schränkte sich darauf ein, die dialektischen Zweifel zu lösen, die gegen dieselbe sich erheben ließen. Weil die Theologie und Philosophie auf eine solche Art verbunden wurden, daß diese nur als Waffe zur Vertheidigung jener und als Uebungsmittel des theologischen Scharfsinns galt, so fiel man bald auf die Idee einer dialektischen Theologie. Indem aber so die Scholastik als Mittel dem Zwek der hergebrachten Theologie und Hierarchie subordinirt war, so mußte sie bald als ein „unförmliches gothisches Gebäude erscheinen, das n a c h I n n e n und i n d e n F u n d a m e n t e n baufällig, von a u s s e n aber durch zwei feste Stüzen gehalten wurde", nehmlich durch das Ansehen der aristotelischen Lehre, und durch die Gewalt der römischen Kirche. Aristoteles und die Kirche waren infallibel. Der öffentliche Unterricht auf Schulen und Akademien war den Geistlichen anvertraut, die der scholastischen Philosophie nicht entsagen konnten, da die Kirchen-Gewalt, welche die Oberaufsicht über das Kirchen und Schulwesen hatte, entweder mit schweren Strafen drohte, oder den treuen Bekennern große

Vortheile und Nuznießungen darbot. Die Kirche bot für die Scholastik den Stoff, der Stagirite die philosophische Form und Begründung. Auf diese Weise war es aber sehr begreiflich, daß, da von der Philosophie immer eine unmittelbare Anwendung auf die positive Theologie gemacht wurde, die Einführung der aristotelischen Werke selbst auf den Innhalt und auf die innere Gestaltung des positiven theologischen Lehrbegriffs einen bedeutenden Einfluß gewinnen mußte. Dieß führte im Lauf der Zeiten mancherley Streitigkeiten mit der Hierarchie herbey, welche nach und nach das Studium des Aristoteles und den aristotelischen Lehrvortrag bald mehr bald minder begünstigte, je nachdem die dogmatische Ansicht und die politische Beurtheilung derer es mit sich brachte, die an der Spitze der römischen Kirche standen. Aristoteles fand berühmte Kommentatoren in der Zeitperiode der Scholastik. Ich nenne hier nur den Dominikaner Thomas v. Aquino (starb 1274), der mit Scharfsinn und Originalität die aristotelische Philosophie auffaßte, und seinen Gegner und Nebenbuhler Duns Scotus, den Franziskaner, (starb 1308), der besonders in Paris mit Bewunderung lehrte. In diesen beyden Männern erschien ein bis in die lezten Zeiten der Scholastik fortdaurender Gegensatz; — es waren die Thomisten und Scotisten. —

Ein normatives Ansehen in den theologischen

Lehrvorträgen behauptete bis in die Zeiten der Reformation herab Peter der Lombarde (starb 1160). durch seine Sententiarum libri IV. wurde er der klassische Schriftsteller der Scholastik. Theils die innere Güte dieses Werkes, theils der Glanz der Würde, die er als Bischof zu Paris (1159) bekleidete, theils das große Ansehen, in dem er bey den Päbsten stand, die Menge von Schülern, die er hatte, dieß alles machte sein Buch zum allgemeinen Lehrbuch der folgenden Jahrhunderte. Man berief sich in den Schulen auf die Sentenzen des Lombarden, als auf Orakelsprüche. Er hatte die Lehrsprüche der Kirchenväter zusammengetragen, geordnet und erläutert, seine Entscheidungen hielt er meistens zurück oder gab sie nur verdekt, und dadurch eröffnete er dem dialektischen Geist des scholastischen Zeitalters den größten Spielraum. Die Sentenzen wurden unzähligemal edirt, commentirt (bes. von Thomas v. Aquino und von Duns Scotus) und viele Auszüge geliefert. So war dieß Werk bis zum Ende der Scholastik die Norm und die Rüstkammer für die Theologen, es war der Text, worüber auf allen Universitäten, auch in Tübingen gelesen wurde. — Eine Hauptrolle in der Geschichte der scholastischen Theologie und Philosophie spielte der Streit zwischen den Realisten und Nominalisten, der mit Roscellin im eilften Jahrhundert begonnen, anfänglich in einer völligen Entzweyung der beyden Parthien sich äußerte, nachher (vom 13ten Jahrhundert bis zum 14ten) unter Thomas von Aquino und Duns Scotus dem Realismus das Uebergewicht verschaffte, zulezt (vom 14ten Jahrhundert bis zum 16ten) bey dem durch Wilhelm Occam erneuerten Kampfe mit siegreichem Uebergewicht deß Nominalismus sich endigte. Diese beyden entgegengesezten Grundansichten beruhten auf folgenden zwey Sätzen. Der Nominalist sagte: „Nur in den individuellen Dingen ausser uns ist Realität. Die Universalien oder die allgemeinen Begriffe sind blose Verstandesbegriffe ohne Realität, die nur durch die Sprache objektiv bezeichnet werden, und dadurch den Schein von Realität bekommen, ob sie gleich selbst weder eine Realität enthalten, noch einer Realität correspondiren" — Diese Ansicht klingt mehr aristotelisch. — Der Realist sagte: „In den individuellen Dingen ausser uns ist keine Realität. Die Universalien sind die wahre Realitäten und die Individuen, als solche, unterscheiden sich nur durch Accidenzien." — Dieß war mehr dem Geiste und Sinn der platonischen Ideen conform. — Diese Ansichten erlitten, freilich je nach dem man die Platonische Idee oder die aristotelische Kategorie deutete, verschiedene Modifikationen und Veränderungen. Der Streit hatte sich im 14. Jahrhundert gelegt, als ihn W. Occam aufs neue wieder in Paris entflammte; er gewann viele Schüler und mit siegreichen Waffen erhob sich unter den Occamisten der Nominalismus. Paris, die berühmteste Akademie im Mittelalter, war der Hauptsitz der Scholastik, von dort her floßen die wechselnden Bestimmungen und Ansichten in diesem heftigen aber eitlen und unnützen Streite. Von dort holte man die Weisheit in damaliger Zeit, und von dort aus kamen die philosoph. und theolog. Lehren der Scholastik nach Teutschland. Die Teutschen machten damals gewöhnlich ihre Studien in Paris und magistrirten dort, wo der mysteriöse und scharfsinnige Denker Duns Scotus öffentlich gelehrt hatte, und wo sein gröster Schüler, Wilhelm Occam, (starb 1347.) eine eigene Bahn betrettend, den Realismus der Thomisten und Scotisten gestürzt, und den Nominalismus wieder aufgebracht hatte. Von den Tübinger Theologen hatten zu Paris studirt und magistrirt Johann von Stein, Conrad Summenhart und Paul Scriptoris. Der erstere hatte in Paris selbst öffentlich gelehrt, und als Scotist den Realismus in Basel gepflanzt, und von da nach Tübingen gebracht. Gabriel Biel hingegen, der lezte berühmte Scholastiker und Sententiarius in Teutschland, war ein eifriger Anhänger des Occamismus und der aristotelischen Lehren. So verbreitete sich mit den scholastischen Lehren der Pariser Akademie auch der Streit über den Realismus und Nominalismus auf den teutschen Hochschulen

len zu Heidelberg, wo kaum die Universität gestiftet war (1386.), unter Marsilius von Inghen einem Schüler Occams, der in Paris (1370) den Nominalismus mit Beyfall gelehrt, aber mit Buridanus von den Realisten vertrieben nach Teutschland auf die neu gegründete Akademie gekommen war, ferner unter Johann Hermann Wessel (starb 1489.) der zwar ein Freund der platonischen Philosophie war, aber doch vom Realismus zum Formalismus und Nominalismus abfiel, was gegen die platonische Lehre war. Wie in Heidelberg der scholastische Streit glühte so auch kurz darauf zu Tübingen mit der heftigsten Erbitterung, was im Geist der damaligen Zeit lag. Johann v. Stein und Gabriel Biel waren hier die Haupthelden im Streite. Nicht blos bey eifrigen und hitzigen Disputationen blieb es, nein man ergoß sich oft in blasphemische Zankreden, zuweilen wurde man selbst handgemein, und hie und da griff der Eine in der Wuth den Andern beym Kopf, um wenn nicht Gründe zureichten, mit Gewalt die Ueberzeugung zu gebieten. Der Schauplatz des Streits war die Bursa oder das Contubernium, in dem die schönen Künste und die Philosophie gelehrt wurden. Die streitenden Parthien waren in den Hörsälen gleichsam in zwey Kastelle verschanzt und geschieden, von wo aus der streitsüchtigste und leidenschaftliche Faktionsgeist mit dem feindseligsten Geschrey sich erhob, um die philosophische Meynung geltend zu machen. Die Realisten hießen „Adler, die Nominalisten Pfauen". Adler und Pfauen bekriegten einander als ob auch die Philosophie ihr Faustrecht hätte. Erst nach der Reformation hörte in Tübingen dieser pedantische Schulstreit auf. Beide Parthien kämpften bis zum Jahr 1536 mit den Magistern in täglichen Streitübungen, und quälten einander gegenseitig durch ein eitles Geschrey. Ja dieser Kampf schien den Untergang der Universität herbeyzuführen, bis sich endlich, nachdem die Parthien in ihrer armseligen Spekulation ermüdet waren, und der nichtswürdige Streit beynahe ein halbes Jahrhundert gedauert hatte, der leere Gegensatz aufhob. Diese Schulverhandlungen der Realisten und Nominalisten hatten die eigentliche Philosophie weniger berührt, von Gewicht waren sie in der Theologie, wo der Geist der scholastischen Forschung, der alle Tiefen der Weisheit und alle Geheimnisse der Religion ergründen wollte, verlassen von nützlichen Sachkenntnissen, sich in die schwierigsten Subtilitäten nnd Wortgezänke verloren hatte. Die Ursache der theologischen Bedeutsamkeit dieser scholastischen Fehde lag im kirchlichen Lehrbegriff von der Dreyeinigkeit des göttlichen Wesens, von der Person des Erlösers, und von der Brodverwandlung im Abendmale. Beyde Theile waren einig, daß das ein Gattungsbegriff sey, was Vater, Sohn und Geist gemein haben; sagten aber nun die einen, dieser Begriff habe keine Wirklichkeit zum Gegenstande, sondern sey nur der das gemeinschaftliche Wesen der drey Personen zusammenfassende Name, so schien daraus zu folgen, entweder daß ihnen die drey Personen, drey Götter wären, oder daß sie den Unterschied der Personen aufheben wollten. Sagten aber die andern, das gemeinschaftliche Wesen der göttlichen Personen sey ein Etwas, das in drey Individuen wirklich vorhanden, so konnten ihre Gegner gleichfalls folgern, daß also drey Götter, oder keine drey unterschiedene Personen seyn müßten. Die Realisten gebrauchten sogar das Geheimniß der Trinität zur Erläuterung ihres Hauptsatzes; sie sagten: Wie nur Ein Gott ist, und drey Personen, so ist auch der allgemeine Begriff durchweg nur ein Eins, und in allen Individuen derselben Art zu finden. Wiederum in dem Dogma vom Gott-Menschen; wäre der Begriff „Mensch" nichts wahrhaft Daseyendes, so müßte der Sohn Gottes sich mit einem einzelnen Menschen vereinigt haben; folglich wäre er zwey Personen. Hingegen konnte dem Realisten die Brodverwandlung sehr schwer gemacht werden, wenn der Nominalist sagte: „ist der Geschlechtsbegriff Brod ein Etwas, so muß folgen, daß, nach der Besprechung durch den Priester alles Brod in der ganzen Welt aufhört, Brod zu seyn u. s. w." *) Auf solche Art schrek-

*) Siehe Henke's Kirchengeschichte Thl. 2 S. 192.

ten und trieben sich die scholastische Weisen mit Folgerungen, die der andere Theil nicht blos als Ungereimtheiten, sondern auch als verdammliche Irrthümer betrachten mußte. Daher auch oft die Päbste und Fürsten sich in den Streit mischten, und je nachdem der kirchliche Lehrbegriff angefochten ward, bald dem einen bald dem andern Theile dieser scholastischen Sophisten Stillschweigen und Strafen auferlegten.

Sonst galt in Tübingen von der Zeitperiode der Stiftung der Universität bis zur Kirchenreformation die scholastische Theologie der sogenannten Sententiarier. Aristoteles und Petrus Lombardus waren die klassischen Schriftsteller, die in den theologischen Lehrstunden commentirt und erläutert wurden. Auch über Thomas von Aquino und besonders über Duns Scotus wurden Vorlesungen gehalten, und wir heben im Einzelnen nur folgende Punkte heraus: Johann von Stein war ein Realist und in der Lehre von der Konception der Maria ein strenger Scotist. Manffrethus hatte nehmlich nach dem Vorgang alter Kirchenlehrer die Behauptung aufzustellen gewagt, „die Maria sey von der Erbsünde nicht frey gewesen". Stein tratt ihm entgegen, gab zwar zu, die Meynung von einer beflekten Konception der Maria habe im Alterthum Bekenner gehabt, erklärte aber diese Ansicht für Ketzerey, weil die entgegengesetzte Lehre von der Pariser Akademie, vom Basler Concil und vom Pabst Sixt IV. bekannt gemacht worden sey.

Gabriel Biel, ein grosses Licht in der Scholastik und Patristik und der lezte berühmte Sententiarier in Teutschland, war ein eifriger Verehrer der aristotelischen Philosophie. Er gieng hierinn soweit daß er die aristotelische Ethik in öffentlichen Reden auf der Kanzel dem Volk vortrug, wann er über die sonntäglichen Evangelien predigen sollte, gemäß dem Grundsatz eines römischen Theologen, der von Rom nach Tübingen gekommen und gesagt hatte: „er wundere sich, daß den Studiosis Theologiae die h. Schrift vorgetragen werde; die Metaphysik des Aristoteles sollte man vielmehr lehren, dort seyen die verborgene Mysterien zu suchen, in der h. Schrift stehe nur das Gewöhnliche, Triviale, was jeder aus dem Volk verstehen könne." Wendelin Steinbach zwar auch ein Sententiarier, aber dabey ein eifriger Leser der h. Schrift und des h. Augustins, zeichnete sich aus durch seinen freyen und unbefangenen Untersuchungsgeist, womit er viele Irrthümer der thomistischen und scotistischen Schulweisheit rügte und aufdeckte, besonders aber die Lehre von der Gnade in reinerer Gestalt vortrug.

Jakob Lempp machte sich bekannt als Vertheidiger und Genosse Reuchlins, in seinem Streit mit den cöllnischen Theologen, über die Verbrennung der jüdischen Schriften, die der Exjude Johannes Pfefferkorn mit Ausnahme der Bibel zur Vertilgung des Judenthums (1509.) dem Kaiser Maximilian vorgeschlagen hatte. — Reuchlin, aufgefordert vom Kaiser, über diesen Vorschlag ein Gutachten zu geben, sprach dagegen, und vertheidigte die Rechte der Menschheit und des Eigenthums. Pfefferkorn gab im Einverständniß mit den cöllnischen Gottesgelehrten, und wahrscheinlich nicht ohne Beyhülfe des berühmten Ketzermeisters Hogstraten den „Handspiegel" heraus, der Reuchlins Bedenken widerlegen sollte. (1511.) Reuchlin antwortete frey und treffend im „Augenspiegel" und die cöllnischen Gottesgelehrten nahmen jezt besonders vermittelst Arnolds v. Teugern öffentlichen Antheil am Streit, und es folgten bald von Cölln die „Articuli sive propositiones de judaico favore nimis suspectae." In Mainz sollte der Proceß gegen den „Augenspiegel" verhandelt werden. Reuchlin schickte einen Sachwalter, der gegen Hogstraten, als betheiligten Richter protestiren sollte, dieser trat nun als Kläger auf, und das durch den Mainzer Churfürsten niedergesetzte commissorialische Gericht entschied für die Verbrennung des Augenspiegels. Der Anwald Reuchlins appellirte an den päbstlichen Stuhl. Das Domcapitel unwillig über den gewaltsamen Gang der Sache, gab Reuchlin noch zu rechter Zeit Nachricht, und dieser eilte nach Mainz. Der Herzog Ulrich gab ihm zween angesehene Männer bey, den Dr. Jakob Lempp von Tübingen, und Schilling, Vogt zu Vayhingen. Hier kamen sie an am Tag des h. Dionysius, 1513. Reuchlin protestirte gegen die Kommission, und appellirte feyerlich an den Pabst. Der Kurfürst setzte einen Termin von vier Wochen, um einen gütlichen Vergleich zu Stande zu bringen. Lempp übernahm die Vertheidigung Reuchlins in geheimen Gesprächen, er machte sich anheischig, die Sache in einer öffentlichen Disputation auf der Mainzer Universität zu verhandeln. Es fand sich aber Niemand, der es wagte, mit ihm auf den öffentlichen Kampfsplatz zu treten. Unverrichteter Sache, und zum tiefsten Aerger und Groll der Cöllner schied man von einander, die ganze Streitsache kam vor die römische Kurie, wo endlich der Wahrheit und Gerechtigkeit der Sieg zu Theil wurde.

Als einer der thätigsten und gemeinnützigsten Theologen der Universität vor der Reformation erscheint Martin Plantsch. Seine Zeitgenossen rühmten besonders sein Talent und seinen Eifer für das praktische Geschäftsleben seines Berufs. Man bewunderte seine Gewandtheit, seine Ueberredungsgabe, seine Predigten voll Kraft und trostreicher Salbung, er galt für einen der ersten Kanzelredner seiner Zeit. Einen Beweis wie viel sein Ansehen und seine Sprache vermochte, gab er in jener kritischen Periode unseres Vaterlandes, wo, veranlaßt durch übermässige Lasten und Bedrückungen, eine Baurenrebellion (im J. 1514) im Schorndorfer Amte entstanden, die zwar anfänglich getilgt, aber nachher schnell unter dem unzufriednen Volke um sich griff und auch die Tübinger ansteckte. Plantsch hielt eine feurige Predigt in der Kirche gegen den Aufruhr und besänftigte in Verbindung mit dem Vogt Konrad Brenning die Rebellen, so daß sich sogar 500 Mann unter die Fahnen des Herzogs begaben, um die Aufwiegler zu verfolgen. — Auch stand Plantsch in dem Rufe eines gelehrten und gewandten Theologen. — Als Ulrich Zwingli in der Schweitz das verdorbene Kirchenwesen angegriffen und in öffentlichen Predigten die Irrthümer im Lehrbegriff und die Mißbräuche im Gottesdienst angezeigt hatte, übergab er bekanntlich dem Rath zu Zürich die 67 Sätze seiner Lehre. — Der Rath schickte diese Sätze den Predigern seines Gebiets, und berief sie auf den 29 Jul. 1523 nach Zürich, um öffentlich dagegen zu disputiren, wozu man auch den Bischoff von Constanz, Hugo von Landenberg einlud. Das Gespräch gieng feyerlich vor sich. Der Bischoff erschien selbst nicht, sondern er erwählte aus der Zahl der Gelehrten seines Sprengels, seinen Vikar, D. Johann Faber, und Martin Plantsch, zu Abgeordneten für diese Versammlung um die Sache des Pabstes und der Kirche zu vertheidigen. Neben einem Zwingli konnte freylich Plantsch nicht aufkommen. Mit siegreichen Waffen disputirte der eben so gewandte als auch gelehrte und beredsame Zwingli. — Alles gab ihm Beyfall, die ohnehin überwiegende Zwinglianische Parthie setzte ihre Ansicht durch, und die Costanzer Deputirte zogen, durch den großen Mann besiegt, ab. Mochte sich auch Plantsch aus diesem Handel nicht mit Ruhm gezogen haben, so gebührt ihm doch der Name eines gelehrten Theologen, da er den bischöflichen Auftrag hatte, gegen einen Zwingli aufzutreten.

Der Minorite Paul Scriptoris machte sich neben seinen mathematischen Kenntnissen (die Mönche zu Bebenhausen lehrte er die Verfertigung und den Gebrauch des Astrolabiums) als Theolog zu Tübingen sehr berühmt, indem er mit bewunderndem Beyfall der Gelehrten als Gegner des Scotus auftrat. Es strömte in seine Vorlesungen. Die Magistri seculares, unter diesen die besten Köpfe, Thomas Witenbach, Paul Wolf, Joh. Mantelius (alle drey predigten späterhin die neue Lehre des Evangeliums;) ja selbst die gelehrten Brüder des Tübinger Augustinerklosters, unter diesen der Prior Joh. Staupitz, jener berühmte Freund und Mäcen Luthers waren seine Zuhörer. Er war Guardian und Lektor der Minoriten; auch die Umgegend von Tübingen verehrte den Mann von eben so großer Herzensgüte, als Gelehrsamkeit. Bey festlichen Gelegenheiten wurde er deshalb öfters nach Reutlingen und Horb berufen, um öffentliche Predigten an's Volk zu halten. Kühn und frey im Bekenntnisse der Wahrheit sprach er hier über die Sakramente, über die Indulgenzen und Gelübde mit Berufung auf die h. Schrift, Ueberzeugungen aus, die nachher lutherisch klangen. Dieß machte ihn bey den andern Tübinger Theologen, die mehr römisch dachten, verhaßt, sie schlugen Rath, ob man nicht einen Ketzerinquisitor berufen sollte; er wurde bey dem Provinzial angeklagt, und von dem Amt des Lektors und Guardians verstossen. Während dieser Zeit wurde Paul Scriptoris zum Generalvikar des Ordens, Franz Sagarra, in den Elsaß gerufen. Er gieng dahin ab und Conrad Pellikan, sein Herzensfreund, war sein Begleiter. Sie trafen ihn nicht in Zabern, und giengen nach Basel, wo sie erfuhren, er sey bey Kaiser Maximilian in Freyburg, um für den leztern mit den Schweitzern den Frieden zu unterhandeln. Der Generalvikar hatte indessen ein Convent der Minoriten nach Oppenheim ausgeschrieben. Auch Paul Scriptoris ward berufen — Nach Endigung des Convents gings nach Mainz. Paul Pfedersheim hatte dem lernbegierigen Pellikan ein hebräisches Buch versprochen. Es war ein großes hebräisches Mannscript und Scriptoris trug es auf seinen Schultern nach Tübingen, um seinen Freunden eine Freude zu machen. Dieß war hier eine seltene Erscheinung — „aber es war, wie

Schnurrer sagt, die Morgendämmerung der hebräischen Sprachkenntniß in Tübingen; sie gieng aus einem Franziskanerkloster aus." Nach der Rückkehr von Oppenheim und Mainz schloß Paul Scriptoris eine enge Verbindung mit dem Mathematiker Joh. Stöffler — Aber sie war von kurzer Dauer. Es wurde im J. 1501. zu Pforzheim ein Provinzialcapitel der Minoriten gehalten, vermöge dessen Paul seiner Tübinger Guardianstelle entsetzt und zu einem Basler Convent abgeschickt wurde, um von seinen schwäbischen Freunden verwaist zu werden.

Zwey Dinge waren es, die diesen Theologen bey den Mönchen verhaßt gemacht haben. Einmal da er einsah, wie sehr das Christenthum durch scholastische Meinungen entstellt war, so gestand er frey und öffentlich: „Es stehe eine „Veränderung der Theologie bevor; die alten „und heiligen Kirchenlehrer müsse man hervorsu„chen, und die Pariser Scholastik in die Schanze „schlagen; die meisten Kirchengesetze müssen ab„geändert und verbessert werden" u. s. w.

Dann hatte er in den öffentlichen Vorlesungen über den Scotus nach dem Vorgange seines Pariser Lehrers, Stephanus Bruliferus, was den römischen Theologen ärgerlich seyn mußte, die Transsubstantiation, als schriftwidrig, verworfen. — —

So wie in Teutschland überhaupt zu jener Zeit der Wunsch nach einer Reformation der Kirche an

Haupt und Gliedern allgemein war, so wie die besten Köpfe damals über das römische Unwesen mit Verachtung und Spott sich ausließen, so finden wir dieß auch zum Theil bey diesen akademischen Lehrern. Es ist eine freundliche Erscheinung, wie in Tübingen, noch ehe Luther mit der Fackel der Wahrheit die Misbräuche der päbstlichen Gewalt und Lehre aufgedeckt hatte, doch immer hie und da auch eine reinere Lehre galt, und wie diese theologische Schule sich von manchem Aberglauben und Irrthum blinder Papisten frey erhielt. — So vertheidigte Gabriel Biel, wie sehr er auch sonst, sey es aus Furcht und Zwang, oder aus Ueberzeugung, der Kirchenlehre zugethan war, die Communio sub utráque, und sagte, der Kleriker habe beym Abendmahl kein Prärogativ vor dem Laien, daß diesem der Kelch entzogen werden könnte. Er eiferte gegen die entehrende Sitte, dem Pabst die Pantoffel zu küssen, misbilligte den Bilderdienst, sprach gegen die Indulgenzen, (was er jedoch, geschreckt durch die Bullen von Pabst Sixtus IV. und Innocentius VIII., späterhin zurücknahm). — So sah Conrad Summenhard noch in der finstern Zeit aus der Ferne das Licht der evangelischen Wahrheit leuchten; hinzielend auf die verdrießliche römische Scholastik und Sophistik, und herb rügend den Luxus und die Idolatrie der Mönche, sprach er oft die Worte: Quis me miseram tándem liberabit ab ista rixosa theologia!. — dieß ist das Bild der Theologie in Tübingen vor der Reformation, mit der ein neues Leben auch hier begann.

Nachdem Herzog Ulrich im Jahr 1534. auf die siegreiche Schlacht bey Lauffen sein angebornes Herzzogthum wieder erobert hatte, so war die Einführung der evangelischen Lehre, die er im Auslande kennen gelernt hatte, und zwar nach der Richtschnur der augsburgischen Konfession, der erste und heiligste Gegenstand seiner Bemühungen. Da die Gemüther der Unterthanen schon längst darauf vorbereitet waren, so gieng das Werk gut von Statten. Mehr Schwierigkeiten fand es auf der Universität. Ambrosius Blarer von Costanz, ein Anhänger Zwinglis, empfohlen durch die Strasburger Theologen Kapito und Bucer reformirte das Land ob der Staig; und Erhard Schnepf von Marburg, ein eifriger Anhänger Luthers, und Ulrich empfohlen durch den hessischen Landgrafen, reformirte das Land unter der Staig. Der Gegensatz in der theologischen Ansicht dieser beyden Männer veranlaßte Mishelligkeiten und Störungen. Ambrosius Blarer streute, wenn gleich mit der grösten Vorsicht und Behutsamkeit, Zwinglianische Lehren aus, Schnepf predigte das strengste Lutherthum. Schnepf hatte schon vorher erklärt, er könne zugleich mit Blarern nicht anders an dem Hause des Herrn bauen, als wenn dieser sich mit ihm in der Lehre vom Abendmal vereinige. Dieß bewog den Herzog, der keine Disharmonie in der Lehre wollte, Blarern zu einem Verglich mit Schnepf aufzufordern, dem Herzog lag um so mehr daran, da in Teutschland zwar die Einführung der lutherischen Lehre, nach der Norm des augsburgischen Bekenntnisses (1530). erlaubt war, aber nicht die Zwinglische Lehre, deren Bekenner man mit den Schwenkfeldern, Wiedertäufern in eine Kategorie sezte, und unter dem Namen Sakramentirer verfolgte. Dieser Vergleich kam auch zu Stuttgart am zweyten des Aerndtemonats 1534 zu Stande. Allein Blarer kam in den Verdacht der Zweydeutigkeit. — Nachdem er viel für die Kirchenverbesserung in Württemberg gethan, und im Punkte über die Abstellung der Bilder, wo er strengere Grundsätze hatte, mit Schnepf in Streit gerathen war, welcher den von ihm sogenannten Gözentag in Urach (im Herbstmonat 1537) veranläßt, verließ er Württemberg, und zog wiederum in seine Heymath. Auch in Tübingen hatte Blarer gewirkt, und am 2. September 1535 die erste evangelische Predigt gehalten. Sollte hier die Kirchenverbesserung gründlich geschehen, so mußten nicht nur andere Lehrer in der Theologie aufgestellt, sondern auch neue Einrichtungen ein neuer Geist, besonders in der philosophischen Fakultät, gepflanzt werden. Es herrschte hier noch mehr Anhänglichkeit an die alte Lehre, als man vermuthet hatte. Jakob Lempp, Peter Brun,

Martin Plantsch und Balthasar Käuffelin haßten die Neuerung; denn es handelte sich um ihre gute Pfründen, „sie kannten die Kekheit der „lutherischen Prädikanten, gegen die man mit „Aristoteles, mit Scotus und Thomas, mit den „Satzungen und Gebräuchen der Kirche nicht „auslangen konnte". — Es bedurfte tüchtiger Männer, wenn das Werk gelingen sollte. — Das erste Hauptwerkzeug war Simon Grynäus, nachdem Philipp Melanchthon von Wittenberg, und Andreas Osiander (man fürchtete das rohe zänkische Wesen dieses unruhigen Kopfes) vergeblich berufen waren. Er kam im Christmonat 1534 nach Tübingen. In Verbindung mit Blarer entwarf er einen „Rathschlag der Universität halber." Trotz der Protestation mehrerer Mitglieder des akademischen Senats wurde schon im Winter 1535, nachdem am 2. Febr. das heilige Abendmal in der Stiftskirche zu Tübingen, wie zu Stuttgart nach den evangelischen Grundsätzen gehalten war, eine neue Ordnung der Dinge eingeführt. *) Auch Blarers Ausdrücke in der Lehre vom heil. Abendmal erweckten gegen den Lutherisch gesinnten den Verdacht der Heterodoxie. Wenn auch schon Ulrich gebotten hatte, es dürfe nichts mehr von Adlern und Pfauen sich vernehmen lassen, so war dieser eitle Geist der theologisirenden Scho-

*) Siehe oben p. 58.

lastik zu tief eingewurzelt, als daß hierinn sogleich ein anderer Ton herrschend geworden wäre. Dazu kam, daß der widerspenstige Kanzler Ambrosius Widmann, der die guten Absichten des Herzogs am wirksamsten hätte unterstützen können, ihnen das größe Hinderniß entgegen sezte. — Er verabscheute die neue Kirchenlehre, und wollte „keine deutsche Psalmen singen" —. Wie die Reformation beginnen sollte, entwischte er nach Rottenburg. — Dieß war keine geringe Verlegenheit. Man ließ sich in Unterhandlungen mit Widmann ein, und da er durchaus nicht nachgeben wollte, erholte man sich Raths in Wittenberg, und das Resultat war daß Widmann abgesezt wurde und Johann Scheurer von Ofterdingen an seine Stelle trat. Gegen dieß gewaltsame Verfahren protestirte er, und brachte es dahin, daß das k. k. Kammergericht die zu Tübingen unter dem neuen Kanzler von der Universität ertheilte akademische Grade für ungültig erklärte. Nach langen von Seiner Seite nie erfüllten Kapitulationen, die Herzog Ulrich und Christoph mit ihm geschlossen, verzog sich der Streit so lange, bis er zulezt im Jahr 1556 sein Amt und alle damit verknüpfte Rechte dem Rektor und Senat der Universität förmlich übergab. Den Lehrern ward die Alternative gestellt, entweder den Abschied zu nehmen, oder sich zur neuen Lehre und zu ihrem Vortrag zu bekennen. Einige wählten das Erstere, andere das Leztere, scheinbar wenigstens Peter Brun und Balthasar Käuffelin. Als neu berufene Lehrer traten auf Paul Konstantin Phrygio, Bucers Landsmann, der bisher in Basel gepredigt und die Gottesgelahrheit vorgetragen hatte, Joachim Kamerarius, der als Linguist so berühmte Freund Melanchthons, und andere tüchtige Männer.

Allein die neue Ordnung wollte nicht recht frommen. Der akademische Senat war in einer sonderbaren Verfassung. Die Reformation hatte er freylich angenommen, die Gesinnungen aber waren noch sehr verschieden, die Gährung hatte sich noch nicht gesezt, die neuen Ankömmlinge und die ältern Lehrer, Zwinglianer, Lutheraner und Katholiken konnten sich nicht mit einander vertragen. Philipp Melanchthon würde jezt zum Zweytenmal berufen, der auch wirklich auf ein paar Monate entlassen wurde und im Herbst 1536 nach Tübingen kam. Dieser empfahl der Universität einen Mann, der neben seiner gründlichen Gelehrsamkeit und neben seinem aufgeklärten Sinn mit Luthers Festigkeit Melanchthons sanfte Milde verband, und damals Prediger zu Schwäbisch-Hall war, Johann Brenz. Dieser sollte (denn der Rath zu Hall ließ ihn nur auf kurze Zeit fort) wenigstens auf ein Jahr beygezogen werden. Er trat in keine ordentliche Lehrstelle ein, predigte aber, hielt Vorlesungen und arbeitete eifrig an der Verbesserung der Hochschule. Durch den vereinigten Eifer dieser würdigen Männer kam die neue Ordnung der Universität, bey einer zu Nürtingen d. 15. Oktober 1536 angestellten Zusammenkunft glücklich zu Stande und wurde den 3. Nov. dieses Jahrs zu Stuttgardt von dem Herzog bestätigt.

Innere Spaltungen, hitzige Federkriege und besonders nach dem schmalkaldischen Krieg das sogenannte Interim (1548) hatte wie für ganz Würtemberg, so auch für den Religionszustand der Hochschule sehr schädliche Folgen. Die Mönche und Pfaffen kehrten wieder ein, es wurden wieder Messen gelesen und die rituellen Gebräuche und Cerimonien des Katholicismus mit Zwang und Gewalt (denn die Spanier waren im Lande, wieder eingeführt). Katholisch gesinnte Lehrer z. B. Balthasar Käuffelin, traten zum Pabstthum zurück, und bekämpften jezt die neuen Religionsgrundsätze, die man ihnen vorher aufgezwungen hatte; andere hingegen, die dem Lutherthum zugethan waren, z. B. der um die Reformation der Hochschule so verdiente Prof. Erhard Schnepf, verliessen Tübingen, weil sie das Interim nicht annehmen wollten. — Die neue Katholische Religion war aber nach dem Entwurf des Interims ein Mitteldieng zwischen katholischem und protestantischem Glauben. — Dieß misfiel beyden Theilen. Den der Pfaff wollte keine Religion predigen, in welcher des Pabstes kaum noch der Convenienz halber gedacht war, und der Prädikant wollte nichts von sieben Sakramenten und nichts von Brodverwandlung lehren? — bis endlich das Interim in Würtemberg im Jahr 1552 aufgehoben ward durch den Passauer Vertrag, der die freye Religionsübung sicherte.

Die Vollendung aber erhielt die Reformation der Universität durch die Gründung einer Bildungsanstalt für junge Theologen, die seit ihrem Daseyn eine blühende Pflanzschule gründlicher Gelehrsamkeit war; es ist dieß das theologische Stift in Tübingen; dieses Institut, — den Keim dazu legte H. Ulrich, die Ausbildung und Vollendung geschah durch H. Christoph, — in Verbindung mit den für den präparatorischen Unterricht zum geistlichen Studium späterhin gestifteten Klosterschulen erhielt die monastische Alterthumsform. Die ganze Erziehung der jungen Geistlichen bekam so „einen feinen spartanischen Strich von Gleichförmigkeit," der zwar wie jede solche allgemeine gleichförmig gemachte Erziehung oft der Selbstthätigkeit einzelner trefflicher Köpfe schädlich zu werden scheint, für das ganze Kirchenwesen in Würtemberg aber von großem Nutzen war.

Schon im Jahr 1536 verordnete Herzog Ulrich, daß aus einigen den Städten und Aemtern des Herzogthums zum Besten der Armen überlassenen geistlichen Gütern und Einkünften ein jährlicher Beytrag geliefert werden sollte, um eine gewisse Anzahl von Jünglingen in Tübingen zu unterhalten, und für die theologische Bestimmung zu bilden. Dabey befahl er den Beamten, aus jeder Stadt und Amt einen armen und hoffnungsvollen Knaben für diese unentgeldliche Bildungsanstalt vorzuschlagen. Zugleich wurde für diese Stipendiaten eine Ordnung entworfen, für die Administration der einkommenden Gelder und zur Oberaufsicht wurde eine Superattendenz von zwey Mitgliedern verordnet, die gemeinschaftliche Wirthschaft sollte ein „Probst" führen, zum Aufseher über die jungen Leute wurde ein „Magister Domus" (Ephorus) aufgestellt, und die zum Unterhalt, zur Kleidung ꝛc bestimmte Summe auf 25 Gulden festgesetzt. Anfänglich mangelte in der Anstalt der Geist der geregelten Ordnung, die Stipendiaten lebten sehr ungebunden und zügellos, es war keine strenge und tüchtige Aufsicht vorhanden und keine gemeinschaftliche Wohnung. Zum leztern Behuf räumte aber jezt, wiewohl ungern, auf ein Jahr die Universität die Hälfte der Burse ein. Jezt gieng es ordentlicher, und es wurden eigene Zuchtgesetze gegeben. 39 Stipendiaten bezogen die Burse, und Paul Constantin Phrygio und Sebastian Waibel waren Superattendenten. Nach des erstern Tod wurde Erhard Schnepf Professor der Theologie und Superattendent des Stifts (1544). Die An=

zahl der Zöglinge mehrte sich, andere Unbequemlichkeiten kamen hinzu, und so geschah es auf Schnepfs Verwendung, der diese neue Anstalt in den Stürmen des schmalkaldischen Krieges sorgsam erhalten hatte, daß gerade vor Einführung des Interims, das von seinen Ordensleuten verlassene Augustinerkloster in Tübingen (70 Stipendiaten wurden jezt ernährt) den Stipendiaten zur Wohnung angewiesen wurde. Das Interim bewog Schnepf, abzudanken, und an seine Stelle trat Leonhard Fuchs.

Mit der Reformation begann eine neue Periode der Theologie in Tübingen. Da in Religion und Theologie auch hier die neue Lehre zur Herrschaft sich zu erheben angefangen hatte, so mußte auch in den theologischen Erzeugnissen der Hochschule ein neuer Geist sich manifestiren. — Die protestantische Kirche war entstanden, sie war in der jezt folgenden Zeitperiode noch in dem Bildungsprocesse ihrer Lehrtheorie und Verfassung begriffen, heftige innere Partheyungen kamen auf, während der Kampf mit dem äussern Feinde fortdauerte. Daraus folgte nothwendig, daß ein polemischer Geist alle theologische Wissenschaften durchdrang, der sich freylich den damaligen, noch ungebildetern, Sitten und Zeitbegriffen gemäß, auf eine, wenn gleich originelle, aber doch nach unserem Gefühl und Geschmak, mit unter sehr roh und derb erscheinende, Weise aussprach.

und hie und da in wilder und zügelloser Leidenschaft sich ergoß. Die lutherische Ansicht war, so wie in Deutschland überhaupt, so auch in Würtemberg und Tübingen überwiegend, und erhob sich hier zur alleinherrschenden. Die Tübinger Theologen spielten eine bedeutende Rolle, und erwarben sich unsterbliche Verdienste um die Bestimmung, Erläuterung und Vertheidigung des ächten Lehrbegriffs der lutherischen Kirche. Zu den meisten Religionsgesprächen wurden sie gezogen, auf alle öffentlichen Religionsangelegenheiten erstreckte sich ihr Einfluß, in die meisten theologischen Streitigkeiten wurden sie verwickelt, sie arbeiteten mit Eifer für die Ausbreitung der evangelischen Lehre auch in fremden Ländern, vornehmlich unter den Griechen, und machten ihre Namen berühmt durch Werke, welche ausser der Würtembergischen Kirche beynahe eine symbolische Auktorität fanden. — Die theologische Schule von Tübingen trat jezt in ihre blühendste Periode. Männer traten als Lehrer auf, die durch die Energie des Geistes und des Willens, durch tiefe Gelehrsamkeit, verbunden mit einer gewandten und eifrigen Geschäftsthätigkeit in geistlichen und weltlichen Dingen, in der gelehrten Welt Epoche machten, und von den Fürsten, denen nach ihrer ganzen Bildung in jener Zeit, wo Staats- und Kirchensachen so innig zusammenflossen, die Sache der Religion eine ihrer wichtigsten Regentenangelegenheiten war, als kluge und treue Rathgeber voll Ansehens allwärts gebraucht wurden. In dieser Zeitperiode waren in der theologischen Fakultät: Jakob Beurlin, Jakob Heerbrand, Jakob Andreä, Theodor Schnepf, Stephan Gerlach, Joh. Georg Sigwart, Andreas Osiander, Matthias Haffenreffer, Lukas Osiander, Melchior Nikolai, Theodor Thummius, Tobias Wagner. Ueberhaupt waren alle Fakultäten damals so gleichförmig gut besetzt, daß Tübingen vielleicht „in seiner „ganzen Geschichte, wie Spittler sagt, keinen „Zeitpunkt hat, der diesem an Ruhm gleich„käme. Helmstädt hatte damals seinen „Calixtus noch nicht, Giessen war noch nicht „gestiftet, der Ruf von Wittenberg wech„selte, weil in Chursachsen zweymal schnell „auf einander der Kryptocalvinismus sein Haupt „emporzuheben schien, und Jena empfand die „Wirkungen der Flaciusischen Revolution sehr „lang.“ So war also Tübingen die erste der protestantischen Universitäten, und die litterarisch polemische Thätigkeit, welche daselbst herrschte, hat sich der ganzen übrigen Würtembergischen Kirche so mitgetheilt, daß in keiner Periode der Würtembergischen Kirchengeschichte so viele theologische Schriftsteller auch ausser den Universitätstheologen da gewesen sind, als damals. Seit Herz. Christophs Zeiten haben überhaupt die Theologen eines mächtigen Einflusses am würtembergischen Hofe genossen; der mit fester aber ruhiger Gemüthsstimmung arbeitende, würdige Johann Brenz, und der große, ungestümm betriebsame, Jakob Andreä (er war dreyßig Jahre jünger, als Brenz, und in Tübingen acht und dreyßig Jahre lang Selbsthalter —) waren durch ihre unsterblichen Verdienste um die Konstitution der würtembergischen Kirche, die Gründer und Stifter dieses Ansehens. Nach Christophs Tode (1568.) befestigte sich diese Herrschaft der Theologen bey Hofe auf lange Dauer durch eine Familienverkettung, die in Joh. Brenz und in Jakob Andreä ihren Ursprung nahm. Es erhob sich die Familie der Bidembache, ein Sprößling der Brenzischen, (denn der erste zu Glück und Rang erhobene Bidembach, war ein Tochtermann des alten Joh. Brenz;) neben und nach ihr die Familie der Osiander; — der erste dieses ausländischen Geschlechts, der bey uns sein Glück machte, Lukas Osiander, ein Sohn des berüchtigten Königsberger Theologen, war mit Jakob Andreä verschwägert. Diese zwey Familien bemächtigten sich der Regierung der würtembergischen Kirche; jene theilte sich in die beyden Pole, das Consistorium zu Stuttgardt und die theologische Fakultät zu Tübingen. — Den ersten Pol ergriffen die Bidembache, den leztern die Osiander — ein zur Polemik gebornes Geschlecht; der Sohn übertraf in der polemischen Gesinnung und Rede meist den Vater. — Von vier Söhnen des ältern Lukas Osiander haben zwey Andreas (v. 1615 — 17) und Lukas (v. 1620 — 38) die Kanzlerstelle in Tübingen bekleidet; ein Brudersenkel des leztern Johann Adam Osiander, der auch vom Jahr 1680 — 96. Kanzler war, schloß in der theologischen Fakultät die Reihe der berühmten Theologen seines Namens; aber auch nach dessen Tod hat sich doch der Einfluß dieser Familie auf die würtembergische Kirche nicht verloren, er wirkte fort in dem Sohne Johann Osiander, der durch eminente politische Talente als Staatsmann zu einer Höhe sich emporgeschwungen hat, die vor ihm kein Würtemberger Theolog erreichte. Er starb 1724 als Direktor des Consistoriums und wirklicher würtembergischer geheimer Rath. Da „die Kirche von „jenem oligarchischen Familiengewebe umschlun„gen war," und treue Bewahrung der reinen lutherischen Lehre eine besondere Gabe dieser Familien war, da die geistliche Macht bey Hof soviel galt, so mußten auch die Bemühungen der Theologen unsrer Hochschule sowohl in als ausser dem Herzogthume von überwiegender Bedeutung seyn. Dieß zeigt sich in den schriftstellerischen Werken, in den öffentlichen und Privatverhandlungen, an denen jene Reformatoren und Lehrer der theologischen Fakultät mehr oder weniger Antheil genommen haben. — Wir bemerken, um einen scizzirten Abriß zu geben, hierüber Folgendes.

Viele Schwärmer und Sektirer, besonders die Wiedertäufer aus Mähren, und Kaspar Schwenkfeld hatten sich in Würtemberg eingeschlichen (1535.) Die Duldung dieser Menschen schien vermöge des kadauschen Vertrags gefährlich. Es erfolgten gegen die erstern von H. Ulrich und Christoph scharfe Edikte, und mit Schwenkfeld kam es hier auf dem Schloß zu einem Colloquium (1535), das neben Bucer und Martin Frecht die Tübinger Theologen Blarer und Grynäus mit dem excentrischen Schwärmer führten, und friedlich schlossen. In die nehmliche Zeit fällt der Meynungsstreit zwischen Blarer und Schnepf über die Abstellung der Bilder in den Kirchen. Schnepf dachte gemäßigter und trug blos auf Abstellung der ärgerlichen Bilder an, Blarer auf eine radikale und totale Abschaffung aller. — Es sollte der sogenannte Götzentag in Urach (1537) die Frage entscheiden. Die anwesende Theologen waren gegen Blarer, der Herzog für ihn, und so wurde seine Ansicht exequirt, nachdem das Jahr vorher, die aus 10 Artikeln bestehende und von Schnepf verfaßte allgemeine Kirchenordnung bekannt gemacht worden war. Brenz hatte ein

Jahr lang in Tübingen Vorlesungen gehalten und gepredigt, um die Norm zu geben und den Geist zu bezeichnen, nach dem die h. Schrift erklärt und die neue Religionslehre vorgetragen werden müsse, und in seine Fußstapfen traten die folgenden Lehrer, und sein Geist wirkte in der Fakultät um so wirksamer, da ihm Herzog Christoph späterhin (1552) neben der Probstey der Stuttgarter Collegiatkirche auch die Kuratel und Inspektion der Hochschule anvertraut hatte. In der zweyten Hälfte des 16. Jahrhunderts saßen die gedlegene Doktoren Jak. Beurlin (1551 — 1561), Jakob Herrbrand (1558 — 1598), Jak. Andreä (1553 — 1590), Theodor Schnepf (1557—1586), Stephan Gerlach (1580 — 1612), Joh. Georg Sigwart (1587—1618), in der theologischen Fakultät, und erhoben sich, den leztern ausgenommen, alle zur Kanzlerwürde. Vielfältig und gehäuft waren zu jener Zeit die theologischen Angelegenheiten, in die jene Männer verflochten wurden. Herzog Christoph hatte im Jahr 1551 weltliche Gesandte in der Person des D. Joh. Dieterich von Plieningen, und des D. Joh. Heinr. Hokling von Steinek auf das Kontilium von Trident geschickt, um die würtembergische Konfession, (sie schien nach der Begutachtung den sächsischen und Strasburger Ansichten ziemlich conform), den versammelten Vätern zu übergeben. Würtemberg machte hier gemeinschaftliche Sache mit den Strasburgern, nachdem eine Uebereinkuuft in Dornstetten statt gefunden hatte. Der Herzog beliebte seine Theologen auf das Koncil nachzuschicken, damit diese vom Glaubesbekenntniß die erläuternde und rechtfertigende Rechenschaft in der Session der Väter ablegen, und über die Glaubenspunkte mit den Gegnern dispntiren könnten. Aus Brenz, Beurlin und Heerbrand (damals noch Superintendent in Herrenberg, bestand diese geistliche Gesandtschaft. Der Erfolg ihrer Sendung war freylich fruchtlos, da sie ungehört abziehen mußten. Im Jahr 1549 waren die osiandrischen Händel über die Rechtfertigungslehre in Königsberg ausgebrochen, über zwey Jahre lang wurde mit gegenseitigen Ausfällen niedriger Wuth gestritten. Der leidenschaftliche Osiander auf der einen, und Friederich Staphylus, Petrus Hegemon und Melchior Isinder auf der andern Seite waren die Streithelden. Allgemeines Interesse entstand für diese rein theologische Fehde. Der Herzog Albrecht von Preussen, aus eigener Macht unfähig, den Streit zu tilgen, ersuchte die protestantischen Stände, ihm die Gutachten ihrer Theologen über den Handel zukommen zu lassen. Hier gaben nun die würtenbergische Theologen das erste Responsum, das durch Brenz ausgefertigt, sehr weise Vorschläge zum Vergleich über den Wortstreit enthielt, und die unnöthige Streitsucht beyder Partheyen mit würdigem Ernst rügte. (1552) Da alle übrige Responsa wider Osiander ausfielen, und eine Deputation von Herzogl. sächsischen Theologen, die nach Königsberg kam und sich mit Osianders Gegnern vereinigte, das Uebel noch ärger machten, so verschrieb Herzog Albrecht zu einer gütlichen Beylegung des Handels würtembergische Theologen nach Königsberg. Schon die früher erfolgte Deklaration der Würtemberger über ihr erstes Responsum sollte vermitteln, jetzt kam Beurlin selbst an Ort und Stelle nebst dem von D. Heerbrand empfohlenen Ruprecht Dürr, allein die Forderungen der antiosiandrischen Parthey waren zu leidenschaftlich; und Beurlin's gewandte Klugheit richtete nichts aus. Beurlin, der mit ausgebreiteter theologischer Kenntniß, besonders in der Patristick und Exegese, einen praktischen Verstand verband, und um seiner Brauchbarkeit willen einigemal nach Sachsen, zweymal nach Worms, einmal nach Erfurt (1561) gesendet wurde, fand zuletzt in diesem thätigen Geschäftsleben seinen Tod (1561) zu Paris, da ihn Herzog Christoph mit Jak. Andreä und Balth. Bidembach auf das Religionsgespräch zu Poissy abgeschickt hatte. Die Protestanten waren nehmlich in Frankreich durch K. Franz und Heinrich sehr gedrückt, nach Heinrichs Tode (1559) öffneten sich aber bessere Aussichten. Der Vormund der jungen Prinzen, Franz und Karl, Anton König von Navarra war schon länger den Protestanten zugethan, und zeigte sich geneigt, wegen der Glaubensangelegenheiten mit den deutschen evangelischen Ständen in Unterhandlungen zu treten; nachdem die leztere früher bey König Heinrich vergeblich eine Fürbitte für ihre bedrängten Glaubensgenossen eingelegt hatten. Besonders thätig war in der Sache Herzog Christoph, und der König schrieb ein Glaubensgespräch nach Poissy aus. Allein der Erfolg täuschte. Als die würtembergischen Abgeordneten den 19ten Oktober (1561) zu Paris ankamen, war das Gespräch in Poissy schon zu Ende. Es nahm den gewöhnlichen Ausgang solcher Vereinigungsversuche, beyde Partheyen schieden ohne sich einander genähert zu haben. Beurlin erkrankte gleich nach der Ankunft in Paris an der Pest, und starb am neunten Tage. Der König von Navarra verlangte von den übrigen Gesandten, ihr Bedenken über die vorgeschlagenen Vereinigungsformel in der Abendmalslehre. Aber sie selbst konnten sich jezt mit den zugleich anwesenden pfälzischen Gesandten nicht vereinigen, da diese fest bey der Calvinischen Lehrmeynung beharrten; zulezt erklärte der König auf das Verlangen der Würtemberger, er möchte das Augsburger Glaubens-Bekenntniß annehmen, er könne dieß um anderer Nichtkatholiken willen die davon abwichen, in seinem Reiche nicht thun. Noch berühmter als Polemiker und Dogmatiker und von ausgebreiteter Wirksamkeit war Jak. Heerbrand. Nachdem er mit Brenz und Beurlin (1551) in Trident gewesen war, berief ihn der Markgraf Karl von Baden in sein Land, um die Reformation zu vollenden, mit Jak. Andreä und Simon Sulzer; und zu Pforzheim entwarf er die „badische Kirchenordnung." Heerbrand erhielt, da der Ruhm seines theologischen Talents allwärts sich verbreitet, bedeutende Vokationen nach Heidelberg und Marburg. Der menschenfreundliche Sinn, der mit Weltkenntniß und praktischer Klugheit verbundene redliche Diensteifer dieses Mannes lockte viele auswärtige Fürsten, Grafen und Herrn vom Stande herbey, die in Religionssachen seines gediegenen Rathes sich bedienten. So wie vor ihm Brenz und Beurlin, auch Theodor Schnepf und Isenmann den Domikaner Peter à Soto, (er war ein Spanier, Prof. der Theologie und Beichtvater von Kaiser Karl V.) der in Streitschriften das würtembergische Religionsbekenntniß theils zu entstellen, theils zu widerlegen gestrebt hatte, ritterlich bekämpft haben, so zeigte Heerbrand seine polemische Größe besonders gegen den Jesuiten Gregor von Valenza, mit welchem Lukas Osiander der ältere auch in Stuttgart über die Concordienformel ein heftiges Colloquium hielt, und zwar in Gegenwart der Herzoge Wilhelm von Baiern, und Ludwig von Würtemberg, des Markgrafen Eduard Fortunatus von Baden 2c (1590). Einen großen Namen schuf sich Heerbrand als Dogmatiker durch sein Compendium theologicum, das Beste und vorzüglichste systematische Handbuch der protestantischen Theologie in jener Zeit, nach dem fast auf allen damaligen deutschen Universitäten gelesen, das in Konstantinopel, in Alexandrien, ja selbst in der Tartarey, bekannt wurde, und in den fernsten Landen manchen Proselyten für die neue Lehre gewann.

Durch keinen Mann aber hat die theologische Schule von Tübingen auf die Religionsmeinung und auf die kirchliche Verfassung des protestantischen Deutschlands kräftiger und einflußreicher gewirkt, als durch Jakob Andreä. Sein durchdringender Verstand, seine tiefe Gelehrsamkeit, seine feurige Beredsamkeit, und seltene Stärke des Willens hatten ihm den Beruf angewiesen, durch Schrift und That rüstig für die lutherische Kirche zu streiten, ihr Gebiet zu erweitern, ihren Organismus zu befestigen, ihren Lehrbegriff zu bestimmen und zu verfechten, und die weltliche Macht für ihre Interessen zu gewinnen. Indem er schnell und früh zur Würde eines Probstes und Kanzlers der Tübinger Universität sich erhoben hatte, wurde er das Hauptorgan und der Repräsentant der theologischen Fakultät. Hier öffnete sich ihm eine weite und große Bahn für seine theologische Thätigkeit. Schon als Superintendent in Göppingen wurde er von mehreren deutschen Fürsten, Reichsrittern und vom Rathe zu Rothenburg an der Tauber zur Bildung und Reinigung ihrer Kirchen gebraucht. Auch begleitete er den Herzog Christoph auf die Reichstage nach Regensburg und Frankfurt, wohnte mit Brenz dem Gespräche zu Worms (1557) als Notarius der Protestanten bey, und gieng mit Beurlin und Bidembach (1561) nach Paris, um dem Gespräche zu Soissy anzuwohnen. In Sachsen war zwischen Flacius und Viktorin Strigel ein furchtbarer Streit über den Synergismus ausgebrochen. Der Herzog Johann Friederich berief zur Beylegung der Sache würtembergische Theologen, und der Probst Jakob Andreä nebst Christoph Binder, Abt zu Adelberg, wurden zu dem Colloquium nach Weimar geschickt, nnd sie vollbrachten ihren Auftrag wenigstens zur Zufriedenheit des sächsischen Herzogs (1562). Im Jahr 1563 waren Bewegungen in der Strasburger Gemeinde ausgebrochen. Die Strasburger wandten sich an Herzog Christoph und er schickte ihnen Jakob Andreä, der nach einer Konferenz mit Hieronymus Zanchius und Joh.

Marpach die Einigkeit wieder herstellte. Im Jahr 1564 wurde, was Folge des Sakramentstreits der Nachmalszeloten in Würtemberg und in der Pfalz war, das Colloquium zu Maulbronn gehalten. Die calvinisch gesinnten Pfälzer und die lutherischen Würtemberger sollten sich in den streitigen Lehrpunkten vereinigen, die erstere repräsentirte Dillen, Bouquin, Olevianus, Ursinus, Dathen ꝛc. Die leztere Valentin Vannius, Brenz, Andreä, Theodor Schnepf, Balthasar Bidembach. Allein ohne sich nur um ein Haar genähert zu haben, giengen die Partheyen aus einander, und J. Andreä hatte in zehn Konferenzen gegen die Pfälzer Ursinus und Diller das Wort geführt, nachdem er früher schon den nach calvinischen Grundsätzen verfaßten Heidelberger Katechismus, der den lutherischen in der Pfalz verdrängen sollte, in einer scharfen Censur schriftlich gerügt hatte. Beyde Partheyen wollten in diesem Gespräch gesiegt haben. Die Heidelberger maßten sich besonders diesen Ruhm an, und bewogen dadurch die Würtemberger, daß sie, freylich gegen die Konvention, welcher gemäß der Inhalt der maulbronner Verhandlungen nicht sollte bekannt gemacht werden, einen Auszug daraus drucken ließen. So entstand ein neuer Streit, in welchem noch mehrere Schriften von beyden Seiten gewechselt wurden, und welcher bis zum Jahr 1566 dauerte.*) In den folgenden Jahren visitirte er die braunschweigischen Kirchen (1568), von Herzog Julius dahin berufen, bereiste Ober= Nieder=Sachsen und Dänemark (1570.), um die Sache der Orthodoxie und Glaubenseinigkeit zu fördern, hatte um die nehmliche Zeit

*) Obgleich die Unterhandlungen mit Constantinopel jezt abgebrochen waren, so fuhr doch Martin Crusius fort, Verbindungen mit dem Orient zu unterhalten. Er correspondirte mit dem Meletius Magnus, dem Proto-Syngellus, und Procurator des ökumenischen Richters und Patriarchen zu Alexandria, übersandte ihm das in Würtemberg eingeführte theologische Kompendium, und erhielt von ihm Briefe aus Kairo (1584). Dann schrieb er nach Thracien (1585), um sich vom Zustand der dortigen griechischen Kirche unterrichten zu lassen. Griechen kamen jezt häufig nach Tübingen, theils um Almosen-Beyträge für die Befreyung ihrer Volksgenossen aus der türkischen Gefangenschaft zu sammeln, theils um hier den berühmten M. Crusius zu hören, und kennen zu lernen. Merkwürdig war im Jahr 1587 die Erscheinung des Patriarchen Gabriel von Bulgarien, der von den auf der constantinop. Synode (1585) versammelten Patriarchen und Bischöffen an alle Fürsten im Südwesten von Europa empfohlen war. — In kirchliche Vergleichsunterhandlungen ließ man sich jezt nicht mehr ein. Noch verdient bemerkt zu werden, daß den [illegible]ten August 1587. ein

eine Audienz bey Kaiser Maximilian in Prag, ordnete (1571) die kirchlichen Angelegenheiten in Mömpelgard, hatte von dort über Strasburg returnirend, am leztern Ort eine persönliche Konferenz mit Mathias Flacius, nach deren fruchtlosem Ausgang auch die Strasburger vom leztern sich lossagten, reinigte (1575) die Kirchen zu Lindau und Memmingen von ihren flacianischen und zwinglischen Lehrern, Tobias Rupius und Eusebius Kleber, führte in demselbem Jahr die augspurgische Konfession in der Reichsstadt Aalen ein, und das Jahr darauf begann hauptsächlich auch nach seinem Rath der katechetische Unterricht in den Kirchen Würtembergs. Genannt zu werden verdienen noch Andreäs Verhandlungen und Gespräche mit Kaspar Peuzer zu Leipzig über die Communicatio Idiomatum (1576); mit Heinrich von Mundelsheim, einen Strasburger, zu Stuttgart über das Abend-

Janitschar „von langer Statur“ Mahomed Papadatus aus der Stadt Larta in Epirus in der hiesigen Stiftskirche nach der Abendpredigt von einem Diakonus mit griechischen Worten auf den Namen „Cosmas“ getauft wurde. Die Handlung geschah unter großem Volkszulauf, der Täufling war von Geburt eigentlich ein Grieche, den die Türken aus der Wiege zum Janitscharendienst geraubt hätten.

mal und die Person Christi (1584.), ebendaselbst mit Hagen, der in den Verdacht des Calvinismus gerathen war, und mit dem Jesuiten Andreas Fabricius (1559). In dem Jahr 1586 erfolgte das Gespräch zu Mömpelgard. Jakob Andreä und Theodor Beza besprachen sich hier über die Abendmalslehre und andere dogmatische Streitpunkte. Herzog Friederich von Würtemberg war selbst zugegen, und die geübte und scharfe Rede des Tübinger Theologen vermochte soviel über den Fürsten und seinen Hof, daß er mehr als je dem Calvinismus abhold wurde. Im Jahr 1589 endlich wurde das Colloquium zu Baden gehalten. — Der päbstlich gesinnte und streitsüchtige D. Joh. Pistorius Niddanus gab die Veranlassung. Die Tübinger Theologen Andreä Heerbrand, Gerlach waren erschienen, und es war dieß der lezte öffentliche Akt, durch den Andreä seine theologische Laufbahn berühmt gemacht hat, denn er starb im ersten Monat des folgenden Jahres. Nichts erscheint aber im Leben dieses Mannes bewunderungswürdiger und größer, als jenes unermüdete und planmässig berechnete eifrige Streben, Einheit in die Kirche zu bringen. Ein Produkt dieses emsig verfolgten Plan's ist die renommirte Formula Concordiae. Nachdem Herzog Christoph lange vergeblich sich bemüht hatte in Verbindung mit dem Kurfürsten Friederich II., von der Pfalz, Friede und Einigkeit in die protestantische Kirche zu bringen, nachdem der ärgerliche Flacianismus, der Wittenberg und Jena in die feindseligste Opposition gesezt hatte, ein förmliches Schisma im Lutherthum herbeyzuführen drohte, nachdem der durch Herzog Christoph veranlaßte Fürstentag zu Naumburg (1561), statt die Gemüther zu beruhigen, die wildesten Ausbrüche und sogar eine Koalition der Nachtmalszeloten mit den Flacianern herbey geführt hatte, so trat Jakob Andreä auf, um den Frieden zu unterhandeln. Er verfaßte bestimmte symbolische Friedensartikel, schickte und trug sie in der Welt herum, fand aber große Schwierigkeiten bey den niedersächsischen Theologen, die beym Vergleich auf eine Vereinigung in articulis et negativis et positivis drangen, so wie auch bey den Wittenbergern, und bey den flacianischen Jenensern. Er leitet nun die Sache anders ein, bewirkt den Convent zu Zerbst (1570). Die Wittenberger, die den Calvinismus unverdeckt äusserten, wurden gestürzt. Er schickte 6 neue Artikel nach Niedersachsen. Sein neuer Mitgenosse Chemnitz empfiehlt sie, und aus ihrer Abänderung und Korrektion entstand die schwäbisch sächsische Konkordia. Der Kurfürst von Sachsen wird für das Werk gewonnen und Hauptbeförderer desselben, indem aus den schwäbisch-niedersächsischen Vergleichsartikeln eine neue Vereinigungsformel sich bildete, die im Kloster Maulbronn (1576) von Lukas Osiander, Balthasar Bidembach, rc in Verbindung mit hennebergischen (Scherdinger) und badischen Theologen gefertigt und dem Kurfürsten zugeschickt ward, unter Begutachtung von Andreä. Der Churfürst fordert seine Theologen zur Deklaration ihrer Ansicht auf, und sie tragen auf den im nehmlichen Jahre (1576) noch erfolgten Convent von Torgau an. So entstand das „torgische Buch," aus allen bisherigen Vergleichsformeln zusammengetragen. Ueber dieses Buch erschienen aber unzählige Censuren und Monita, bes. von den braunschweigischen, hessischen, meklenburgischen, holsteinischen, anhaltischen rc Theologen, und das Resultat derselben war, daß die lutherische Kirche sich in drey Partheyen theilte, 1) in die rigid orthodoxe, 2) in die moderate 3) in die calvinistischen Sakramentirer. Andreä ruhte nicht, und es wurde eine Kommission zur Prüfung aller Censuren nach dem Kloster Bergen (1577) beschickt, „und die 6 Theologen, Andreä, Chemnitz, Selnekker, Chyträus, Muskulus, Körner, (die Beyden erstern gaben natürlich den Ton an) verfaßten die Bergische Formel." Allein auch diese fand Gegner; es erhoben dagegen sich besonders die Kalvinisten unter Anführung des Pfalzgrafen Johann Kasimir. Es kam zum

Convent zu Tangermünde, man unterhandelte noch anderwärts mit einzelnen unzufriedenen Parthieen, und Andreä und Chemnitz hielten noch eine lezte Konferenz im Kloster Bergen (1550), auf welche noch im nehmlichen Jahre den 24. April die Publikation der Formula Concordiae zu Dresden statt fand. — Es hatten 3 Kurfürsten, 21 Fürsten, und unter diesen Herzog Ludwig von Würtemberg ꝛc die Formel unterzeichnet. Bey jenem unermüdbaren, ja oft ungestümmen Eifer für die Glaubenseinheit, der freylich hie und da zweydeutiger Mittel und Künste sich bediente, konnte es Andreä nicht an Feinden fehlen, von denen sich mehrere die entehrendsten Angriffe auf seinen Charakter erlaubten. Der Partheygeist und theologische Haß erwieß sich oft sehr ungerecht an ihm. Der Mystiker, Gottf. Arnold (in s. Kirchen = und Ketzerhistorie) und sein Klient Paulus Julius bemühten sich besonders, seinen und anderer Würtemb. Theologen Namen zu brandmarken, und so sehr auch A. D. Karl in seiner „würtembergischen Unschuld“ die Manen des großen Theologen ehrte, und seine Handlungen gegen Arnolds Angriffe zu rechtfertigen suchte, so ist doch nicht zu leugnen, daß Andreä durch Anmaßung, Rechthaberey, gebieterisches Durchgreifen und Heftigkeit oft mit Recht die Misbilligung und Unzufriedenheit seiner Zeitgenossen erfahren mußte.

Theodor Schnepf war ein würdiger Sohn des großen würtembergischen Reformators. Die theologische Lehrstelle die durch Martin Frecht's Tod erledigt war, ward ihm zu Theil, (1557) nnd er wirkte, als Exeget des A. Test. (denn in seinem akademischen Lehramt war ihm vornehmlich die Erklärnng der Propheten aufgetragen), ungemein wohlthätig für das Bibelstudium. Feine Sitte und Beredsamkeit erwarben ihm den ehrenvollen Auftrag, nnter die Zahl der Abgeordneten berufen zu werden, mit denen der Herzog das Colloquium zu Worms (1557) beschickte. Er sollte hier das leztemal seinen ehrwürdigen Väter sehen, der als Gesandter des sächsischen Churfürsten und der Jenaer Fakultät erschienen war, und das Jahr darauf starb. Eben so war er auch einer der Collocutoren des Maulbronner Gesprächs (1564), und früher auf dem Konvent zu Erfurt.

Wichtige theologische Verhandlungen der Fakultät knüpfen sich an das Leben von Stephan Gerlach. Er war Repetent in dem theologischen Seminar, als an ihn der Ruf ergieng, den kaiserlichen Gesandten Baron von Ungnad als Gesandtschaftsprediger nach Konstantinopel zu begleiten. Auf Zureden des Herzogs Ludwig und des Kanzlers Andreä nahm Gerlach die Stelle an, und war im August 1573. schon in der Hauptstadt des osmannischen Reiches. J. Andreä und Martin Crusius gaben ihm Empfehlungsbriefe mit an den Patriarchen Jeremias. Ausgezeichnete theologische Gelehrsamkeit, verbunden mit einem frommen, bescheidenen Sinn und liebenswürdiger Sitte verschaffte dem jungen Manne bald die Gunst der Häupter der griechischen Kirche. Er kam in Verbindung mit dem Patriarchen Sylvester von Alexandrien; mit den Metropoliten Joasaph, Cyrill, Metrophanes, Gabriel, Methodikus, mit dem patriarchalischen Rhetor Johannes Zygomala nnd dessen Sohne, dem Protonotarius des Johannes Theodosius. Gerlach gieng jeden Monat in das Patriarchejnm, pflog häufige Konferenzen mit den Griechen über Religionsmaterien, die sich meistens mit seinem Siege schloßen. So entstand der Wunsch und die Hoffnung, auch die griechische Kirche endlich noch zur Uebereinstimmung mit der lutherischen Kirche gegen den Pabst in die Parthie zu ziehen. Gerlach übergab dem Patriarchen Jeremias und den übrigen Häuptern der griechischen Kirche ein Exemplar der Augspurgischen Konfession, die von D. Paulus Dolscius in's Griechische übersezt, und von Andreä und Crusius zu diesem Behuf an Gerlach übermacht worden war (1574). Johann Zygomala wurde durch Gerlach mit dem Heerbrandischen Compendium theologicum bekannt. Es fand seinen Beyfall; er machte den Patriarchen darauf aufmerksam und dieser wünschte eine Uebersezung davon zu haben. Gerlach erstattete Bericht nach Tübingen, und Crusius fertigte für Jeremias die Uebersezung. So kam es endlich zu einer Korrespondenz zwischen Heerbrand und Crusius und zwischen dem constantinopolitanischen Patriarchen. — Die Tübinger Theologen waren aber zu eifrig, als sie nach den gegebenen Hoffnungen seyn sollten. Die Griechen brachen im Jahr 1581 die Unterhandlungen ab, und man blieb in der Lehre vom h. Geist, vom liberum arbitrium, von der Rechtfertigung, von der Zahl der Sakramente, von der Anrufung der Heiligen, von dem Verdienste des Mönchlebens, geschieden von der griechischen Kirche. Die Sache erregte Aufsehen, die Papisten legten sich darein. Wilhelm von Linden, Bischoff zu Gent, Georg Scherer ein Jesuit zu Linz, Stanislaus Succolvski, polnischer Hofprediger, ꝛc brachten falsche Nachrichten über jenen Verkehr zwischen Tübingen und Konstantinopel in's Publikum. Dieß veranlaßte die Tübinger, die Akten davon herauszugeben, um zu zeigen, wie unschuldig der Anlaß zu dieser Unterhandlung und wie gar nicht unredlich ihr Bezeigen dabey gewesen sey. „Ein seltsamer Streit, sagt Henke, in welchem „jeder von beyden Theilen sich ausschließend „das Recht zueignete, aus Feindschaft wider „den andern, um die Freundschaft und Ueber„einstimmung mit der griechischen Kirche zu wer-

„ßen und einer dem andern diese Werbungen „vorrückte." — Im Jahr 1578. kehrte Gerlach von Konstantinopel in's Vaterland zurück, und sogleich wurde er Doktor und Professor der Theologie auf der Hochschule. In die Zeit seines akademischen Lehramtes fallen die theologische Händel mit Samuel Huber (1592). Huber hatte, als Geistlicher in einem Bern nahe gelegenen Dorfe, die Acta des Mömpelgarter Gesprächs gelesen, und die in demselben von Beza niedergelegten streng calvinistischen Ansichten über Gnadenwahl und Prädestination hatten seinen Unwillen erregt. Er machte den Rath von Bern darauf aufmerksam. Der Rath verordnete eine theologische Konferenz zwischen Huber und den Theologen Musculus, Grynaeus und Jezler. Diese vertheidigten die 4 calvinischen Lehrsätze, welche Huber angegriffen hatte, und das Ende war, daß er aus seinem Vaterlande exuliren mußte. Er nahm seine Zuflucht in's Herzogthum Würtemberg, erzählte dem Consistorium in Stuttgart seine Schicksale, und Herzog Ludwig stellte ihn als Pfarrer in dem der Universität so nahe gelegenen Dorfe Derendingen an. Er vertheidigte bald darauf in Tübingen öffentlich eine Disputation, in welcher die calvinischen Irrthümer widerlegt wurden. Allein der leidenschaftliche Eifer führte ihn jezt auf das entgegengesezte Extrem. Er hatte eine Vokation als Professor der Theologie nach Wittenberg erhalten; gieng wirklich dahin, nach dem über seine zweydeutigen theolog. Ansichten ein übler Verdacht zu Tübingen entstanden war. In Wittenberg wußte er seinem Herzen Luft schaffen, und erklärte offen und unzweydeutig gegen die Aussprüche der Schrift und der Formula Concordiä, „die Erwählung sey universell, sie gelte den Guten wie den Bösen, den Glaubigen wie den Unglaubigen.“ Jezt drangen die Wittenberger Theologen mündlich und die Tübinger schriftlich in Huber, er möchte seine dogmatische Irrthümer berichtigen oder widerrufen. Huber hatte in Sachsen die Lüge ausgesprengt, die würtembergischen Theologen harmoniren mit seiner Meynung; diese protestirten in öffentlichen Schrifren feyerlich dagegen, besonders Gerlach, auf dessen Consens sich Huber vorzugsweise berufen hatte. Er verschmähte die Mahnung der Theologen, mußte Wittenberg verlassen und streifte in Niedersachsen umher, und suchte durch geschmeidige Kunstgriffe und durch den Einfluß einzelner vielvermögender Freunde seine Lehrstelle in Wittenberg wieder zu erringen. Der Prinz Friederich Wilhelm von Chursachsen machte ihm aber zur Bedingung, einen theologischen Vergleich mit den würtemb. Theologen, die damals auf dem Reichstag zu Regensburg waren. Huber erschien. Eberhard und Felix

Bidembach, Christoph Binder und Lukas Osiander unterhandelten mit ihm, Huber brach aber das Gespräch ab, entfernte sich von Regensburg, gieng nach Tübingen und bat den Herzog Ludwig um die Erlaubniß, mit den Tübinger Theologen über seine dogmatische Lehrmeynung zu conferiren. Die Konferenz wurde gestattet, der Erfolg war fruchtlos und Huber mußte, als incorrigibel, Würtemberg verlassen. Um die nehmliche Zeit hatte Franciscus Puccius Filidinus in einer Schrift („de Christi servatoris efficacitate" 2c) unter dem schwärmerischen Vorgeben besonderer höherer Erleuchtung naturalistische Religionsansichten verbreitet. Die Schrift erregte großes Aufsehen, Lukas Osiander nannte sie satanisch, gab eine scharfe Refutation derselben heraus, die mit einer ausführlichen Präfation der Tübinger Fakultät begleitet war.

Stephan Gerlach zeichnete sich sonst aus als Polemiker, indem er den Mainzer Jesuiten Johannes Busäus, einen scharfen Gegner in dem Lehrpunkt „über die menschliche Natur Christi" und den Calvinisten Lambertus Danäus ritterlich bekämpfte. — Er war Rector Universitatis, als die in Stuttgart und Tübingen grassirende Pest die Hochschule nöthigte, nach Herrenberg und Kalw auszuwandern (1594) die juridische und medizinische Fakultät schlug ihren Wohnsitz in Herrenberg, die theologische und philosophische mit dem Kanzler Heerbrand in Kalw auf. Das Exil dauerte aber nur ein Jahr, nach welchem die Musen wieder nach Tübingen heimkehrten.

Ein achtungswürdiger und sehr fleissiger Theolog war Joh. Georg Sigwart. Schon als Repetent im Stipendium zeichnete er sich durch seine Gelehrsamkeit so sehr aus, daß der große J. Andreä in wichtigen und schwierigen Kontroversen öfters mit Vortheil seines Rath's sich bediente. Berühmt haben ihn gemacht seine Disputationen (23) über die Glaubensartikel der christlichen Religion und über die augsburgische Konfession, so wie auch sein Manuale locorum communium, das zu Mömpelgard (1615) ins Französische übersezt worden ist. Jene wurden ein ganzes Jahrhundert hindurch bey den jährlichen Streitübungen der würtembergischen Theologen in jeder Diöcese zum Grunde gelegt, bis das jägersche Kompendium sie verdrang. In heftige Streithändel gerieth er mit dem Heidelberger Kalvinisten David Pareus. Die Veranlassung war die von lezterm besorgte renommirte neue Ausgabe von Luthers Bibel, die zu Neustadt an der Hardt durch calvinische Lehren und Zusätze verfälscht erschienen war (1587). Schon Andreä hatte sie zum Henker verdammt;

und nachher war denn auch Sigwart mit seiner „Antwort auf die richtige Rettung „M. Parei, betreffend die zu Neu„stadt nachgedruckte verfälschte teut„sche Bibel D. Martin Luthers," aufgetretten. Man expektorirte sich gegenseitig in den heftigten terminis, und das Maas des Schimpfs und Witzes ward voll, als Pareus in seinem „Irenicum" Friedensvorschläge für die entzweyten Lutheraner und Kalvinisten gab, und wünschte, daß die Protestanten gegen die römische Kirche den Synkretismus beobachten möchten. Die Sache und das Wort war unter den Lutheranern verhaßt, sie argwöhnten und witterten Religionsmengerey, und so wie sich Hutter zu Wittenberg gar sehr über ein solches Irenicum erboßte, so ergoß sich Sigwart zu Tübingen zum großen Aerger der Heidelberger Theologen, in den schärfsten Admonitionen und Refutationen.

In jeder Hinsicht glücklich und blühend war die Lage der Universität bey dem Antritt des 17ten Jahrhunderts. Der fruchtbare Geist der verstorbenen und noch lebenden Lehrer hatte gedeihlich gewirkt, weise Gesetze hatte Herzog Friederich gegeben, und das friedfertige Regiment seines Nachfolgers Johann Friederich, unter dem das Land bey den allgemeinen Kriegsunruhen verschont blieb, den die gelehrten Zeitgenossen, den „würtembergischen Titus" nannten; kündigte wenn gleich nicht unter ganz sichern Auspizien von Aussen, ein glückliches Jahrhundert an, und einen noch blühenderen Zustand der Wissenschaften und Künste. Allein der dreyßigjährige Krieg nahm allmählig eine Wendung, der die schönsten Hoffnungen vereitelte, und harte Schicksale über die Universität verhängte. Schon im Jahr 1626. ward zu Wien das famose Restitutionsedikt publicirt. Gewaltige Forderungen an die Protestanten waren in demselben ausgesprochen. Herzog Bernhard von Sachsen-Weimar wurde endlich in der unglücklichen Schlacht bey Nördlingen (1634) total geschlagen, und die drohende Gefahr konnte nicht mehr abgewehrt werden. Die siegreichen Feinde fielen in Würtemberg ein, und besezten auch Tübingen, eine leidenvolle Zeit begann jezt für die Hochschule. Schwer litt sie unter den zahlreichen Einquartirungen und ausserordentlichen Kontributionen, die erpreßt wurden. Einer der ersten Gewaltstreiche der römisch-katholischen, kaiserlichen Kommission war die Wegnahme der Probstey. Als neuer Probst von Tübingen wurde von den Kommissarien den 16ten März 1636 Wilhelm von Mezenhausen, Domdechant des Erzstifts Trier ausgerufen; — als dieser gestorben war, trat Hugo Eberhard Cratz von Scharpfenstein, Domkustos zu Mainz, an seine Stelle (1637.), welcher den P. Ludwig Luz zum Vikarius nicht nur in der Probstey, sondern auch in dem Kanzellariat einsezte. Standhaft weigerte sich die Universität, den neuen katholischen Probst auch als Kanzler zu erkennen, und berief sich auf den Prager Nebenreceß vom 30ten März 1635., worin die ausgedrückliche Versicherung gegeben war, „die Universität Tübingen bey ihr'm vorigen Stande richtig verbleiben zu lassen." Endlich ergriff sie die Appellation an den Kaiser. Nach dem Tode D. Lukas Osiander's wurde (1639.) Melchior Nikolai, von dem Herzog als Prokanzler aufgestellt. Der damalige Vikarius des katholischen Probstes P. Albrecht Faber war ein Jesuit. Die Jesuiten waren es jezt hauptsächlich, die als Vertheidiger und Beförderer des katholischen Kirchenglaubens gegen den Protestantismus auftraten, und theils mit Scharfsinn und Gelehrsamkeit, theils mit bösen und unlautern Künsten die häretische Kirche stürzen wollten. Auch hier und in der Umgegend, besonders zu Rottenburg hatten sie sich angesiedelt, und trieben ihre arglistische Polemik. Faber protestirte bey der nächsten Magisterialfeyerlichkeit gegen die Anstellung Nikolais durch einen öffentlichen Anschlag, worauf die Universität während des Magisterialakts selbst eine Gegenprotestation durch ihren Sekretär ablesen ließ. Die Streitigkeiten hörten nicht auf, bis die Probstey wieder an die Universität abgetretten werden mußte, (den 28ten Jan. 1649).

Mehrere akademische Lehrer der theologischen Fakultät erlitten grausame Mishandlungen in jenen stürmischen Zeiten z. B. Lukas Osiander, auf welchen ein fanatischer Soldat ein mörderisches Attentat wagte, als er gerade auf der Kanzel stand und predigte; ferner Melchior Nikolai, der in seinem eigenen Hauße Gefahr lief, durch die Hand eines bairischen Kapitäns ermordet zu werden; endlich Joh. Ulrich Pregizer, der kaum dem Schwerd eines blutgierigen Soldaten entrann. Die schönen Einkünfte von Asch und Ringingen wurden der Universität entzogen, so daß die Besoldungen der Professoren entweder ganz aufhörten oder sehr vermindert wurden.

Gleich nach der Nördlinger Schlacht zerstreuten sich die Stipendiaten aus dem herzoglichen theologischen Stift, und die Mönche besezten es blos deswegen nicht, weil sie keinen Unterhalt darinn finden konnten.

Die theologische Fakultät war, und blieb augenblickliche Unterbrechungen abgerechnet, stets emsig und regsam in Vorlesungen und Druckschriften. — Der Geist der Theologie war immer ein polemischer —; nur mit dem Unterschied, daß die Polemik sich jezt mehr nach Innen, als nach Aussen kehrte. Denn von Aussen waren es hauptsächlich die Jesuiten rc mit denen man in theologische Befehdungen gerieth —; im Innern der protestantischen Kirche, wo ein Geist der Sektirerey und der mannigfaltigsten dogmatischen Ansicht früher aufgekommen war, gab es weit mehr Zunder und Stoff, weit mehrere Anregungsmittel für den polemischen Eifer der strengen Lutheraner. Und das strenge Lutherthum galt fortdauernd auf unserer Hochschule.

Als berühmte Namen galten während der ersten Hälfte des 17ten Jahrhunderts in der theologischen Fakultät: Andreas Osiander (1605 — 17), Matthias Hafenreffer (1592 — 1619), Lukas Osiander jun. (1619 — 38), Joh. Ulrich Pregizer (1617 — 49), Melchior Nikolai (1618 — 21 und 1638), Jakob Reihing (1622 — 28), Theodor Thummius (1618—30).

Wir beginnen bey der Darstellung der theologischen Thätigkeit dieser Männer mit Andreas Osiander. Dieser Theolog, er war ein Sohn des ältern Lukas Osiander, zeichnete sich aus durch eine standhafte und wachsame Polemik, durch eine verständliche und natürliche Exegese. Schon die Waldenburger Religionsverhandlung, wo er dem großen Andreä, als Gehülfe beygegeben war, das Gespräch zu Baden 1589 und zu Regensburg, die Religionsverhandlungen zu Schwäbisch-Hall und zu Mömpelgart hatten seine praktisch-theologischen

Talente der Welt beurkundet. — Leipzig, Rostock, Jena und Wittenberg beriefen ihn auf ihre theologischen Lehrstühle; der Herzog wußte ihn aber dem Vaterlande zu erhalten. Als Hofprediger verfaßte er das bekannte und vielfach aufgelegte „Würtembergische Kommunikantenbüchlein. Er schrieb gegen den der würtembergischen Kirche so gefährlichen Jesuiten Gregor von Valenza, mit dem sein Vater schriftlich und mündlich schon gekämpft hatte, er polemisirte mit Gewandtheit gegen den Calvinismus, und krönte seinen theologischen Ruhm durch die berühmte Streitschrift: „Papa non Papa" (1600) von der Joh. Gerhard die Veranlassung nahm seine „Confessio catholica," — ein bekanntes und voluminöses Werk, herauszugeben.

In Matthias Hafenreffer besaß die theologische Fakultät einen Mann, in dem die heiligenden Gaben des Geistes, die christliche Weisheit und Frömmigkeit, aufs schönste gepaart waren. Eine liebenswürdige Bescheidenheit, ein uneigennütziger und fromm-genügsamer Sinn gab seinem Geist die Erhebung über Hofkabalen und über den neidischen Haß bößartiger Feinde, die ihn stürzen wollten. Als Theolog gründete er seinen Ruhm durch seine „loci theologici." Eine ausgesuchte Wahl des Stoffs, eine treue Darstellung des Lutherischen Lehrbegriffs, eine leichte und klare Entwickelung der dogmatischen

Begriffe waren der Grund, daß dieses Buch als Kanon der Orthodoxie in Schweden galt, daß es eine symbolische Bedeutung auf der Hochschule von Upsala gewann, und alle Lehrer nach demselben lasen. Auch in die theologischen Fehden seiner Zeit mischte sich Hafenreffer. Tilemann Heßhuß und Daniel Hofmann, Helmstädter Theologen, hatten die strengere Bestimmung der Majestät und Allgegenwart der erhöhten Menschennatur Christi, wie sie in der Konkordienformel gegeben war, verworfen, ohne sich auch durch das Gespräch in Quedlimburg (1583.) umstimmen zu lassen. Schon J. Andreä, Joh. Magirus, Luk. Osiander sen., Wilhelm Holder rc. hatten sich gegen die Helmstädter in Schriften erhoben; auch Hafenreffer zeigte sich thätig, sowie er auch nicht still schwieg, in den calvinischen Händeln (1605.) mit den Heidelbergern, die vom reformirten Glaubensbekenntniß in Deutschland Bericht erstattet hatten, und jetzt, wiewohl vergeblich, zum Frieden mahnten. Von Hafenreffer gehen wir über auf Lukas Osiander jun, geboren aus einem Geschlechte, in welchem die Streitsucht wie erblich war. Als didaktischer Theolog besaß er eine seltene Gewandtheit, die schwierigsten und abstrusesten Lehrpunkte der Theologie aus ihren Elementen mit Klarheit zu entwickeln. Noch größer war er als Polemiker, und kein theologischer Streithandel kam auf, in den er sich nicht gemischt hätte. Leidenschaftlicher Eifer, ein eigensinniges Beharren und Drängen auf den Buchstaben des symbolischen Lehrbegriffs ließen ihn allwärts Ketzerey wittern, und verleiteten ihn hie und da zu Ausbrüchen, die seiner Person und der Sache, die er vertheidigte, unwürdig waren; weshalb ihn größtentheils mit Recht die Vorwürfe und Angriffe Arnolds trafen, gegen die ihn nicht ihre Partheylichkeit der Apologete den Würtembergischen Theologen Carl in seiner „Würtembergischen Unschuld" in Schutz nahm. Er schrieb bittere und heftige Enchiridia controversiarum, in denen er die Calvinisten, Schwenkfeldianer, Anabaptisten und die Helmstädter Gegner der Ubiquitätslehre bekämpfte. Den reformirten Hofprediger Abraham Scultet, von Heidelberg, den er schon deswegen haßte, klagte er, weil er den Dortrechter Beschlüssen das Wort gesprochen, und die Lehrsätze Luthers, wie die des Pabstes gerügt hatte, des Atheismus an, weil dieser zu den kartesianischen Grundsätzen sich bekannte und aus den Kirchen zu Prag die Bilder wegschaffen ließ, wo er sich mit dem unglücklichen König Friedrich aufgehalten hatte. — Der gemüthlich fromme, dabey aber vielfach geplagte Joh. Arnd, konnte sich damals nicht finden in den steifen kalten theoretischen Zwang des symbolischen Kirchenglaubens; eine geistige Mystik war in seinem Gemüthe lebendig und nicht auf den Grund der todten und sterilen theoretischen Erkenntniß, sondern auf dem Grund der frommen, und des dogmatischen Schulzwangs entbundenen Erbauung wollte er das Christenthum gründen. — Trostbegierige Seelen fanden in seinen Erbauungsbüchern mehr Erquickung, als in den Kontroversschriften der symbolischen Zeloten. Im Feuer der mystischen Andacht war Arnd mancher Gedanke entschlüpft, der auf dem Prüfstein des kirchlichen Symbols die Probe nicht bestand, manche überspannte, oder sonst einer Mißdeutung fähige Redensart, manche aus katholischen oder Schwenkfeldischen Schriften entlehnte erbauliche Stelle, konnten die Eiferer des orthodoxen Kirchenglaubens in seinen ascetischen Schriften entdecken. Die allezeit streitfertige tübingische Schule erhob an der Spitze von Lucas Osiander ein wildes Ketzergeschrey, nnd mit Haß und Leidenschaft verfolgten sie den frommen Arnd; Osiander verfaßte ein scharfes theologisches Bedenken, und gab eine mehr gehässige als „treuherzige Warnung vor Arnds wahrem Christenthum" heraus (1623.) Von ganz entgegengesetzter Gemüthsart war der Nachfolger Osianders im Kanzellariat Joh. Ulrich Pregizer. Mäßigung, Sanftmuth und Nachgiebigkeit waren die hervorstechenden Züge in seinem Charakter, seine Individualität amalgamirte sich nicht mit dem Geschmack der damaligen Streittheologie, er suchte nicht im polemischen Felde seinen Ruhm zu verewigen. Sein exemplarisches Leben, sein ruhiger aber gründlicher Lehrvortrag, seine nervose Beredsamkeit auf der Kanzel gewannen ihm die Liebe der Stadt und Universität. Kein akademischer Lehrer hat während des Kriegssturms und während der Pest, der Kranken und Nothleidenden sich so eifrig angenommen.

Nachdem die Jesuiten und Mönche aus ganz Würtemberg ausgetrieben waren (1652.), und die Universität sich jetzt von den Leiden des Kriegs erholen wollte, da war es Pregizer'n vorbehalten, die letztere durch die Reinheit seiner Lehre und seines Wandels wieder einem glücklicheren Zustande entgegenzuführen. — So wenig die Polemik seine Sache war, so bestritt er doch mit ruhiger und besonnener Gründlichkeit die Jesuiten, die Häretiker der lutherischen Kirche, und die Atheisten seiner Zeit: bey dem war er ein großer Kenner der griechischen und hebräischen Sprache.

Als ein scharfsinniger, selbstdenkender Theolog von großer Aufrichtigkeit im Leben und Umgang trat auf Melchior Nikolai. Gerade in dem Zeitpunkt des 30 jährigen Kriegs fällt sein theologisches Lehramt, wo die Universität die härtesten Schicksale erdulden mußte, und ohne Furcht vertheidigte er, als Professor, den Lehrbegriff der evangelischen Kirche, und als Prokanzler, die Rechte der Universität und seines Amtes. Heftige theologische Kämpfe hatte er zu bestehen mit den Jesuiten, welche das Probstey-gebäude gewaltsam in Besitz genommen; sein geschworner Feind und Gegner war der Jesuit Lorenz Forer, Kanzler der Dillinger Universität; ein starker Schriftenwechsel fand zwischen beyden statt. So wie er endlich den Jodokus Kedden, der in deutschen Schmähschriften die Protestanten angegriffen hatte, besiegt; so bekämpfte er auch die Tübinger Jesuiten auf dem Katheder und auf der Kanzel, und als einst einer derselben, um seinen Gegner zu besiegen, eine patristische Stelle unvollständig und untreu citirte, so erhob sich, wie erzählt wird, Nikolai vor dem ganzen Auditorium, bezüchtigte den Jesuiten der Lüge, recidirte selbst aus dem Kopf die verfälschte Stelle nach ihrem genauen Inhalt; und der Jesuite mußte beschämt abziehen. In seinen Schriften beurkundet Nikolai einen gebildeten lateinischen Styl und eine Darstellung, die nur sparsam in scholastische Terminologien und Spitzfindigkeiten gefaßt ist.

Das bemerkenswertheste seiner theologischen Werke ist sein Compendium theol. didacticum et elenchticum, ein in Würtemberg zu seiner Zeit öffentlich eingeführtes, und nachher von dem Kanzler Mich. Müller, mit polemischen Zusätzen herausgegebenes Handbuch.

Eine neue Erscheinung in der theologischen Facultät mußte es seyn, wenn ein Apostat der katholischen Kirche unter ihre Mitglieder aufgenommen wurde. In seiner Vaterstadt Augsburg war Jakob Reihing zum Jesuiten erzogen und gebildet, und seine Talente erwarben ihm frühe die Stelle eines Hofpredigers bey dem Pfalzgrafen von Neuburg, in welcher er das ganze Gebiet dieses Fürsten für den katholischen Glauben gewann. Während er nach den Grundsätzen und Gesetzen des Jesuitismus die lutherische Lehre schriftlich und mündlich bekämpfte, während er besonders den sächsischen Theologen Matthias Hön durch sein „catholisches „Handbuch wider Hön's vermeintli„ches evangelisches Handbuch" aufreizte, gieng ihm plötzlich ein neues Licht auf, und er verließ den Glauben, den er bis jetzt eifrig vertheidigt hatte (1621.). Würtemberg und Tübingen war damals das Asyl einer reinern Lehre; dahin flüchtete sich Reihing, Herzog Joh. Friedrich nahm ihn gut auf, er schwur zu Tübingen feyerlich den Katholicismus ab, und schwang sich schnell zum Professor der prot. Theologie empor (1622.). Dieß mußte Sensation erregen; die Päbstler suchten ihn durch schlaue Verführungskünste wieder in den Schooß ihrer Kirche zurückzubringen; aber vergeblich; er deckte ihre Irrthümer in öffentlichen Schriften auf, und arbeitete jetzt eifriger gegen sie, als vorher für sie. Seine Heirath mit der Tochter eines Augsburgischen Patriciers, aus der Familie Welser erregte die giftige

Galle der Ingolstädter und Dillinger Jesuiten; aber der Tübinger Professor Konrad Cellarius antwortete rasch und scharf auf ihre bösartige Sarkasmen.

Die erste Hälfte des 17ten Jahrhunderts beschließen wir mit Theodor Thummius. Ein unglücklicher Genius waltete anfänglich über dem Leben dieses Mannes, und stellte sich den höheren Bestrebungen entgegen, zu denen ihn seine Talente und seine Gelehrsamkeit berufen hatte... Zu niedrigen und geringen Schuldiensten schien er durch die Mißgunst des Schicksals bestimmt und verstossen, bis Philipp Michael Kaul, Pädagogarch zu Stuttgart, der ihn, als einen Lehrling des Schulfachs, zu examiniren hatte, an den Kirchenrath das Zeugniß über ihn ausstellte: „Thummius gibt keinen „Provisorem, sondern einen Profes„sorem.“ Dieser glückliche Zufall hob den fähigen Kopf aus der niedrigeren Sphäre hervor in den geistlichen Lehrstand, in dem er sich bald zum Professor an der Universität emporschwang. Er war ein Mann voll Feuer und Leben, und von einer ausserordentlichen Fertigkeit in der Disputirkunst. So soll er einst einen insolenten Gegner, der sich auf die Plausibilität seines Arguments viel zu gut that, mit 18 Gegengründen unausgesetzt, zur allgemeinen Verwunderung der Zuhörer, widerlegt haben. Er schien ganz geboren für den Geist und die Methode der damaligen theologischen Spekulation und Polemik. Und er fand, um dieß zu beurkunden, die schönste Gelegenheit. Kaum hatte er seine akademische Stelle angetreten, so brach der bekannte Streit zwischen den Tübinger und Gießener Theologen über eine spitzfindige Frage in der Lehre vom Stand der Erniedrigung Christi aus. Die Tübinger hielten die strenge Theorie der Ubiquitätslehre fest, in Gießen galt die gelindere, die Tübinger traten stets in dem schroffen Gegensatz gegen die Reformirten, die Theologen von Gießen waren besonders bey den Einwürfen der Marburger Nachbarn gelinder und nachgiebiger. Balthasar Menzer, ein scharfsinniger Theolog, aber heftiger Polemiker, gab seit 1616 die erste Veranlassung zu diesem öffentlichen Kampf. Er hatte nämlich gegen die Ansichten seiner Amtsgenossen Winkelmann und Gesenius die Allgegenwart der menschlichen Natur Christi durch eine mit einer kräftigen Wirksamkeit verbundene substantielle Nähe erklärt, während letztere dieselbe nur in eine Nichtentfernung (indistantia) der menschlichen Natur setzten.

Menzer berief sich auf den Konsens der Tübinger, diese widersprachen, und tadelten, daß er in dem Begriff von der Allgegenwart Gottes eine Wirkung brachte, die Gegenwart Christi, als Gottmenschen, bey den Geschöpfen zu seinem königlichen Amt rechnete, und die Allgegenwart zu dem Stande der Erhöhung zählte. Dieß veranlaßte einen heftigen Schriftwechsel über die Frage: ob Christus im Erdenleben, der Menschheit nach, allgegenwärtig gewesen sey, ob er seine göttlichen Eigenschaften, wenn er sie nicht zeigte, nur verläugnet und verborgen, oder ob er sie dann wirklich abgelegt habe ꝛc. Die erstere Ansicht vertheidigten die Tübinger, und man nannte sie Kryptiker, die letztern die Gießener, und man nannte sie Kenotiker. Menzer und sein Schwiegersohn und Amtsgenosse, Justus Feuerborn glaubten nicht, daß es eine wahre Erniedrigung Christi heissen könne, wenn er den Gebrauch seiner göttlichen Eigenschaften beybehielte, und der letzte erörterte diese Ansicht in seiner Κενωσιγραφια χριστολογικη 1627. — Die Tübinger hingegen, Lukas Osiander, Melchior Nikolai und Theodor Thummius, (der Letztere zeichnete sich als Hauptsprecher aus, und hatte 1623. seine Ταπεινωσιγραφια sacra herausgegeben) stützten sich neben biblischen Beweisen hauptsächlich auf die persönliche Vereinigung, nach welcher auch die Mittheilung der göttlichen Eigenschaften und ihr Gebrauch unveränderlich bleiben müsse. — Indem man von beyden Seiten aus den vertheidigten Lehrsätzen gehässige Folgerungen zog, kam die berühmte Ubiquitätslehre gewaltig ins Gedränge. — Man erbitterte sich gegenseitig auf die heftigste Weise, und gab den Katholiken und Reformirten Gelegenheit, über diese Uneinigkeit der Verketzerungssucht zu spotten, und der Jesuit Lorenz Forer zu Dillingen, erhob über beyde streitende Partheyen ein verdientes, aber pöbelhaftes Gelächter. Wittenberg stand damals im Rufe, der Sitz der evangelischen Orthodoxie zu seyn. Auf den Wunsch des Herzogs Joh. Friedrich von Würtemberg, und des Landgrafen von Hessen forderte der Churfürst Joh. Georg I. von Sachsen seine Wittenberger Theologen Balduin und Meißner, seinen Oberhofprediger Matthias Hönn v. Hönnegg und andere auf, über diesen Streithandel ihr votum consultativum zur Entscheidung, zu geben. Dieses erfolgte im Jahr 1624. in einer Schrift, die durch Heinrich Höpfner abgefaßt war — aber zu Gunsten der Gießener. Thummius schwieg aber nicht, und es kam noch zwischen ihm und den Sächsischen Theologen zu gedruckten Gegenerklärungen. Und so nahm endlich dieser unnütze und mühselige Streit ein Ende. — Auch sonst erwies sich Thummiu's thätig in Bekämpfung der evangelischen Häretiker, der Photinianer, Calvinisten, Flacianer, Anabaptisten, Schwenkfeldianer, der sogenannten Enthusiasten, und der Weigelianischen Schwärmer, und allwärts zeigte es den raschen, kräftigen und scharfsinnigen Athleten des Lutherthums. Seine Todfeinde waren die Jesuiten, besonders Lorenz Forer und

Kaspar Lechner; mit leztern verwickelte er sich wegen des Bilderdienstes in Fehde. In einem Libell, das Thummius herausgegeben hatte unter dem Titel: „Christlicher wohlgegründeter Bericht auf die Frag: ob ein „evangelischer Christ auf Begehren „und nöthigen weltlicher Obrigkeit, „mit gutem Gewissen zur Päbstlichen Religion sich begeben könne ec." fanden die Lojoliten eine geschickte Gelegenheit, sich an ihrem Feinde zu rächen. Dieser Bericht enthielt nehmlich unter andern Behauptungen auch diese: „der Pabst führe den Incest ein, denn er habe incestuose Heurathen genehmigt;" Pabst Paschalis habe dem polnischen Fürsten Boleslav erlaubt, seine Tochter zu heurathen; vermittelst päbstlicher Dispensationen habe Philipp, König von Spanien, eben so der Erzherzog Karl von Oesterreich sich mit seiner Schwester Tochter verehlicht." Die Jesuiten, besonders Forer machten dem Kaiser Ferdinand eine gehässige Anzeige von der Sache; und nur die inständigen Bitten des Herzogs konnten bewirken, daß Thummius nicht an Oestreich ausgeliefert noch nach Rom deportirt, sondern blos als Gefangener seines Landesfürsten auf das Tübinger Schloß gesetzt wurde, wo er nach zwey Jahren starb (1630).

Mit der zweyten Hälfte des 17ten Jahrhunderts, nachdem der westphälische Friede den

Genuß einer allgemeinen und dauerhaften Ruhe dem Vaterlande verbürgt hatte, lebten die Tübinger Musen in einer frischen Blüthe und lebendigen Bewegung wieder auf. Heinrich Schmid, Professor der Theologie, war der feyerliche Dankredner bey dem am 8 Dec. 1648. gefeyerten Friedensfeste. Herzog Eberhard III. stellte unter Mitwirkung seines verdienstvollen Geheimen Raths Nikol. Myler von Ehrenbach — (dieser war ein wahrer Mäcen für die Wissenschaften) die geschwächten Kräfte der Universität wieder her. Nichts unterbrach die Ruhe der Universität, bis gegen das Ende des 17ten Jahrhunderts in dem Eroberungskrieg, den König Ludwig XVI. v. Frankreich wegen der Pfalz mit Deutschland führte, und der sich mit dem Ryßwicker Frieden endigte (1697), ein feindlicher Einfall französischer Völker unter Anführung des Generals de Peyssonnel in Tübingen erfolgte, den 5ten Dec. 1688, wo die Feinde einen Theil der Stadtmauer sprengten, und die Universität und Stadt in eine starke Contribution sezten. So empfindlich auch und beschwerlich diese Zufälle schienen, so waren sie doch von kurzer Dauer; und die spätere feindliche Annäherungen und Bewegungen der Franzosen, 1693 und 1707. hatten keine erhebliche Folgen.

Die theologische Fakultät arbeitete rasch und fruchtbar fort in dem bisherigen Geist und Tone; die Polemik gegen äussere und innere

Gegner der lutherischen Kirche lebte noch immer fort, nur daß sie anfieng, in etwas gelinderen Formen sich zu manifestiren. Im ganzen Felde der Theologie blieb kein Theil unangebaut, nur in der Kirchengeschichte wurde nichts Erhebliches geleistet; das vorherrschende Fach blieb noch bis tief in die Mitte des folgenden Jahrhunderts die theologische Polemik. Die thetische Theologie kultivirten jezt, besonders nach der akroamatischen Methode, Johann Adam Osiander, Georg Heinrich Häberlin, Johann Grafft, Michael Müller. Für die Exegese wirkten in mündlichen Vorträgen, und gedruckten Ausarbeitungen Balthasar Raith und Johann Adam Osiander, die hauptsächlich das A. Testament exegisirten, fern er Christoph Wölflin und Georg Heinrich Häberlin, die sich mit der Interpretation des N. Testaments beschäftigten. — Am fruchtbarsten war wieder die litterarische Thätigkeit in der Polemik. Tobias Wagner und Johann Adam Osiander waren die eifrigsten und fleißigsten Polemiker, an allen Streitmaterien nahmen sie Antheil und Interesse. Den spekulativen Atheismus, eine Ausgeburt der cartesianischen Philosophie, die cartesianische Philosophie selbst, der man die Schuld gab, daß sie zur Zweifelsucht, daß sie durch ihre Lehre von der Unendlichkeit der Welt zum Pantheismus und Atheismus führe, daß sie die Vernunft zu hoch über die empirische Erkenntniß erhebe ꝛc die neue Geistertheorie von Balthasar Bekker, der in seiner „bezauberten Welt“ nach cartesianischen Grundsätzen die Gewalt und Wirksamkeit der Geister, vornehmlich der bösen, in der Körperwelt leugnete, die mystische Theosophieen von Jakob Böhme, die prophetischen Visionärs und Chiliasten, bestritten und bekämpften Tobias Wagner, Joh. Adam Osiander und Georg Heinrich Häberlin. Den Kontroversen mit den Katholiken gab eine besonders lebhafte Anregung der Uebertritt des würtembergischen Juristen Besold zur katholischen Kirche in Ingolstadt. Tobias Wagner ereiferte sich über diese Erscheinung, Balthasar Raith griff die Anbetung der Heiligen an; und Joh. Adam Osiander, Christoph Wölflin, Georg Heinrich Häberlin, und Michael Müller widerlegten in Druckschriften die Jesuiten. Der Erstere schrieb auch gegen die Jansenisten und Arnauldisten. Balthasar Raith bekämpfte das Judenthum, Tobias Wagner den Islamismus. Aber auch auf die divergirenden Ansichten im Innern der protestantischen Kirche fixirte sich die polemische Thätigkeit der Tübinger Schule. Ueber die irenische Vorschläge und henotische Versuche zwischen den Reformirten und Lutheranern erklärte sich öffentlich Tobias Wagner; die Arminianer und Remonstranten bestritt Balthasar Raith; gegen die Coccejaner, welche nach dem hermeneutischen Prinzip eines tiefen, unerschöpflichen, typischen Sinnes der h. Schrift die sogenannte Föderaltheologie aufgebracht hatten, so wie gegen die Anabaptisten polemisirte Georg Heinrich Keller; gegen die Syncretisten der calixtinischen Schule, die man der Religionsmengerey anklagte, schrieben endlich Tobias Wagner und Joh. Adam Osiander.

Die vorzüglichsten Lehrer in der theologischen Fakkultät während dieser Zeitperiode waren Tobias Wagner (1653 — 1680), Johann Adam Osiander (1656 — 1697), Balthasar Raith (1652 — 1683), Christoph Wölflin (1660 — 1669), Georg Heinrich Keller (1670 — 1702) Georg Heinrich Häberlin (1681 — 1699); Michael Müller (1682 — 1702) Michael Förtsch (1695 — 1703).

Tobias Wagner war ein gründlich gelehrter Theolog, auf dem Katheder und auf der Kanzel, weder geschmacklos, noch trocken, sondern beredsam, geistreich und gediegen, ein scharfsinniger Kenner der gereinigten aristotelischen und ramistischen Philosophie. Eine besondere Stärke und Erfahrung bewies er in der theologia casualis und conscientiaria. Die vorzüglichsten Theologen Deutschlands, viele evangelische Räthe und Staatsobrigkeiten bedienten sich in schwierigen Fällen seines vielfach erprobten Rathes. „Der hohe Rath von Kempten erwählte ihn bey ausgebrochenen Unruhen in dem öffentlichen Gemeinwesen zum Schiedsrichter, und der Graf Sigfried von Hohenlohe zog ihn in einer sehr wichtigen Ehesache zu Rath. Sonst ergiengen aber über diesen Mann unangenehme und widrige Schicksale. Im Jahr 1642 hatte er Werners Visionen schriftmäßig widerlegt, der fanatische Gegner entehrte auf die unwürdigste Weise seinen guten Namen. Im Jahr 1643 sezte er, als Pastor in Eßlingen, einen Menschen, der sich dem Teufel verschrieben hatte, durch die Kraft des göttlichen Wortes wieder in den Stand der christlichen Freyheit. Eine Predigt, die er bey diesen Gelegenheiten herausgegeben, erregte die Galle der Jesuiten, und sie verfolgten Wagner in einem mit giftigem Spott erfüllten Schmählibell unter dem Titel: „Einfältiger Eßlinger Teufel." Die katholischen Aebte die damals das Kloster Maulbronn, Murrhardt, Bebenhausen, Adelberg, Königsbronn und Lorch inne hatten, ließen Wagner'n durch einen Kaiserlichen Notar und zwey Zeugen eine Schrift voll Schmähungen und Drohnngen unter dem Vorwande öffentlich zustellen, „er habe in der evangelischen Cen„sur der Motive Besolds" in dem Streitpunkt „über den Gebrauch und Misbrauch der Kirchen„güter auf sie und ihre Vorgänger Lügen aus„gestreut," — Wagner antwortete schriftlich und mündlich zwar rasch, aber mit Mäßigung und Würde. Unter den Jesuiten war sein besonderer Gegner Heinrich Wagner — Eck, mit dem er in Gegenwart des zum Papismus abgefallenen Baron v. Degenfeld über Streitpunkte der Religion disputirt haben soll. Ein freundschaftliches Kolloquium hielt Wagner im Jahr 1673 zu Deinach mit dem calvinianischen Professor Hottinger von Zürch, und das Gerücht ging aus, die Tübinger Theologen hätten sich mit Calvinisten friedlich vereinigt. Wagner widersprach jedoch dem Gerücht. In Augsburg ward vom evangelischen Magistrat die Frage aufgeworfen worden, ob es, wie bisher, erlaubt seyn könne, an den Sonntagen Märkte zu halten. Diakonus Joh. Jakob Bajer verneinte die Frage. Man consultirte Wagnern; dieser reiste selbst mit dem Strasburger Theologen Sebastian Schmid nach Augsburg. Wagner entschied gegen Bajer, was seinen Tübingern Collegen misfiel, auch Abt Zeller von Bebenhausen mischte sich in den Streithandel, und es wäre zwischen den Würtembergischen und Strasburger Theologen zu unfriedlichen Auftritten gekommen, wenn sie nicht durch den Herzog Eberhard III. unterdrückt worden wären.

Johann Adam Osiander war ohne Zweifel der größte Theolog der Fakultät in der zweyten Hälfte dieses Jahrhunderts. Lukas Osiander jun. war sein Großonkel. In der ganzen lutherischen Kirche war sein Name berühmt. Scharfsinn, ausgebreitete Wissenschaft, Nachdruck und Fertigkeit in den akademischen Vorlesungen und besonders in den Streitübungen, gewissenhafter Fleiß in allen Theilen seines Amtes waren in ihm aufs herrlichste vereinigt. Selbst die Schweden kamen nach Tübingen, um die Lehrvorträge dieses Mannes zu hören. Er war für Tübingen, was Gerhard und Musäus für Jena, Hülsemann und Scherzer für Leipzig, Hünnius und Calovius für Wittenberg waren. Er war bey allen aufgeklärten Fürsten geachtet; besonders war ihm zugethan König Karl XI. von Schweden, dem er seine theologia casualis dedizirte. Der ehrwürdige und fromme Spener, der große Pufendorf schäzten die Talente und Verdienste dieses Mannes. Im Jahr 1682 stellte er zu Bernhausen auf Befehl des Herzogs eine Unterredung an mit dem katholischen Bischoff Christoph Rocca de Spinola von Tina in Kroatien, der 20 Jahre lang in protestantischen Ländern mit henotischen Versuchen herumreiste, und auch nach Würtemberg kam, um seine Vorschläge zu einer Widervereinigung zwischen den Protestanten und Katholiken kund zu thun. Osiander vertheidigte gegen den gewandten Päbstler fest und muthig die evangelische Wahrheit, und sezte Spinola über seiner Gelehrsamkeit und Disputirkunst in Verwunderung. —

Auch Balthasar Raith können wir nicht ganz übergehen. Klug in Rathschlägen, gewandt in Geschäften, treu und gewissenhaft in seinen Amtspflichten, eifrig und innig beseelt von der Religion, genoß er der allgemeinen Liebe seiner Kollegen und Zuhörer. Man lobte besonders auch seinen durch das Studium der schönen Künste gebildeten Geschmack und seine Beredsamkeit in öffentlichen Vorträgen. Selbst Spener war sein Freund und er dedizirte ihm seine von Calov gerühmten vindicias versionis Lutheri biblicae. Christoph Wölflin, (seine Zeitgenossen priesen in seinen theologischen Vorträgen Gründlichkeit und eine ausserordentliche Penetrationsgabe) verdient erwähnt zu werden wegen seines großes Einflusses auf den damaligen Zustand der würtembergischen Kirche. Der Herzog Karl Friederich ernannte ihn zum Probst in Stuttgart (1680). Während er dieses Amt bekleidete, fiengen Ludwig Bronnquell, Pfarrer von Lochgau, und Joh. Jakob Zimmermann, Diakonus in Bietigheim an, schwärmerische Religionsmeinungen, die hauptsächlich aus Jakob Böhme's Schriften geschöpft waren, zu verbreiten. Wölflin hemmte ihre Bemühungen und unterdrückte ihre Anschläge. Bronnquell aber, den er in seinen schriftwidrigen Ansichten von der Sünde wider den h. Geist, im Konsistorium öffentlich und siegreich widerlegt hatte, und Zimmermann wurden, da sie ihre Ansichten nicht zurücknehmen wollten, aus dem Lande verwiesen. Auch er wohnte dem Unionsgespräch mit Spinola in Bernhausen 1682 bey; und mit brüderlicher Liebe war ihm Spener zugethan.

Georg Heinrich Keller hat nicht sowohl durch Aufsehen erregende Schriften und Reden den Beruf des wahren Theologen zu erfüllen sich bemüht, sondern durch fromme Gesinnung und durch unermüdeten Eifer, für das Wohl seiner Zuhörer in stiller amtlicher Wirksamkeit zu arbeiten. Geschmack und Gründlichkeit waren der hervorstechende Charakter seiner Vorlesungen.

Georg Heinrich Häberlin verschaffte sich durch die ausgezeichneten Talente, die er in seinen Vorlesungen, in Disputationen, in Schriften beurkundete, einen Ruf vom König von Schweden an die Universität Dorpat als erster Professor der Theologie, mit dem Versprechen der bischöfflichen Würde zu Riga. Kränklichkeit und das Pflichtgefühl, das ihm gebot, seinem Vaterlande zu dienen, bewogen ihn, ein glänzendes Anerbieten dieser Art auszuschlagen. Viele Provinzen und Reichsstädte benüzten in theologischen Angelegenheiten, in Gewissensfällen, den gediegenen Rath dieses orthodoxen Theologen, der auf Befehl des Fürsten den Ambrosius Sehmann von Kaminiez, ferner den Vertheidiger der böhmianischen Sekte, Joh. Jak. Zimmermann, den Bischoff von Meaux, Jak.

Bossuet, welcher den Frieden zwischen den Katholiken und Protestanten vermitteln wollte, den Jesuiten Dezius gründlich widerlegte. In seinen Kanzelvorträgen rühmte man eine rührende Erbauung.

Michael Müller zeichnete sich aus durch die strenge Vertheidigung des orthodoxen Lehrbegriffs in dem er alle Neuerungen und abweichende theologische Ansichten mit dem strengsten Ernst, mit scharfsinniger, dabey aber auf einleuchtende Gründen gebauter Dialektik zu bekämpfen suchte. Er war der erste Theolog in Würtemberg, der nicht nur die gehässige Meynung von einem „peremtorischen Gnadentermin, welche Joh. Georg Boesius, Diakonus von Sorau aufgestellt hatte, in einer öffentlichen Disputation (1701) widerlegte, sondern auch ein besonderes Collegium über die damaligen theologischen Kontroversen las, wo er besonders die gefährlichen Lehrsätze Stengers und anderer Theologen bestritt, (1694)". Der Herzog bediente sich mehrmals seines durch viele Erfahrungen und durch natürliche praktische Talente gebildeten Rathes.

Michael Foertsch endlich beschließt die Reihe der berühmten Tübinger Theologen des 17ten Jahrhunderts. Er war von Geburt ein Werthheimer, zuerst in badischen Diensten, kam dann als Professor der Theologie nach Tübingen, und die Fakultät genoß von seiner Ge-

Lehrsamkeit, von seinem akademischen Eifer, von seiner Beredsamkeit mancher schöner Früchte. Im Anfang des folgenden Jahrhunderts rief ihn seine Bestimmung nach Jena, wo er starb (1724).

Eine große Revolution in allen theologischen Wissenschaften hatte gleich nach dem Anfang des 18ten Jahrhunderts begonnen, die sich im Lauffe desselben immer weiter entwickelte. Der in England entstandene Deismus war die Hauptursache dieser Erscheinung. Die Erweiterung der Naturwissenschaften, das tiefere Studium der Geschichte der Religionen hatte diesen theils begünstigt theils mit hervorgerufen. — Dazu kam der Einfluß der Philosophie. Locke's sinnlicher Empirismus, der auch in Deutschland eifrige Verehrer und Freunde fand, führte zum Naturalismus, Bayle's Scepticismus drohte alle Systeme der Theologie zn erschüttern; da trat Leibnitz gegen beyde auf, und seine ganze Philosophie war ein festeres Fundament für die Religion, als die lockische. Eine systematischere Vollendung, einen ausgebreiteteren Umlauff und eine bestimmtere Anwendnng auf Theologie erhielten seine Ansichten durch Christian Wolf, der eine systematische Theorie der übernatürlichen Offenbarung aufstellte, die den Theologen Waffen gegen den Naturalismus in die Hände bot, und sich des Supernaturalismus annahm; — indem aber diese leibnitz-wolfische Schule der Vernunft und

Philosophie mehr Ansehen in der Theologie zugestand, als für die consequente Vertheidigung des Supernaturalismus gut war, so beförderte sie wiederum den Naturalismus. — Dieser Schule, die auch bey den Anhängern des symbolischen Lehrbegriffs auf unsrer Universität starken Widerspruch fand, stellte sich die auf ein vom philosophisch dogmatischem Schulzwang freyes, biblisch — praktisches Christenthum dringende Spener'sche Schule, die Schöpferin des Pietismus, die zu Halle ihren Hauptsitz hatte entgegen. Endlich trat mit dem Schluß des 18ten Jahrhunderts Kant auf, welcher den rationellen Dogmatismus der Wolfianer stürzend, auf die Grundlage der kritisch beleuchteten praktischen Vernunft einen reinen moralischen Deismus bauen wollte, und das Christenthum in der Form und im Geiste desselben beurtheilte, und behandelte. — Es ließ sich von selbst erwarten, daß auch unsere theologische Fakultät nicht unberührt blieb von diesen großen Bewegungen und Veränderungen auf dem theologischen Gebiete. Die leibnitzwolfische Theologie fand nach Form und Innhalt scharfsinnige Vertheidiger und Bearbeiter in Bilfinger und Canz; der Geist der spenerischen Schule lebte in Chr. M. Pfaff und in Chr. Eberhardt Weismann. Bey dem Allem galt denn aber doch noch lange Zeit der symbolische Lehrbegriff der lutherischen Kirche; und die

Philosophie hatte nur eine untergeordnete Stelle, und diente bloß zur Vertheidigung oder Erläuterung des kirchlichen Dogma's. Mildere Ansichten kamen erst später auf, wo man mehr auf exegetischem als dogmatischem Wege eine biblische Theologie an die Stelle der symbolischen sezte; und als die Kantischen Bewegungen erfolgten, so blieben zwar auch diese nicht ohne Einfluß auf das Formelle und auf die Darstellung der theologischen Ansichten unsrer Fakultät; sie huldigte aber nicht dem rationalistischen Prinzip der neuen Lehre. Die Storrische Schule widersprach öffentlich der kantischen Religionstheorie; sie beharrte auf dem historischen Grunde des Christenthums, suchte diesen durch die gelehrtesten und gründlichsten Untersuchungen im Felde der Kritik, der Geschichte und der Exegese immer mehr zu befestigen, und hielt so den strengen biblischen Offenbarungsbegriff fest, welcher auch nach seiner philosophischen Begründung in ihr die scharfsinnigsten Apologeten fand. — Die Exegese und Hermeneutik gewann ganz andere Prinzipien, und eine neue Gestalt. Die grammatische und historische Schrifterklärung wurde nach und nach, wiewohl unter manchen Widersprüchen und abweichenden Bestimmungen, in Deutschland die herrschende. Die ganze Interpretationsmethode veredelte und verfeinerte sich, wurde geist- und geschmackvoller. Sonst war es gewöhnlich nur das Christenthum dieser oder jener Kirche, was Angriffe erlitt; jezt waren die leztere mehr auf das Christenthum der Bibel und auf die Bibel überhaupt gerichtet. Der Deismus wollte den positiven Charakter der christlichen Offenbarung vernichten; So trat die Apologetik des Christenthums als antideistische Theologie auf.

Die Polemik erreichte im 18ten Jahrhundert ihre höchste Vollkommenheit. Sie verwandelte sich in eine systematische Wissenschaft und Kunst, sie verlor von ihrer alten Rohheit und Heftigkeit; die Antideistik wurde jezt ein sehr wichtiger Providenztheil derselben. Jedoch nach der Mitte des Jahrhunderts, wo die Toleranz und Verträglichkeit unter denjenigen, die sich zu verschiedenen Lehrbegriffen des Christenthums bekannten, mitunter auch religiöser Indifferentismus sich verbreitet hatte, kam in allen theologischen Wissenschaften ein mehr irenischer Geist auf, bis die kantische Philosophie die Gemüther wieder in eine etwas heftige Bewegung versezte, und den Gegensatz zwischen dem Rationalismus und Supernaturalismus scharf hervorhob. — Die Polemik selbst gerieth in Abnahme und war zulezt nur noch eine Kritik und Vergleichung der verschiedenen Systeme. Besonders aber die Dogmatik und christliche Moral erlitt bedeutende Veränderungen in dieser Zeitperiode. Der lutherische Lehrbegriff, seit dem vorigen Jahrhundert im Streit mit dem melanchthonischen hatte nach und nach den Sieg über den leztern davon getragen. Man verpflichtete geistliche und weltliche Diener auf denselben. Ausserdem bildete sich eine Calixtische und Spenerische Parthey, welche obgleich sonst von einander abweichend, doch beyde von gewissen Punkten des strengen Lutherthums differirten. Alle diese Parthieen kamen in das 18. Jahrhundert herüber. Die Spenerianer stellten an die Spitze der Theologie das praktische Prinzip der geistigen Wiedergeburt; auf praktischem, nicht sowohl theoretischem Wege sollte der Theolog gebildet werden; daher die Collegia pietatis zu Halle und Leipzig rc. Die orthodoxen Lutheraner, die auf dem kalten und buchstäblichen Lehrbegriff, den die Spenerianer nicht für untrüglich und absolut nothwendig hielten, streng beharrten, widersprachen den leztern. Es trat eine vermittelnde Parthie zwischen Beyden auf, besonders in J. F. Buddeus und Ch. M. Pfaff, um das symbolische System mit den Spenerischen Grundsätzen auszusöhnen. Jezt erhob sich aber auch die wolfische Philosophie, um vermittelst einer demonstrativen Methode auf philosophische Prinzipien die Dogmatik zu gründen. — Es entstand ein Kampf zwischen der spenerischen und wolfischen Schule, welche leztere in Tübingen erst Weismann und Pfaff bekämpften, nachher aber Bilfinger und Canz vertheidigten und weiter entwickelten. Manche hul- digten einem eklektischen Syncretismus, andere blieben ohne vorherrschenden philosophischen Dogmatismus treuere Anhänger des lutherischen Symbols, wie J. W. Jäger und C. F. Sar- torius zu Tübingen. Auch in die Kirchen- geschichte drang jezt nach und nach, wiewohl sehr langsam, ein mehr philosophischer, irenischer, billiger und gerechter Geist. Sie gewann an Kritik, Geschmack und Auswahl, und besonders in einzelnen Theilen derselben ward von einzelnen Gelehrten Vortreffliches geleistet.

Auch die Tübinger theologische Schule nahm lebhaften Antheil an diesen neuen Erscheinungen auf dem Gebiete der Theologie und der Kirche. Auch hier erschien allmählig dieser neue Geist nicht ohne wirksamen Einfluß. Es wurde keine merkwürdige theologische Zeitmaterie auf die Bahn gebracht, die hier nicht eifrige, theils apologetische theils polemische Bearbeitungen gefunden hätte, und in allen, auch auswärtigen, Kirchenangele- genheiten, besonders in den noch fortdauernden Unionsversuchen, in den pietistischen und sepa- ratistischen Streitigkeiten, in der Zinzendorfi- schen Angelegenheit, zulezt auch in der kanti- schen Revolution ließen die Tübinger Theologen ihre Stimmen, theils aufgefordert, theils frey- willig, mit Würde und gelehrter Gediegenheit vernehmen. Zwar blieb im Laufe des Jahrhun- derts die hiesige Schule den wesentlichen Elementen nach durchgängig der orthodoxen Kirchenlehre getreu, und so wenig auch der Geist der neuen Lehre das orthodoxe Prinzip verdrängte, so machte er doch für mildere Bestimmungen und Modifikationen des Lehrbegriffs empfänglich, bis zulezt die Storrische Schule eine neue Bahn brach, und auf dem Wege einer durch gedlegene Sprach-Kenntnisse unterstüzten, gründlichen Exegese und feinen Kritik das biblische Christenthum aus den zu sehr beengenden Schranken der symbolischen Lehrbestimmung befreyte. Indem aber eben dieselbe den positiven und übernatürlichen Charakter des Christenthums festhielt, und auf den historisch gegebenen Grund die Theorie der Offenbarung baute, so trat sie in den geraden Gegensaz gegen die Kantische Schule. — Die berühmtesten Theologen, die während der ersten Hälfte des 18ten Jahrhunderts in der Fakultät sassen, waren: Johann Wolfgang Jäger (1702 — 1720), Joh. Christoph Pfaff (1700 — 1720), Andreas Adam Hochstetter (1711 — 1717), Joh. Ulrich Frommann (1698 — 1715), Gottfr. Hoffmann (1707 — 1728), Chr. Hagmajer (1726 — 1730), Christoph Matth. Pfaff (1717 — 1755), Chr. Eberh. Weismann (1721 — 1747), Joh. Christ. Klemm (1725 — 1754), Georg Bernh. Bilfinger (1731 — 1737), Israel Gottlieb Canz (1747 — 1753).

Joh. Wolfgang Jäger, ein durch schöne Reisen gebildeter Theolog, war nach dem Zeugnisse Weismanns, zum akademischen Lehrfach ganz geboren, und seine Vorträge zeichneten sich durch systematische Klarheit besonders aus. Sein Systema theologicum dogmatico-polemicum, welches nach coccejanischen Grundsäzen die sogenannte Föderal- und Causal-Methode befolgt, genoß die Ehre, in dem Vaterlande auf lange Zeit als Landes-Compendium zu gelten. In der Polemik zeigte er eine ungewöhnliche Stärke, und den lebendigsten Eifer. Er schrieb gegen Jakob Böhme, bestritt die Simonie der römischen Kurie, mischte sich in den Prädestinations-Streit der Huberianer, bekämpfte die Schwärmer und Visionär's, unterwarf die separatistischen Händel seiner Prüfung; besonders eifrig polemisirte er aber gegen den Quietismus der sich für inspirirt ausgebenden Jungfrau Bourignon, und gegen die schwärmerische Mystik des Peter Poiret aus Metz. Auch vertheidigte er aus Veranlassung des Streits, den Kaiser Joseph I. mit dem Pabst Clemens XI. über die Ausübung des Rechts der sogenannten ersten Bitte (Jus primariarum precum), führte die Sache des Kaisers in einer öffentlichen Druckschrift zum großen Wohlgefallen des Leztern.

Johann Christoph Pfaff, ein Theolog von feinem Urtheil und nervosem Vortrag, machte sich besonders bekannt durch seine

Sylloge controversiarum uud durch seine Supplementa ad commentarium Dorschei in epist. ad Hebraeos.

Der zu früh verstorbene Johann Ulrich Frommann gründete seinen theologischen Ruhm durch seine Dissertationen „de stultitia Atheismi." Er faßt hier alle Argumente für und wider den Atheismus in nervoser Kürze zusammen, und stellt mit sichtendem Scharfsinn, mit gelehrter Gründlichkeit das Widersinnige desselben dar, ohne jedoch diese Arbeit vollendet zu haben.

Gründliche Kenntniß in der Theologie, besonders in den praktischen Fächern, anmuthige Beredsamkeit, eine durch kostbare Reisen erworbene feine Weltbildung und eine rechtschaffene Gesinnung machten Andr. Ad. Hochstetter zu einem der beliebtesten Lehrer. Unter seinen Schriften ist das Collegium Pufendorfianum das bekannteste; so wie er vielen Antheil an den Anmerkungen zu Hedinger's neuem Testamente hatte, so schüzte er auch diesen rechtschaffenen Mann gegen gehäßige Angriffe; bey der Untersuchung der mühseligen und unnüzen Separatistensache zu Kalw wurde er als Kommissär gebraucht; so wie er auch ein Meister in der Katechetik war.

Christ. Hagmajer hat theologische Abhandlungen geschrieben, die durch ihre philosophische Schärfe und systematische Begründung das Gepräge eines denkenden Kopfes an sich tragen.

Ein durch seine Kanzel-Beredsamkeit und durch

seine emsige und rechtschaffene Amts-Thätigkeit berühmter und gelehrter Mann war Gottfr. Hoffmann. Als Prediger in Stuttgardt hatte er Antheil an der Stuttgardter Bibel-Ausgabe vom Jahre 1704, an den Anmerkungen zu Hedinger's neuem Testament, an dessen Gesangbuch; hielt auf höhern Befehl eine persönliche Unterredung mit den Separatisten, gab eine Prüfung des einreissenden Separatismus, so wie auch Beicht- und Kommunion-Andachten heraus, und erwarb sich auf diese Weise bleibende Verdienste um die würtembergische Kirche. Als einen gelehrten und tüchtigen akademischen Lehrer erprobte er sich durch seine bekannte Synopsis theologiae purioris, durch seine Commentatio synoptica in Aug. Conf. ceterosque Ecclesiae nostratis libros symbolicos; an den irenischen und polemischen Bestrebungen seiner Zeit nahm er eifrigen Antheil durch seine Dissertationes Anti-Hottingerianae und Anti-Pontificiae.

Die Reihe führt uns auf den berühmten Kanzler Joseph Matthäus Pfaff. Natürliche Talente, die zweckmäßige Erziehung eines würdigen Vaters, vieljährige Reisen, äußere Glücksumstände vereinigt mit anhaltendem Fleiß und einer dauerhaften Gesundheit, bildeten Pfaff zu einem Manne aus, der durch umfassende Gelehrsamkeit, durch bewunderungswürdige Fertigkeit in mündlichen und schriftlichen Vorträgen, die noch durch das kräftige und imponirende Ansehen seiner Person bedeutend erhöht wurde, das Primat unter den würtembergischen Theologen seiner Zeit errang. Alle Theile der Theologie waren der Gegenstand seiner Bearbeitung, besonders die theologische Litterärgeschichte, das protestantische Kirchenrecht und Kirchengeschichte. Daß die frühere Schriften Pfaffs in ihrem Werthe höher geachtet werden, als die spätern, lag zum Theil in seiner immer steigenden Polyhistorie; zum Theil in der natürlichen Schwäche des schon weit vorgerückten Alters. Sein Betragen traf mancher gerechter Vorwurf, und seine Amts-Thätigkeit zog ihm viele Verdrüßlichkeiten zu. Dieß alles floß aus dem unruhigen und feurigen Wesen seines Geistes, und aus den mitunter zu heftigen Ergießungen seines Temperaments. Kein Theolog der protestantischen Kirche galt übrigens bey fremden Religions-Verwandten so viel als Pfaff. Mit dem Anfange des 18. Jahrhunderts kamen die Unions-Versuche in Preussen wieder auf, und sechs Jahre nach Friederichs I. Tod (1713) brachte der Tübinger Theolog Joh. Christ. Klemm durch sein bekanntes Schediasma Irenicum, die Sache, welche eine Zeit lang geruht hatte, auf's Neue in Anregung. Allein die meisten evangelischen Stände verwarfen auf den Antrieb ihrer Theologen die gemachten Vorschläge. Da trat Klemms Schwager, Pfaff, auf, eifrig eingenommen für die Idee einer Union der protestantischen Kirche. Er galt als Hauptperson der irenischen Parthey, und auf seiner Seite, war der einsichtsvolle Joh. Alphons Turretin aus der reformirten Kirche. Pfaff förderte und vertheidigte die Sache in mehreren Schriften (1720 — 1723), und wenn gleich die dargelegten Ansichten und Rathschläge einen Mann verriethen, der seine Sache durchaus gewinnen wollte, so hat doch kein Theolog der lutherischen Kirchen-Gemeinschaft dieselbe so gelehrt, so geschickt und einnehmend geführt. Der Plan schlug fehl, da, neben andern kirchlich-politischen Hindernissen, ein Cyprian, ein Reinbeck und Weismann sich dagegen erklärt hatten. In seinen Institut. theol. dogm. et mor. erkennt man den Einfluß der spenerischen Schule; er verband hier Dogmatik und Moral, schöpfte die leztere, ein theoretisches System verwerfend, aus seinem eigenen Herzen, erklärte unverholen die Absicht, das Kirchen-System von scholastischen und metaphysischen Subtilitäten zu reinigen, und dasselbe einfacher und praktischer zu machen. Da er auf diese Art seinem irenischen Prinzip folgend, den Kirchen-Frieden zu befördern hoffte, gerieth er in die Anklage des Pietismus und Syncretismus. Seine kirchenhistorische Arbeiten charakterisirt eine tiefe Gelehrsamkeit, ein freywilliger, kühner und unternehmender Geist; sie sind aber mit Citationen zu sehr überladen, und in eine schwerfällige Form der Darstellung gehüllt.

Von Pfaff gehen wir über auf Eberhard Christian Weismann. Mäßigung, weise Bescheidenheit und thätige Menschenliebe waren die Eigenschaften, welche diesen Mann in seinen mannigfältigen Verbindungen so liebenswürdig gemacht haben. Schon die individuelle Gemüthsstimmung mußte Weismann für die theologische Grundsäze der spenerischen Schule einnehmen; und der spenerische Geist lebt unverkennbar in seinen Schriften. Als Dogmatiker und Kirchen-Historiker hat er eine ausgezeichnete Stelle unter den Theologen seiner Zeit. Seine bescheidene, dabey aber feine und gründliche Polemik richtete sich vorzüglich gegen die leibnitz-wolfische Lehrsäze der Theologie; und Marquis d'Argens, der ihn deshalb in einem gedruckten französischen Briefe nicht nach der Sitte der feinen Welt behandelt hatte, mußte in der Antwort Weismann's das Uebergewicht des Tübinger Theologen fühlen und anerkennen. Als Dogmatiker gab Weismann durch seine nach den Prinzipien der hallischen Theologen geschriebene Institut. Theologiae exegetico-dogmaticae eine schöne Probe einer biblischen Theologie, entwickelte genau und gewissenhaft die biblische Beweisstellen, und abstrahirte aus denselben seine praktische Porismen. In der Kirchengeschichte brach er nach Gehalt und Behandlung eine neue Bahn, und die Introductio in memorabilia hist. sacr. N. T. offenbart eine sanfte und bescheidene Freymüthigkeit, ein ruhig abwägendes Urtheil, ein frommes und gefühlvolles Gemüth mit der höhern Tendenz, durch seine historische Darstellung die Erkenntniß des Reiches Gottes auch für die Herzen fruchtbar zu machen. Während Weismann's Amtsführung wurde die Fakultät in die Angelegenheiten der Brüdergemeine zu Herrnhut, die mitten in der evangelischen Kirche durch Graf Zinzendorf kurz vorher (1722) gestiftet worden war, verwickelt, und Weismann, Pfaff, Bilfinger, Bengel liessen ihre Stimmen vernehmen. Die Gemeine verlangte einen eigenen Prediger. Der Vorschlag fiel auf einen Repetenten zu Tübingen, auf den Magister Steinhofer. Dieser trug Bedenken, den Ruf anzunehmen, weil die Gemeine zu Herrnhut eine von der evangelischen Kirche abweichende Einrichtung und Kirchenzucht beobachte. Er legte also der Fakultät die Frage vor: „Ob die Brüdergemeinen, ihre Uebereinstimmung mit der evangelischen Lehre vorausgesezt, bey ihren seit 300 Jahren hergebrachten Einrichtungen und bekannter Kirchenzucht verbleiben, und dennoch ihre Konnexionen mit der evangelischen Kirche behaupten könne und solle?" Die Fakultät, in deren Namen der berühmte und tolerante Bilfinger die Feder führte, bejahte diese Frage nach den Urkunden, welche ihr vorgelegt worden waren, und dieses im Jahre 1733 ausgestellte Bedenken trug sehr viel zur Aufnahme und Achtung der Gemeine bey. Allein je mehr sich die Gemeine vermehrte, desto stärkeren Widerspruch fand sie; viele Stimmen erhoben sich gegen dieselbe, und man klagte sie des kirchlichen Indifferentismus an. Da Zinzendorf endlich auch noch sonderbare, vom evangelischen Lehrbegriff divergirende, dogmatische Bestimmungen aufgestellt hatte, so erfolgten die merkwürdigen Erklärungen von Weismann und Bengel, beyde durch Frömmigkeit und sanfte Gesinnung damals gleich bekannt. — Diese Erklärungen fielen aber zum Nachtheil der Herrnhuter aus, und Weismann nahm in einem im Jahre 1747 von seiner Fakultät verlangten Bedenken, dasjenige merklich genug zurück, was früher zum Vortheil der Brüdergemeine kund gethan worden war. — Noch in dem Jahre 1755 schrieb der Bischof von Oxford in England drey Briefe in der Zinzendorfischen Angelegenheit an die theologische Fakultät, auf welche Pfaff im Namen der Leztern die Responsa ertheilte.

Joh. Christ. Klemm, dessen schon oben Erwähnung geschah, beurkundet in seinen akademischen Schriften einen Theologen von tiefen philologischen und philosophischen Kenntnissen. Er war besonders in der scholastischen Philosophie sehr bewandert, und galt bey öffentlichen Streitübungen, wo seine gewandte Disputirkunst meistens den Sieg davon trug, immer als ein sehr gefährlicher Gegner.

Sowohl der durch Pfaff und Weismann, wenn gleich nicht für die Dauer, gepflanzte Geist der spenerischen Lehrart, als auch und noch weit mehr, die strenge Anhänglichkeit an den hergebrachten dogmatischen Kirchenglauben, die daraus resultirende falsche und übertriebene Ansichten in der Lehre und in der Lehrform, andere tiefgewurzelte Vorurtheile und Leidenschaften, dieß waren die feindliche Erscheinungen, gegen die der große Georg Bernh. Bilfinger und Isr. Gottlob Canz auf der Tübinger Schule in den Kampf tretten mußten. Theils Neid, theils schlechte Aussichten hatten den erstern früher schon genöthigt, Tübingen zu verlassen, und in Petersburg sein Glück zu suchen (1725). Der schnell begründete Ruhm seines Namens bewog aber den Herzog Eberhard Ludwig, ihn nach Tübingen zum ordentlichen Professor der Theologie ꝛc. zurückzurufen (1731). Er kam, und als der gröste Schüler der leibnitz = wolfischen Schule, wollte er durch die neue Philosophie die Theologie nach Form und Innhalt umbilden und fester begründen. Was sein gründlicher Scharfsinn, ringend gegen Neid und Vorurtheil, begonnen, das führte von höherer Hand unterstüzt, der zweyte große Meister in der leibnitz-wolfischen Philosophie Isr. Gottl. Canz rühmlich aus. Er lehrte die richtige Anwendung der neuen Philosophie in der geoffenbarten Theologie, führte die methodische demonstrative

Lehrform ein; unterstüzte, begründete und modifizirte die kirchlichen Lehrsätze durch die philosophischen, und brachte den, nun auch philosophisch erörterten, theologischen Lehrbegriff in Verbindung mit der Moral.

In der 2ten Hälfte des 18ten Jahrhunderts bemerken wir folgende Theologen: Jeremias Friedrich Reuß (1757 — 1777), Joh. Gottl. Faber (1753 — 1761), Johann Friederich Cotta (1741 — 1779), Christoph Friederich Sartorius (1755 — 1785), Joh. Friederich Lebret (1786 — 1807) Gottlob Christian Storr (1777 — 1797).

Ein sehr einsichtsvoller, gebildeter und religiöser Theolog war Jer. Fr. Reuß, anfänglich Professor in Koppenhagen, nachher Generalsuperintendent der Herzogthümer Schleswig und Holstein, zulezt Kanzler unsrer Hochschule. Seine akademische Wirksamkeit in Schriften und Lehrvorträgen erstreckte sich beynahe auf alle Fächer der Theologie, besonders aber auf Hermeneutik, Exegese und Moral- und Pastoraltheologie. Ein Mann, der so vielseitig gebildet war, der einen so lebhaften Geist und unermüdeten Fleiß, eine so reiche Beredsamkeit mit tiefem Nachdenken verband, der die frömmste Religiosität überall erprobte, mußte im Inn- und Auslande geschäzt und verehrt seyn. In seinen dogmatischen Schriften herrscht eine gebildete Sprache, ein philosophischer Geist verbunden mit nüchterner Exegese, und eine liberalere Ansicht und Modifikation des kirchlichen Lehrbegriffs. Seine polemische Thätigkeit richtete er hauptsächlich auf die Bestreitung der Angriffe, die in der Semlerischen Periode, den neutestamentlichen Kanon trafen, und mit viel Scharfsinn und historischer Kritik vertheidigte er gegen den großen Hallischen Theologen die Offenbarung Johannis. Seine Hauptstärke zeigte er im moralisch-praktischen Fach der Theologie, und seine „Elementa theologiae Moralis", die von theologisch christlichen Prinzipien ausgehend dem moralischen Naturalismus steuern sollten, und durch die weise Benützung der besten Moralisten, so wie auch durch eingestreute treffliche exegetische Bemerkungen sich auszeichnen, waren das gelungenste Lehrbuch seiner Zeit.

Joh. Gottlieb Faber verdient genannt zu werden wegen seiner vielen theologischen Monographieen und Dissertationen, die mitunter sehr scharfsinnige exegetische Entwicklungen und Deduktionen enthalten; auch trat er mit Sartorius unter denjenigen Theologen auf, die das Christenthum gegen einzelne Einwürfe von Bayle (in dessen Dictionnaire philosophique portatif) vertheidigten.

Joh. Fr. Cotta war ein überaus gelehrter Theolog, und fruchtbarer Schriftsteller. —

Sein Hauptstudium war immer die historische Theologie. In seinen dogmatischen Schriften erkennt man den orthodoxen Lutheraner, seine exegetische Arbeiten zeichnen sich mehr durch gelehrten Apparat als durch Feinheit und Scharfsinn aus. Ein Verdienst hat sich dieser fleißige Gelehrte dadurch erworben, daß er Joh. Gerhards locos theologicos neu herausgab, und zwar mit einer Menge von Ergänzungen, Berichtigungen, Erläuterungen, so wie auch mit eigenen Abhandlungen. In seiner „ausführlichen (aber nicht vollendeten) Kirchenhistorie des N. T." erkennt man durchaus den gelehrten und fleißigen Mann, der in diesen Studien grau geworden war. Aber man vermißt oft Auswahl, Urtheilskraft und Geschmack, so wie überhaupt die Form einer Geschichte im edlern Sinne des Worts. Noch ist zu bemerken, daß nachdem viele Theologen aus ängstlichen Inspirationsbegriffen bis gegen die Mitte des 18ten Jahrhunderts das gleichzeitige Alterthum der hebräischen Vokalpunkte mit den Consonanten behauptet hatten, Cotta, der zu Göttingen, und hier mit Ruhm auch orientalische Sprachen gelehrt, mit überwiegenden Gründen diese Ansicht widerlegte. (Liber de origine Masorae Punctorumque Vet. Test.), was vor ihm auch Buxdorf gethan hatte.

Christoph Friedr. Sartorius verdient genannt zu werden als Dogmatiker der symbolisch orthodoxen Parthey. Sein Compendium theologiae dogmaticae wurde das symbolische Lehrbuch der würtembergischen Geistlichkeit, nachdem man das Jägerische wegen der gezwungenen Föderalmethode antiquirt hatte. Sartorius gehört in seinen dogmatischen Grundsätzen der carpzovischen Schule an, die den rechtglaubigen Lehrbegriff gegen die Neuerungen in der Theologie fest hielt. Es fehlte ihm aber die Kunst der gebildeten Sprache, der philosophische Geist und die feine exegetische Einsicht seines Meisters. Er häufft Schriftstellen oft zwecklos an, und beschäftigt sich, statt mit systematischen Geiste das Wesen und den Geist des symbolischen Lehrbegriffs heraus zu heben, zu sehr mit kleinlichem Detail.

Joh. Fr. Lebret war eigentlich mehr Publicist, Staatsgelehrter und Historiker im allgemeinen Sinn, als Theolog. Als Kirchenhistoriker von pragmatischem Takt und von freyem philosophischem Geist beurkundete er sein Talent und seine Kenntniße durch seine „pragmatische Geschichte der so berufenen Bulle in coena domini.“ Die politische und dogmatisch-kirchlichen Angelegenheiten seiner Zeit, besonders in der griechischen Kirche machte er zum Gegenstand seiner Beurtheilung und historischen Darstellung, und bleibende Verdienste erwarb er sich durch einzelne musterhafte Monographieen um die Geschichte der würtembergischen Kirche „nach ihrem Ursprung und Wachsthum." —

Wir beschließen die Reihe der verstorbenen Theologen des 18ten Jahrhunderts mit dem als Mensch und Gelehrten unvergeßlichen Gottlob Christian Storr. Als Exeget, der eine überaus gründliche, feine und ausgebreitete Kenntniß der orientalischen und griechischen Sprache besaß, und nach der holländischen Schule gebildet war, baute er von der gründlichsten Erforschung des Spruchgebrauchs ausgehend, die Interpretation auf die Philologie. Ein feines Gefühl, kritische Schärfe, weise Umsicht in Benützung historischer Materialien, waren die formellen Vorzüge seines exegetischen Talents. Die Strenge seiner historischen Kritik und sein durch tiefe Achtung gegen den Stifter des Christenthums genährtes moralisches Gefühl, verwarfen die seit Semler herrschend gewordene Akkommodationstheorie. Seine Exegese divergirte von der in neuern Zeiten beliebten auch darinn, daß er in den Schriften verschiedener Verfasser des N. T. keine wesentliche Widersprüche des historischen Innhalts und keine Differenz der dogmatischen Ansicht zugab, sondern die N. T. Schriften als ein harmonisches Ganzes betrachtete, durch welches ein System durchgehe, und wo der eine Schriftsteller als homogen aus dem andern erläutert werden müsse. Man darf hier nicht leugnen, daß Storr in der Vereinigung des Ungleichartigen, auch wenn es unwesentlich schien, oft zu weit gieng, und hie und da vom Vorwurf dialektisch sophistischer Subtilitäten nicht ganz frey zu sprechen war. Man rügte an seiner Interpretationsmethode daß sie eine dogmatisirende sey; allein er sezte kein beliebiges dogmatisches System, unabhängig von eigener Untersuchung der biblischen Quelle, als das wahre voraus, und legte es in die Bibel hinein, sondern eine nach rein hermeneutischen Prinzipien angestellte Untersuchung über den Inhalt der Bibel war bey ihm das Erste. Seine Dogmatik war Resultat seiner Exegese. Diese Methode ist nicht zu tadeln, wenn sie im Einzelnen ihn auch zuweilen irre führte. Eine schöne und musterhafte Probe von seiner Exegese und tiefen historischen Kritik ist Storrs „Neue Apologie der Offenbarung Johannis (gegen Semler, Oeder und Merkel)," und seine Schrift „über den Zweck der evangelischen Geschichte und der Briefe Johannis"; und in der fruchtbaren Abhandlung „über den eigentlichen Zweck des Todes Jesu" hat Storr ein Meisterstück von gründlicher feiner und eigenthümlicher exegetischer Forschung geliefert, und den denkenden Kopf beurkundet.

Als Dogmatiker war er entschiedener Vertheidiger des supernaturalistischen Systems.

Mit Scharfsinn, Geist und schwerer Gelehrsamkeit modifizirte und vervollkommte er dieß System theils durch neue Kombinationen seiner einzelnen Theile und neue Beweise für seine Sätze, theils durch scharfe Sichtung und Vervollkommnung der Beweisstellen, und keinem Vertheidiger des orthodoxen Systems verdankt in exegetischer Hinsicht die Theologie mehr, als Storr. Seine Dogmatik ist keine akroamatisch-scholastische, sondern rein biblische Theologie. Da sein Glaubensprinzip die Bibel war, so sonderte er von seinem System alle Formeln, Definitionen und Bestimmungen des lutherischen Lehrbegriffs, die ihm nicht biblisch waren. Auch vermied er in der Form der Darstellung die scholastisch-kirchliche Kunstsprache, ohne daß es deshalb seinen Sätzen an systematischer Schärfe und Bestimmtheit fehlte. Nur Schade, daß er nicht mit mehr Eleganz, mit mehr Klarheit und schönerer Anordnung schrieb, daß er überall Citate auf Citate häufft, schwere überladene Perioden baut und in einander wickelt, wo die leichte und lichtvolle Entwickelung der Ideen oft gar sehr vermißt wird. Er besaß Tiefe des Geistes genug, um auch in philosophische Untersuchungen einzugehen, und gegen Kant aufzutreten, dessen Ansicht vom Christenthum er in einer kurzen aber gehaltreichen Schrift verwarf, die selbst sein großer Gegner mit Achtung aufnahm. Seine auf gründliche Exegese und Kritik, und auf vertraute Bekanntschaft mit der Geschichte und dem Geiste des Urchristenthums sich stützende Apologetik, zeichnete sich vor allen ältern aus durch streng logischen Gang und Konsequenz, durch fruchtbare Gründlichkeit der dahin entschlagenen historischen Untersuchungen, besonders aber der Avthentie und Glaubwürdigkeit der Geschichte des N. T. So sehr sein System theoretisches Kunstwerk war, so herrschte doch darinn sowohl im Einzelnen als im Ganzen der praktische Gesichtspunkt — und sein akademisches Lehrbuch der Dogmatik wurde durch Herzogl. Konsistorialbefehl zum klassischen Kompendium der würtembergischen Geistlichkeit erhoben.

Betrachten wir seine 22 jährige akademische Wirksamkeit, die sich über alle Fächer der Theologie; besonders aber über die Exegese des A. und N. T. verbreitete, so ist zu bemerken, daß in seinen Vorlesungen Gründlichkeit und logische Ordnung mit ungemeiner Klarheit und Faßlichkeit gepaart waren; denn da es meist freye Vorträge waren, so litten sie nicht durch die gedrängte und complicirte Form, wie seine Schriften. Die aus ächt christlicher Religiosität hervorhebende milde Humanität, die schonende Duldsamkeit, der feine würdige und ernste Sinn, die väterlich weise und Zutrauen erweckende Liebe gegen Untergebene — denn sein ganzes Leben war der lebendige Ausdruck seines Systems — diese treffliche Eigenschaften des Herzens neben jenen fruchtbaren Lehrvorträgen haben diesen Mann bey allen seinen Schülern unvergeßlich gemacht. — Welchen Einfluß er in seinem ausgebreiteten Wirkungskreise auf den Geist und auf die Masse der in unserm Vaterlande cirkulirenden theologischen Kenntnissen haben mußte, läßt sich aus der Rücksicht erkennen, daß beynahe die Hälfte der jezt lebenden würtembergischen Geistlichkeit seine Zuhörer waren. — Und es ist eine in der neueren Geschichte der Theologie nicht zu übersehende Erscheinung, wie sich in Tübingen unter Storr eine gelehrte und gediegene theologische Schule gebildet hat, die im Geiste ihres unvergeßlichen Lehrers noch kräftig und gewissenhaft fortwirkt. Die noch lebenden Koryphäen jener Schule, die Gebrüder Flatt, Süskind, Bengel, Wurm, Steudel rc. haben dem Prinzip ihres Lehrers getreu, das supernaturalistische System gegen den aus der kantischen Philosophie erwachsenen Rationalismus in tiefen und scharfsinnigen apologetischen Erörterungen vertheidigt und veredelt, besonders haben sie die Aechtheit, die Lehre und die Geschichte des N. T. gegen die Zweifel der höhern Kritik, gegen die moralische und naturalisirende Interpretation gegen die philosophische Einwürfe neuerer Theologen mit scharfsinnigen Waffen der Exegese, der biblischen Kritik und Geschichte vertheidigt und in Schutz genommen; und so wie sie für die philosophische Religionslehre und Moral die kantische Ideen, als prüfende Selbstdenker, musterhaft benuzt haben, so begegneten sie auch zum Schuz des christlichen Theismus den Schellingischen Lehren und der darans entstandenen theologischen Mystik, mit philosophischer Schärfe und Nüchternheit. Die schäzbare, theils exegetische, theils philosophisch-dogmatische, theils historische Arbeiten dieser Schule sind grdstentheils niedergelegt in dem Flattisch-Süskindischen Magazin für Dogmatik und Moral und in dem erst seit wenigen Jahren durch Herrn D. Bengel erscheinenden Archiv für die Theologie rc. so wie auch von dieser Schule in der neuesten Zeit die Idee eines evangelischen Vereins ausgegangen ist, der hier gestiftet worden, um durch Schrift und That den biblischen Offenbarungsglauben aufrecht zu erhalten.

## Zweyte Abtheilung.

# Philosophie.

Indem wir zur Geschichte der philosophischen Fakultät übergehen, fragen wir zuerst nach der äußern Lage und Stellung derselben. In Verhältniß zu den übrigen Fakultäten unserer hohen Schule, die sich im Ganzen bald eines glücklichen Gedeihens erfreute, und Ansehen unter den andern Hochschulen erlangte, war die philosophische oder nach damaliger gewöhnlicher Benennung, Artisten-Fakultät, sehr stiefmütterlich behandelt, und trug in ihrer ersten Anlage und Einrichtung schon ihr freudiges schnelleres Gedeihen hemmende und störende Keime; der geringe Rang, den die damalige scholastisch-ungebildete Welt der Philosophie und Philologie zuschrieb, indem sie bloß als Magd der alles beherrschenden Schul-Theologie behandelt wurde, gab auch der Fakultät eine untergeordnete Stellung zu der der Theologie, Jurisprudenz und Medicin, welche in Gegensaz gegen jene, die höhere Fakultäten hießen. In der Ordnung der Universität von 1481 handelte ein eigener Artikel von der Aufsicht über die Artisten; sie wurden von den obern Fakultäten gewählt, waren ihrer Willkühr preisgegeben, und nicht immer delikat behandelt, waren am niedrigsten gestellt; ohne Siz und Stimme im Akademischen Senat, an sich nicht Doktoren, konnten es aber in einer der höhern Fakultäten werden, und wurden in gewissen Fällen dazu genöthigt. In der Stiftungs- und Bestätigungs-Akte der Universität war bestimmt, daß 2 der von dem Stifte Sindelfingen nach Tübingen gezogenen Kanonikate für die 4 angestellten Artisten angewendet werden sollten. Nothwendige üble Folge dieser Einrichtung war nicht nur Störung ihrer freyen Thätigkeit und der ungehinderten Entwicklung dieser Wissenschaften, sondern der große Nachtheil, daß fast jeder fähige Kopf, so bald als möglich, aus diesem niedergedrückten Stande in das Herrscher-Collegium der obern Fakultäten zu kommen suchte. Doch wirkte auch bey Stiftung unserer hohen Schule der in Deutschland seit Kurzem geweckte Funke bessern Strebens, namentlich in der Philologie sichtbar. Schon der große Stifter derselben verband damit eine eigene, für Philologie und andere Vorbereitungs-Wissenschaften bestimmte Anstalt, das Contubernium, an welchem mehrere Lehrer, und einige der ältesten und geschicktesten Studirenden, unter den Namen der Classicorum, in 4 Klassen in Sprachen und freyen Künsten Unterricht gaben; die zwey ersten Lehrer, die zugleich Mitglieder der philosophischen Fakultät waren, nebst dem Probst und Dekan der Kirche, führten die Aufsicht darüber. Anfangs wurden dazu einige Häuser gemiethet, 1482 das Contubernium academicum oder die Bursa erbaut, worin sich die Hörsäle der Klassen, und die Zimmer der Studirenden befanden. Die Anstalt fand jedoch nach manchen Drangsalen in Herzog Ulrichs Unglückszeit, nach einigen Verbesserungen unter Herzog Christoph, im dreißigjährigen Kriege ihr Ende. Was den Zustand dieser Wissenschaften betrifft, so finden wir vorerst die Philosophie auf niederer Stufe. Durch ein finsteres Zeitalter hatte sich ein magerer Rest philosophischen Wissens unter dem Namen Scholasticismus erhalten; er gründete sich auf wenig verstandene und gekannte Aristotelische Lehre, die in dialektischer Form auf Theologie angewendet wurde, Unterwerfung unter Theologie, der sie bloß als Form gebendes Prinzip diente. Verachtung aller reelen Erkenntniß, die allein aus der schlecht gekannten Offenbarung geschöpft wurde; daher entspringender Auktoritäts-Glaube, leere Subtilität und Begriffs-Spaltung, Vernachläßigung der Geschichte, des Sprachstudiums und Geschmacks waren seine eben nicht glänzenden und rühmlichen Prädikate und Folgen. Nach mancherley Formen und Modifikationen dieses scholastischen Strebens war vor Stiftung unserer hohen Schule der Realismus wieder durch den Nominalisten Occam von seiner Herrschsucht gestürzt worden. Die allgemeinen Begriffe, behauptete jener, haben keine objektive Realität ausser dem Verstande, sondern nur subjektive als bloße Namen und Produkte der Abstraktion. Vielfach bedingend und bedingt war das Verhältniß dieser Philosophie zum anderweitigen wissenschaftlichen Streben. Wenn sie an sich alle reelere Bildung, allen Geschmack unterdrückte, und den Geist in starre Fesseln des Kirchenglaubens legte, so erregte sie eben durch diesen Charakter Ueberdruß und die Sehnsucht nach einer reelern Geistesnahrung, die mit Begierde das anderwärts aufglimmende Licht aufnahm. So bildete vor Allem einen wohlthätigen Gegensaz das wieder aufkommende Sprachstudium, noch schwach in seinem Beginnen und ohne Früchte in Deutschland, doch in Keime vorhanden. Mit seinem Steigen sank verhältnißmäßig die alte Philosophie, wozu auch der hie und da sich regende Mysticismus, und die mit dem Sprachstudium aufkommende, in anderer Hinsicht freylich nicht vortheilhaft wirkende neuplatonische Philosophie das Ihrige beytrugen. Aber spät erst konnte die scholastische Philosophie, gestüzt auf die Auktorität des Aristoteles und Kirchenglaubens, ganz gestürzt werden.

Unter dieser philosophischen Konstellation war die neue Hochschule gestiftet. Auch sie muzte sogleich die Herrschaft des Scholasticismus erfahren. Einer der verdientesten Gehülfen Eberhards bey Stiftung der Universität, und einer der ersten Scholastiker und Vertheidiger des nominalistischen Systems, Gabriel Biel, führte auch hier den Kampf zwischen dem Nominalismus und Realismus ein. Mit hellem Verstande, mit klarer Kürze im Verhältniß zu andern, mit ausgezichnetem Ansehen, vertheidigte er mündlich und schriftlich sein System, und erwarb sich in dem lezten Kampf dieser Philosophie, den Ruhm eines der ersten Streiter; er trug die Aristotelische Philosophie sogar in Predigten vor. Biel, nach seinen eigenen Aussagen aus Speier, war eine Zeit lang Domprediger zu Mainz, dann Probst des Chorherrnstifts der Windsheimer Kongregation zu Buzbach, seit 1484 Professor der Theologie in Tübingen, gestorb. 1495 als Kanonikus des St. Peter-Stifts zu Einsiedel. So sehr seine ganze Tendenz Erhaltung des alten Systems und die Art desselben oft furchtsame Unterwürfigkeit unter das Ansehen der Kirche andeutet, so abweichend und frey sind in manchen Punkten seine Behauptungen, und enthalten den Keim zu manchen Gegensäzen der kirchlichen Lehre. Gegen den Nominalismus kämpfte der besonders von Joh. a Lapide aus Paris hergebrachte Realismus, welcher die Platinische Vorstellung von den allgemeinen Begriffen und Ideen verschieden modificirend, denselben eine von den sinnlichen Dingen unabhängige Realität zuschrieb. [illegible]lich stritten diese beyden Partheyen miteinander, und führten ihre Kämpfe besonders in der Burse, welche in zwey Kastelle abgetheilt wurde, von wo aus die rüstigen Kämpfer unter dem Namen der Pfauen und Adler sich auch in Faustkämpfen zu bekriegen nicht scheuten. Auch die andern Lehrer, Konrad Summenhard und Paul Skriptoris, waren natürlich dieser schlastischen Philosophie ergeben; namentlich war Lezterer ein angesehener und beliebter Erklärer des Skotus. Des als Mensch und Gelehrten sehr achtungswerthen Summenhard's freyere Bildung, und Abneigung gegen leere Disputirsucht, bildete dagegen einen wohlthätigen Gegensaz.

In mittelbarer und unmittelbarer Gegenwirkung gegen jenen Charakter der Philosophie stand aber besonders der Wirkungskreis anderer großen Männer, deren sich die neugestiftete Hochschule zu erfreuen hatte, eines Reuchlin, Brassikan, Melanchthon, Bebel; unmittelbar durch die verschiedene philosophische Ansicht, die sie hatten, mittelbar durch ihr Sprachstudium und Strebung nach klassischer Bildung.

Johann Reuchlin (Capnio), geb. zu Pforzheim 1455, hatte frühe Gelegenheit, mit dem Sohn des Markgrafen von Baden nach Paris zu reisen und dort Griechisch zu lernen; darauf machte er sich in Basel mit Hülfe eines Frieslanders, Joh. Wessel, mit der hebräischen Sprache bekannt; 1481 kam er in Eberhard's Dienste, der ihn bey Stiftung der neuen Universität gebrauchte, und auf seinen Reisen, besonders nach Italien, mitnahm. Hier hatte er neben weiterem Sprachstudium auch Gelegenheit, sich im Umgang mit Pikus von Mirandola die neuplatonische Philosophie bekannt zu machen. Auch in andern Angelegenheiten brauchte ihn der Herzog, z. B. in Geschäften am Kaiserlichen Hof, wo er den Pfalzgrafen-Titel erhielt. Nach kurzen Diensten im

Auslande kehrte er unter Herzog Ulrich nach Stuttgart zurück; war 11 Jahre geachteter Bundesrichter des schwäbischen Kreises, und wurde, nachdem er einige Zeit Lehrer der griechischen und hebräischen Sprache in Ingolstadt gewesen, 1522 in derselben Eigenschaft in Tübingen angestellt, starb aber zu großem Verlust der Universität noch in demselben Jahre. Reuchlin war Anhänger der Cabbalistik, die er in den Schriften de arte cabbalistica und de verbo mirifico zu verbreiten suchte, und wirkte dadurch wenigstens gegen den Scholasticismus. Auch seine Sprachkunde suchte er zu diesem Zwecke anzuwenden, und wollte den Pythagoras durch die Cabbalistik erklären, und eine Art Pythagoreisch-Platonischer Philosophie in Deutschland einführen. Anders war die philosophische Tendenz des Melanchthon, den wir den Unsrigen zu nennen uns rühmen dürfen; geb. zu Bretten 1497, studirte er in Heidelberg und von 1512 an auf unserer Universität, wo er 4 Jahre von 1514 an, als Lehrer am Paedagogium, lateinische Klassiker erklärte. Ein Ruf nach Wittenberg, als Professor der lateinischen und griechischen Sprache, entzog ihn uns 1518; den Doktoren fiel es damals nicht ein, daß der gelehrte Mann auch hier zu brauchen wäre, und später hielten manche Gründe ihn ab, den wiederholten Ruf nach Tübingen, so werth es ihn immer blieb, anzunehmen. Melanchthon, Anfangs Feind aller Philosophie, erkannte doch bald ihre Nothwendigkeit für die Theologie, und kam wieder auf einen Aristotelismus zurück, aber nicht den scholastischen, sondern einen mehr aus lauterer Quelle geschöpften und eklektischen; und sein großes Ansehen führte diese Art der Philosophie in die protestantische gelehrte Welt, namentlich die Theologie ein.

Wie durch dieser und anderer Männer ähnliches Streben die Aristotelische und Platonische Philosophie besser bekannt wurde, so erhielt auch die praktische Philosophie einige Verbesserungen, blieb jedoch noch meist leere Casuistik. Neben den genannten Verdiensten haben aber diese Gelehrte den Ruhm der ersten Wiederhersteller und Beförderer besserer Philologie in Deutschland.

Verderbtes scholastisches Mönchslatein war bisher fast das einzige, was gelehrt wurde; an freyere allseitige Bildung war nicht zu denken; die Muttersprache, nirgends in der gelehrten Welt gebraucht, blieb ungebildet. Auch auf unserer Hochschule war Anfangs kein Lehrstuhl für hebräische und griechische Sprache errichtet. Reuchlin, Melanchthon und Heinrich Bebel (aus Justingen, seit 1497 Professor der Beredtsamkeit und Dichtkunst), waren es besonders, die mit brennendem Eifer für klassische Literatur beseelt, nebst einigen andern, Reformatoren derselben heissen dürfen. Mit großem Eifer arbeiteten Reuchlin und Melanchthon für Einführung der griechischen Sprache, und gaben manche

Schriftsteller in derselben heraus, übersezten auch einige. Da sonst meist nur Aristoteles gelehrt wurde, so konnte man nun von Reuchlin auch Vorlesungen über Aeschines und Demosthenes hören. Bebel widmete seinen gelehrten Fleiß der lateinischen Sprache, um die sich auch Nauklerus verdient machte. Bebel, selbst Dichter, und für die damalige Zeit ausgezeichnet, erhielt vom Kaiser Maximilian den Dichterkranz. Seine Schriften zeigen einen Mann von großer Gelehrsamkeit, richtigem gebildeteren Urtheil, Beredtsamkeit, neben feurigem Streben nach dem Bessern. Die ersten Keime der hebräischen Sprachkunde brachten schon Conrad Summenhard und Paul Scriptoris auf die Universität; sie waren es auch, die dem berühmten Pellikan in seinem Eifer für Erlernung dieser Sprache Aufmunterung und Anleitung gaben. Als größte Seltenheit brachte Scriptoris einen hebräischen Codex von einer Reise nach Tübingen. Unter Reuchlin machte dieses Studium große Fortschritte. Auf seinen Reisen mit Kennern, namentlich mit gelehrten Juden umgehend, hatte er sich größere Kenntnisse darin verschafft, und ward so der erste Lehrer derselben in Deutschland; die Bußpsalmen, die er 1522 drucken ließ, hält man hier für den ersten hebräischen Druck in Deutschland. Die richtige Werthschäzung dieser Sprache, wie die Grundsäze des Rechts und der Billigkeit veranlaßten ihn auch zu einem ihm abgeforderten Bedemken, worin er des getauften Juden Pfefferkorn's Vorschlag an den Kaiser, allen Juden ihre Schriften als verderblich abzunehmen, mißrieth. Wenn man den alten gelehrten Mann bedauern muß, daß er dadurch besonders mit dem Kezermeister Jakob Hogstraten in Köln, und Geistes-Consorten, in lange verdrüßliche Händel kam, so mußte man sich auf der andern Seite freuen und angenehm überrascht finden, durch die allgemeine Theilnahme aller Bessern an Reuchlin's Sache, durch das rege Geistesleben und den Eifer für Wahrheit, Licht und Recht, der in tausend edlen Gemüthern angefacht wurde, und nicht bloß in der Meynung aller Guten, sondern auch äusserlich den Sieg Reuchlins entschied. Das Gebiet der schönen Wissenschaften erfreute sich manches dadurch veranlaßten schönen Produkts, wie z. B. der bekannten Epistolae virorum obscurorum.

Die Geschichtskunde lag damals noch in der Wiege; die Werke darin waren trockne Chroniken ohne Kunst und Kritik; auch auf unserer Universität wurde sie mit wenigen Erfolg bearbeitet. Das Wenige, was Reuchlin darin that, zeigt, daß er auch hierin sich vor seiner Zeit hätte auszeichnen können, ist übrigens mehr in der Form lobenswerth durch Einfachheit, Eleganz und Präcision der Darstellung. Auch Johann Vergenhans (Nauclerus) hat sich als Historiker durch seine memorabilium omnis aetatis et omnium gentium chronicos commentarios zu seinem Lob bekannt gemacht. Sein Werk ist eines der bessern, und zeigt etwas mehr Kritik und Ordnung, als manche andere.

Daß die Bemühungen dieser Gelehrten nicht ohne Einfluß auf Geschmacksbildung waren, ist leicht zu erachten. Sie waren es, die dadurch die schlummernden Geister wecken halfen. Von Reuchlin haben wir in lateinischer Sprache zwey Lustspiele, voll eleganten Wizes und Spottes über Mönche und Schulweisen. Auch Bebel wirkte mit Eifer auf diesen Zweck hin, rühmlich als lateinischer Dichter bekannt; in seine Fußstapfen trat sein Schüler Brassikan. So zeigte sich die neue Hochschule gleich nach ihrem Beginnen in dem kurzen Zeitraum vor der Reformation in einer den andern Universitäten nicht nachstehenden fruchtbaren Thätigkeit für Hebung und Verbesserung der Gelehrsamkeit, namentlich der Philologie. Schöne Vorbereitungen auf die nun eintretende große Zeit der Reformation der Theologie, die auch so viel Einfluß auf andere Zweige des Wissens hatte. Aber verschiedene Umstände bewirkten, daß die Früchte davon erst später reiften. Was schon lange im Reiche der Geister stille vorbereitet war, trat endlich in die Erscheinung heraus, die Reformation, und bildete sich hier erst vollends aus. Es konnte nicht anders seyn; die religiöse und theologische Freyheit mußte überhaupt auf Geistesbildung, namentlich auf freyere Bearbeitung der Philosophie, Philologie und Geschichte Einfluß haben, die scholastische Philosophie erhielt einen neuen Stoß; auch die Moral hob sich etwas aus der alten Casuistik heraus. Für Philologie zeigteu sich neue Antriebe besonders auch in dem exegetischen Studium der h. Schrift, doch waren es besonders in der Philosophie auch jezt noch mehr Vorbereitungen zu einem neuen erfreulichen Resultat. Die Aristotelische Philosophie blieb noch, nur etwas mehr von Scholasticismus gereinigt und in Verbindung mit Platonischen Ideen herrschend. Der auch bey Protestanten bald eintretende Glaubenszwang brachte sie dem alten Scholasticismus wieder näher, besonders nachdem Melanchthon der Freydenkende vom Schauplaz abgetreten war. Auch der Eifer für Philologie erkaltete hiebey etwas. Der Philosophie, besonders der Moral, war namentlich der Streit mit dem neuentstandeuen Jesuiter Orden verderblich.

Die ersten Anfänge der Reformation waren nicht recht gedeihlich auf unserer Hochschule, auf der sie, eingeführt von Blarer und Grynäus, in dem steiferen in der alten Lehrart erstarckten Charakter der alten Theologen Lemp, Plantsch, Brün und Käuffelin und ihrer treuen Schüler manche Hinderniß fand, und nicht ohne Veränderung in einigen Lehrstellen eingeführt werden konnte.

Um diese Zeit verbesserte sich auch in manchen Punkten die äußere Lage der Artistenfakultät.

Schon Herzog Ulrich ertheilte ihr nach manchen wiederholten Klagen neue Rechte, wie, daß der Decan und je zwey Mitglieder der Fakultät abwechslungsweise Siz und Stimme im Senat haben, und auch ihr Gehalt verbessert werden sollte, was aber nicht immer ausgeführt wurde. Es geschahen diese Verbesserungen nicht ohne Schwierigkeiten,
und wurden erst unter Herzog Christoph von besondern Commissarien ganz in Vollzug gesezt. Doch blieb ihr Verhältniß im Ganzen noch sehr untergeordnet, was schon der Zug ihrer äußern Behandlung andeutet, daß z. B. nach 1531 den nicht zur Zahl der Senatoren gehörigen Professoren dieser Fakultät, wenn sie im Senat zu erscheinen hatten, keine Size angeboten wurden. In der Aula nova, wo die Bildnisse der verstorbenen Lehrer aufgehängt wurden, erhielten die der Artisten ihre Stelle hinter dem Ofen. Auf dem Becher, den Prinz Ludwig am 2ten Jubelfest der Universität 1677 überreichte, waren die verschiedenen Fakultäten sinnbildlich dargestellt, von der philosophischen heißt es in Zeller: Endlich stellet die philosophische Fakultät ein Weibsbild vor, welches die ganze Kunstmaschiene unterhält und stüzt, und einen Spiegel hält, auf dessen Grund einige Bauleute, die den Grund des Gebäudes legen wollen, zu sehen sind, mit der Beyschrift; fundamenta locamus. Charakteristisch stellt die Ansicht vom Werth und Verhält-

niß der Philosophie und ihrer Fakultät Kanzler Wagner in einer am zweyten Jubelfest gehaltenen Rede dar. Er fragt, ob denn die Philosophie als μωρία τοῦ κόσμου und der Theologie gerade entgegengesezt auch ein Lob verdiene? und löst diese Frage also: die Bemühungen der Artisten sind nicht zu verachten, den man braucht Grammatiker ut Spiritum Sanctum et in scriptura grammatice loquentam intelligant; Rhetoriker, ut Spiritus Sancti eloquentiam, tropos, figuras, schemata observent, et non tam ad Demosthenis quam ad Spir. S. imitationem stimulos in animis auditorum relinquere valeant; Philosophen ut propositiones contradictorias, quas theologus philosopho et hic illi opponit, cognoscant e. g. nulla virgo parit, quam asserit philosophus et quaedam virgo parit, quam assenit theologus; wobey denn der Philosoph endlich den Trost erhält, daß er lumine gratiae illuminatus captivato intellectu endlich Glauben an die Offenbarung erhalten werde. Hierauf gratulirt der Redner den Candidaten de philosophia non tanquam de sponsa ipsis nupta, sed de famula futuro theologiae studio conducta, wogegen denn der ehrerbietige Dekan der philosophischen Fakultät dem Herrn Canzler für seine Gnade dankte und ihm seine Fakultät, eingedenk ihrer Schwäche und Niedrigkeit, bestens empfiehlt. Dieses auch noch in der äußern Stellung sich zeigende Ver=

hältniß der Subordination dauerte fort bis ins folgende Jahrhundert, wo erst die Anzahl der Senatoren aus dieser Fakultät vermehrt, und sie unabhängiger und besser gestellt wurde.

Unter den neuen Anstalten dieser Zeit darf die Errichtung des theologischen Stipendiums nicht vergessen werden, welches auch auf das Studium der Philologie und Philosophie berechnet war. Den Entschluß dazu faßte Herzog Ulrich 1536 nach einer frühern ähnlichen Anstalt in Marburg; in diesem Jahr wurde auch die erste Ordnung der Anstalt entworfen. Erst Herzog Christoph gab auch für die Studien eine bestimmte Ordnung. Die zwey ersten Jahre des Aufenthalts in der Anstalt sollten dem Studium der Philologie und Philosophie bestimmt seyn. Auch das in derselben Zeit (1559) von Herzog Christoph gegründete von Herzog Ludwig erweiterte, und von Herzog Friederich vollendete Collegium illustre hatte besondere Lehrer der Philologie und Philosophie.

Was die einzelnen Lehrstühle der philosophischen Fakultät betrifft, so verlohr die Philosophie, wie schon bemerkt, etwas von ihrer scholastischen Tendenz und Art; in den reformatorischen Vorschriften hieß es; die zwey Wege der Philosophie, der nominalistische und realistische, in die bis auf diese Zeit auch die theologischen Lehrer zu gleichen Partheien, je zwey gegen zwey sich getheilt hatten, sollen aufhören, die verschiedenen Bursen in Eine vereiniget, und die Philosophie lauter gelehrt werden. Sie blieb dann ziemlich auf dem Punkt stehen, den sie mit Anfang der Reformation, besonders durch Melanchthons Bemühungen als freyerer gereinigter Aristotelismus eingenommen hatte.

Vorzüglicher Lehrer der spekulativen Philosophie war Jakob Schegk (Dekan) geb. zu Schorndorf 1511, seit 1530 Magister; er studirte Theologie und Arzneiwissenschaft und ward, nachdem er philologischer Lehrer im Pädagogium gewesen, Professor jener Wissenschaften, gestorben 1587. Ein denckender vielumfassender Kopf, den Kenntniß der Griechischen Sprache ver nt mit Scharfsinn zu einem vorzüglichen Lehrer der Philosophie des Aristoteles machte, dessen Organon er in Vortrag und Schriften erläuterte, einer der angesehensten Gegner des Petrus Ramus, eines Bestreiters des Aristoteles. Durch eine Erklärung seines Philosophen und einige theologische Behauptungen kam er bey den wachsamen und fein riechenden Theologen unserer Universität in den üblen Geruch der Heterodoxie, wußte sie jedoch in seiner Vertheidigungsschrift zufrieden zu stellen.

Auch Schegks Nachfolger in der Arzneiwissenschaft, Andreas Planer (geb. 1546, gestorben 1607) war ein geschickter Aristoteliker, wie Johannes Geilfus Prof. der Metaphysik und Logik 1621 — 1654, der neben aller Tendenz zum Scholasticismus doch etwas mehr

Ordnung und Klarheit als ein großer Theil seiner Zeitgnossen zeigte. Jedoch erfreute sich nun die philosophische-Fakultät keines ausgezeichneten Lehrers mehr bis vom 17ten Jahrhundert an mit der Leibnitz-Wolfschen Philosophie auch in Tübingen ein neues philosophisches Leben sich regte. Vorher war wie die Theologie so anch die Philosophie im Verhältniß zu den in der Reformationszeit gethanen Schritten eher wieder in einem Rückschritt zum Scholasticismus begriffen, was seinen Grund besonders in der Richtung der polemischen Theologie jener Zeit hatte. Die Moral erfreute sich noch keiner selbstständigen Bearbeitung und war mehr theologische Casuistik. In regerem Leben nach Fortschritt erscheint uns das philologische Studium dieser Periode. Was die großen Männer Reuchlin, Melanchthon und andere begonnen hatten, das wurde von den geschikten Händen eines Joachim Camerarius, Mathias Garbitius, Georg Hizler, Martin Crusius aufgenommen und gepflegt. Namentlich erfreute sich die Griechische Philologie unter diesen Männern einer eifrigen Pflege; nur fehlte es noch an fruchtbarer Auffassung und Bearbeitung dieses Faches für allgemeinere Bildung; es war mehr Beschäftigung mit der Sprachform, als Eindringen in den Griechischen Genius und das sich in ihren Produkten äußernde freyere Geistesleben, und Anwendung dieser Ausbeute auf alle Zweige des Wissens.

Joachim Camerarius, schon vorher verdient um schöne Wissenschaften, ein inniger Freund Melanchthons, wurde vor dem Reformator der Universität Grynäus nach Tübingen berufen, und machte sich in seinem fünfjährigen Aufenthalt 1535 — 1540 durch schriftliche Arbeiten und Unterricht in der Lateinischen und Griechischen Literatur, durch seine Bemühungen für Universitäts-Angelegenheiten als ein Mann von Weltkenntniß, von gewandtem Verstande und richtigem Urtheil sehr verdient um die Universität. Schade, daß sie ihn 1541 schon an Leipzig abgeben mußte! In seine Fußstapfen trat Matthias Garbitius aus Illyrien, von Camerarius in Nürnberg als hilfloser Knabe aufgenommen und unterrichtet, später in Heidelberg Luthers hochgeschätzter Schüler und Tischgenosse, dann Professor der Griechischen Sprache daselbst und von 1537 an auf unserer Hochschule, gestorben 1559. Wie er in seiner Jugend mit eisernem Fleiß und Eifer dem Studium der Philologie oblag, so suchte er sie mit demselben Eifer bey seinen Schülern zu verbreiten. Noch eine Zeit lang mit ihm lehrte die Lateinische und Griechische Sprache Georg Hizler, geb. zu Giengen 1528, seit 1553 Professor der Beredsamkeit und Griechischen Sprache in Tübingen, gestorben 1591, als Mensch und Gelehrter allgemein geachtet.

Ein nicht durch schöpferischen Geist, nicht durch Scharfsinn und Gründlichkeit des Urtheils, desto mehr durch leichte Fassungskraft, durch ausnehmend glückliches Gedächtniß, durch anhaltenden Fleiß und vielseitige Geschäftigkeit ausgezeichneter Mann ist Martin Crusius, geb. 1526 zu Grebern im Bambergischen, seit 1559 Professor der Lateinischen und Griechischen Sprache, und 1564 der Beredsamkeit. Schon in seiner frühern Jugend zeichnete er sich durch seine Kenntniß in Griechischer Sprache aus, und erlangte darinn eine ausserordentliche Gewandtheit; auch das Neugriechische verstand er gut. Doch gilt gerade von ihm das oben im Allgemeinen über den Geist des philologischen Studiums gefällte Urtheil. Seine Griechischen Vorlesungen waren sehr besucht; der Hörsaal, in welchem er den Homer las, mußte erweitert werden, und erhielt davon den Namen des Homerischen Hörsaals. Unter seinen vielen Schriften im Fache der Griechischen Philologie waren seine Sprachlehren gesucht und weit verbreitet. Die Bildung vieler Jünglinge im eigenen Hauß, die ihm sein Ruf verschaffte, wie ausgebreiteter Briefwechsel, die umfassendste Geschäftigkeit, die sich auch auf unbedeutenderes erstreckte, (er schrieb 7000 Predigten in Griechischer Sprache nach), seine zahlreichen schriftlichen Werke gaben ein Beyspiel, wie viel anhaltender Fleiß zu leisten vermag. Er ist es besonders, welcher den damaligen Briefwechsel mit Griechen aus verschiedenen Gegenden leitete, und der Universität bey ihnen einen

Ruf verschaffte, auch manche ihrer Jünglinge hieher zog. Frucht dieser seiner Bekanntschaft mit Neugriechen ist seine an Notizen reiche Beschreibung von Neu=Giechenland. Sein unglücklicher Streit mit seinem Schüler Frischlin stellte ihn als einen auf sein Ansehen und auf seine Lehrart eifersüchtigen Lehrer dar.

Auch die Hebräische Sprache erfreute sich, zwar nicht sogleich, doch bald nach Abtritt des grossen Reuchlin einer glücklichen Zeit. Nach Reuchlin war der gelehrte Engländer Robert Wakfield, der bald in sein Vaterland abberufen wurde, darauf Jakob Jonas 1527—1533, dann Uelin 1535, später Hildebrand, der in Ermanglung eines andern einigemal den Lückenbüsser machen mußte, und Johann Forster 1535—40, Lehrer derselben, geschickte Männer, die in glücklicherer äußerer Lage wohl viel hätten leisten können. Allein die Unbesorgtheit der höhern Fakultäten um dieses Lehramt, Eifersucht, orthodoxer Eifer und andere Störungen veranlaßten diesen oftmaligeu unglücklichen Wechsel. Auch Schrekenfuchs, zuerst Lehrer in Memmingen, dann Schullehrer in Bietigheim, seit 1549 in Tübingen Privatlehrer der Hebräischen Sprache, dessen Unterricht sehr gesucht war, gelang es nicht, öffentlich besoldeter Lehrer zu werden. Er kam 1552 nach Freyburg und die Lehrstelle der Hebr. Sprache wurde an die theologische

Fakultät übergeben, und von Dietrich Schnepf einige Zeit mit Beyfall versehen.

Ein Mitglied der Juristenfakultät erinnerte endlich daran, nun auch einmal wieder besser für dieses Fach zu sorgen und einen vorzüglichen Mann aufzustellen. Man erhielt ihn an Weigenmayer, Sohn eines Predigers zu Eßlingen, seit 1579 Professor der Hebräischen Sprache. Angestrengter, nicht durch äußere Umstände unterstüzter Fleiß und Eifer, erwarb ihm die Kenntniß des Chaldäischen und Syrischen Dialekts, die er aus eigenem Eifer, zu ihrer Verbreitung mitzuwirken, wenig unterstüzt von der Universität, lehrte. Seine brennende Wißbegierde trieb den unternehmenden Mann, um die damals fast gar nicht bekannte Arabische Sprache zu lernen, zu einem Versuch nach Afrika reisen zu dürfen; er erhielt keine Erlaubniß. Doch gelang es ihm 15 Jahre später, in dieser Absicht nach Italien zu reisen. Aber zum großen Verlust der Universität starb der gelehrte Mann in Padua 1559, als er eben zurückreisen wollte. Sein Ruhm war sehr ausgebreitet, Tobias Wagner versichert von ihm in einer Rede vom Jahr 1660, er habe der Universität eben so viel Celebrität verschafft als später Buxtorf der Stadt Basel, und Schikard bedauerte ihn nicht noch zum Lehrer gehabt zu haben. In Italien wurde er wegen seiner ungemeinen Kenntniß des Hebräischen für einen getauften Juden gehalten und in Padua kannte man ihn unter dem Namen Hebraeus nobilis.

Nach Behringer, der Weigenmeiers Stellvertreter, während seiner Reise war, erhielt die Stelle der berühmte Wilhelm Schikard, geb. zu Herrenberg 1592, Sohn eines Schreiners, nach seiner Studienzeit und Repetitur Diakonus in Nürtingen, wo ihn ein Besuch Keplers für das Studium der Mathematik entschied, in der er sich eben so auszeichnete. 1619 erhielt er die Hebr. Lehrstelle mit erhöhtem Gehalt, und brachte eine zu dieser Zeit vorzügliche Kenntniß des Hebräischen, Rabbinischen, Chaldäischen und Syrischen mit, lernte aus einem durch Gruber von Heidelberg enthaltenen Koran ohne fremde Hülfe das Arabische, und ließ Arbeiten in dieser Sprache mit selbstgeschnittenen Lettern drucken. Seine Hebr. Grammatik, eine seiner vielen Schriften philologischen und mathematischen Inhalts ist noch bekannt. Die lezte Hälfte seines Lebens war durch manche traurige Erfahrungen, besonders in den Drangsalen des dreyßigjährigen Kriegs sehr getrübt und verbittert, die Pest, die ihm den größten Theil seiner Familie weggeraft hatte, endete endlich auch sein Leben. Ein großer Mann mit ungemein leichter Fassungskraft, richtigem scharfem Urtheil, vielseitiger Bildung und unermüdetem Fleiße, der nach dem Urtheil unsers Schnurrers in glücklicherer Zeit und bey längerem Leben unter den größten Gelehrten glänzen würde.

Sehen wir auf die Bemühungen im Lehrfach der Geschichte, so finden wir hier weniger glücklichen Erfolg. Mangel an Quellen-Kenntniß, Kritik und richtigem pragmatischem Geist charakterisirt die Zeit. Martin Crusius, von einigen deutscher Varro genannt, schwäbische Annalen enthalten als fleissige Sammlung viel schäzbare Nachrichten, allein unter einer Menge unbrauchbarer Notizen; es fehlte ihm gerade an historischem Urtheil und Scharfsinn und an höherem fruchtbarem Geist. Diesen hatte sein Schüler Frischlin, zugleich neben dem Fach der schönen Wissenschaften Lehrer der Geschichte. Allein sein vielfach bewegtes und gestörtes Leben ließ diesen Geist nie zur Reife kommen und an einem größeren Werke sich versuchen. Unter Johann Martin Rauschers, Lehrers der Beredsamkeit und schönen Wissenschaften (gest. 1655), Collektaneen; welche später in das Fürstliche Archiv kamen, ist manches Gute über Würtembergs Geschichte zu finden. Cellius, Professors der Geschichte und Dichtkunst, imagines professorum haben kein großes Verdienst, weder in geschichtlicher noch dichterischer Hinsicht. In den schönen Wissenschaften ist als Lehrer derselben, als Redner und Dichter vor Allen ausgezeichnet Nikodemus Frischlin, eben so merkwürdig durch seine herrlichen Anlagen, vielfachen

Kenntnisse, sinnreiche Schriften, als durch seine eigenen Schicksale. Geboren zu Balingen 1547, zeigte sich schon frühe in ihm sein selbstständiger neue Bahnen suchender Geist, und sein ungewöhnlich glückliches Genie. Seine schnellen Fortschrittes besonders in klassischer Literatur machten, daß er schon in seinem 21sten Lebensjahr 1568 Lehrer der Geschichte und Dichtkunst wurde, wo er besonders lateinische Schriftsteller, namentlich den Virgil und Horaz erklärte. Auch in der Mathematik hatte er vorzügliche Kenntnisse und vikarirte mehreremal für den Lehrer derselben. Sein geschmackvoller klassische Bildung athmender Vortrag, sein großer Geist, dem die alten Formen nicht zusagten, seine lebendige und beredte Darstellung, sein treffender Wiz, seine Gelehrsamkeit, verschafften ihm als Lehrer große Celebrität und besonders unter den Studirenden einen ausserordentlichen Anhang. Eben dieß, aber verbunden mit einem frohen und lebendigen Kraftgefühl, das das Alte kühn überschritt, mit beissender, nichts schonender Satire, mit einer zu losen Zunge und Feder erweckte ihm auch viele Neider und Feinde, und vor Allen seinen alten Lehrer Crusius selbst, der in seinem bekannten, zum Theil wenigstens aus altem Lehrerstolz geführten Streit, gegen den geistvollern Schüler den Kürzern zog. Unter seinen Freunden, Bewunderern und Gönnern, deren manche ihm ihre Söhne in Kost und Unterricht übergaben, war auch Kaiser Rudolph II. der seine Komödie Rebekka krönte, und ihm den Pfalzgrafen Titel ertheilte, und vor Allen sein Herzog selbst, der ihn oft und viel gegen seine Feinde in Schuz nahm. Aber er vermochte dieß nicht mehr, als seine Rede de vita rustica, eine Lobrede auf das Landleben, voll starker beissender Ausfälle auf Städter nnd Adel, gedruckt und von seinen Feinden absichtlich verbreitet wurde. Frischlin gieng nach Laubach in Krain, bekam auch hier bald einen glänzenden Ruf als Lehrer, aber auch neue Feinde und einen neuen grammatikalischen Streit. Er sehnte sich zurück in sein Vaterland, und erschien wieder 1584. Aber alles Verwenden seines Herzogs vermochte nicht, daß die Universität den gefürchteten und gehaßten Mann wieder unter die Zahl der Lehrer aufnahm; sie wendeten vor, er ziehe alle Zuhörer an sich, so daß andere Hörsäle leer blieben. Neben edler Unterstüzung der Grafen von Tübingen nährte er sich nun von Unterricht und Bücherschreiben. Neue Schriften gegen Crusius, neue Händel mit der Universität und dem Adel veranlaßten 1586 seine Landesverweisung. Er kam nach Prag, darauf nach Wittenberg, war eine Zeitlang Rektor in Braunschweig, gieng dann nach Mainz, von wo er einige nicht ganz ehrerbietige Bittschriften um Unterstüzung an den Herzog und ein heftiges Schreiben gegen die Canzlei erließ. Dieß veranlaßte seine Verhaftung und

und Festsezung auf Hohen Urach 1590, wo er seine schöne Hebrais dichtete. Sein Aufenthalt dauerte ihm hier zu lange; er suchte an Seilen, die er aus seinem Hemde und Bettzeug machte, zu entkommen; allein der Versuch mißlang, die Seile brachen und er stürzte zerschmettert in die Tiefe (den 30 Nov. 1590). Etwas mehr Ruhe, Leidenschaftslosigkeit, Klugheit und festere Richtung seines Wesens hätte den großen Mann zu dem verdientesten Lehrer der Universität gemacht, einen Mann, der an Scharfsinn, Geist und Witz die meisten seiner Zeitgenossen übertraf, der als Dichter und Redner sich auszeichnete, und dessen Schriften nach Inhalt und Form unter die trefflichsten seiner Zeit gehören. Sein Nachfolger Cellius stand an Talenten und vielseitiger Gelehrsamkeit weit hinter ihm. Unter den wiewohl erst später, doch heftig genug gefühlten Drangsalen des dreißigjährigen Kriegs wurde Johann Martin Ranscher Professor der lateinischen Sprache und Beredtsamkeit, ein Mann von größerer Klugheit und Welterkenntniß als Gelehrsamkeit 1629 — 1655. Noch vor ihm starb Zacharias Schäffer, Lehrer der Dichtkunst und Geschichte 1638, und der gekrönte Dichter Cellarius Magister domus gestorben 1636. Auf welcher Stufe der Geschmack und die ästhetiste Bildung in jener Periode stand, zeigen schon die oft mit großem Witz und Scharfsinn, aber in derbem ungebildetem sich jede Schimpfrede erlaubendem Töne geschriebenen Streitschriften eines Jakob Andreä, Lukas Osiander, wie auch die Predigten damaliger Zeit. Die deutsche Sprache, noch nicht gelehrte Sprache, und auch bey ästhetischen Produkten selten gebraucht, konnte bis jezt wenig Fortschritte gemacht haben. Sie war noch im Werden aus rohen Elementen neben ungebildetem oft lächerlichem Bilderschmuck, mit viel Latein und Französisch zu schlechter Zierde vermengt.

Wenn gleich zur Zeit des dreißigjährigen Kriegs die Funktionen der Universität nie ganz stille standen, so waren sie doch theils durch die Kriegsunruhen selbst, theils durch die ihr dadurch entzogenen oder geschmälerten Einkünfte, theils durch Pest, welche mehrere Lehrer der Fakultät namentlich den berühmten Schikard wegraffte, die Anzahl der Canditaten der Philosophie oft auf vier bis sechs von vierzig schmälerte, und eine mehrmalige Flucht der Fakultäten nach Herrenberg, Calw und andere Orte nöthig machte, sehr gestört. Lange dauerten die Nachwehen dieser Drangsale; erst nach und nach, nachdem sie vorher einen zweyten Sturm durch den Französischen Ueberfall am Ende des 17ten Jahrhunderts erstanden hatten, und worin sich besonders der auch um Philologie und schöne Wissenschaften verdiente, als Mensch, Geschäftsmann und Gelehrter große Johannes Osiander um Universität und Vaterland so große Verdienste er=

ward, erholte sie sich wieder zu einem blühendern Instand. Namentlich waren die Fächer der Philosophie und schönen Wissenschaften in einem der Verbesserung sehr bedürftigen Zustand. Herzog Friedrich Carl und seine Nachfolger haben den Ruhm, darauf mit Eifer hingearbeitet zu haben. Bis ins 18te Jahrhundert, wo sich jene Nachwehen allmählich verlohren, sind nur noch wenige Lehrer zu nennen, in den Orientalischen Sprachen Matthäus Hiller (geb. 1646 gestorben 1725) ein großer Kenner derselben, namentlich der Hebräischen, wie durch mehrere schäzbare Schriften so namentlich durch seine Untersuchungen über das Keri Ketibh bekennt; er starb als Abt zu Königsbronn; in den schönen Wissenschaften Christoph Caldenbach aus Schwibus, geb. 1613, seit 1656 Professor der Geschichte, Beredsamkeit und Dichtkunst, ein Mann von sehr guten philologischen Kenntnißen geschäzt als Lehrer der Rhetorik und Dichtkunst, zu der er durch Unterricht, und eigene Produkte nicht ohne poetisches Talent aufmunterte. Verdienstlich ist auch sein Eifer, die deutsche Dichtkunst, zu welcher er eine eigene, die erste bekannte, Anweisung schrieb, in Aufnahme zu bringen.

Im achtzehnten Jahrhundert erfreute sich das philosophische Streben eines neuen Schwunges, wie nun auch die äußere Stellung der philosophischen Fakultät vollkommen und richtiger bestimmt wurde. Die Regenten selbst und unter ihnen namentlich Herzog Carl Alexander, der eigene Vorliebe, besonders für Mathematik zeigte, suchte sie zu heben, und in größeren Flor zu bringen. Sehen wir das Verhältniß der verschiedenen Zweige der philosophischen Wissenschaften, so ist es wenigstens Anfangs dieses Zeitraums das umgekehrte, indem hier die Philosophie ein regeres Leben und erfolgreichere Fortbildung zeigte als die Philologie.

Wenn es bisher nur Vorbereitungen zu besserem philosophischem Streben waren, so erblicken wir nun eine veränderte Gestalt derselben. Wenn bisher mehr oder weniger noch ein scholastischer Charakter sich zeigte, und sie nicht aus ihrem untergeordneten Verhältniß unter Theologie trat, so sehen wir nun durch ihre neuen Bestrebungen die Scholastik vollends gestürzt und die Philosophie mehr und mehr in unabhängigem selbständigem Werth, und nicht selten im Kampf mit Theologie auftreten. Diese Revolutionen bewirkten Leibnizens und Wolfs Ansichten. Des erstern Philosophie blieb in Deutschland und auch auf unserer Universität ziemlich unbekannt, bis Wolf sie bearbeitete und in ein System brachte. Wie auf andern Universitäten, so wurde auch hier für und wider das neue System Parthie genommen. Die heftigsten Gegner und Verkezerer derselben waren die Theologen; auch auf unserer Universität suchten sie das Verbot ihres Vortrags zu bewirken. Allein sie drangen nicht durch.

Herzog Carl Alexander schüzte und begünstigte die Lehrer derselben. Glücklicher Weise hatte Tübingen damals einen Mann, dessen heller Verstand, dessen tiefes richtiges Urtheil, und grosser Scharfsinn die neue Philosophie bearbeitete und in Aufnahme brachte. Es war Georg Bernhard Bilfinger, geb. zu Kanntstadt 1693, ausserordentlicher Professor der Philosophie 1721, ordentlicher Professor der Moral und Mathematik 1724, Professor der Moral und Mathematik zu Petersburg 1725, ordentlicher Professor der Theologie in Tübingen 1731, endlich von 1735 an Würtembergischer Geheimer-Rath und Präsident des Consistoriums, gestorben 1750. Einer der feinsten und scharfsinnigsten Vertheidiger der neuen Philosophie, der sie mit Selbstständigkeit prüfte, darstellte und in neues Licht sezte, und mit diesen Eigenschaften Klarheit, Ordnung und Lebendigkeit der Darstellung verband. Seine Abhandlung de harmonia corporis et animae maxime praestabilita enthält viel Gutes; in der Schrift de origine mali erläuterte er Leibnizens Theorie mit Scharfsinn; seine dilucidationes de Deo, anima et mundo sind sein berühmtestes Werk, worin er sich noch mehr für Leibniz als Wolf erklärt. Seine sonstige Thätigkeit war dem Wohl der Universität und des Staats, namentlich auch der Verbesserung der niedern Lehranstalten gewidmet.

Würdiger Nachfolger von Bilfinger was Israel Gottlieb Canz, geb. zu Grünthal 1689 zuerst Professor der Beredsamkeit und Dichtkunst, dann der Logik und Metaphysik 1739, endlich der Theologie 1747, gestorben 1753. Er trat in Bilfingers Fußstapfen als selbstständiger Anhänger der neuen Philosophie, die er im einzelnen mit neuen Ansichten bereicherte und auf geoffenbarte Theologie anwendete, ein präciser systematischer Denker, aber nicht mit dem freien Geist wie Bilfinger, sondern mehr zu steifer scholastischer Form sich hinneigend, und mehr Wolf als Leibnizen zugethan. Ihm und Bilfinger verdankt die Leibniz-Wolfische Philosophie einen nicht unbeträchtlichen Theil ihres Ruhms, und ihre Einführung in die Theologie, die, so viel Vortheil sie auf einer Seite hatte, doch derselben bald eine steife in Mikrologie und Schwerfälligkeit ausartende Form gab.

Auch in der praktischen Philosophie, die man nunmehr unabhängiger von Theologie und freyer zu bearbeiten anfieng, haben sich Bilfinger und Canz durch neue Bearbeitungen und Ansichten, durch bessere Sichtung der Materialien und neue Gesichtspunkte Verdienst erworben. Rühmlich genannt zu werden verdient Andreas Adam Hochstetter, zuerst Professor der Beredsamkeit und Dichtkunst 1697, dann der Moral 1702, und endlich der Theologie 1707, ein auf Reisen vielfältig gebildeter Mann, ein Schüler und selbstständiger Anhänger und Bearbeiter des Hugo Grotius und Pufendorf. Unter seinen Schriften ist das Colloquium Pufendorfianum die bekannteste.

An diesen schließt sich Johann Eberhard Rösler an, geb. zu Lorch 1668, Professor der Beredsamkeit und Dichtkunst 1699, der praktischen Philosophie 1705; Ephorus des theologischen Stifts und Pädagogarch seit 1716, gest. 1733, ein verehrungswürdiger Mann, von dessen gründlicher Gelehrsamkeit in allen Zweigen der praktischen Philosophie seine vielen Schriften zeugen. Sein gelehrter auch im Ausland geschäzter Nachfolger war Daniel Maichel, geb. zu Stuttgart 1693, ordentlicher Professor der Philosophie 1724, der Logik und Metaphysik 1726; des Naturrechts und der Politik 1739; er starb als Abt zu Königsbronn 1752. Christoph Friederich Schotts, Professor der praktischen Philosophie (geb. 1720, gest. 1775) Produkte zeichnen sich durch gute Schreibart, leichte geordnete Darstellung und Wichtigkeit der Materien aus.

Auf Canz folgte als Lehrer der theoretischen Philosophie der bekannte Gottfried Ploucquet, geb. zu Stüttgart 1716, ordentlicher Prof. der Logik und Metaphysik 1750, gestorben 1790. Mitglied der Königlich Preussischen Akademie der Wissenschaften, welche Ehre ihm seine Preisschrift über Monadologie, die bey der Berliner Akademie das accessit erhielt, verschaffte. Ein tiefer, scharfsinniger systematischer Denker, der in seinen vielen gelehrten Schriften und Dissertationen zu Aufstellung der Griechischen Systeme, namentlich des Thales, Anaxagoras, Pyrrho, Epikur, Sextus Empirikus wesentliche noch jetzt schätzbare Beyträge lieferte, der den Materialismus der Französischen Philosophen mit Scharfsinn würdigte und sich besonders durch seinen logischen Calkul, wodurch er dieser Wissenschaft höhere Consequenz und Einfachheit zu geben suchte, bekannt machte. Als scharfsinniger gründlicher und gelehrter Widerleger des Französischen Materialismus machte sich in seiner Schrift; reflexions philosophiques sur le système de la nature Jonathan Holland bekannt, (geb. zu Rosenfeld 1742, gest. zu Stuttgart 1784). Er war als ausserordentlicher Professor der Philosophie auf unsere Universität berufen, nahm aber die Stelle wegen eines Rufs nach Petersburg nicht an.

Kants um diese Zeit auftretendes System machte auf unserer hohen Schule sein Glück nicht. Es blieb auch nach seiner Erscheinung ein mehr oder minder dem Leibnitz = Wolfischen System sich nähernder Eklekticismus herrschend; daß dem ungeachtet sein Einfluß auf philosophische Denkart sehr bedeutend war, braucht nicht erst bemerkt zu werden. Eben so bedeutend und fast noch entschiedener zeigte sich ihre Einwirkung namentlich in apologetischer Hinsicht auf unsere Theologen aus der Storr'schen Schule. Storr selbst 1775

— 1777 Professor der Philosophie beurkundete seinen bekannten philosophischen Scharfsinn auch durch seine Bemerkungen über Kants Religionslehre, wo er jenes System in einzelnen Punkten, namentlich in dem Verhältniß des theoretischen Theils zum praktischen und zur Religion treffend würdigte.

Nicht so glücklich zeigte sich, wie wir oben bemerkten, im Ganzen das philologische Fach; wir sind deßhalb kürzer, und zeichnen nur die allgemeine Tendenz der Philologen und unter ihnen einige der vorzüglichern aus. Die Philologie wurde mehr als früher und fast ausschliessend auf Neutestamentliche Exegese angewendet, und soviel Vortheil dieses Bestreben auf der einen Seite hatte, so trat doch deßhalb der eigenthümliche Geist und die unabhängige Behandlungsart classischer Philologie sehr zurück. Als der erste Lehrer dieser Periode ist zu nennen Johann Nikolai, geb. zu Ilm in der Grafschaft Schwarzburg 1566, ausserordentlicher Professor der Alterthümer 1702, gestorben 1708; er machte sich durch schäzbare Schriften über diese Wissenschaft wie durch Anwendung derselben auf Neutestamentliche Exegese verdient. Ein sehr fruchtbarer Gelehrter war Johann Adam Osiander, geb. zu Tübingen 1701, ausserordentlicher Professor der Philosophie und ordentlicher der Griechischen Sprache 1739, später Rector des Akademischen Contuberniums und Ephorus des theologischen Stifts, gestorben 1756. Seine zahlreichen akademischen Arbeiten, die wie seine Vorlesungen hauptsächlich Philologie und Kritik des Neuen Testaments zum Gegenstand hatten, fanden vielen Beyfall. In besonderer Anwendung auf das neue Testament behandelte die Philologie auch Immanuel Hoffmann, Professor der Griechischen Sprache (geb. 1710 gestorben 1772) und Johann Jakob Baur, Professor der Griechischen und Orientalischen Sprache (geb. 1729). Der erste, der klassische Philologie mit mehr Selbstständigkeit, Geist und Umfang bearbeitete, war David Christoph Seybold, geb. den 26. May 1747 zu Brakenheim, ausserordentlicher Professor der Geschichte in Jena 1770, und nach einigen andern Stellen, von 1776 an Professor der classischen Literatur in Tübingen, ein Mann, der seine classische Bildung und den Geist ächter Philologie durch seine Schriften beurkundete und besonders dnrch seine Uebersezungen Griechischer Schriftsteller, seine Anthologie und Einleitung in Mythologie verbreiten half. Auch die Hebräische Sprache erfreute sich bis auf unsern gelehrten Storr keines so vorzüglichen Lehrers mehr wie Schikard war, und keiner besondern Erweiterungen. Der Jude Christoph Bernhard geb. zu Lemberg in Polen, getauft in Stuttgart 1713, seit 1718 öffentlicher Lektor der morgenländischen Sprachen verband mit seinen recht guten Sprachkenntnissen einen edlen Eifer sie zu verbreiten und einen von seinen Collegen und besonders von Kanzler Pfaff sehr geschäzten Charakter. Gewöhnlich war diese Lehrstelle mit einer theologischen verbunden; so wurde sie z. B. dem bekannten Sartorius und Klemm übertragen. Einer besondern Erwähnung verdienen Storrs Verdienste um Hebräische Sprache. Er hatte auf seinen gelehrten Reisen, wie im Griechischen Valkenairs, so im Hebräischen Schultens Vorlesungen benüzt, und sich dadurch, wie durch eigenes Studium zu einem gründlichen und feinen Kenner beyder Sprachen, vornehmlich der Orientalischen gebildet, wovon eben so gut seine vielen akademischen Schriften wie seine Observationes ad analogiam et syntaxin Hebraicam pertinentes zeugen, ein Werk, das wegen richtiger tiefer Auffassung des Geistes dieser Sprache bleibenden Werth hat.

Das Lehrfach der schönen Wissenschaften war ohne bemerkenswerthe Erscheinungen meist an das der Geschichte angehängt. Johann Christian Neu verband nach Caldenbachs Tode seit 1705 beyde Fächer glücklich miteinander, und erwarb sich namentlich als Geschichtforscher auch im Auslande Ruhm, wovon seine vielen Bedenken, die er zu stellen hatte, zeugen. Zu bedauren war, daß seine Kränklichkeit seine Thätigkeit hemmte, sein Leben verkürzte.

Der am Collegium illustre als Lehrer der

Politik, Geschichte und Beredtsamkeit angestellte Hessenthaler wurde wegen einiger Vergehen abgesezt, und 1663 von Eberhard III. als Würtembergischer Geschichtschreiber nach Stuttgart berufen; allein auch hier hinderten mancherley Störungen das glücklichere Gedeihen seiner Arbeit. Sein Nachfolger in der Professur der Geschichte war Pregizer, der sich etwas über die gewöhnlichen Chronikenschreiber seiner Zeit hebt, und in seinen Schriften neben mehr Quellenstudium und Vollständigkeit auch etwas mehr Kritik zeigt. Die Chronik von Johann Ulrich Steinhofer, ausserordentlichem Professor der Philosophie, später Klosterprofessor in Maulbronn verbessert sich, so sehr sie Anfangs mit Fabeln angefüllt ist, gegen das Ende und wird brauchbar. Die großen Erwartungen von Simon Friedrich Rues seit 1743 Professor der Geschichte, Beredtsamkeit und Dichtkunst vereitelte ein früher Tod; Auch sein Nachfolger Otto Christian v. Lohenschiold (geb. zu Kiel 1720 ordentlicher Professor der Geschichte 1749, gest. 1761) darf mit Auszeichnung als historischer Forscher genannt werden; seine vielseitigere auch ästhetische Bildung machte seine geschichtliche Vorträge anziehend, seinen Umgang jedermann angenehm. Den gelehrten scharfsinnigen Historiker Lebret, voll Welt- und Menschenkenntniß durfte die Universität, nachdem er vorher viele Stellen verschiedenen Grades in Stuttgart bekleidet hatte, noch als Canzler in ihrer Mitte sehen. Viele seiner geschäzten Schriften waren Früchte seiner Reisen in Italien; er starb 1807 als Mitglied vieler gelehrten Gesellschaften. Auch den fleißigen Gelehrten Ludwig Joseph Uhland, seit 1761 Professor der Geschichte, und zugleich Ephorus, welcher 1803 als Theolog starb, und der gelehrten Welt nur durch Dissertationen und Programme exegetischen Inhalts bekannt wurde, folgte der kürzlich verstorbene Veteran der Universität und verdienstvolle Gelehrte Christian Friedrich Rösler, geb. zu Cannstadt 1736, und nach eilfjährigem Diakonat in Vayhingen von 1777 bis 1821 ordentlicher Professor der Geschichte. Schon in seinem frühern Amte machte er sich durch seine Schrift: „Lehrbegriff der christlichen Kirche in den 3 ersten Jahrhunderten" rühmlich in der gelehrten Welt bekannt. Noch grösseres Verdienst erwarb er sich durch seine in dieser Stelle begonnenen, in seinem Lehramt auf unserer Hochschule vollendete Bibliothek der Kirchenväter in Uebersezungen und Auszügen u. s. w. wie durch seine vielen akademischen Gelegenheitsschriften, namentlich über Chroniken des Mittelalters. Gelehrsamkeit und Scharfsinn, große Belesenheit, selbstständiges Quellenstudium, kritisches Urtheil und unermüdete Thätigkeit bis ans Ende seines Lebens, bleiben wohl unbestreitbare Eigenschaften dieses Gelehrten, wenn man auch Mäßigung in einer besonders in den spätern

Jahren seines Lebens oft zu weit getriebenen historischen Skepsis, eine höhere Auffassung der Geschichte und namentlich im mündlichen Vortrag Wissenschaftlichkeit an ihm vermissen mochte.

## Geschichte der Mathematik.

Die Natur dieser Wissenschaft fordert eine Trennung von der Geschichte der Philosophie. — In den früheren Zeiten bestand die Mathematik auf unserer Hochschule mehr in Großthun mit einem gewißen Formenwesen, in das man oft die unbedeutendsten Säze einhüllte, um durch pomphafte Worte das Staunen der Uneingeweihten zu erregen, als in einer schöpferischen und nüzlichen Wissenschaft, und leider hat sich diese Behandlungsart sehr lange hier erhalten. Aus eben den Gründen legten sich unsere hiesigen Mathematiker auf die geheimen Wissenschaften; Joh. Stöffler (geb. zu Justingen 1452, gest. 1531.) sezte halb Europa in Schrecken durch die Prophezeiung einer zweiten Sündfluth auf 1524, so daß die Leute auf die höchsten Berge flohen und ein Bürgermeister zu Wittenberg eine ziemliche Menge Bier auf den obern Boden seines Hauses bringen ließ. Dabei war Stöffler ein sehr fleißiger Astronom, sein Calendarium romanum, seine Tabulae astronomicae, Ephemerides u. s. w. zeugen von außerordentlicher

Anstrengung. In der Mechanik war er auch sehr geschikt, was freylich nach dem Geschmacke jener Zeiten meistens auf Spielereien und Künsteleien hinausläuft. Johann Scheybl (Scheubelius) (geb. Kirchheim 1494. gest. 1570.) schrieb eine damals sehr gute Algebra, die 1552 zu Paris aufgelegt wurde, sein Vortrag ist deutlich und nett. Er beschäftigt sich auch mit der Wurzelrechnung, sie geht aber bei Binomien von zwei irrationalen Theilen, oder einem rationalen und einem irrationalen nur bis auf die Quadratwurzel. Philipp Apianus (geb. zu Ingolstadt 1531. gest. 1589.) ein Mann von ausgebreiteten Kenntnissen verfertigte eine große Karte von Baiern auf 24 Blatt. Michael Mästlin (geb. zu Göppingen 1550. gest. 1631.) hatte tüchtige astronomische Kenutnisse.

Ein wahrer Wundermann aber war Joh. Conrad Creiling (geb. zu Löchgau 1673. gest. 1752.) von dem manche abenteuerliche Sage im Munde des Volks und oft sogar der Vornehmeren noch jezt lebt. Er konnte alles was man nur wollte, Goldmachen, Wahrsagen, alle Krankheiten heilen, u. s. w. Ein wahrer Mathematiker aber war sein Zeitgenosse G. B. Bilfinger, zugleich als Philosoph berühmt, er legte sich vorzüglich auf die Kriegswissenschaften, und erfand ein neues Befestigungssystem, auch schrieb er eine Abhandlung de causa gravitatis, die von der Akademie zu Paris den Preiß erhielt.

Jezt erst kam der wahre Geist über die Tübinger Mathematiker und Georg Wolfg. Kraft (geb. zu Tuttlingen 1701. gest. 1754.) der um diese Zeit lehrte, erwarb sich im In- und Auslande großen Ruhm.

Er war früher Lehrer der Mathematik am Gymnasium zu St. Petersburg und Adjunkt der dortigen Akademie der Wissenschaft, wurde 1731 ordentlicher Professor und Mitglied der Akademie daselbst und kam 1744. nach Tübingen. Sein gehaltvoller, klarer und angenehmer Vortrag zog viele Schüler herbei, worunter sich auch Russen befanden. Eine Menge Abhandlungen aus verschiedenen Fächern befinden sich von ihm in den Petersburger Kommentarien. Er schrieb mehrere Kompendien und Dissertationen, auch andere Werke, worunter sich die institutiones geometriae sublimioris, durch die geschmeidigen Auflösungen von Aufgaben am Kreis, durch den ächt geometrischen Geist und den reichen inneren Gehalt vorzüglich auszeichnen.

An seine Stelle kam Johann Kies (geb. zu Tübingen 1713, gest. 1781.), ein gleichfalls sehr thätiger, besonders durch die Vorzüglichkeit seines mündlichen Vortrags wirkender Lehrer. Sein Nachfolger war der in diesem Jahre (1821.) unserer Hochschule durch den Tod entrissene Christoph Friedrich v. Pfleiderer, (geb. zu Kirchheim an der Tek 1736.) Er war tief in den Geist der alten griechischen Mathematiker eingedrungen und munterte durch seine vierzigjährige Thätigkeit seine Schüler vorzüglich auf, diese Methode zu befolgen, ausserdem war Litterar-Geschichte der Mathematik und Physik seine Haupttendenz, wie seine Schriften (freilich blos Dissertationen, Theses und ein paar Aufsäze in Hindenburgs Archiv) beweisen. Seinen mündlichen Vortrag zeichnete Popularität neben streng wissenschaftlicher Methode aus, auch stiftete er durch die lieberalste Mittheilung von Büchern aus seiner überaus reichen Privatbibliothek sehr vielen Nuzen. Er sezte noch als ein 85jähriger Greis, des Lichts der Augen seit einigen Jahren beraubt, bis in die lezten Tage seines Lebens seine rühmliche Thätigkeit fort.

---

# Dritte Abtheilung.

## Jurisprudenz. *)

Kaum hatte Teutschland gegen das Ende des fünfzehnten Jahrhunderts angefangen; die Fesseln der alten scholastischen Barbarey abzuschütteln, und das Zurückkehren zu dem Studium der Werke des Alterthums ihm eine bessere Zukunft versprochen, so war Graf Eberhard, dessen Zeitalter man kennen muß, um seine unsterblichen Verdienste gehörig würdigen zu können, einer der ersten teutschen Fürsten, der durch Stiftung der Universität Tübingen im Jahr 1477. [1]) sich als ei-

---

*) Die juristische gelehrte Geschichte von Tübingen ist bis jezt noch gar nicht bearbeitet: Christoph Frid. Harpprecht hatte zwar in seinen jüngern Jahren im Sinn, die Lebensbeschreibungen der hiesigen Rechtslehrer herauszugeben, ließ aber diese Arbeit nachher wieder liegen.

J. J. Moser Württemb. Bibliothek. Stuttg. 1796. 8. S. 472.

1) Der eigentliche Stiftungstag der Universität ist erst in neuern Zeiten durch unsern berühmten Landsmann, den Herrn Hofrath Reuß in Göttingen bekannt geworden, welcher während seines hiesigen Bibliothekariats unter andern rühmlichen Beweisen seiner unermüdeten Thätigkeit, welcher wir die Kenntniß so mancher bis dahin in Verborgenheit begrabener Schä-

nen der eifrigsten Beförderer der neu aufblühenden Wissenschäften gezeigt.

Ausgerüstet mit einem Geiste, der hoher Entwürfe fähig ist und mit einer Kraft und einem Muthe beseelt, der, ist einmal ein Entschluß ge-

---

ze unserer Universitäts-Bibliothek verdanken, im Jahr 1776. in dem Einbande eines zu der, nunmehr mit der Universitäts-Bibliothek vereinigten, Bibliothek des Martinianischen Stiftes, s. g. Neuen Banes, gehörigen Buches die bis dahin ganz unbekannt gewesene gedruckte Stiftungsurkunde des Grafen Eberhard, datirt Urach den 3. Jul. 1477. fand. Siehe hierüber G. D. Hoffmann von dem eigentlichen Stiftungstag der Eberhard-Carls Universität. Tüb. 1776. 4. Zweite Aufl. ebend. 1777. 4. und J. D. Reuß Beschreibung merkwürdiger Bücher aus der Universitäts-Bibliothek zu Tübingen. Tüb. 1780. 8. S. 154. ff. In beiden Schriften ist die Urkunde, jedoch nicht ganz richtig, wieder abgedruckt. — Pfister in J. C. Schmid und J. C. Pfister Denkwürdigkeiten der Würtemb. und Schwäbischen Reformationsgeschichte, Tüb. 1817. 8. Heft 1. S. 15. und Beil. 1. S. 176. ff. fand diese Urkunde, die wahrscheinlich nur in wenigen Exemplaren abgedruckt worden war, in einer Papierhandschrift des fünfzehnten Jahrhunderts auf der Königl. Handbibliothek zu Stuttgart; und ließ sie ebenfalls, wie er glaubte zum erstenmale, abdrucken; jedoch stimmt dieser Abdruck mit dem alten gedruckten Exemplar an mehreren Stellen nicht überein.

faßt, und die Ueberzeugung der Trefflichkeit desselben steht fest da, alle Schwierigkeiten zu überwinden weiß, gab Eberhard bey sehr beschränkten Hülfsmitteln — denn nur die Hälfte von Württemberg besaß er damals, die andere Hälfte sein Oheim, Ulrich — mit bewunderungswürdiger Weisheit der Universität doch solche Einrichtungen, daß sie in kurzer Zeit bedeutend unter ihren Schwestern auftreten, und Männer aufstellen konnte, die nicht nur in Württemberg, sondern in ganz Teutschland Epoche machten. [2])

Rühmlichen Antheil an dem Flor der Universität hat auch die Juristen Facultät.

---

2) Als im Jahr 1502. der Churfürst von Sachsen, Friedrich der Weise, die Universität Wittenberg errichtete, war das Ansehen von Tübingen schon so entschieden, daß er dem edeln Staupitz, früher Prior des Augustinerklosters in Tübingen, dem Freund und Rathgebers Luthers, den Auftrag ertheilte, für die neue Universität geschickte Lehrer von Tübingen herbeyzuziehen. Von Juristen kamen dahin Wolfgang Stehelin von Rottenburg am Neckar, und Ambrosius Volland von Gröningen, beyde Zöglinge von Tübingen, jener als Canonist, dieser als Civilist; ebenso erhielt die Artisten Facultät zwey Tübingische Magister.

Schnurrer Erläuterungen der Württemb. Kirchen- Reformations- und gelehrten Geschichte. Tüb. 1798. S. 289. ff.

Wenn wir jezt versuchen, einen Ueberblick ihrer Geschichte zu geben, so glauben wir gleich die Bemerkung vorausschicken zu müssen, daß hier weniger allgemeine Umrisse des Ganges der Wissenschaft selbst, als Nachrichten über die einzelnen Lehrer gegeben werden können. — Treue Erfüllung der Pflichten ihres Berufs durch Unterricht im stillwirkenden Kreise der Lehrer, nie den Gesichtspunkt aus dem Auge verlierend, daß hauptsächlich dem Vaterlande brauchbare Söhne zu erziehen sind, Fleiß in Ertheilung rechtlicher Bedenken, [3]) daneben auch schrift-

3) Erat tum, sicut etiamnum hodie per Dei favorem: absit invidia, absit arrogantia verbis: erat tum, inquam, juridicae Facultatis Tubingensis tanta, ob excellentissimos juris ibidem Antecessores, praesertim practicos, in locis etiam exteris celebritas, et fama per totam ferme Europam longe lateque sparsa; ut ad eam non tantum hoc e Ducatu, non tantum finitimis e provinciis; sed variis e Germaniae partibus aliisque regionibus et locis, omnium ordinum homines, non secus ac olim ad Themidis in Boeotia templum, aut aliquod Germaniae oraculum certatim, densim affluerent; et causis in difficillimis consilium flagitarent. Jo. Harpprechti Oratio de vita et obitu Nicol. Varenbüleri (geb. 1509, gest. 1604.); wieder abgedruckt in Jo. Harpprechti Orationes. Tub. 1619. 8. S. 651.

Rühmliche Beweise ihrer Thätigkeit liefern die

stellerische Arbeiten; so weit Gelegenheit und Umstände die Hand dazu boten, doch ohne begierig sie zu suchen, entfernt von aller Sucht, durch Vielschreiberey und blendenden Schein sich glänzenden Ruhm im Auslande zu erwerben, — sie, denen, im Vaterlande geboren, das Vaterland Alles war und Alles blieb, — aber mit dem redlichen Bestreben, das einmal Begonnene mit tiefer Gründlichkeit durchzuführen, — Alles ohne vielen Lärmen und Aufheben — Dieß sind die charakteristischen Züge ihrer Thätigkeit, dieß der Gang, welchen die Wissenschaft darnach nehmen mußte.

Zwar finden sich unter den hiesigen Lehrern auch Männer, die durch zahlreiche Schriften sich ausgezeichnet und dadurch sich in der gelehrten Welt einen bleibenden Namen erworben haben, aber entweder sind diese nur Einzelne, ohne nacheifernde Schüler hinterlassen zu haben, in deren Schriften ihr fortwirkender Einfluß zu erkennen wäre, oder sind die Gegenstände, welchen sie

---

Consilia et Responsa Tubingensia. Tub. Francof. et Giessae 1731 — 1750. Fol. 9 Bde., die bei den Practikern fast gesezliche Autorität erhalten haben, so wie die Consiliensammlungen einzelner Rechtslehrer: Besold, Mauritius, Ferd. Christoph Harpprecht, Schöpff.

Ausserdem waren von jeher hiesige Rechtslehrer Mitglieder des Hofgerichts, welches seit 1514. Tübingen zu seinem bleibenden Siz erhalten.

ihre Bemühungen widmeten, von der Art, daß sie weder der Wissenschaft im Ganzen eine andere Richtung zu geben vermochten, noch auch der hiesigen Schule einen eigenthümlichen Charakter aufdrücken konnten. Wenn wir deswegen nicht im Stande sind, für die folgende kurze Darstellung Abschnitte aus der Geschichte der Tübingischen Juristen selbst zu bilden, nach dem Vorgang eines grossen Juristen, durch dessen geistreiche Behandlung die juristische gelehrte Geschichte erst zur Wissenschaft geworden, und von dem auch einst ein neuer Zeitraum beginnen wird, [4]) so glauben wir die äussere Abschnitte nach Jahrhunderten am passendsten hier wählen zu können, um so mehr, als man sich gern nach Verfluß eines so grossen Zeitraums die Männer wieder vor Augen stellt, die in demselben gelebt haben.

---

4) Hugo Lehrbuch der Geschichte des Röm. Rechts seit Justinian — Zweiter Versuch. Berlin 1818. 8. §. 53 — 56.

## Erster Zeitraum:

## Von Errichtung der Universität bis zu ihrem ersten Jubiläum.

## (von 1477 — 1577) [5].

Wenn die Juristen der ersten Zeit weniger bekannt, wenn ein Gabriel Biel, ein Conrad Summenhart, ein Johannes Reuchlin zum Theil in der gelehrten Geschichte Tübingens merkwürdigere Namen sind, so schreibe man dieses dem Zeitalter zu, dessen allgemeine Geistesrevolution von Theologen und Humanisten ausgieng, während die Juristen Facultät, ganz nach ihrem Urbilde in Italien eingerichtet, sich noch nicht über die Fesseln des Mittelalters erheben konnte; wenn von der literarischen Thätigkeit der ersten Juristen wenige Denkmale auf die Nachwelt gekommen sind, so mag die späte Einrichtung einer Buchdruckerey [6], manchmal wohl auch ihre an-

---

5) Die Schriften die aus Gelegenheit des ersten Jubiläums erschienen, sind verzeichnet in Böck's Geschichte der Universität zu Tübingen, S. 118.
Gefeiert wurde das Jubiläum erst den 20. Febr. 1578. wegen einer ansteckenden Seuche, die damals in Tübingen herrschte.

6) Conr. Summenharti Oratio funebris — pro principe domino Eberhardo — Tubingae 1498. 4. Ejsd. Oratio ad patres in Capitulo Hirsaugiensi ordi-

fängliche kärgliche Lage [7]) dazu beigetragen ha-

nis S. Benedicti, de duodecim abusibus monasticis Tub. 1498. 4. und Pauli Scriptoris Explanatio in librum primum sententiarum Scoti. Tubingae 1498. Fol. sind die ersten von M. Joh. Ottmar, einem Reutlingischen Bürger, hier gedruckten Bücher. Vor dieser Zeit mußten die hiesigen Gelehrten auswärts, nach Reutlingen oder Hagenau, ihre Schriften zum Drucke schicken. Jo. Jac. Moser vitae professorum Tubingensium ordinis theologici — Tub. 1718. 4. p. 32. ff. 40. 67. ff.

(C. F. Schnurrer) Progr. Baccalaureatus Tub. 1784. Fol.

7) Während seiner Anwesenheit in Tübingen, den 18. Octbr. 1495., bestellte Eberhard, der sich als Stifter und Patron der Universität auf seine Lebenszeit das Recht vorbehalten hatte, „Doktoren und Maister" zu ernennen, den Johann Lupfdich, „Maister der freyen Künste und Licentiaten beider Rechte" zum Lehrer des römischen und canonischen Rechts, wogegen dieser folgenden Revers ausstellen mußte: Ich . . . . kenn und tu kunt allermeniglichem, das der durchlüchtig hochgeporn Fürst . . . . Mich min lebenlang uffgenommen unnd bestellt hat In yetzgedachter universitet ain letzgen In kaiserlichen oder Bapstlichen rechten all tag So man nach ordnung berurter hohen schull lesen ist durch min aigne person und niemand andern zu lesen, also das ich erstlich nach und zu des genanten gnedigen Hern und der Universitet gevallen Instituta oder wann sin fürstlich gnad und die genant universitet

ben. —. Manches auch in dem unglücklichen Brande, der im Jahr 1534. die Bibliothek verzehrte, für uns verlohren gegangen seyn.

---

zu wölher zit das ist gouällig sie würdt ain ander letzgen wölhe sy in Bayden Rechten wöllen lesen und versehen soll, dartzu ich mich frywillglich begeben hab, Jars ain disputacion oder ain repeticion zu halten, So ich das von minen schulern eruordert würd, Darumb soll die offt gemelt universitet mir min lebenlang zu Järlichem sold alle Jar und ains yeden Insonnder diewyll die pfrunden der Universitet incorporiert nit all gefallen sindt, achtzig gulden Rinischer geben und bezaln On allen minen schaden, Wa aber die all geuallen wirden, Sol man mir nuntzig geben, Darumb ich och der letzgen aine, Daruff Innhalt der ordnung genanter Universitet achtzig oder nuntzig gulden gesetzt sind, wann und wölhe man will nach gefallen wie oben gemelt ist lesen soll, Ob och der genant min gnediger Her oder die universitet mich zu ainer ordenlichen lectur ordnen und mir deßhalb hundert guldin geben würden, Sol ich die anzunemen schuldig und pflichtig sin, doch haben der berürt min gnediger her und die universitet mir dis gnad getan, das ich diewyll ich allein achtzig gulden han ains yeden Jars Järlich macht haben soll mein letzig vierzehen tag und mit mer durch ain andern geschickten togenlichen Dokter oder

Doch stund die Juristenfacultät [8]) gleich von ihrem Anfang an in großem Ansehen, und die

---

Licenciaten uff minen costen zu versehen, wann ich aber ain lectur mit nuntzig oder hundert guldin uberkomen wurd, alsdann sol ich das zu tund nit macht haben mich auch der ordinacion Im artikell vom ußryten nit behelffen, besonder in aygner person durch mich selbs meiner lectur warten und die truwlich und flyßlich versehen."

— Sattler's Geschichte des Herz. Württemberg unter der Regierung der Grafen, Thl. 4. S. 39. ff. und Beyl. S. 82. Und als im Jahr 1527. über die Wiedertäufer mehrere Rechtstage zu Rottenburg gehalten und hiezu 2 Doctoren von der Universität verlangt wurden, erklärten diese bey dem zweyten: „sie seyen arme Gesellen, welche durch den vorigen Rechtstag vieles versäumt hätten. Man habe ihnen eine Verehrung zugesagt, aber da jeder 15 fl. gefordert, sie bis daher aufgezogen." Sattle. Geschichte des Herz. Württemberg unter der Regierung der Herzogen Th. 2. S. 172. ff.

8) Die Zahl der Lehrer wurde in der, Note 1 angeführten, Urkunde auf 5 festgesezt (tres itidem, qui sacrata pontificum jura, que canonica vocant, resolverent; duos, qui legum ampla volumina eorumque difficultates enodarent), in der ersten „Ordnung" der Universität vom Jahr 1481. aber auf 4 reducirt, doch in der zweiten vom Jahr 1491. wieder um 2 vermehrt, so daß die Zahl 6 in allen folgenden Ordnungen geblieben ist. In den Statuten von 1601. und den neuesten von 1752. cap. IX. ist ebenfalls die Anzahl von 6 ordentlichen

hohen Würden, zu denen zum Theil die hiesigen Rechtslehrer gelangten, rechtfertigen die Urtheile gleichzeitiger Schriftsteller hierüber [9]).

Ihre Namen sind [10]): Johann Bergen-

---

Professoren beibehalten worden. Böck Geschichte der Universität S. 22. Moser erläutertes Württemberg. Th. 2. S. 140.

9) Heinrich Bebel, Prof. der Beredtsamkeit und Dichtkunst seit 1497, ein s. g. schöner Geist und humoristischer Sittenrichter seiner Zeit, sagt in der Dedication seiner Carmina — Impressum in Reütlingen per Michälem Greiff Anno domini. MCCCCXCVI. 4. ita enim juridica Facultas apud vos (Rector und Professoren, welchen die Gedichte dedicirt waren) floret, ut nusquam alibi major vel sit vel expeti debeat. et pace aliorum dixerim tanta est ut nulla universitas germaniae in jure cum nostra comparanda censeatur . . . ein Lob, welches, wenn auch Bebel in seinem patriotischen Eifer zu weit gegangen seyn mag, gerade im Munde eines Nichtjuristen mehr oder weniger allgemeine Stimme gewesen zu seyn scheint. Ein gleich vortheilhaftes Gemählde von der Universität überhaupt und insbesondere der Juristen Facultät entwirft Brassicanus, Schüler von Bebel, vor seinen institutiones grammaticae. Tub. 1516. 4.

10) Ich gebe so weit meine Hilfsmittel reichen, das Verzeichniß der Juristen des ersten Abschnitts möglichst vollständig, vollständiger als in den folgenden Abschnitten, wo bey der Leichtigkeit, sich anderwärts eine vollständige Kenntniß derselben zu verschaffen, nur die vorzüglicheren angegeben werden sollen.

hans [11]), ein Mann, der nicht nur wegen sei-

11) Ursprünglich Johann Vergen, woraus Johann Vergenhans, und später aus dem alten oberdeutschen Wort Ferge = Fährmann der griechische Name Nauclerus entstanden ist. (Joachimi Camerarii de Phil. Melanchthonis ortu — Lips. 1566. 8. p. 15. ff.)

Wahrscheinlich hat er selbst nach der Sitte der damaligen Zeit, besonders seines Schülers Reuchlin's Vorgang, diesen Namen angenommen. Die Universitätsmatrikel von 1477. nennt ihn zwar noch Joh. Vergenhans, ebenso Bebel a. a. O. (1496.) Fergenhanns, in seinem Werk über die Simonie hingegen (1500) wird er schon in der Unterschift Joh. Nauclerus genannt. Siehe Note 12.

Seine Lebensumstände sind dunkel, und was man von ihm mit Zuverläßigkeit weiß, beschränkt sich auf wenige Notizen. Weder sein Geburtsort, wofür man gewöhnlich Justingen ausgiebt, noch das Jahr seiner Geburt, lassen sich mit Bestimmtheit angeben. Gewiß ist, nach seiner eigenen Angabe in seiner Chronik, daß er Lehrer des Grafen Eberhard, des Stifters der Universität, war (um 1550.) und im Jahr 1467. als Probst der Kirche zu Stuttgart vom Grafen Ulrich an Herzog Carl von Burgund, der sich damals in den Niederlanden aufhielt, geschickt wurde. Im Jahr 1477. finden wir ihn als Lehrer des Canon. Rechts und ersten Rector der Universität, wie er sich selbst in der Universitätsmatrikel dieses Jahrs Decretorum Doner vielseitigen Kenntnisse, die er in mehreren Schriften darlegte [12]), sondern auch wegen

---

tor und Rector primaevus nennt, später wurde er Probst der Kirche und Canzler, Reuchlin in der Vorrede zur Chronik nennt ihn J. U. D. Ecclesiae Tubingensi Praepositus et cancellarius. Die Zeit seines Todes, (der 5te Jan. 1510.) ist erst in neuern Zeiten durch Schnurrer (Reformations-Geschichte a. a. O. S. 335.), der aus handschriftlichen Quellen schöpfte, zur Gewißheit geworden, da man bis dahin auf 1510. blos aus dem Umstand schloß, daß Ambrosius Widmann in diesem Jahr zum dritten Canzler ernannt wurde. D. G. Moller Disp. de Jo. Nauclero. Altd. 1697. 4. Zeller Merkwürdigkeiten der Universität und Stadt Tübingen. Tüb. 1743. 8. S. 433. ff.

12) Er ist der Verfasser einer von Melanchthon revidirten (Camerarius a. a. O. p. 15. ff.), und von Reuchlin mit einer empfehlenden Vorrede begleiteten Universalchronik, mit der Eintheilung nach Generationen, von Adam, wie gewöhnlich, bis 1500, die, bey allen Vorzügen der Vollständigkeit und dem Reichthum an interessanten Notizen aus dem Zeitalter ihrer Abfassung, vorzüglich der Schilderung des Grafen Eberhard's, den er so genau kannte, der häufigen Lobpreisung, die ihr auch noch von Neuern zu Theil geworden ist, ungeachtet, was die unkritische Behandlung der Quellen und Planlosigkeit betrifft, sich über die gewöhnlichen Chroniken des fünf-

der Reinheit und Biederkeit seiner Gesinnung

---

zehnten Jahrhunderts nicht erhebt. Der Titel der ersten auf Kosten dreyer Tübingischen Bürger gedruckten Ausgabe, nachdem der Neffe des Verfassers, Georg Naucler, das Manuscript zum Druck überlassen hatte, ist:

Memorabilium omnis aetatis et omnium gentium Chronici Commentarii a Joanne Nauclero — digesti in annum salutis 1500. Adjecta germanorum rebus Historia de Suevorum ortu, institutis ac imperio. Complevit opus F. Nicol. Basellius Hirsaugiensis annis XIIII. ad M. D. additis. Ex Tubinga Sueviae urbe — Fol.

Ausser dieser Ausgabe befinden sich noch 2 andere auf hiesiger Bibliothek: Colon. 1579. Fol. und ibid 1675. Fol. Moller a. a. O. §. 17. führt noch an Colon. 1544. Fol. ibid. 1597. Fol. ibid. 1613. Fol. Ein juridisches Werk über die Simonie beschreibt (Placidi Braun) notitia — de libris ab artis typographiae inventione usque ad annum MCCCCLXXVIIII. impressis in Bibliotheca monasterii ad SS. Udalricum et Afram Augustae extantibus. Aug. Vind. 1778. 4. p. 32, mit folgender Unterschrift: Tractatus de symonia perutilis editus a speciali viro Joanni Nauclero vulgariter vergenhans nuncupato decretorum doctore famosissimo Nec non ecclesie collegiate Thubingensis preposito. Ejusdemque universitatis Cancellario dignissimo feliciter explicit XXVIII. Kalen. Junii. Anno 1500. 4. eine Schrift, die nach dem Urtheil Anderer, da ich mir vergebliche Mühe gegeben hagen sich die Achtung seiner Zeitgenossen erwor-

---

be, sie zu erhalten, als ein Meisterstück dialectischer Spitzfindigkeiten, unter jämmerlichen Krümmungen und Windungen mit Legionen von Citaten umpanzert, beweist, daß ein Pabst keine Simonie begehen könne. Siehe Cleß kirchlich polit. Landes und Culturgeschichte von Württ. Tüb. und Gmünd 1806/1808. 8. Th. 2. Abth. 2. S. 400. ff. und 844.

Den Anfang der Schrift macht nach Braun ein tetrastichon ad lectores und eine elegia ad Jo. Nauclerum beide von Bebel. Die Elegie findet sich auch in Bebeliana opuscula — Argent. 1512. 4. und fängt so an:

Eximios inter cunctis memorande diebus o Nauclere viros et probitatis honos. Quod modo suscepta est per te provincia, rerum Scribere sacrarum de ambitione librum. Joh. Jac. Moser in Vitis Prof. Tubingensium p. 59. führt in seinem Verzeichnisse von Büchern und Handschriften aus der, mit der Universitäts-Bibliothek vereinigten, Bibliothek des Martinianischen Stiftes ein handschriftliches consilium von Naucler auf: an Clerici possint disponere de fructibus intuitu ecclesiae perceptis in vita et in morte, worauf er sich zu beziehen scheint, wenn er in der Recension von Moller's Note 9 angeführter Disp. de Jo. Nauclero in seinen unpartheyischen Urtheilen von Juridisch — und Historischen Büchern, drittem Stück Frankf. und Leipzig 1723. 8. S. 209. angibt: Naucler habe consilia juridica hinterlassen.

Obiges Consilium findet sich auch unter den Hand-

ben [13]) hatte, und der die Freundschaft und das

---

schriften der Universitäts-Bibliothek in den lezten 8 Blättern von TT. 438 Fol. mit der Ueberschrift: Consilium D. Doc. Joh. Vergenhanſs praepositi in Tubingen, und der Unterschrift: Joh. Vergenhanſs praepositus in Tubingen et cancellarius hoc edidit consilium.

Es besteht aus 2 Fragen, der obigen und S. 11. Quaesio autem est, quis succedat clerico ab intestato. Weder in der Sprache noch Behandlung erhebt sich hier Naucler über den Geist, der in allen ähnlichen jurist. Schriften dieser Zeit weht: die Sprache ist schwerfällig, der Gegenstand mit ungemeiner Weitläufigkeit durchgeführt und jeder Saz mit einer Menge von Citaten aus der heiligen Schrift, den Kirchenvätern, Canonisten u. s. w. belegt.

13) In einem handschriftlichen Bande academischer Reden und anderer öffentlicher Verhandlungen auf der Universitäts-Bibliothek (TT. 461. 4.) findet sich in einer Rede vom 21. Aug. 1497. am Schlusse unter andern Anreden folgende sich auf Vergenhans beziehende, die die allgemeine Achtung, worin er gestanden haben muß, beurkundet:

Te Joh. Vergenhanſs, nostrae universitatis cancellarium dignissimum, virum totius honestatis specimen unicum, (qui magnus virtute et prudentia pluri praeditus semper evadis) non lateat, quam bene meritus nobis semper semperque existas, quamque (oder quodque) innumera meritorum tuorum amplitudine tibi deditissimi sumus semper. Tua etenim

Vertrauen, womit ihn Eberhard beehrte[14]), blos zum Besten des Landes, vorzüglich aber der Universität, die seinen Namen nie ohne dankbare Verehrung aussprechen sollte, benutzte; Laurentius Marenchus[15], Conrad Vesse-

ope, tuo favore, tuo officio et ministerio quasi modo geniti infantes a nostris praeceptoribus in Christo geniti in sortem domini et reipublicae gubernamen curationemque missi sumus et licentiati, ut fructum afferamus, et fructus noster semper maneat. Laborum tuorum gloriosus sit fructus in perenni gloria centuplicatus (am Rand Sap. 3. d. i. Buch der Weish. Cap. 3.). Accipe itaque quascunque exiles quascunque meritis tuis impares gratiarum actiones, et cum susceperis vota, nostra compensabis antidota. Ebenso Bebel in seinen Carmina a. a. O. Bebelius ad Jo. Fergenhanns sacrorum canonum doctorem et prepositum nostrum Thüwingensem Epigramma. O mihi post nullos doctores culte Joannes. — —

14) Im Jahr 1495. begleitete er Eberhard auf den Reichstag zu Worms, und hatte dort die Freude, seinen Zögling zum Herzog erhoben zu sehen. Sattler Geschichte Württ. unter den Grafen Th. 4. S. 33. Siehe auch Melanchthonis oratio de Eberhardo Norimb. 1777. 4. p. 11

15) In der Matrikel von 1477. unterzeichnete er sich Magister Laurentius Marenchus (Crusius Annales Suevici P. III. Lib. VIII. cap. 14. und alle spätere Schriftsteller Marenchus), Novanus Civis Genuensis

ler [16]), ein Mann, der, wie es scheint, zu seiner Zeit von großem Ansehen und Bedeutung

---

(aus Novi im Genuesischen) Juris utriusque Doctor in dicta nostra universitate legum ordinarius.

16) In der Matrikel von 1477 steht Mag. Conr. V. Univ. Collegiatus. Scheint von der Philosophie zur Jurisprudenz übergegangen zu seyn: nach der Matrikel begleitete er 1478. das Rectorat, wo er artium liberalium magister, in artibus collegiatus genannt wird, im Jahre 1490 aber in decretis licentiatus und 1497 und 1502. decretorum doctor, juris pontificii doctor. Für seine Brauchbarkeit in Geschäften und das Ansehen, welches er genoß, mag der Umstand zeugen, daß er, zum seltenen Beispiel, auch im zweiten Semester des Jahres 1502 zum Rector ernannt wurde. Siehe auch Zellers Merkwürdigkeiten der Stadt und Universität Tübingen S. 440. In der, Note 11. angeführten, Rede steht von Wesseler folgendes: Habemus itaque et dicimus laudes et gratias tibi mag. Conrado etc. (sic) theol. baccalaureo, sacrorum canonum doctori profundissimo ac nostrae universitatis monarchae meritissimo. Tu etenim actum hunc et cetum praesentem quasi stella in medio nebulae et quasi sol refulgens (am Rande ecci. 50. d. i. Sirach cap. 50.) admirabili virtutum et scientiarum splendore clarescere fecisti. Mercedem reddat altissimus in secula benedictus. Sis velut alter Joseph, (am Rand ecci. 45. d. i. Sirach cap. 45.) firmamentum gentis, populi stabilimentum, fratrum princeps, rege itaque vos et extolle usque in eternum.

war: Matthäus Ochsenbach [17]), Ludwig Truchseß [18]), Mangold Widmann [19]), Johann Stein von Schorndorf [20]),

---

Das Uebergehen von der Artisten-Fakultät zu einer andern durch Annahme des Doctorgrads kam wegen der schlechten Stellung der erstern sehr häufig vor. Die Mitglieder derselben scheinen sogar anfänglich zur Ehelosigkeit verdammt gewesen zu seyn, denn als im Jahre 1541 Chilian Vogler, Prof. der Moral, sich mit „Jungfer Ursula Schollin" verheurathete, mußte er deßwegen seine Professur der Moral niederlege. Nolite, sprach er zu seinen Zuhörern, existimare turpe aliquod a me fuisse patratum: sed matrimonium nuper initum solam hujus dimissionis et veram esse causam statuite. Zeller a. a. O. S. 471.

17) War nach dem Matrikel von 1478 Rector: M. O. Decretorum Doctor.

18) Rector 1476, wo er Mag. L. T. Doctor in jure canonico genannt wird; renuncirte 1496 die Privilegien der Universität in Gegenwart des academischen Senats (Crusius P. III. Libr. VIII. c. 13.) und wohnte das Jahr vorher mit Joh. Vergenhans dem Reichstag zu Worms bey. Sattler a. a. O. S. 33.

19) Matrikel von 1477: Mangoldus canonicus hujus ecclesiae. War Rector 1483, wo er Mag. Mangoldus etc.(sic) canonicus ecclesiae collegiatae u. 1491, wo er Decretorum Doctor genannt wird.

20) Zuerst Philosoph, später Jurist. Inscribirte 1477: Mag. Jo. St. de Sch. ipsius universitatis Doctor.

Georg Hartsesser [21]), Johann Crutzlinger [22]), Vitus Fürst [23]), der sich bis zur Würde eines Gouverneurs und Statthalters von Modena emporgeschwungen [24]),

21) In der Matrikel von 1477: Mag. Ge. H. Rector 1482. als Decretorum Doctor, welches Amt er ein ganzes Jahr wegen der Pestzeit begleitete, wo die Universität an mehrere Orte zerstreut wurde. Crusius P. III. L. VIII. c. 17. Späterhin muß er nach Stuttgart gekommen seyn. Martin Plantsch nennt ihn in seinem Testament: artium, jurisque canonici doctor, atque ecclesiae collegiatae in Stuttgardia Decanus. Sein Andenken hat Hartsesser durch die mit Plantsch im Jahre 1509 gemachte Stiftung des Martinianischen (eigentlich nach dem Willen der Stifter Georgo-Martinianischen) zu nennenden Stipendiums, des sogenannten neuen Baues, verewigt. Siehe Moser a.a.O. p. 52. sq. Zelle a.a.O. S. 517. und G. D. Hoffmanni D. de unico juris feudalis longobardici libro. Tub. 1754. 4. §. XX.

22) Inscribirte 1478: Mag. Jo. Crutzlinger de Constantia utr. Juris Doctor. Rector 1480.

23) In der Matrikel von 1480: Vitus de Fürst, Rector 1493, wo er utr. Jur. Doct. heißt.

24) Bebel nennt ihn in der Dedication seines Liber tertius facetiarum (in den opuscula Bebeliana — Argent. 1512. 4.) virum nobilem et equitem auratum eminentissimumque jurisconsultum Aug Caes. Maximiliani ad Julium secundum pontificem maximum, aliosque reges christianos oratorem, ejusdemque in-

Ulrich Crafft [25]), Peter Kopp.

victissimi Caesaris vicarium, et gubernatorem Mutinae, tinctum familiae, nobilitatis, literatorum, nobiliumque Suevorum decus et ornamentum. und preist seine großen Verdienste als kaiserlichen Gesandten und nunmals Regenten von Modena. Siehe auch Crusius P. III. L. X. c. 2. und Burckhard de linguae latinae in Germania per XVII. saecula fatis. P. II. Wolfenb. 1721. 8. p. 318.

25) Wurde nach Crusius P. III. L. VIII. c. 10, wenn anders diesen Angaben zu trauen ist, 1474 dem geistlichen Stande geweiht. Im Jahre 1477. finden wir ihn in der Matrikel der Universität, wo er sich Ulrich Crafft de Ulma unterzeichnet, 1484 auf der Universität Pavia, wo er zum Doctor der Rechte creirt wurde, Crusius P. III L. VIII. c. 19, als Rector der hiesigen Universität das Jahr darauf; in der Folge kam er nach Basel und von da nach Ulm, dann (nach Crusius P. III. L. IX. c. 10. u. P. III. L. X. c. 5.) erhielt er 1500 zu Basel geistliche Stellen, und wurde 1504 Rector der Pfarrkirche zu Ulm, welche Stelle er 1515 noch begleitete.

Melch. Teuber Oratio de vita Hier. Schurpffii († 1554.) in Melanchthonis declamat T. 2. und aus ihm in Adami Vitae germ. Jurecons. et Polit. Heidelb. 1620. 8. p. 97. ... et motus admiratione sapientiae et virtutis Doctoris Craffti Ulmensis, omissa paterna arte, juris doctrinae se dedidit. Multi enim adhuc Basileae meminerunt, eximiam fuisse sapientiam et gravitatem in Crafftio, qui cum Ulmam vocatus esset, hard [26]), Georg Lamparter [27]), ein

Hieronymum pater in Academiam Tubingensem misit.

26) Rector 1486, wo er sich Utr. Jur. Doctor Decanus Montispeligardi nennt.

27) Geboren nach Crusius P. III. L. VII. c. 14. 1463. zu Biberach. Inscribirte nach der Matrikel 1477, wo er sich G. L. de Bibraco, studens Basiliensis nennt, magistrirte nach Crusius P. III. L. VIII. c. 15. 1479., und wurde frühzeitig Professor der Rechte, denn 1487 (Zeller a. a. O. S. 441. hat falsch 1486.) und 1493., finden wir ihn als Rector der Universität, das erstemal als Mag. G. L. utr. jur. Lic., das anderemal utr. jur. Doctor. Den 10ten April 1498 aber unterzeichnete er schon als herz. Canzler die Urkunde, worin Eberhard II. seine Diener den Gehorsam ankündigten; im Jahre 1517 machte er sich, um der Strafe Ulrichs zu entgehen, flüchtig, und trat als kaiserlicher Rath in die Dienste Maximilians, mit dem er schon vorher in geheimem Einverständniß gestanden hatte, und † zu Nürnberg 1523. Bebel in mehreren Dedicationen von 1500 und 1507. in d. opuscula — Argent. 1512. 4. und Commentaria epistolarum conficiendarum — Tub. 1540. 4. kann seine Gelehrsamkeit, seinen feinen Geschmack, seine Beredtsamkeit u. s. w. nicht genug loben, obgleich die Glaubwürdigkeit aller dieser „unsterblichen" Eigenschaften durch die Worte: ut me et hactenus fecisti commendatum habeas, geschwächt wird. Sattlers Geschichte Württemb. unter den Herzogen Th. 1. S. 29.

vortrefflicher Staatsmann [28]), voll hinreissender Beredtsamkeit, einer seltenen Gewandtheit

152. 243. 247. 255. 233. Th. 2. S. 12. 40. 57. Melanchthon de principe Eberhardo p. 11. Teuber. a. a. O. Adam a. a. O. p. 26. sq. und 96. sq.

L. M. Fischlini Vitae praecipuorum cancellariorum et procancellariorum ducatus Württembergici. Francof. et Lips. 1712. 8. p. 1. seq. Hausleutner schwäbisches Archiv. B. 1. Stuttgart. 1788. 8.

Wie sehr er auf die kayserliche Gunst pochen durfte, beweist folgende Geschichte: Als einst der französische Gesandte vor K. Maximilian eine stattliche lateinische Rede hielt, und Maximilians Sohn, Philipp, zum Churfürsten von Sachsen sagte: Friderice, hic vir est eloquens, sagte der Gräf von Zollern zum Gesandten in schwäbischer Mundart, und mit kreischender Stimme: Domine Legate, vos debetis iterum venire post carnisprivium. Als Philipp, hierüber unwillig, den Churfürsten fragte, was das für Latein sey, und dieser auf Lamparter verwies, gab er zur Antwort: Ihr Fürsten müßt wissen, daß das Hechinger Latein ist. Und als Philipp weiter fragte, wo zu Lande dann so gesprochen werde, durfte der kaiserliche Günstling es wagen, weiter zu sagen: Hechingen sey ein Städtchen, wo man grobe Leinwand mache, und da sey auch des Grafen Latein gewoben. Seit dieser Zeit ist Hechinger Latein Sprüchwort geworden, und Melanchthon bediente sich desselben öfters aus Scherz gegen seine Freunde. Barckhard a. a. O. P. II. p. 444. ff.

in Geschäften, die er in den schwierigsten Verhältnissen zeigte, dabei aber verschmizt, unredlich, der die damalige stürmische Lage von Würtemberg schlau zu seinem eigenen Vortheil zu benuzen wußte; Johann Stein von Landau [29]), Martin Uranius Prenninger [30]), dessen vertrauter Briefwechsel mit Marsilius Fici-

---

Eine ähnliche Geschichte, die sich mit dem Hofcanzler des Grafen Eberhard, einem Hechinger, und dem päbstlichen Gesandten zugetragen hat, die desselben „Ccilsissimus et Eillustrissimus naoster Prainceips eintellexit" nicht verstehen wollten, erzählt Schnurrer in seinen biographischen und litterarischen Nachrichten von ehemaligen Lehrern der hebräischen Litteratur in Tübingen. Ulm 1792. 8. S. 101 flg.

28) Einer seiner politischen Wahlsprüche war: oportet quemlibet principem habere fatum, quem exerceat, et vicissim alium, a quo exerceatur.

29) Rector 1487: Jo. Stein Mag. de Landow Jur. utr. Doctor. (Zeller S. 442. falsch Steinmaier.)

30) In der Matrikel von 1490 steht: Dominus Martinus Prenninger utriusque Juris Doctor Ordinarius ult. Decemb. gratis ex statuto, und unter ihm: Joannes Holtzhew famulus ejusdem eadem die nihil dedit quia pauper. War vorher in Diensten des Bischofs von Constanz. † nach Crusius Lib. III. p. IX. c. 11. zu Bebenhausen 28 Merz 1501. s. auch Zeller a. a. O. S. 441.

Der zu frühe verstorbene M. Ferdinand Weckherlin übergab 1817. der philosophischen Facultät pro granus [31]), diesem geistvollen Verbreiter der Platonischen Philosophie, eine höhere auf dem Studium der Alten gegründete Bildung verräth [32], Hieronimus de Cronaria [33], Jakob

---

zu eine in teutscher Sprache geschriebene Abhandlung: Nachricht von Martin Uranius Prenninger, von 1490—1501. erstem (?) öffentlichen Lehrer des Canonischen Rechts auf der Universität Tübingen; siehe dessen Leben von Bahnmaier, in desselben Denkschrift des Predigerinstituts zu Tübingen. Tüb. 1818. 8. S. 84. In Memminger's Württ. Jahrbuch zweitem Jahrg. Stuttgart und Tüb, 1819. 8. S. 164. ist diese Abhandlung im nächsten Jahrgang zu liefern versprochen worden, bis jezt aber nicht erschienen.

31) Marsilii Ficini Epistolarum Libri IX. X. XI. in seinen Werken Basil. 1561. Fol. T. I. p. 893. 899. 901. 908. 912. 921. 926. 928. 929. 932. 936. 937. 944. 947. 950.

32) Nach Lipen ist er der Verfasser von 3 Schriften: Responsa T. II. Francof. 1587.; lecturae in aliquot Decretalium titulos Francof 1609. Fol. und lectura de constituonibus ibid. eod. Fol., von denen mir die erste, auf der Univ. Bibliothek befindliche, (nach dem Catalogen: Consilia sive Responsa Tomi III. Francof. 1597—1607. Fol.) durch einen Zufall im gegenwärtigen Augenblick unzugänglich ist.

33) Rector 1492. und 1496. als Utr. Jur. Doctor. In der Matrikel von 1492. heißt er Cronaria, in der von 1496 bey Bebel u. Cronaria. Bebel in seinen Carmina a. a. O. dedicirt ihm einige Distichen, die

Lemp [34]), der wackere Vertheidiger seines Freundes Reuchlin, Johann Lupfdich [35]),

---

so anfangen: Canonum et equarum Doctor celeberrime legnm Dulcis in eloquio palladis arte potens.

34) Schrieb sich zwar nach den Matrikeln der Universität als 10maliger Rector während der Jahre 1494. — 1531. Decret. et S. Th. Doctor, scheint aber mehr Theolog als Jurist gewesen zu seyn. Ueberhaupt möchte es schwer seyn, die Theologen von den Juristen immer genau zu sondern, da nach damaliger Sitte das Studium des geistlichen Rechts, bey dem Verbote, weltliches Recht zu studieren, fast Eigenthum der Theologen war.

Moseri Vitae S. 45. fg. Zeller a. a. O. S. 406. Schnurrer biographische und litterarische Nachrichten S. 32. Ebend. Reformationsgeschichte a. a. O. S. 295.

35) Inscribirte 1477: Joh. Lupfdich Baccalaureus Haidelbergensis. Rector 1495. Mag. Jo. Lupfdich de Blaubüren, utr. Juris Licentiatus. Vorher Prof. der philosophischen Facultät. s. Note 6. und Zeller a. a. O. S. 473. und 482. Der rüstige Dedicant Bebel in dem Carmina a. a. O. hat auch ihm einige Verse gewidmet: canonicos nodos qui nosti civica jura Eloquio Gracchus nec Cicerone minor.... Crusius P. III. L. X. c. 7. sagt von ihm: Bebenhus. anno 1518. obiit J. L. U. J. Doctor eloquentissimus et lumen totius Germaniae, apud multos Principes etc. (sic).

Johann Ebinger [36]), dessen Name selbst, troz aller Berühmtheit, im Strome der Zeit untergegangen zu seyn scheint, Johann Aquila von Hall [37]), Andreas Tro-

36) Teuber a. a. O. Ibi (Tubingae) jurisconsultos audivit Ebingerum, qui diu postea vixit, et lector juris fuit annos tres et quinquaginta, quem et ipse Doctor Hieronymus narrabat minimum labyrinthorum in docendo adferre solitum et fontes juris rectissime ostendisse. Ibi et Doctorem Lupfdich audivit, cujus perspicuitatem in docendo etiam probabat.
Manlii locorum communium collectanea Francof. a M. 1594. 8. p. 455. Erat apud nos Tubingae Doctor Ebinger, quem audiverat Doctor Hieronymus Schurpf. De eo alii Doctores dicebant: non possumus omnes doctrina aequare Eblingerum.

37) Rector 1497: (nicht 1496.) Mag. Jo. Aquila de Hallis, utr. juris Doctor, und 1505. Jo. Hilarius utr. juris Doctor. Nach Zeller S. 473. und 482. vorher Mitglied der philosophischen Facultät. Ist der Verfasser einer kleinen Abhandlung de potestate et utilitate monetarum, abgedruckt zuerst hinter Gabriel Biel Tr. de potest et util. monetarum. Norimb. 1542. 4. (nicht in der ersten Ausgabe s. l. et a.) und in Gabr. Boyss Tr. varii de monetis. Colon. Agr. 1574. 8. Moser in seinen vitae a. a. O. p. 33. führt noch zwei weitere Ausgaben von Biel an: Lugd. 1605. 4. und in Dav. Thomani acta publica monetaria, worin wahrscheinlich auch Aquila wieder abgedruckt ist. Dieser selbst hat noch ganz Sprache und Darstel-

stel[38]), Caspar Forestarius[39]), Heinrich Winckelhofer[40]), u. Ambros. Widmann[41]),

lung der Glossatoren, und Säze des teutschen Staatsrechts werden immer noch mit Stellen des corpus juris civ. und der Glosse belegt.

38) Inscr. 1477: Andr. Trostel de Osswil. Rector 1498: Mag. Andr. Trostel de Osswil, utr. jur. Doctor. Vorher Mitglied der philosophischen Facultät. Zeller a.a. O. S. 473 u. 482. fg. War nach Crusius P. III L. X. c. 11. einer der ersten Magister auf der neu gestifteten Universität und starb den 22. April 1522.

39) Rector 1503: Doctor Caspar Forestarius ex Kirchen, utr. Juris interpres profuudissimus.

40) Rector 1509: H. W. ex Ehingen Jur. utr.. Doctor. † zu Hirsau 1526. Crusius P. III. L. XI. c. 1.

41) Ambros. Widmann, auch Salicetus genannt, Sohn des berühmten Arztes Joh. Widmann und Schwager von Georg Lamparter, geb. zu Baden, wo sein Vater damals Leibarzt des Markgrafen war, 1482. machte mit seinem ältern Bruder Beatus den Anfang seiner Studien zu Tübingen, und vollendete sie in Italien. 1506. war er schon Prof. des röm. Rechts in Tübingen; (s. Bebel's Dedication datirt: Tub. XV. Kal. Jul. MDVI. vor seiner ars versificandi) 1509. wurde er wegen des schwäbischen Kreises Cammergerichtsbeisizer in Worms, (welches Amt er auch noch eine Zeitlang nach erhaltener Canzlerwürde wieder versah) schon 1510. aber erhielt er die durch Vergenhans Tod (5. Jan. 1510.) erledigte Stelle eines

dessen Verdienste um die Jurisprudenz zwar unbekannt sind, dessen Name aber in der Geschichte der Universität überhaupt, sey es aus verkehrter Gewissenhaftigkeit, sey es aus Schwäche oder bösem Willen, wichtig geworden ist.

---

Probstes und Canzlers zu Tübingen, nachdem er sich, da er vorher nicht Clericus war, eiligst auf die erhaltene Nachricht den 13. Jan. die Tonsur und bald aufeinander die geistlichen Weihen hatte geben lassen. Bebel in einem Briefe an ihn, datirt Tub. dec. Kal. Nov. 1510. in den Commentaria epistolarum conficiendarum Tub 1516. 4. Fol. CLIIII. fg., worin er den Unterschied zwischen Cäsar und Augustus auseinander sezt; und daß im Cod. Justin. A. Augustus bedeute, und C. Caesar nicht Consul, nennt ihn praepositum et cancellarium gymnasii nostri, imperialisque consistorii assessorem.

Seine weitere Geschichte als Canzler und die grosse Verlegenheit, worin er die Universität durch seine im Jahr 1535. erfolgte Entfernung versezte, wodurch die Promotionen einen gänzlichen Stillstand erlitten, und die vielfachen mit ihm gepflogenen Unterhandlungen, welchen nur sein, den 10. Jun. 1561. erfolgter, Tod ein gänzliches Ende machen konnte, gehören der Reformationsgeschichte Tübingens an, worüber nachzusehen: Zeller a. a. O. S. 338. 345. 396. Bök a. a. O. S. 58. fg. und Schnurrer's Reformations-Geschichte S. 330. 345. 378. 381. ff. 415.

Auf einige minder bekannte Lehrer, Johann Epp [42]), Georg Simler [43]), der, vertraut mit der griechischen Litteratur, die damals noch zu den seltenen Kenntnissen gehörte, an der Schule zu Pforzheim Melanchthons Lehrer gewesen, und, den Werth des Mannes kennend, seinen Abgang von Tübingen später fast allein beklagte, Johann Königssattler [44]), Peter

42) Nach der Matrikel von 1521. war er Rector, und nennt sich J. U. Lic.

43) Camerarius de Phil. Melanchthonis ortu a. a. O. S. 6. seq. Illis temporibus literarum ludus Phorcensis celebrari prae ceteris, cujus magister esset Georgius Similerus patria Bimpinensis (Wimpfen) qui habebatur et erat, pro illius aetatis captu, doctus et eruditus inprimis. — Similerus, qui postea ex primario grammatico eximius Jurisconsultus factus est, initio hanc doctrinam non vulgandam aliquantisper arbitrabatur. Itaque graecarum literarum scholam explicabat aliquot discipulis suis privatim, quibus dabat hanc operam peculiarem, ut quos summopere diligeret. Heerbrand in Oratione funebr. in obit. Phil. Melanchthonis. Tub. 1560. 4. sagt Bijb.: Discedente Melanchthone Tubinga Similerus praeceptor deplorandum toti civitati ejus abitum dixit, et subjecit: quotquot ibi essent docti homines, non esse tam doctos, ut intelligerent, quanta esset doctrina ejus, qui inde evocatus discederet. Siehe auch Zeller a. a. O. S. 422.

44) Rector 1530. 1532. (nicht 1531.) 1533. In der

Neser[45]), Conrad Plücklin, genannt Ebinger[46]), Gebhard Brastberger[47]) folgen

---

Matrikel von diesen Jahren heißt er Jos. Kingssatler oder Kunigsatler, dictus Küng, (Kunig, Künig), von Oetingen in Schwaben, art. lib. et jur. utr. Doctor, sexti et clementinarum ord., oder; novorum jurium canonicorum ord. † 1534. Lenz Sammlung sämmtl. noch vorhandener Epitaphien für die Stifts- und Hospital-Kirche zu Tüb. Tüb. 1796. S. 61.

45) Prof. von 1530 — 1536; kam wegen der Reformation von Tübingen weg, und gieng nach Ensisheim, von wo aus er mit dem Senat wegen des Rests seiner Besoldung, und eines ihm angeblich versprochenen Abzuggelds in Streitigkeiten gerieth, die eine Correspondenz des Senats mit dem Tübingischen Reformator Blaurer veranlaßten. Zeller a. a. O. S. 442. Ueberhaupt verliessen damals viele Magigister und Studenten Tübingen, und begaben sich meist nach Freyburg, einer damals vorderösterreichischen Stadt, deren Regierung in Ensisheim ihren Sitz hatte. Zasius (epistolae ad viros aetatis suae doctissimos, edid. J. A. Riegger. Ulm. 1774. 8. p. 222.) schreibt aus Freyburg den III. Non. 1534. an Bonifacius Amorbach zu Basel: Gymnasium nostrum mirifice crescit, advenientibus quotidie magistris et scholaribus ab oppido Tubingen, Lutheranam perfidiam quae illic coepit introduci, detestantibus.

46) Zeller a. a. O. S. 443.

47) Inscribirte 1477, Rector 1537. 1543. 1547. 1551. 1559., wo er sich Mag. G. B. Uracensis, J. U.

nun plözlich Männer von entschiedenem Verdienste, deren Namen zum Theil jezt noch ruhmvoll fortleben in der Geschichte der Gelehrten, durch die Denkmale ihres Geistes und Fleißes, welche sie der Nachwelt hinterlassen. Wir verdanken diese plözliche, leider nur zu flüchtig vorübergegangene, Erscheinung der Reformation, deren wohlthätige Folgen, die sich über ganz Deutschland ergossen, auch Tübingen genoß (1535). Ein neues Leben verbreitete sich auf einmal auf der hiesigen Hochschule: die drückenden Fesseln der päbstlichen Curie, die um so schwerer lasteten, je mehr diese bei der Stiftung der Hochschule mitgewirkt hatten, verschwanden, und hinderten nicht mehr den freien Aufschwung des Geistes, der sich nun über alle Theile des menschlichen Wissens verbreitete, durch allmählige Verbannung der scholastischen Formen, die seither jedes frohe Gedeihen der Wissenschaften ertödtet hatten, und durch ein geläutertes, auf Prüfung der Quellen gegründetes Studium.

An der Spize der Rechtslehrer, denen die Reformation den Weg nach Tübingen öffnete, steht oben an Johann Sichard [48]). Gebildet

---

Doctor nennt, und resignirte 1560; vorher Prof. der Philosophie. Crusius P. III. L. 10. c. 12., P. III. L. XI. c. 8., und Zeller a. a. O. S. 444 und 474.

48) Geb. zu Bischofsheim an der Tauber 1499, Prof. des Codex zu Tübingen, wo er den 28. Jun. 1535. inscribirte: Joh. Sichardus, Doctor et Ordinarius; Re-

in der Schule von Zäsius [49]), mit dem eine neue glanzvolle Epoche in der Jurisprudenz beginnt, brachte er Kenntnisse mit, die man seither an Juristen auf Tübingischen Boden zu kennen nicht gewohnt war, gründliche Kenntniß der classischen Literatur und Geschichte auf Jurisprudenz angewendet. Dieß war eine glückliche Zeit für Tübingen, wo von allen Seiten Studierende herbeiströmten, die, theils durch die Neuheit der Sache, theils durch seinen gründlichen, lichtvollen und angenehmen Vortrag ange=

---

tor 1533. 1542. 1545. 1549., † den 9. Sept. 1552. Sein Leben hat beschrieben sein Freund Fichard, vor dem zweiten Theil des Sichard'schen Commentars über den Codex. Francof. 1565. Fol. (nicht erst in der Ausgabe von 1586.), und im Auszug in seinen Vitae recentiorum Ictorum — Patav. 1565. 4., und nach Lipen, Francof. 1579. 4., auch in Pancirolus de claris legum interpretibus. Lips. 1721. 4. Die Oratio funebris de vita et obitu — Joh. Sichardi — habita a Matth. Garbitio. Tub. 1528. enthält wenige, zum Theil unrichtige, Nachrichten von seinen Lebensumständen. Siehe Böck a. a. O. S. 82. fg. Schnurrer's Reformationsgeschichte a. a. O. S. 346. fgg. Hugo a. a. O. S. 196. fg.

49) Ein herzliches Empfehlungsschreiben, voll der väterlichsten Gesinnungen für Sichard, von Zasius an Claudius Cantiuncula zu Basel steht in Zasii epistolae a. a. O. S. 329. fg. Siehe auch ebend. S. 136. 142. 161. 200. 202.

zogen, sich um den geliebten Lehrer sammelten [50]), um unter seiner Leitung die neueröffneten Quellen zu durchlaufen [51]), welche nun auch der Jurisprudenz Wärme und Leben mittheilten. Aber auch um den Regenten [52]) und um die gesezliche Verfassung Württemberg's [53]) erwarb sich Sichard vielfache Verdienste, und

50) Fickler's Vorrede zu Sichard's gedrucktem Collegienhefte über den Codex.

51) Mit einem Patent Kaiser Ferdinand's, welches ihm den Zutritt zu den Schäzen der Bibliotheken verschaffte, versehen, fand Sichard in 4 Handschriften die erste bedeutende Quelle des Römischen Rechts, die lex romana der Westgothen, freilich auch noch unvollständig, und ließ sie 1528 zu Basel in Folio nebst einigen schriftstellerischen Arbeiten aus der Vorjustinianischen Zeit drucken. Hugo index editionum omnium corporis juris civilis fontium; hinter seiner Ausgabe von Julii Pauli receptarum sententiarum libri V. Berol. 1795. 8. p. 130. seq., auf welche 2 Jahre darauf Etwas für germanisches Recht folgte. — Die zu Basel 1526. fol. ebenfalls von ihm zuerst zu Tage geförderte Revelationes von Clemens hat freilich eine gereinigtere historische Kritik schon längst für unächt erklärt.

52) Sichard leistete den Herzogen Ulrich und Christoph in ihren Streitigkeiten mit König Ferdinand wesentliche Dienste. Sattler's Geschichte Württemb. unter den Herzogen B. 3. S. 272. B. 4. S. 16.

53) Im J. 1551 mußte er auf Befehl des Herzogs ein Gutachten über eine Revision der Ehegerichts-

noch jezt verdient sein Name mit Achtung und Dankbarkeit genannt zu werden, wie er sich durch Biederkeit und Rechtschaffenheit der Gesinnungen die Liebe seiner Zeitgenossen in hohem Grade erworben hatte, die sich auch nach seinem Tode durch Anerkennung seiner Verdienste um die Wissenschaft, und als Lehrer, auf eine unzweideutige Art aussprach [54]). Ludwig Gremp, Caspar Boland, Karl Du Molin (Molinäus), Matthäus Gri-

Ordnung, welche 1553 erschien, stellen. Sichardi Responsa juris. Francof. a/m. 1599. fol. p. 57. seq. Hartmann's Geseze des Herz. Württemberg Th. 1. Stuttg. 1791. 8. Vorbericht; und 1552 wohnte er in der Qualität eines herzogl. Raths der Commission bei, die zu Abfassung eines Landrechts niedergesezt wurde, welches auch 1554 wirklich zu Stande kam. Sattler a. a. O. B. 4. S. 28. Aus diesem Umstande mag sich die große Uebereinstimmung des Württemb. Landrechts mit dem Freyburger Stadtrecht, wovon Zasius der Verfasser ist, erklären.

54) Seine Vorlesungen über das zweite bis achte Buch des Codex, wofür er eigentlich angestellt war, circulirten noch nach seinem Tode in vielfältigen Abschriften, und wurden auf dringendes Verlangen von seinem Schüler Fickler, der Summarien dazu verfaßte, herausgegeben. Basil. 1565. fol. Tomi II. und nnd nachher öfters. Später folgte ein Band Consilien, die sich beinahe über alle Theile des Rechts erstrecken, und durch gedrängte Kürze und angenehme Schreibart auszeichnen, von Gödelmann Francof. 1599. fol. (nicht 1598.)

Baldus, Samuel Hormold 53), Christoph Wuest von 1544 — 1551 55), und Lorenz Slehentied 55) von 1554 — 1556, sind die lezten dieses Zeitraumes, und grösstentheils Namen, die der Universität Ehre machen. Gremp 56), geb. zu Stuttgart 1509, kam 1541 nach Strasburg, und starb daselbst 1583. Ein gelehrter und zugleich religiöser Mann, der bei den Theologen seiner Zeit in nicht minderer Achtung stund 57), als er sich als Lehrer durch die Klarheit seiner Darstellung, und die Kunst einer wahren Dialectik beliebt gemacht hatte 58). Seinen Namen hat er ausserdem durch eine reiche Stiftung für seine studierende Anverwandte, und eine zahlreiche Bibliothek, die, gewissermassen mit

---

56) Zeller a. a. O. S. 445. Bök a. a. O. S. 73. fg. und 84.

57) Commercium epistolicum Marbachianum, editum a Jo. Fechtio. Francof. et Spirae. 1684. 4. p. 293. 434. 656.

58) Seine Codicis Justinianei methodica tractatio ist erst nach seinem Tode zu Frankfurt 1593. 4. gedruckt worden, und zeichnet sich durch gründliche Quellen-Kenntniss aus. Auf der hiesigen Universitäts-Bibliothek befinden sich hievon 2 handschriftliche Exemplare, das eine, TT. 555. 4to. von 1540, das andere TT. 439. fol. von 1553. Die Resolutio dialectica quatuor librorum Institutionum imperialium — Argent. 1567. 8., welche ihm gewöhnlich zugeschrieben wird, ist von ihm blos mit einer Vorrede begleitet worden.

55) Zeller a. a. O. S. 446 — 448.

der Universitäts-Bibliothek vereinigt, vorzugsweise zum Gebrauch der Gremp'schen Stipendiaten bestimmt seyn soll, verewigt. Carl Du Molin [59]), geb. zu Paris 1500, gest. ebendaselbst 1566, dem seine religiöse Meinungen bald von der einen, bald von der andern Parthei Verfolgungen zugezogen hatten, und der im Verlauf eines herumirrenden Lebens vom Parlaments-Advokaten zu Paris nach Tübingen, an Sichard's Stelle, verschlagen worden (1554), hielt sich kurze Zeit hier auf, doch so lange, um schon eine Menge Schüler herbeizuziehen, denen seine umfassende Gelehrsamkeit und sein fliessender, eleganter und zierlicher Vortrag gefiel; aber schon im folgenden Jahre mußte er Tübingen wieder verlassen, — sey es, daß Neid und Mißgunst seiner Collegen, die es ungerne sehen mochten, daß der neue Ankömmling ihnen so auffallend vorgezogen worden, oder sein eigenes Schwanken und unvorsichtiges Benehmen in religiösen Meinungen seine Entfernung veranlaßten [60]). Unter seinen zahlreichen Schriften, welche hauptsächlich für fran-

59) Niceron's Nachrichten von den Begebenheiten und Schriften berühmter Gelehrten, herausgegeben von F. E. Rambach. Th. 18. Halle 1758. 8. S. 155. fgg. Hugo a. a. O. S. 229. fgg.

60) Daß Du Molin, als ein Ubiquist, von Tübingen vertrieben worden, was sein Biograph Brodeau sagt, paßt nicht, da die Tüb. Theologen, nach den bekannten damals gewechselten Streitschriften, gerade Freunde der Ubiquitätslehre waren. S. Hugo a. a. O.

zösisches Recht von Wichtigkeit sind, kann hier nur eine öffentliche, von ihm gehaltene, Rede angeführt werden, worin er in den heftigsten Ausdrücken die päbstliche Curie angegriffen hat[61]), daß sie deßwegen in dem index librorum prohibitorum unter diejenige Bücher gesezt wurde, welche zu lesen der Pabst allein die Erlaubniß ertheilen konnte[62]). Matthäus Gribaldus[63]), der weder auf französischen noch italienischen Universitäten, noch in der Schweiz eine Freistätte fand, kam um 1556 auf Berger's Empfehlung hieher, verließ aber Tübingen bald wieder, und wurde zu Bern, als des Socianismus verdächtig, arretirt. Von seinem hiesigen Wirken ist nichts bekannt.

61) Diese jezt äusserst seltene Rede wurde von dem bekannten Paul Berger in den Druck gegeben: Solennis oratio — habita de sacrae theologiae et legum imperialium dignitate. — Tub. 1554. 4. Steht auch in der neuesten Ausgabe seiner Werke Paris 1681. fol. T. V. p. 1. seqq. Sichard war der erste öffentliche Redner zum Gedächtniß des H. Ivo, als Patronen der Juristen, ein Institut, welches sich bis gegen die Mitte des vorigen Jahrhunderts erhalt n. Böck a. a. O. S. 84.

62) J. H. Boehmer de jure circa libros prohibitos improbatae lectionis. Halae. 1736. 4. p. 71. Cleß a. a. O. S. 861.

63) Die zuverlässigsten Nachrichten über ihn finden sich in Berriat St. Prix Histoire de l'ancienne université de Grenoble. Paris 1820. 8. S. auch Zeller a. a. O. S. 446.

Dieß sind die Rechtslehrer, welche während des ersten Jahrhunderts mit zum Ansehen und zum Flor der Hochschule beigetragen haben. Fassen wir das Bild derselben im Allgemeinen zusammen: so ist es Anfangs ganz der Geist der Glossatoren und Casuisten des Mittelalters, welchem die hiesigen Juristen fröhnen. Die Scholastik mit allen ihren Kleinlichkeiten treibt ihr verderbliches Unwesen, Mangel an Geschmack in Sprache und Darstellung, geringe Kenntniß der Quellen, dagegen Weitläufigkeit in der Ausführung und Ueberfüllung mit Citaten — dieß ist der allgemeine Charakter der wenigen Schriften jener Zeit; denn die Tübing'schen Juristen, in dem kleinen, abgeschlossenen Kreis ihres Lebens, ganz der treuen Pflichterfüllung ihres Berufs lebend, und sich wenig um die Aussenwelt bekümmernd, sind beynahe unzugänglich dem regen Streben, welches, wie überall in dem Reiche der Wissenschaften, auch der Jurisprudenz neues Leben eröffnete, und erst spät fangen die Blüthen des Alterthums an, auch hier einigen wohlthätigen Einfluß zu äussern, durch Männer, welche zufällige Umstände, herbeigeführt durch die damalige Religionsstürme, nach Tübingen verschlagen.

## Zweiter Zeitraum:
### (von 1577 — 1677.) *)

Unter diesen Auspicien legte die Juristenfa-

*) Eberhardina altero Jubilaeo felix: seu celebrati ab

cultät ihr erstes Jahrhundert zurück, und Jacob Cappelbeck, Nicolaus Varenbüler, Chilian Vogler, Anastasius Demler, Johann Hochmann, Valentin Volz und Andreas Laubmaier traten in das zweite ein, mit unverdrossenem Eifer im Geiste ihrer Vorgänger fortfahrend.

Jacob Cappelbeck [64]), geb. 1506, Prof. 1543 [65]), gest. 1686, ein vieljähriger verdienter Lehrer des Röm. Rechts, in der Schule von Wittenberg unter Luther gebildet, ein Mann von ächt-christlicher Frömmigkeit, die er bei allen Vorfällen seines Lebens äusserte, bis in sein hohes Alter unermüdet thätig in Erfüllung seines

Universitate Tubingensi — festi saecularis — historica descriptio. Tub. 1682. fol.

64) In einem handschriftlichen Bande der Universitäts-Bibliothek, (Q. 252. fol.) Liber intimationum betitelt, findet sich fol. 22. das academische Programm auf den Tod Cappelbeck's. Siehe auch Erh. Cellii imagines Professorum Tubingensium. Tub. 1596. 4. Zeller a. a. O. S. 447.

65) Als Cappelbeck zum ordentlichen Rechtslehrer ernannt worden war, wollte man die Bestallung als ungültig wieder zurücknehmen, weil sich's hintennach zeigte, daß er die Doctorswürde von keiner ordentlichen Facultät, sondern nur von Alciat, als Pfalzgrafen, erhalten hatte. C. faßte aber seinen Entschluß, machte einen Ritt nach Ferrara, und kam in weniger als 2 Monaten mit einem Diplom, in bester Form zurück. Schnurrer's Reformationsgesch. S. 364.

Berufes, so daß nur Blindheit und Altersschwäche den Greisen bestimmen konnte, kurz vor seinem Tode sich zur Ruhe zu begeben [66]. Nicolaus Varenbüler [67], geb. 1519, Prof. 1544, gest. 1604, ein gleichfalls bis in sein höchstes Alter seinem Beruf treu lebender Mann, der als Lehrer der Pandecten zwar richtig die practische Seite immer hervorhob, auf dessen Geschmack aber doch seine gründliche Kenntniß der classischen Literatur sichtbaren Einfluß hatte [68], so wie er auch als practischer Jurist in seinen Arbeiten sich einer gewissen Eleganz in Form und Sprache befließ, dabey höchst gewandt, voll Beredtsamkeit und Kenntniß der staatsrechtlichen Verhält-

---

66) Auf der Univ. Bibl. befindet sich von ihm eine Abhandlung über die Lehre von den Verträgen auf 223 Seiten von den Jahren 1571 u. 1572. (J. 436. in 4to.) mit folgendem Motto: Multis annis jam peractis, Nulla fides est in pactis. Mel in ore, fel in corde, plus in dictis quam in factis, mit reichlicher Weitläufigkeit ausgestattet, worin aber freilich von Zasius und Alciat noch kein Wort steht.

67) Zeller a. a. O. S. 447. Böck a. a. O. S. 81. 83.

68) Auf der Universitäts-Bibliothek sind handschriftliche Vorlesungen von Varenbüler (vom Jahre 1571.) über den lezten Titel des vierten, und die ersten Titel des fünften Buchs des Codex, welche er nach dem Abgang von Gribaldus im J. 1558 mit seinem Pensum der Pand. verband, (an J. 187. fol. angebunden) die sich durch Darstellung und Sprache vortheilhaft auszeichnen.

nisse Teutschlands, welche er öfters auf Reichstägen, wohin er als Gesandter geschickt wurde, zu zeigen Gelegenheit hatte; ja als im Jahre 1548, nachdem Württemberg mit spanischen Truppen, unter Anführung des Herzogs von Alla, überschwemmt worden, auch Tübingen für seine Sicherheit besorgt war, schickte die Universität, um die Gefahr abzuwenden, Varenbüler'n, als denjenigen, der für einen so schwierigen Auftrag am besten paßte, in Begleitung des Rathsherrn Johann Stamler nach Augsburg zu Karl V., der auch durch seine geschickten Unterhandlungen es dahin brachte, daß Tübingen von allem Besuche fremder Truppen befreyt wurde. Chilian Vogler, geb. 1516, Prof. der Rechte um 1555, gest. 1585, zuerst Lehrer der Ethik, trat dann über zum Studium der Rechte, die er zuerst in Strasburg lehrte, bald aber auf Anrathen Sichard's hieher berufen wurde; von seiner literarischen Thätigkeit ist übrigens nichts bekannt. Anastasius Demler [69]), geb. 1520, Nachfolger Slehenried's 1556, gest. 1591, dessen Gelehrsamkeit, vortreffliche Lehrmethode, practische Geschicklichkeit, Uneigennützigkeit, Frömmigkeit sein Lobredner, Johann Harpprecht, nicht genug rühmen kann. Johann Hochmann [70]), geb. 1527, Prof. 1561, gest. 1603, ein Ca-

69) In dem (Note 62.) angeführten liber intimationum finden sich die programme auf seinen und seiner Gattin Tod fol. 7 — 10. Zeller a. a. O. S. 448.

70) Zeller S. 448. Böck S. 81. 83. fg.

nonist [71]), Schüler von Eichard, ein fleissiger, gründlich gebildeter Mann, der in einer Reihe von kurzen, in Form von Thesen zum Disputiren eingerichteten Dissertationen ausgebreitete Kenntnisse, und die Kunst zeigte, bekannte Säze in einer gedrängten Sprache, mit Klarheit der Darstellung zu geben; hauptsächlich aber hat er sich durch eine bedeutende Stiftung für seine studierende Anverwandte, und in deren Ermanglung, auch für Andere, in der Geschichte der Universität verewigt.

Valentin Volz [72]), geb. 1534, Prof. 1560, gest. 1581, machte zwar Lehenrecht zum Hauptgegenstand seiner Beschäftigungen, allein er verdient auch als Civilist bemerkt zu werden, als der Erste, welcher über die lex commissoria, namentlich das Verbot derselben bei Verpfändungen geschrieben hat, wo die rechtlichen Grundsäze mit den gehörigen Unterscheidungen richtig angegeben sind [73]); Andr. Laubmaier [74]),

---

71) Auf der Univ. Bibl. (J. 187. fol.) befinden sich von ihm handschriftliche Vorlesungen über die Titel 15. 16. 18 — 21. des zweiten Buchs der Decretalen vom Jahre 1571.

72) In dem liber intimationum fol. 21. findet sich sein Leichenprogramm. Zeller S. 448.

73) Disp. de lege commissoria et antichresi super pignoribus, hypothecisve facta, atque interposita. Resp. M. Entzlin. Tub. 1577. 4.

74) Oratio de vita et obitu Andr. Laubmairii — habita ab Andr. Bayero. Tub. 1607. 4. Zeller S. 449.

geb. 1538, Volzen's Nachfolger, gest. 1604, wurde, nachdem er kurze Zeit classische Literatur hier gelehrt hatte, Lehrer der nachmals regierenden Herzoge Ludwig und Friderich [75]), und trat erst spät zum Studium der Rechte über, worin er sich nach damaliger Sitte durch eine Reihe von Thesen, die sich über alle Theile der Rechtswissenschaft erstrecken, auch in der gelehrten Welt bekannt machte. Unter den übrigen Juristen dieses Zeitraums verdienen folgende noch besonders ausgezeichnet zu werden: Matth. Enzlin, Joh. Halbritter, Joh. Harpprecht, Heinr. Bocer, Christoph Besold, Martin Rümmelin, Wilh. Bidembach, Joach. Wibel, Wolfg. Ad. Lauterbach, Erich Mauritius. — Matth. Enzlin, Varenbüler's Tochtermann, von Heidelberg hieher berufen (1584), ein fleißiger, geschickter Lehrer, merkwürdiger aber noch in der politischen Geschichte Württembergs; wurde bald nach Herzog Friderich's Regierungsantritt (1593) nach Stuttgart berufen, wo er, ein brauchbares Werkzeug der Entwürfe seines Herrn gegen die Verfassung des Landes, in dessen Gunst immer höher stieg, bis er endlich sich zur Würde eines Canzlers sich aufschwang, nach des Herzogs Tode aber (1608), ein warnendes Opfer seines Ehr- und Geldgeizes und seiner verrätherischen Plane gegen sein Vaterland,

75) J. J. Moser's patriot. Archiv B. IX.

wenn gleich nicht ohne sichtbaren Einfluß des Hasses seiner Feinde, mit seinem Leben büßen mußte [76]).

Joh. Halbritter [77]), (1586 — 1627) Vogler's Nachfolger, ein Mann, der durch seine frühere Bildung am Reichsgerichte zu Speyer ein nicht gewöhnliches practisches Geschick sich erworben, und dasselbe, so wie seine umfassende Kenntnisse in einer Reihe von Dissertationen über alle Theile des Rechts beurkundet hat. Joh. Harpprecht (1592 — 1639), Demlers Nachfolger, der berühmte Stammvater einer an hiesigen Rechtslehrern so fruchtbaren Familie [78]), ein Muster des academischen Fleißes [79]), als

---

76) Pfaff's Geschichte Würtemb. B. 2. Abth. 1. S. 10 fg. 34 — 39. 53 fgg.

77) Oratio de vita et obitu J. H. habita a Jo. Harprechto. Tub. 1627. 4. Zeller S. 449. Moser's Württ. Bibl. S. 498.

78) Joh. Harpprecht † 1639, Ferd. Christoph † 1714, Stephan Christoph † 1735, Georg Frid. † 1754, Christian Frid. † 1758, Christoph Frid. † 1774.

79) Sein Lobredner Lansius rühmt von ihm: daß er während seines 47jährigen Amtes nicht Eine öffentliche Lection versäumt habe, und stellt seine noch lebende Collegen ganz offenherzig ihm gegenüber: ob sie sich wohl dessen auch berühmen können? Da er durch Beispiele darthun könne, daß sie längere Zwischenräume, Monate, ja ganze Jahre ausgesetzt hätten. Siehe auch Hugo gel. Gesch. S. 284.

Schriftsteller hauptsächlich bekannt durch einen reichhaltigen Institutionen-Commentar, worin freylich manches aufgehäuft ist, was nicht hergehört [80]), zugleich vertraut mit der classischen und schönen Literatur, und selbst nicht ohne einiges Dichtertalent. — Heinr. Bocer, Halbritter's Tochtermann, (1595 — 1630) hauptsächlich Criminalist und Feudist. Seine zahlreiche Schriften, die sich über das bürgerliche, peinliche und Lehenrecht verbreiten, entstunden meistens aus Vorlesungen, und behandeln deßwegen, obgleich ihnen eine klare, lebendige Darstellung nicht abgesprochen werden kann, die Gegenstände mit ungemeiner, oft ermüdender, Weitläufigkeit. Christoph Besold, (1610 — 1635) über dessen Charakter wegen seiner Religionsveränderung von beiden Seiten die leidenschaftlichsten Urtheile gefällt worden sind, der aber erst in neuern Zeiten uns von Spittler [81]) mit seltener Menschenkenntniß und Unpartheilichkeit und genauen Unterscheidung der Zeiten so geschildert

80) Et ut sedula apis, undecunque ad mellificium suum comportabat, quicquid in sacra et politica sapientia pium, justum sanctumque, in Philologia eruditum, apud Oratores grave, in Poetis acutum offenderat. Hac ratione multos componebat edebatque libros — — sagt Lansius von ihm. Siehe auch Böck S. 210.

81) Moser's patriot. Archiv B. 8. S. 429 ff.

worden ist, daß wir vielmehr die Schwäche des Mannes bedauern müssen, der, sonst von wohl gekannter Gewissenhaftigkeit, durch Lesung mystischer Schriften und eine gewiße ihm angebohrne Schwärmerei zum Catholicismus längst sich hinneigend, nicht so viel Charakterstärke und muthvolle Hinwegsezung über alle Verhältnisse besaß, öffentlich auszusprechen, für was sich sein Herz schon längst erklärt hatte, sondern 4 Jahre lang den Protestantismus heuchelnd, erst nach der Nördlinger Schlacht als Feind seines Vaterlandes und Apostat auftrat. Von seiner literarischen Thätigkeit hat er zahlreiche Denkmale hinterlassen, in denen man strenge Ordnung, Gleichheit in der Ausführung und Urtheilskraft vermißt: die meisten sind trockene Compilation, zum Theil wörtliche Anführungen aus andern Schriftstellern, ohne logische Ordnung und Geschmack zusammengerafft, die aber doch wegen der Reichhaltigkeit des Inhalts und mancher einzelner interessanten Notizen, die seine ungemeine Belesenheit veranlaßte, von einem Forscher des alten teutschen Staatsrechts, und der teutschen Staats- und Rechtsgeschichte noch benuzt zu werden verdienen.

Am meisten bekannt ist das opus politicum, worin viele, vorher einzeln erschienene, Abhandlungen zusammengedruckt sind; der thesaurus practicus, mehr für teutsche Geschichte wichtig, als daß er andern Werken, als Wehner's Observationes, gleichkäme; mehrere Schriften über die württembergische Klöster, worin er durch Benuzung des herzoglichen Archivs zu Stuttgart aus Urkunden mit großer Geschicklichkeit Alles zusammensuchte, was die Unmittelbarkeit derselben beweisen konnte: sie sind deßwegen höchst wichtig für die Geschichte Württemberg's, und gehören überhaupt unter seine besten Schriften. Gerade sie aber zogen ihm den größten Tadel seiner Feinde zu, daß er von dem Archiv einen Gebrauch machte, der seinem Vaterland zum größten Nachtheil hätte gereichen können, wenn man nicht vielmehr gerade auch hieraus die Reinheit seiner Gesinnungen erkennen will, — denn absichtliche Urkundenverfälschung ist wohl behauptet, aber nicht bewiesen worden — da ihm Oesterreich selbst wohl wenig Dank dafür wußte, daß er einen Proceß aufregte, der den dritten Theil eines Landes kosten konnte, auf welches es nach Absterben des württembergischen Mannsstammes Anwartschaft hatte, und wahrscheinlich war dieß eine der Hauptursachen, daß er seine Stelle als österreichischer Regimentsrath verlor und froh seyn mußte, nach Ingolstadt kommen zu können; endlich mehrere Dissertationen über das württ. Landrecht und die Landesordnung, worin er zwar Manches aus den Papieren seines Bruders, J. G. Besold's, Professor's am hiesigen Collegio illustri, aufnahm, allein auch eigene Vergleichungen mit dem römischen Recht anstellte, und manche Säze aus alten teutschen Gewohnheiten und Gesezen erläuterte. Mart. Rümmelin (1616—1626), J. Harpprecht's Schwiegersohn, vermehrte die große Anzahl der erläuternden Schriften über die goldene Bulle durch eine Reihe von Dissertationen, die lange Zeit bei den Publicisten große Autorität hatten, und noch nach beinahe einem Jahrhundert wiederholt aufgelegt wurden. Wilhelm Bidembach, Halbritter's Nachfolger 1628 — 1630, lehrte nur wenige Jahre hier und gerieth bald mit dem Hofe in Streitigkeiten, die seinen Abgang von Tübingen und später seinen bleibenden Aufenthalt in Wien veranlaßten, wo er seinem Vaterland, mit demselben wieder versöhnt, bei verschiedenen Gelegenheiten, wesentliche Dienste leistete, verdient aber in so fern hier angeführt zu werden, als er im Namen des Herzogs der Verfasser zweyer Schriften in der württembergischen Clostersache ist, worin er zwar aus guten Gründen die Besold'schen Beweise gar nicht zu widerlegen suchte, dagegen aber mit vieler Gewandtheit und Advocatenkunst einen ganz eigenen Weg einschlug, auf dem sich die Abhängigkeit der Clöster beweisen ließ. Joach. Wibel (um 1639—1653), ein Mann von dem liebenswürdigsten Charakter und als Bearbeiter einzelner Theile des württ. Privatrechts, namentlich als Hauptschriftsteller des Titels des Landrechts „von Contracten der Weibspersonen", von großer Autorität; W. A. Lauterbach (1648 — 1677), einer der nicht zahlreichen hiesigen Rechtslehrern, dessen, zum Theil noch jezt fortdauernder, Ruhm im In- und Auslande gleich ausgebreitet war. Während seines Lehramts erneuerten sich die Zeiten von Sichard, und von allen Seiten strömten Studierende herbei, um seinen Unterricht benuzen zu können, der sich durch Lebendigkeit des Vortrags, Klarheit der Darstellung und Scharfsinn in hohem Grade auszeichnete, daß selbst Abschriften seiner Vorlesungen, die häufig circulirten, hoch geachtet wurden. Auch die Facultät als Spruchcollegium brachte er auf eine Höhe, die sie vorher nie erreicht hatte: aus allen Gegenden wurden Acten hieher geschickt, und seine Gutachten, deren 313 an der Zahl der Tübingischen Collectio consiliorum einverleibt wurden, zeichnen sich besonders durch Präcision und Genauigkeit aus. Seine Schriften sind noch jezt eine Fundgrube für practische Juristen, und, besonders im südlichen Teutschland, von großer Autorität, obgleich sie auf der andern Seite dem Tadel eines beinahe gänzlichen Mangels an humanistischen Kenntnissen, vorzüglich Geschichte und Critik, nicht entgehen können. Unter seinen Dissertationen verdienen besondere Auszeichnung die über das Württ. Privatrecht, worin er vornehmlich die Unterschiede von dem gemeinen Recht hervorhob. Aus herumgehenden Vorlesungen über die Pandecten gab Schüz nach seinem Tode, doch noch mit seiner Bewilligung, einen Auszug nach der legalen Ordnung und der damals beliebten

Ramistischen Methode nach den quatuor caussae und den gehörigen obstat zum Disputiren heraus, (1679) welcher sich unglaublich schnell auf beinahe allen teutschen Universitäten als Lehrbuch verbreitete, viele Auflagen, jedoch mit unzähligen Schreib- und Druckfehlern, erlebte, und von sehr vielen Schriftstellern ergänzt, erläutert und berichtigt wurde. Ueber ein halbes Jahrhundert wurde dieses Lehrbuch gebraucht, und erst Wolf's demonstrativische Methode, welche auch in juristischen Lehrbüchern Nachahmer fand, konnte es von seiner Höhe herabbringen. Lauterbach's Sohn, Ulrich Thomas, gab (1679) aus den väterlichen Papieren eine vollständigere Bearbeitung des römischen Rechts, gleichsam als Commentar zu dem Lehrbuch, auf ausdrückliches Verlangen des württ. Administrator's, Carl Friedrich heraus, die sogar 1770 noch einen neuen Verleger fand. Erich Mauritius (1660 — 1665), der würdige College Lauterbach's, von Heidelberg als Lehrer des Staats- und Lehenrechts hieher berufen, erwarb er sich in der kurzen Zeit seines hiesigen Aufenthalts solche Verdienste, daß die Universität in der Einladungsschrift zu seiner öffentlichen Abschiedsrede bekennt, daß ihm die Universität einen nicht geringen Theil ihrer Aufnahme und ihres Ruhmes zu verdanken habe. Seine Schriften, die einen Mann von seltenem Gedächtniß und Beurtheilungskraft beurkunden, beschäftigen sich hauptsächlich mit Staats- und Lehenrecht, ohne jedoch andere Theile davon auszuschliessen; im Besiz einer auserlesenen Bibliothek und Münzsammlung, die er auf seinen Reisen vornehmlich gesammelt hatte, besaß er auch große Stärke in der Literatur der Jurisprudenz, womit er in seinen Schriften glücklichen Gebrauch machte, und der Numismatik, welcher man die Berichtigung mancher Angaben in der römischen Geschichte verdankt.

Mit diesen Männern legte die Juristenfacultät ihr zweites Jahrhundert zurück. Fester ist jezt ihr Charakter, und ausgesprochen die Tendenz, die sie sich vorsezte: und wer wollte sie bei der ganzen Lage der Universität und des Vaterlandes hierbey tadeln?

Sichard hatte keine Schüler gezogen, die in seinem Geiste fortarbeiteten, und die Blüthen der Cujacischen Schule sproßten hier nur sparsam empor: das Practische allein ist der hervorstehende Vorzug aller Juristen des verflossenen Zeitraums, dem Lauterbach vollends die Vollendung gegeben hatte und der als Stifter einer Schule zu betrachten seyn möchte, die auch im folgenden Zeitraum fortlebt. Blos aus diesem Gesichtspunkte ist auch die Entstehung von neuen Vorträgen, des Staats- und Lehenrechts zu betrachten, welche in diesen Zeitraum gehört: politische Rücksichten und Einwirkung durch Schriften auf die Verhältnisse des Reichs blieben den hiesigen Rechtslehrern fremd.

---

## Dritter Zeitraum:

### (von 1677 bis 1777.) *)

Als würdige Schüler und nachmalige Collegen Lauterbach's eröffnen diesen Zeitraum Burkhard Bardili (1655 — 1690) und Joh. Andr. Frommann (1660 — 1692) [82]), beide im Geiste ihres hohen Vorbilds rühmlich fortfahrend; ersterer vorzüglich bekannt durch seine Conclusiones theoret. pract. ad Pandectas, die beinahe mit Lauterbach's Collegium wetteifern durften; der andere durch seine Bearbeitung der Lehre von den Klagen, die er durch eine für die damalige Zeit gute Classification lange auch zum Gegenstand academischer Vorlesungen machte. Wie groß das Ansehen des Ersten war, beweißt auch der Umstand, daß er 1689 in einer Hohenlohe'schen Streitsache zum Compromißrichter ernannt wurde, und, der damaligen Kriegsunruhen ungeachtet, deßwegen einen langen Aufenthalt zu Nürnberg nehmen mußte.

*) Sixti Jac. Kapff Oratio memorabilia seculi academici elapsi in facultate juridica exponens; in der Beschreibung des dritten Jubelfestes, Tüb. 1777. 4., S. 130 — 140.

82) Während des Drucks erst eingetretene Umstände, die einen bestimmten Raum vorschreiben, erlauben nur eine ganz kurze Ausführung der beiden lezten Zeiträume.

Ihnen folgte Ferd. Christoph Harpprecht (1678 — 1714); Gabriel Schweder (1681 — 1735); Michael Graß (1692 — 1731); Joh. Theod. v. Scheffern (1715 — 1736); Wolfg. Adam Schöpff (1716—1770); Joh. Jac. Moser (1720 — 1725); Friedr. Wilh. Taffinger (1753 — 1777); Eberh. Christoph Canz (1755 — 1773); Christoph Friedrich Harpprecht (1731 — 1774).

Ferd. Christoph Harpprecht, ein Mann, der mit ungeheurer Belesenheit alle Fächer des Rechts umfaßte, vorzüglich auch um die Bearbeitung des damals aufblühenden teutschen Rechts, welchem er seine gebührende Stelle unter den positiven Rechten anwies, sich ausgezeichnete Verdienste erwarb. Unter den practischen Juristen der damaligen Zeit war sein Ruhm so ausgezeichnet, daß ihm die wichtigsten Geschäfte aufgetragen wurden, und seine ganze Vaterlandsliebe dazu gehörte, um die glänzenden Anträge abzulehnen, die sich ihm darboten. Noch jezt ist er durch eine Reihe gedruckter Gutachten und Dissertationen wegen ihrer Reichhaltigkeit den Practikern beinahe unentbehrlich. Gabriel Schweder, Lehrer des Staats- und Lehenrechts, der in einem Alter von 87 Jahren sein 54 jähriges ruhmvolles Lehramt beschloß, nachdem er das Glück gehabt hatte, acht Jubelfeierlichkeiten, theils allgemeine, theils ihn betreffende, feiern zu dürfen: durch viele rechtliche Bedenken und eine Reihe von publicistischen und civilrechtlichen Dissertationen, die sein Enkel Burgermeister sammelte, hat er sich als einen gründlichen Rechtsgelehrten bewährt, vornehmlich aber durch seine introductio in jus publicum, welche viele Ausgaben erlebte, als Publicist Epoche gemacht. Als Lehrbuch hat dieses für die damalige Zeiten unläugbare Vorzüge vor den früher erschienenen, und lange Zeit wurden auf mehreren Universitäten darüber Vorlesungen gehalten. Die Ordnung empfielt sich durch strengeres System, und Unpartheylichkeit und fleißige Benuzung der Quellen, woraus er allein, mit Hinweglassung des römischen Rechts, das öffentliche Recht entwickelte, wiewohl Andere classische Sprache und historische Kenntnisse an ihm vermissen. Michael Graß, Frommanns Tochtermann, der durch seine collationes juris civ. vorzüglich zu einer genauern Begränzung des römischen und teutschen Rechts beitrug, und dafür vom Kaiser Karl VI. ein Gnadenzeichen mit Anerbietung des Charakters eines kaiserl. Raths und Ritterbriefs, welches er aber seine Bescheidenheit ablehnte, erhielt. J. Th. v. Scheffer, Lehrer des Staatsrechts, ein Mann von vorzüglichen Talenten und practischem Verstande, weniger als Lehrer thätig, da er bald von Herzog Eberhard Ludwig zu den wichtigsten Staatsgeschäften und Gesandtschaften an auswärtige Höfe gebraucht wurde, und hier durch seine Gewandtheit und seltene Geschäftskenntniß sich so empfahl, daß ihn Herzog Carl Alexander zu seinem Geheimenrath und Hofcanzler erhob, nach dessen Tode er jedoch in die Jud Süß'sche Geschichte verwickelt und festgesezt, jedoch gegen Bezahlung der Untersuchungskosten mit Beibehaltung seines Geheimenrathstitels in Freiheit gesezt wurde und sein Leben in Tübingen beschloß. W. A. Schöpff, der älteste Lehrer, den je die Universität besessen, (er starb im 90sten Jahr) verdient Lauterbach und Harpprecht an die Seite gestellt zu werden durch eine Reihe von Dissertationen, von denen nicht wenige auch das Württ. Recht behandeln, Consilien und Decisionen, vorzüglich aber durch sein classisches Werk über den Hofgerichtsprozeß, welches vaterländischen Juristen bis auf die neuesten Zeiten beinahe unentbehrlich war. J. J. Moser gehört nur in so ferne hieher, um das Andenken zu erneuern, daß die hiesige Rechtsschule den Vater der Publicisten auch unter ihren Lehrern besessen; denn daß der 19 jährige unscheinbare Jüngling, der gleich von den Subsellien aus den Catheder besteigen wollte, und noch dazu mit Neid und Verfolgungen aller Art zu kämpfen hatte, nicht bedeutend auftreten konnte, ließ sich erwarten [83]). C. F. Harpprecht, der

---

83) Nach gehaltener oratione inaugurali, sagt er in seiner Selbstbiographie, wurde mir zugetheilt, öffentlich über die Novellen zu lesen: Jedoch, wann der Tribonianus selbst darüber gelesen hätte, würde er

erste Professor des Wirtt. Rechts, zugleich der erste Lehrer des Kriegsrechts und der zweite der juristischen Literärgeschichte [84]), ein Mann von ausgezeichneten Anlagen und angebornem Lehrertalent, der mit einer hinreissenden Beredtsamkeit die Kunst besaß, die verwickeltsten und dunkelsten Gegenstände aufzuhellen und die trockensten Materien durch Einstreuung literarischer und historischer Notizen und einen freien, mitunter humoristischen Vortrag annehmlich zu machen wußte. Seine Schriften verrathen Geist, Belesenheit und vielen Sinn für die literarische Seite der Jurisprudenz, welchen man bisher an hiesigen Juristen nicht wahrzunehmen gewohnt war [85]). Nicht

---

in Tübingen keine Zuhörer bekommen haben. Ich versuchte es indessen, es kamen auch Anfangs aus Vorwiz einige Zuhörer, aber in Kurzem war ich ganz allein; und zu denen übrigen von mir anerbotenen Collegiis fand sich auch Niemand; es wäre kein Wunder; aber es würde auch einem geschickteren, als ich wäre, damals nicht besser gegangen seyn, da alles auf den Nepotismum ankame.

84) Die ersten Spuren eines eigenen Vortrags der juristischen Literärgeschichte finden sich im J. 1734 von J. J. Helfferich († 1750); auf ihn folgten Harpprecht, G. D. Hoffmann († 1780) und F. W. Tafinger, nach dessen Tode (1777) bis auf die neuesten Zeiten keine literärgeschichtliche Vorlesungen mehr gehalten worden sind.

85) Einmahl sich nur vornehmen, sagt er in einem Programm von 1734: wenn ich nur endlich ein guter

wenige seiner Dissertationen liefern schäzenswerthe Beiträge zum Württembergischen Privatrecht, und es ist zu bedauern, daß manche seiner Plane, als: eine vollständige Sammlung der vaterländischen Geseze (corpus juris W.), ein Lehrbuch (institutiones) und ein Commentar des Württ. Rechts nicht zur Ausführung gekommen sind; allein es fehlte ihm überhaupt eine gewiße Festigkeit und Ausdauer, und der gehörige Fleiß; so daß er sogar, gewiß zum unerhörten Beyspiel, 1773 „wegen seiner Saumseligkeit in Facultätsgeschäften, wie schon 1753 auf einige Zeit geschehen war, von dem Collegio der Juristenfacultät, wie auch, in Gefolge dessen, von dem Senat und der dahin gehörigen Incumbenz ausgeschlossen, jedoch ihm das munus docendi gelassen wurde." F. W. Tafinger, der das, was zuerst von Göttingen aus durch Münchhausen in Anregung gebracht wurde, eine gründlichere Kenntniß des Reichsprocesses auf Universitäten, sich rühmlichst angelegen seyn ließ, und zu Erreichung dieses Zwecks durch ein weit verbreitetes Lehrbuch (institutiones juris cameralis) welches auch durch die Reichhaltigkeit von literarischen Notizen, worin er eine besondere Stärke besaß, und viele brauchbare Beispiele in hohem Grade sich empfielt, sehr Vieles beitrug, obgleich der Einfluß der über diesen Gegenstand früher er-

Advocat 2c. mit der Zeit werde, ist ein verderblicher Umstand und die Widerlegung desselben der Mühe nicht werth.

schienenen Pütter'schen Schriften darin unverkennbar ist, C. C. Canz, dessen Gründlichkeit und Schärfe des Urtheils, dessen Fähigkeit zur Speculation und Hang zum Systematisiren, der sich in allen seinen Schriften, unter denen hauptsächlich die Tr. de probabilitate juridica sich auszeichnet, zeigt, den würdigen Sohn des berühmten Philosophen beurkunden.

## Vierter Zeitraum:
### (von 1777. an.)

Auch für die hiesige Rechtsschule blieb das rege Streben, welches gegen das Ende des vorigen Jahrhunderts vorzüglich von Göttingen aus sich über die Jurisprudenz durch ein auf Philologie, Geschichte und eine gereinigte Philosophie gebautes Studium verbreitete, nicht ohne wohlthätige Folgen, und Männer, die jedem Zeitalter und jeder Universität Ehre machen würden, zählt Tübingen unter seinen Rechtslehrern. Aus dem vollständigen nachfolgenden Verzeichniß sämtlicher während dieses Zeitraumes verstorbenen Lehrern, nachdem die Universität kurze Zeit vor dem Anfang der Jubelfeierlichkeiten durch den Tod von Täfinger und Breyer zwei schmerzhafte Verluste erlitten hatte, als: Godfr. Dan. Hoffmann (1741 — 1780); Sixt Jac. v. Kapff (1761 — 1821); J. D. Hoffmann (1767 — 1790); Carl Christoph Hofacker (1773 — 1793); A. Ludw. Schott (1778 — 1781); Christ. Godfr. Hoffmann

(1778 — 1784); Joh. Christ. v. Majer (1778 — 1821); Christ. Gottl. v. Gmelin (1778 — 1818); Frid. Wilh. v. Tafinger (1786 — 1788 u. 1790 — 1813); Carl Frid. Wilh. Schmid (1790 — 1795); Elias Godf. Steeb (1796 — 1797); Joh. Nep. Borst (1818 — 1819) — können aus Mangel an Raum nur Einige mit wenigen Zügen hervorgehoben werden:

G. D. Hoffmann, einer der fruchtbarsten Schriftsteller der neuern Zeit, der durch eine Reihe von hauptsächlich publicistischen Schriften, die gerade das Interesse des Tags in Anspruch nahmen und eine Menge practischer Arbeiten sich eine ungemeine Celebrität und großes Ansehen erworben. Aus seinen Schriften geht bewunderungswürdige Reichhaltigkeit des Wissens, und ein eiserner, freilich oft an kleinlichte Dinge sich hängender Fleiß hervor, dem die Wissenschaft die Berichtigung oder weitere Verfolgung mancher einzelner Gegenstände verdankt, wenn auch hie und da eine gewiße Befangenheit im Urtheile nicht ganz ohne Grund gerügt wird[86]). In der Literärgeschichte, Numismatik, Heraldik und Diplomatik besaß er eine nicht gemeine Stärke, und es verdient bemerkt zu werden, daß er zuerst den eigentlichen Stiftungstag der Universität ausser Zweifel sezte[87]); C. Christ. Hofacker, Canzen's Nachfolger, der, gebildet in der Schule von Göttingen, und auf Anrathen

86) Wessen Brod ich esse, dessen Lied ich singe, wird von einer seiner Schriften gesagt.

87) Siehe oben Seite 225.

Pütter's dem academischen Leben sich bestimmend, noch jezt ruhmvoll fortlebt in dem Andenken zahlreicher Schüler, die den menschenfreundlichen Mann, der ihnen Lehrer, Führer und Freund war, nie vergessen können, und noch jezt den Verlust fühlbar machen, welchen die Universität durch seinen frühzeitigen Tod erlitten. Hofacker war zum Lehrer geboren: mit Genialität verband er richtigen Verstand, Gründlichkeit mit Reichthum der Phantasie, Präcision mit Deutlichkeit und Klarheit in den Begriffen, ein vortreffliches Gedächtniß, selbst eine wohlklingende Stimme und einnehmende äussere Gestalt, kurz Alles, um Jeden, der seinen Unterricht benuzte, ganz zu bezaubern und beinahe unwillkührlich Sinn und Liebe für die Wissenschaft selbst einzuflössen. Was seine schriftstellerischen Verdienste betrifft, so war er einer der Ersten, der auf eine bessere Lehrmethode des römischen Rechts drang: sein Lehrbuch der Institutionen empfielt sich durch Einfachheit, Klarheit und streng logische Ideenfolge; kein Saz steht da, der nicht seine Erläuterung aus dem vorhergehenden erhalten würde, zugleich gebaut auf dem humanistischen Studium einer gereinigten Exegese, der Geschichte und Philosophie der römischen Gesezgebung und entfernt von allem Fremdartigem giebt es, wo möglich mit Beibehaltung der Gesezesworte selbst, das reinste Bild des ganzen römischen Privatrechts. Was hier zum Theil nur in den Resultaten angedeutet werden konnte, führte er in seinem grössern Systeme der Pandecten weiter aus, wenn gleich das Unternehmen, das einfache Gebäude des römischen Rechts nach den Gesezen einer selbstgeschaffenen Ordnung bis in's kleinste Detail zu zerlegen, vielleicht nicht zu glücklichen Resultaten zu führen vermochte, und die Verbindung der reinen Theorie des römischen Rechts mit dem, was teutsches Recht und Praxis hinzufügten, weder der wissenschaftlichen Behandlung des Einen noch des Andern förderlich seyn konnte, und namentlich das System des römischen Rechts durch Beimischung dieser fremden Bestandtheile verlieren mußte. F. W. v. Tafinger[88]), den, bei einer vielseitigen Bildung, welche sich bei einer großen Sorgfalt auch für das Wohlgefällige der Darstellung im mündlichen und schriftlichen Vortrag äusserte, besonders eine lebhafte Thätigkeit für die Fortbildung der Wissenschaft überhaupt, und insbesondere des einheimischen teutschen Rechts auszeichnete. Der historische Theil seiner Rechtsencyclopädie kann für die damalige Zeit als einer der gelungensten Versuche gelten, die Hauptzüge sämtlicher positiven Rechte in einer zugleich chronologischen und systematischen Ordnung darzustellen, und den innern und äussern Zusammenhang derselben aufzuklären. Nicht weniger rühmlich waren seine Bemühungen für richtige Bestimmung des Begriffs eines allgemeinen teutschen Privatrechts und des

---

88) Ich benuze hier zum Theil die mir für einen andern Zweck von Hrn. Prof. C. H. Gmelin gütigst mitgetheilten Bemerkungen.

bei dessen Bearbeitung anzuwendenden Verfahrens und Stoffs, wo er bei Empfehlung der historischen Analogie zwischen den allzu eifrigen Anhängern des Veralteten und den sich nur auf die jezt geltenden Gesezgebungen Beschränkenden, einen glücklichen Mittelweg eröffnete. Auch andere Fächer bestrebte er sich durch eigene Untersuchungen mit Benuzung der Entdeckungen seiner Zeit zu erweitern und zu veredeln; namentlich die Kantische Philosophie zur Ausbildung des Naturrechts zu benuzen, die gereinigten Ansichten des Zeitgeistes und die Resultate unbefangener Geschichtsforschung über den Zweck und die Verhältnisse der Kirche untereinander und zum Staat für das teutsche Kirchenrecht fruchtbar zu machen, so wie der durch verschiedenartige Ansichten der Gelehrten über ihren lezten in Verwirrung gerathenen Strafrechtslehre ein unumstößliches Princip zu geben; und auf dasselbe eine neue Strafgesezgebung zu erbauen. C. G. v. Gmelin, der in treuer, redlicher Pflichterfüllung blos seinem Berufe lebend, als Schriftsteller sich diejenige ungetheilte Achtung erwarb, welche die Geradheit und Biederkeit seines Charakters auch in anderer Beziehung Allen, die ihn näher kannten, einflößen mußte. Seine Ordnung der Gläubiger, deren Brauchbarkeit sich schon durch die Reihe von Auflagen bewährt, empfielt sich durch Genauigkeit, durch Reichhaltigkeit und durch eine gründliche Benuzung aller vorhandenen Quellen so sehr, daß sie den practischen, vorzüglich den vaterländischen Juristen ein unentbehrliches und unerschöpfliches Handbuch geworden. Seine Grundsäze der Gesezgebung über Verbrechen und Strafen zeigen einen denkenden Kopf, und kenntnißvollen Gelehrten, der, gleich weit entfernt von eigensinnigem Anhängen an das Alte, und blindem Nachbeten einer neuern, empfindelnden Modephilosophie mit ächt philosophischem Geiste, und tiefer Kenntniß der bestehenden Gesezgebungen, mit Ruhe, die sich überhaupt in seinem ganzen Wesen ausdrückte, Unbefangenheit, Würde und Bescheidenheit seine durch eigenes Nachdenken und Erfahrung bewährte Grundsäze, in denen sich zugleich ein warmes Gefühl für die Menschheit ausspricht, darlegt. J. N. Borst, der mit großem, reinem Eifer für das Gute viel Talent für Wissenschaft verband, indem er besonders mit klarem, philosophischem, namentlich logischem Geiste das in der Anwendung Vorkommende durchschaute, und das Bedürfniß auch anderweiter wissenschaftlicher Begründung sehr bestimmt fühlte. Seine mit vielem Beifall aufgenommene Schriften, seine sehr beliebte Vorlesungen und treffliche practische Arbeiten sind Beweis hiefür, und lassen seinen baldigen Verlust — denn nur 2 Semester mit vielen durch Krankheit herbeigeführten Unterbrechungen konnte er hier wirken — noch immer empfindlich fühlen. Die neuesten in den lezten Jahren leider sich wiederholenden Verluste, die die hiesige Rechtsschule erlitten, sind die Todesfälle jener ehrwürdigen Greise, v. Kapff und

v. Majer, die, obgleich Alter und körperliche Leiden seit mehrern Jahren ihre Thätigkeit beschränkt hatten, doch die großen Verdienste, welche sie in einer langen Reihe von Jahren um die Universität und die Wissenschaft sich erworben hatten, von neuem in's dankbare Andenken zurückriefen. — Jener, weniger als Schriftsteller thätig, als als Mitglied zweier höchster Gerichtshöfe des Landes seine Geschicklichkeit und Gewandtheit in practischen Beschäftigungen in Verbindung mit einem natürlich gesunden Urtheil und Scharfblick, einem reichen Schaz von Kenntnissen und dem gewissenhaftesten Fleiße in Erfüllung seiner Berufsgeschäfte in hohem Grade bewährend, und hiedurch zu Ehre und Ansehen gelangend; dieser, ehemals Lehrer zweier teutscher Fürsten, die nun, jeder in seiner Art, mit hehrem Beispiele vorleuchten, und beehrt mit dem Wohlwollen Amalien's von Weimar, dieser Frau erster Größe unter den Fürstinnen Teutschlands, durch nicht wenige Schriften voll Scharfsinns und ächt philosophischen Geistes, und ausgezeichnet durch klare, deutliche Begriffe und strenge Ordnung in der Gedankenfolge, eine Fülle von neuen auf tiefem Studium der Quellen gegründeten Ansichten, hauptsächlich in dem Gebiete der Geschichte und des öffentlichen Rechtes Teutschlands eröffnete, die den originellen Denker in hohem Grade beurkunden.

---

## Vierte Abtheilung.

## Medicin.

Erwachender Eifer für die Naturwissenschaften war es hauptsächlich, wodurch im 16ten Jahrhundert der Umsturz der Latino-barbarischen und arabischen Medicin des Mittelalters allmählig bewirkt, und ein neues und reges Erfahrungs-Leben in die Arzneikunde statt scholastischer Spizfindigkeit eingeführt wurde. Gewiß sind gerade diejenigen Männer die interessantesten, welche mit Geist und Talent ausgerüstet, frühe ihre Zeit begreifend, den Umschwung der Ideen gefördert und belebt haben.

Ein solcher Mann war Leonhard Fuchs *), der als Philolog und Exeget der Alten, als Wiederhersteller der hippocratischen Medicin und Feind der Araber, als ausgezeichneter Anatom und Botaniker, ein würdiger Zeitgenosse der großen Reformatoren jenes Jahrhunderts, und einer der verdienstvollsten Lehrer gewesen ist, welche Tübingen je besessen hat.

*) Leonh. Fuchs, geb. im Jahre 1501 zu Wemdingen in der Oberpfalz; studiert zu Heilbronn, Erfurt, Ingolstadt; wird Magister 1521, Medicinae Doctor 1524, Prof. Med. zu Ingolstadt 1526, Anspachischer Leibarzt 1528, Prof. zu Tübingen 1535, stirbt 1565. Er war von dem Kaiser Karl V. in den Adelstand erhoben worden.

Es wird nicht ohne Interesse seyn, hier eine Skizze der anatomischen Kenntnisse dieses Mannes zu finden, die, obgleich größten Theils aus Galen und Veselius entlehnt, doch einen Abriß der anatomischen Ansichten jener Zeit liefern. (Siehe Leonh. Fuchsii de humani corporis fabrica pars I. et II. Lugduni 1551 — 55.)

„Venen und Arterien vertheilen sich nicht gleichmäßig an alle Theile der Eingeweide; je näher diese dem Magen sind, desto mehr erhalten sie vom beßten Blute; die dicken Gedärme haben weit weniger Gefäße als die dünnen. Auch Nerven treten an die Eingeweide, damit sie schädliche Säfte unterscheiden können. Die dünnen Gedärme haben (nach Galen) die Bestimmung, das Saftige der Speisen, welche durch den Magen bearbeitet worden sind, zur Leber, der Bereitungsstätte des Blutes führen zu lassen, das zur Resorption unzweckmäßige fortzuschaffen, und neben dem Magen die Speisen auch noch etwas zu verändern und zu kochen."

Bei Beschreibung des Uterus widerlegt Fuchs den Irrthum des Mundinus, dem auch mehrere Scholastiker nnd Rechtsgelehrte beygepflichtet haben, daß die Höhle der Gebährmutter sieben Abtheilungen enthalte, wovon die drei rechts gelegenen für die Aufnahme der Knäbchen, die drei links für die der Mädchen bestimmt seyen, während in der mittlern die Hermaphroditen aufbewahrt werden. „Der Uterus hat nur eine Höhle, ist nicht doppelt, und in die Länge gestreckt gleich einem Darm, wie sich dieses bei Hunden und Schweinen, die viele Jungen werfen, findet, und wenn auch die Höhle des Uterus seitlich gleichsam in Hörner ausläuft, so sind diese doch gänzlich verschieden von den Hörnern im Uterus der Ziegen, Schafe und Kühe. Die Ovarien nennt er mulierum testes. Von den Nerven-Paaren des Heiligenbeins gehen zu beiden Seiten kleine Zweige zum Cervix uteri, und eben so zum tieferen Theile des Fundus, wie auch zur Harnblase. An den obern Theil des Fundus gelangen auch kleine Zweige vom sechsten Hirn-Nerven-Paare. Der erste vorzugsweise Blut enthaltende Ventrikel ist besonders der Ausarbeitung des Blutes gewidmet; das Hauptgefäß am Herzen die vena cava. Von dieser empfängt das Herz, wenn es sich ausdehnt, eine große Menge Blutes. Dieses wird in den Höhlen des Ventrikels durch die natürliche Wärme desselben verdünnt und leichter gemacht, so daß es besser durch die Arterien gehen kann. Der größte Theil davon schwitzt durch die Poren der Scheidewand in den linken Ventrikel hinüber; der Rest wird bei der Zusammenziehung des Herzens, durch die Vena arterialis in die Lungen geleitet, welche auf diese Art eine für sie passende, leichte, luftige und schaumige Nahrung erhalten. Die Arteria venalis des linken Ventrikes hat die Bestimmung, daß, wenn durch die Umwandlung der bei erweitertem Herzen in denselben gedrungenen Luft, (welche durch die eingepflanzte Wärme bewirkt wird), einige rußige Excremente entstanden sind, diese eben durch die Arteria venalis bey der Zusammenziehung des Herzens wieder ausgeschieden werden. Sie ist wie die übrigen Arterien des Körpers, mit einem dünnen spirituösen Blut angefüllt. Durch die Aorta wird Spiritus und dünnes Blut in den ganzen Körper geführt, wodurch die eingepflanzte Wärme wieder angefacht wird. Eine Arterie ist ein solches Gefäß, wodurch der Lebens-Spiritus und ein dünnes, helles und warmes Blut durch den ganzen Körper verführt wird."

„Im Gehirn wird der feinste Spiritus animalis bereitet, theils für die Verrichtungen der Seele, theils die der Sinn- und Beweg-Organe. Den Stoff zu diesem Spiritus animalis giebt der Spiritus vitalis her, der in den zum Hirn gehenden Arterien enthalten ist, und dann die Luft, welche durch die Löcher im Geruchs-Organ und im Gaumen in den rechten und linken und mittlern Hirn-Ventrikel eindringt. Ein Theil des Spiritus animalis wird durch einen länglichen Kanal zwischen Clunibus und Testibus in den Ventrikel des kleinen Gehirns, und von hier aus zum Rückenmark und zu den Nerven geführt. Von den übrigen Ventrikeln des Gehirns geht der Spiritus in die von dort entspringenden Nerven, in die Sinn-Organe und die willkührlichen Bewegungswerkzeuge."

„Ein rete mirabile findet sich beim Menschen nicht.“

Die einzelnen Theile des Gehirns, des Corpus callosum, die Ventrikel, Fornix, Conarium, Testes und Nates ꝛc. werden weitläufig betrachtet.

„An den Seiten der Glandula pituitaria steigen zwei Kanäle herab; der eine zu der Oeffnung für das zweite Hirn-Nerven-Paar, der andere mehr rückwärts durch die rauhe Spalte an der Seite der Oeffnung, durch welche der Hauptast der Arteria soporalis in die Schädelhöhle gelangt. Alles dieses dient dazu, das Hirn vom Schleim zu befreien. Zwei Gänge führen die Feuchtigkeiten von den Ventrikeln in das Infundibulum und die Glandula pituitaria, von welcher aus der Schleim durch alle Löcher abfließt, welche sich in der Schädel-Basis für Arterien, Venen und Nerven befinden. Der Schleim fließt also zum Gaumen ab durch die dorthin gehenden Löcher und einem großen Theile nach durch die Oeffnung des zweiten Hirn-Nerven-Paars, und von hier aus durch viele Oeffnungen in die Nasenhöhle. Eigentliche weite Gänge, welche den Schleim zur Nase abführen, giebt es im gesunden Zustande nicht. Wenn zu viel Schleim im Gehirn ist, kann kein anderer denselben zu dem Geruchs-Organ führender Weg gedacht werden, als die vordere Gegend des Corpus callosum, von wo aus der eingeflossene Schleim in die Höhle der Geruchs-Organe abfliessen kann."

„Hirn-Nerven-Paare giebt es sieben.

Das erste Paar (Opticus) entspringt etwas hinter dem Geruchs-Organ von der Basis des Gehirns, beide Nerven vermischen sich gänzlich und breiten sich im Auge aus. Von allen Nerven sollen allein diese deutlich ausgehöhlt seyn."

„Das zweite Paar (unser Oculomotorius) entspringt seitlich von der Basis des Gehirns, und vertheilt sich in die sieben Muskeln des Auges."

„Das dritte Paar (Trigeminus) entsteht mit einer dünneren und dickeren Wurzel; die erstere seitlich von der Gehirn-Basis, und vertheilt sich im Auge in vier Aeste, wovon der erste zur Stirne, der zweite zur oberen Kinnlade, Oberlippe, den Nasenflügeln und zu dem Zahnfleisch der Schneidezähne, der dritte zur Membran der Nase, und der vierte zum Schläfe-Muskel geht. Die dickere etwas weiter nach vorn entspringende Wurzel giebt sogleich nach ihrem Durchgang durch das gleiche Loch mit dem vierten Paare einen Zweig ab, der sich mit zwei Zweigen des fünften Paares verbindet, und mit diesem zum Schläfe-Muskel geht, auch Aestchen zum Musculus mansorius, zu den Wangen-Muskeln und Wangenhaut schickt. Ein weiterer Zweig von dieser dicken Wurzel geht zum Zahnfleisch der Backenzähne und zu der Zahnreihe selbst. Ehe sie zur Zunge gelangt, giebt sie einen bedeutenden Ast zu dem, die Unterkinnlade in die Höhe hebenden Muskel, senkt sich dann in die Oeffnung des Unterkiefers, versieht in diesem die Zähne, gelangt noch ziemlich stark zu dem Kanal heraus, und giebt Aeste zur Unterlippe. Der größere Theil der dickeren Wurzel bildet mit dem der anderen Seite zusammengehend die Haut der Zunge, welche zur Aufnahme der Geschmacks-Eindrücke bestimmt ist. Seine Aestchen verbreiten sich auch noch in die Substanz der Zunge. Dieser Nerve heißt mit Recht Gustatorius.

Das vierte Paar (wofür er den gemeinschaftlichen Stamm für den Vidian und Gaumen-Nerven hält,), geht in die Zungenhaut über, welche stumpfer schmeckt, als die Gaumenhaut.

Das fünfte Paar (Faciale und Acusticum) entspringt beinahe aus der Mitte des verlängerten Marks, und ist ein wichtiger Theil des Gehör-Organs.

Als das sechste Paar wird der Nervus glossopharyngeus und Vagus, und als das siebente der Hypoglossus beschrieben.

Den Nervus olfactorius kennt Fuchs eigentlich gar nicht. Einige neuere, sagt er, nehmen an, das Geruchs-Organ bestehe in fleischigen, zizenförmigen, durchbohrten Warzen im Gehirne. Die Anatomie zeige deutlich, daß diese Warzen das Geruchs-Organ nicht seyen. Die eigentlichen Werkzeuge des Geruches gehen von den schmalen Enden der Ventrikel aus. Hier stamme von beiden Seiten des Gehirnes eine weiße und weiche,

Substanz, die in ihrem Fortgange durch eine zarte Membran zusammengehalten werde, bis sie zu den Höhlungen des achten Kopfknochen gelange, welche für das Geruchs-Organ eigens gebaut seyen, denn am hintern Ende dieser Höhlungen gehen weißliche und den Nerven nicht unähnliche Fortsäze vom Gehirn ab; jeder erstrecke sich gegen das Ende der Höhlungen hin, von diesen unterstüzt, und immer zunächst am Gehirn liegend."

Größer und origineller als in der Anatomie, wo er besonders in der Nerven- und Gefäß-Lehre allzusehr an Galen hängt, sind ohne Zweifel die Verdienste des Fuchs in der Botanik. Durch das große Unternehmen von vaterländischen Pflanzen getreue Abbildungen in Holzschnitten zu liefern, suchte er das Studium dieser Naturwissenschaft zu befördern. Zu diesem Endzweck verband er sich mit dem Künstler Rudolph Specklin in Strasburg und dem Buchhändler Isingrin in Basel. Er hatte 1500 Zeichnungen dazu besorgt. Von diesen gab er unter dem Titel: Historia stirpium. Basil. 1542. einen Theil in Folio heraus. Die Abbildungen und Beschreibungen der Pflanzen sind sehr gut, nur ist nach damaliger Sitte auf die Angabe der Kräfte und Wirkungen der Pflanzen zu viel Raum verwendet. Ein bedeutender Theil der gebrauchten hölzernen Tafeln, 195 Stücke, befinden sich hier auf der Universitäts-Bibliothek, ein anderer Theil wurde in Joh. Gesners Sammlung aufbewahrt. (Ueber die Verdienste des Fuchs um die Botanik, siehe Sprengels Geschichte der Botanik erster Theil p. 262.)

In der practischen Medicin war das Haupt-Bestreben desselben darauf gerichtet, (S. Institut. med. Libr. V. Basil. 1594.) auf die Grundsäze der älteren griechischen Aerzte, namentlich des Hippocrates zurückzuführen, und auf die Entstellungen, welche die Araber mit den Lehren der griechischen Aerzte vorgenommen hatten, aufmerksam zu machen. „Ich hätte nie gedacht, sagt er in seinen Paradox. Liber. I. Cap. 22., daß das Studium der arabischen Aerzte so schädlich sey, als ich es jezt einsehe, und daher bekenne ich frei, daß ich sie ehedem immer noch viel zu gelinde behandelt habe. Man muß viel strenger mit ihnen umgehen, wenigstens um der Nachwelt willen, damit diese nicht in jene Räuberhöhlen gerathe.“

Von einem Commentator des Galen und Hippokrates (S. Fuchsii Commentaria in Hipp. VII. Aphorism. Libros Lugd. 1557. und Annotationes in Libros Galeni de tuenda valetudine. Tubing. 1641.) ist es leicht erklärlich, wie er auf den Meinungen der Alten oft gar zu hartnäckig beharren mochte, so daß ihn Sprengel den streitsüchtigen Vertheidiger der Alten nenut, und wie er namentlich an dem berüchtigten Streite über die Vorzüge der hippocratischen oder arabischen Aderlässe so thätigen Antheil nehmen konnte. Es war natürlich, daß er nach Hippokrates Aderlässen in der Nähe des leidenden Theils anrieth, während die Araber durch Aderlassen an entfernten Theilen eine Derivation zu bewirken suchten. Sonderbar ist es freilich, wenn er hiebei behauptet, es dürfe nur diejenige Ader geschlagen werden, deren Fasern in Continuität mit den Fasern der Vene des leidenden Ortes stehen; dieses finde immer nur bei einer sehr nahen Ader statt. Auch dienen diese geraden Fasern dazu, die Austreibung der schädlichen Säfte zu bewirken. (Siehe auch Sprengel's Geschichte der A. K. III. B. p. 18.)

Wenn die Wiederherstellung hippocratisch-griechischer Medicin ein nothwendiges Uebergangs-Mittel zu den besseren Ansichten in der Arzneikunde war, so wurde dagegen eine allzugroße Verehrung gegen die Alten die Veranlassung, daß man lange Zeit gar zur sehr an den Aussprüchen derselben, namentlich denen des Galen hängen blieb, und daß viele Jahre noch unter den Nachfolgern Fuchsens, galenische Ansichten die herrschenden waren.

Johannes Vischer *), Schüler, Verwandter und Amtsnachfolger des Fuchs, erklärt sich ganz galenisch über die Funktion der Leber und ihre

---

*) Geboren zu Wemdingen 1524, studiert zu Tübingen von 1537 an, legt sich auf die Medicin und Botanik 1549, wird Professor der Medicin zu Ingolstadt 1554, Stadtarzt zu Nördlingen 1555, Anspachischer Leibarzt 1562, Prof. hier 1568, stirbt 1587.

Gefäße. (Siehe dessen Diss. de different. et caus. affectuum jecinoris 1580.) „Durch die Pfortader wird der in dem Magen bereitete Chylus in der ganzen Leber vertheilt, und vom Stamme der Vena cava aus, das Blut in den ganzen Körper geführt. Die Leber hat zweierlei Funktionen; die eine, wodurch sie der Ernährung des ganzen Körpers vorsteht, heißt Chymosis oder Haematosis; die andere, wodurch sie sich selbst erhält, Threpsis."

„Es fragt sich, ob der von der Leber ausgehende Gang, der die Galle zur Blase führt, ein anderer ist, als derjenige, welcher die Galle zum Duodenum leitet. Beides kann man behaupten."

Wenn Galen eine widernatürliche Aufwallung der eingepflanzten Wärme des Körpers als die nächste Ursache der Fieber ansieht, so hält Bischer (de affectione Calculi diss. 1573.) sogar die feurige Wärme der Nieren und anderer nahen Theile für die causa efficiens der in den Harnwegen und anderen Organen gebildeten Steine, wodurch die zähen Säfte angezogen, verdickt und wie in einem Ofen gekocht werden. Als Mittel gegen den Stein werden angeführt, Bocksblut, Hasenasche, ein Stein in der Harn- oder Gallen-Blase eines Ebers oder Ochsen gefunden und ein officulum a leporis articulo posteriori etc.

Interessant ist eine academische Abhandlung von eben demselben de ratione explorandi et judicandi leprosus 1586. Hier werden die verschiedenen Formen des Aussazes, als saphat, elephantiasis, albora, morphaea, leuce und alphos beschrieben, und man sieht wohl, daß der Verfasser diese Krankheit noch sehr häufig gesehen haben muß, die in Württemberg, wo sich die venerische Krankheit später als in andern Ländern verbreitete, sehr lange in ihren heftigsten Formen erhalten zu haben scheint.

Georg Hamberger *), gleichzeitig mit Vischer Lehrer, nennt den Galen (Diss. de affectu colico 1595.) noch nach alter Weise den medicorum principem. Die nächste Ursache der Hypochondrie (Diss. de melancholia flatuosa 1595.) liege nicht in den Säften, sondern sie sey ein vapor flatusve melancholicus, vel vaporatio quaedam fumosa fuliginosaque.

Andreas Planer **), der Prof. der Philosophie und der Medicin zugleich war, ist der Verfasser sehr vieler Abhandlungen, in welchen

**) Geboren zu Dinkelsbühl 1537, studirt zu Tübingen Medicin und die freien Künste, wird hier Rector contubernii und Professor der lateinischen Sprache, geht hierauf als Stadtarzt nach Rottenburg an der Tauber, wird hier Professor 1568 stirbt 1599. Er verstand auch das Arabische.

*) Geboren zu Bozen in Tyrol 1546, studiert zu Tübingen; wird hier Magister und Doctor der Medicin, geht als Professor derselben nach Strasburg, wird Professor derselben zu Tübingen, stirbt 1607.

Aristotelische Philosophie und Galenische Medicin mit dem theosophischen Aberglauben jener Zeit vermischt, vorkommt. Es möge genug seyn, um seine Ansichten zu bezeichnen, folgende einer Dissertat. de melancholia 1593 beigefügte Thesen auszuheben. „Daemonium potest facere melancholicum. Melancholici daemoniaci non tam pharmacorum quam precum usu sanantur. Melancholici necis propriae auctores, non omnes orci rei. Mulierculae melancholicae maxime fiunt sagae."

Daniel Mögling*), Nachfolger von Joh. Vischer, hat vom Catarrh noch dieselben Ansichten, wie sie bei Galen und den Arabern vorkommen. „Catarrh," sagt er in einer Dissertat. de Catarrho 1588, „entsteht alsdann, wenn die natürlichen Verrichtungen des Gehirns verlezt sind, die fehlerhaften Excremente sich versammeln, und widernatürlich bald auf diesem, bald auf einem anderen Wege in den Körper herabfallen und ihn auf verschiedene Weise verlezen." Wer glaubt hier nicht den Galen zu hören, wenn er de symptom. caus. ausspricht: „Catarrhum scilicet

*) Geboren zu Tübingen 1546, studiert hier, wird Dr. der Philosophie und Medicin, Prof zu Heidelberg, und Kurfürstl. Leibarzt, Herzogl. Württemb. Leibarzt, Prof. zu Tübingen 1587, stirbt 1603. Er ist der Stammvater vieler Gelehrten in Württemberg, namentlich mehrerer Aerzte.

nominantibus nobis, cum quod supervacaneum est e cerebro in os defluit, coryzam cum in nares," oder den Mesue, wenn er de Aegritut. part. cap. VII. sagt: „Catarrhus est descensus humorum a capite ad membra inferiora."

Die Wassersucht ist nach ihm (Diss. de hydrope 1593.) nichts anders, als eine widernatürliche Diathesis der Venen und der Leber, die in einer kalten intemperies besteht, und von einer erkältenden Kraft erzeugt worden ist. Hiedurch wird die Blut bereitende Eigenschaft jener Theile gestört, so daß sie statt eines nützlichen und gutartigen Blutes Winde und Schleim erzeugen, wodurch dann eine Anschwellung entweder im ganzen Körper oder an einzelnen Theilen entsteht.

Ueber die Pest, welche (allein im 16. Jahrhundert zu neun verschiedenenmalen) zu Tübingen herrschte, schrieb er zwei Abhandlungen, durch welche weder die Pathologie noch die Therapie dieser Krankheit bereichert wird — ganz im Galenischen Geiste. (Diss. de tritissimo pestilentiae morbo 1597.) Die Gifte sind nach ihm keine einfachen Körper, sondern aus allen vier Qualitäten zusammengesezt. (Diss. de venenis 1602.)

Von den Heilmitteln, welche Mögling gebrauchte, liefert es eine Probe, daß er gegen Epilepsie, cranium humanum, cornu alcis und margaritas non perforatas empfiehlt. (Diss. de morbo sacro.)

Johann Ludwig Mögling*) nimmt fünferlei Arten von Pituita als Krankheits-Ursache an: 1) eine tenuis acida et acris; 2) crassa, lenta et viscida; 3) eine mittelmäßige und gesalzene; 4) Vitrea; 5) Gypsea et quasi tartarea. (Diss. de affectibus et pituita in corpore humano 1620.)

Johann Plachetius (Prof. seit 1630. stirbt 1635.) giebt von der Kriegspest, die damals unter dem Namen lues hungarica bekannt war, folgende Definition (Diss. de lue hungarica 1633.): „Sie ist ein epidemisches Fieber von Fäulniß mit bösartiger und ansteckender Beschaffenheit, besonders in den dem Herzen nächsten Gefäßen, wobei die Haupt-Symptome dem Kopf, dem Magen und dem Rachen am beschwerlichsten sind. Die allgemeine Ursache liegt in dem Himmel und den himmlischen Körpern; die besonderen äussern Ursachen sind die nicht natürlichen Dinge; Luft, Speise, Getränke, Schlaf, Bewegung, Affecte, auszuscheidende und zurück zu behaltende Stoffe."

„Innerliche Ursachen sind: 1) ein fauligtes Gift und Ansteckungsstoff. Diese Ursache beruht vorzüglich auf Rohheit und dem Liegenbleiben verschiedener Säfte, welche sich von unordentlicher Lebensart her angehäuft haben; indem die kochende

*) Geboren zu Heidelberg 1585, Professor zu Tübingen 1617, stirbt 1625.

und die austreibende Kraft, welche die Einwirkung der natürlichen Wärme nicht zulassen, herabgestimmt sind. Zu Aufnahme dieses Contagiums wird ein gewißer Zustand der Säfte erfordert, namentlich Auswurfsstoffe, welche in der ersten Region des Körpers stocken, seyen sie nun schleimigter oder galligter Natur, oder auch Blut. 2) Die Causa continens ist ein fauligter und giftiger, dem Herzen und dem ganzen Körper mitgetheilter Dunst."

Johannes Gerhard (Prof. seit 1630 bis 1657.) erklärt die venerische Krankheit noch im Jahre 1648. nach damaliger Weise, und nach Galenischer Pathologie (Diss. de lue venerea): „Sie ist eine Krankheit der Leber und des venosen Systemes und zwar der ganzen Substanz nach, oder eine Dyscrasie in diesen Theilen, verborgen, bösartig, giftig, herstammend von einem feuchten bösartigen, dunstförmigen Stoffe, wodurch jene Theile umändernde Eigenschaft im Allgemeinen und die Blut bereitende insbesondere dergestalt verlezt wird, daß jene Eingeweide aus dem angezogenen Chylus nur ein verdorbenes Blut bereiten können, ja daß vermittelst dieser Dyscrasie die Crasis des ganzen Körpers verdorben, und secundär und symptomatisch noch mehrere Krankheiten als Wirkung jener ersten Dyscrasie aufblühen und ausbrechen müssen."

„Chirurgische Heilmittel dagegen sind: Aderlässen, Fontanelle, Räucherungen, Quecksilbereinreibungen. Räucherungen allein reichen nicht hin; am besten wirkt die Einreibung von lebendigem Quecksilber. Die innerliche Cur wird vollbracht durch Purgiermittel, Schweiße und Speicheltreibende Mittel."

In Absicht auf das Quecksilber wagt er es, dem Galen zu widersprechen, indem es nicht wie dieser wolle, seiner ganzen Substanz nach ein Gift, sondern der wahre ῥιζό τομος dieser Krankheit sey, es möge nun als Salbe, Pflaster, Umschlag, oder in Räucherungen und Pillen rc. gegeben werden. Man könne den mineralischen Turpeth, auch den Mercurius dulcis oder Mercurius vitae reichen. Immer müsse zugleich Lignum guajaci gegeben werden.

In einer Abhandlung desselben de arthritide 1650 findet sich eine auffallende Vergleichung des Organismus mit einem Staate. Das Gehirn stelle den geheimen Rath vor, der seine Beschlüsse durch die Nerven und thierischen Geister allen Theilen mittheile; die Leber seye einem Austheiler gleich, ihr stehe zur Seite der Magen, der die Speisen verdaue; die übrigen Theile, welche die Nahrungsmittel entweder noch ferner zubereiten oder reinigen und ausführen, stellen das gemeine Volk vor; die Glieder seyen die niedrigsten und sclavischen Handlanger; das Blut sey das Getreide und der Vorrath, welcher in den Scheunen der Gefäße aufbewahrt sey. Die Gesundheit entspreche dem Frieden, die Krankheit dem Krieg in dem Staate unsers Körpers.

Die Gicht seye eine in den Gliedern eingetretene Trennung des Zusammenhanges, von der Hize und Schärfe der serosen Säfte.

Johann Conrad Brotbeck (Prof. 1657, stirbt 1677) commentirt in einer Abhandlung de febre hectica complicata (cum putrida) 1661 zwei Stellen des Galen, und nennt diesen Antesignanum medicorum.

Der Erklärung des Willis, wie eine Ephemera in ein hectisches und fauligtes Fieber übergehe, giebt er Beifall, daß nämlich von dem langwierigen Aufwallen des spirituösen Blutes endlich die dickeren Theile des Schwefels in Brand gerathen, und durch ihre Effervescenz die ganze Blutmasse angreifen.

In Beziehung auf das Alpdrücken (Diss. de Incubo 1666) bestreitet er die damals häufig angenommene Meinung, daß es von Dämonen oder Gespenstern herrühre. Es entstehe vielmehr von einem Hinderniß in der zum Athemholen nöthigen freien Bewegung des Zwerchfells, wodurch dann jener schreckliche Traum erregt werde. Die Hinderung des Zwerchfelles rühre her von Beschwerung und Auftreibung des Magens, besonders bei einer Rückenlage. Jene Beschwerung des Magens finde statt, wenn die zur Verdauung nöthige Wärme entweder nicht stark genug vom Herzen einfliesse, oder von der Rohheit oder Menge der Alimente überwältigt werde; Atenie seye die Folge davon, wodurch die rohen Speisen oder viele zähe und schleimige Materie im Magen zurückbleiben. Der Chylus werde jezt auch schlecht und durch die zweite Kochung im Herzen nicht gehörig verbessert, wovon Verschleimung des Blutes und gleichfalls wiederum Verminderung der Wärme des Magens die Folge sey.

Als Beispiel der Therapie dieses Lehrers mag es dienen, daß er gegen den Wasserkopf (de hydrocephalo 1661) nach Sennert empfiehlt, ein Decoct von Rad. ireos, sem. foenic. anis, coriander, pacul. Mechoac. agaric. äusserlich ein Unguent. von pulvis absinth. Chamomill. origan. myrtill. rosar. rubr. meliloth. ol. Chamom. Butyr.

Nur allmählig findet man den Abfall von den Meinungen des Galen's und den Uebergang zu den Ansichten der Neueren stärker werden.

Georg Balthasar Mezger *) bezweifelt, daß bei den Hämorrhoiden allein das melancholische Blut ausgeleert werde, da es überhaupt vielleicht kein solches gebe, und es von den Neue-

*) Geboren zu Schweinfurth 1623, studirt die Medicin zu Padua, wird Professor zu Giessen 1653, zu Tübingen 1661, stirbt 1687. Eberhard III. zog ihn seines Rufes wegen nach Tübingen, um der durch die Schicksale des 30jährigen Krieges gesunkenen medicinischen Facultät wieder aufzuhelfen.

ren ganz anders erklärt werde, wenn bei den Hämorrhoiden ein schwarzes und krümmliches Blut ausgeleert werde; daß auch Galle und Schleim dabei abgehe, wie Hippocrates und Galen es annehmen, seye leicht zu beweisen, da sich im Blut immer auch gallichte Säfte finden, welche eine Schärfe und reizende Eigenschaft besizen. Eben so sey es mit dem Serum, welches das Vehikel für andere Säfte ausmache, und in welchem je nach Verschiedenheit der Verderbniß und der daher rührenden Farbe Melancholie und Verschleimung ihren Siz habe. (Diss. de Haemorrhoidum statu 1677.)

An einer andern Stelle (Diss. de fluxu hepatico 1671) erklärt er, diejenigen seyen ganz im Irrthume, welche mit Galen behaupten, die Leber sey das Organ der Blutbereitung, vorzüglich nach dem, was Bartholin über die Lymph. Gefäße gesagt habe; deswegen sey die Leber auch nicht der Terminus a quo, von wo aus der Fluxus hepaticus ausgehe, sondern die Blutmasse selbst seye es, woraus das in dieser Krankheit ausgeleert werdende blutige Serum herkomme. Wenn das Herz, die Hauptwerkstätte der Blutbereitung, die Quelle des Blutes und der Wärme, wo das Blut gekocht werde, wo es seine Röthe und thierische Wärme erhalte, sein natürliches Feuer verliere, dann werde ein zu wässeriges Blut bereitet. Eben so wenn die Milz, welche das unvollkommene Blut so zubereiten müsse, daß es seine Unreinigkeiten in den Reinigungs-Organen leicht weggebe, ihren Dienst nicht gehörig thue, werde die Blutmasse verdorben. Wenn ferner die Leber zu kalt sey, und ihrer Wärme, welche sie nicht sowohl zur Zubereitung als zur Reinigung des Blutes bedürfe, entbehre, und die mit dem Blute zurückkehrende Lymphe nicht aufsange, so werde das Blut verwässert. Das Gleiche geschehe, wenn das Pancreas die gehörigen Säfte nicht ausscheide, oder wenn die Nieren das überflüßige wässerige nicht ausführen. Die Wirksamkeit des Magens hiebei sey auch um so größer, je bekannter der Saz, qualis chylus; talis sanguis. Auch die Unterdrückung der Ausscheidungen der Haut, der Nase, des Mundes, könne das gleiche Uebel herbeiführen.

Sehr helle Ansichten äussert Mezger über die Befruchtung (Dissert. de sterilitate muliebri 1677). Im Alterthum habe man geglaubt, eine Hauptursache der Unfruchtbarkeit liege darin, wenn sich der männliche und weibliche Saamen im Uterus nicht gehörig vermische. Harvey habe zuerst angenommen, diese Vermischung existire gar nicht, weil die Weiber keinen Saamen haben, und weil der männliche Saamen nur nach Art eines Contagiums wirke. Er (Mezger) nehme an, die eigenthümlichen Eychen im Eyerstock, welche er selbst schon gesehen, seyen der weibliche Saamen. Der männliche Saamen wirke nicht sowohl materiell als vielmehr dynamisch bei der Befruchtung. Er lasse es unentschieden, ob das Ey schon im Ovarium oder erst im Uterus von jenem geistigen Contagium afficirt werde. Lezteres gelange bei der Befruchtung gewißlich nicht allein in den Uterus und die nahen Theile, sondern auch vermittelst des circulierenden Blutes in den ganzen Körper, daher die Weiber durch die Befruchtung an Seele und Leib eine Veränderung erfahren.

Eine durch Aufführung zahlreicher Thatsachen, wie durch philosophisches Raisonnement ausgezeichnete Abhandlung ist die Diss. de affectuum haereditariorum theoria. Er nennt jene Krankheiten widernatürliche Beschaffenheiten, welche von den Erzeugern, die schon mit dem gleichen Uebel behaftet seyen, durch die eingepflanzte Idee den Erzeugten mitgetheilt werden. Er führt eine Menge von Beispielen auf, wo Krankheiten der verschiedensten Organe von den Eltern auf die Kinder verpflanzt worden seyen. Manchmal zeige sich zwischen der Krankheit der Eltern, dem prototypus, und der auf die Kinder übergetragenen eine solche Aehnlichkeit, daß beide dieselben Theile, dasselbe Lebensalter befallen, dieselbige Zunahme und Symptome haben, und in demselbigen Alter endigen. Zuweilen seyen indessen auch beyde verschieden. Manchmal gehen diese Krankheiten auf alle Kinder, zuweilen nur auf einige über, in einigen Fällen ganz auf gleiche Weise, in andern abgeändert. In dem Saamen liegen die Ideen aller gut oder schlecht beschaffenen Theile, oder der spezifische Charakter dieser Theile präge sich dem Saamen ein.

Eine neue Epoche beginnt mit Elias Rudolph Cammerer und seinem Sohne Rudolph Jakob Cammerer. Es ist eine erfreuliche Erscheinung, in zwei Männern den ganzen Geist ausgesprochen zu sehen, durch den sich die Arzneikunde der neuern Zeit von der des Mittelalters unterscheidet. Auf der einen Seite ist es nemlich der reine hippocratische Sinn für Erfahrung in der Praxis, auf der andern die Benuzung der Naturwissenschaften zu Aufklärung der Physiologie und Pathologie, die sich erst nach dem Umsturz galenisch-arabischer Theorie entwickeln konnten. Wenn in dem einen, nemlich dem hippocratischen Geiste und dem practischen Takte der ältere Cammerer ausgezeichnet war, so war es der jüngere in dem Betrieb der Naturwissenschaften. E. R. Cammerer*) commentirt in einer Abhandlung (Obex curationis morborum, comment. in aphor. 52. Sect. II. Hippocrat.) auf eine ganz vortreffliche Weise jenen medicinischen Altvater. „Wenn nemlich,

*) Geboren zu Tübingen 1641, studierte hier, wird Magister 1658, Dr. Medicinae 1663; hierauf Privat-Docent und practischer Arzt, Mitglied der kaiserlichen Akademie der Naturforscher unter dem Namen Hector I. 1669, herzogl. Leib-Medicus 1672, Prof. Medicinae ordinarius 1677, stirbt 1695.

sagt dort Hippocrates, der Arzt nach Gründen gehandelt hat, und diejenigen Erscheinungen, welche man vernünftigerweise hätte erwarten sollen, doch nicht eintreten, so soll man, so lange die Gründe, welche die frühere Behandlungsweise angezeigt haben, zu keiner neuen Behandlung übergehen. Wenn der Arzt, äussert sich hierüber Cammerer, den Begriff, das Subject, die nächste Ursache, wie die entfernteren, die Art, wie sie verlezen, die möglichen Zufälle, die Zeit, die gewöhnliche Dauer, und den Erfolg der Krankheit aus der gehörigen Betrachtung der Quellen zu erforschen weiß, wenn er den primären Anzeigen das Angezeigte nach einem regelmäßigen Heilplane und zwar nach dem Befund der secundären Anzeigen entgegen zu sezen weiß, wenn er ferner auf Kräfte, Temperament, Alter, Geschlecht, Habitus, Lebensart, Idiosyncrasie, auf die Textur, Verbindung, Lage, Funktion rc. des afficirten Theiles, auf die Luft, Gegend, Jahrszeit, Wohnort, Speise und Trank, Gewohnheit, auf die Zeit des Anfalls und die Länge der Krankheit gehörige Rücksicht nimmt, und alle diese Verhältnisse mit Genauigkeit zu bestimmen und zu beschränken weiß, wenn er dann endlich aus dem Vorrath der pharmacevtischen und diätetischen Heilmittel, nach Erforderniß der Ursache und des Subjects, nach der Art der Wirkung der Arzneimittel die gehörigen Vorschriften zu geben weiß; wenn er die Menge, die Zeit, die Art, den Ort der Arzneimittel gehörig bestimmt und beobachtet, dann kann man sagen, er handle κατα Λογον." In gleichem Geiste ist die Diss. Indicatio symptomatum ventilata 1686 geschrieben. Trefflich beschreibt er die Krankheiten der alten Leute (valetudinarium senile Diss. 1684). Nachdem er die ganze Reihe jener Krankheiten, Gesichtsschwäche, Schwerhörigkeit, Schwindel, Schlaflosigkeit, Catarrhe, Husten, Asthma, Wassersucht, tympanitis ꝛc. aufgeführt hat, ruft er endlich aus: „Diaeta senectutem alit, non multa medicamenta" Eine Abhandlung de anatome Hydropicae 1691, wo steatomotose Degeneration der Eingeweide, Schuld an Wassersucht war, beweist, welchen Werth er auf die pathologische Anatomie legte. Einen nicht unwichtigen Beitrag zur Experimental-Physiologie liefert die Abhandlung Tensio cordis lipothimiae causa 1680. Er sucht hier die Ohnmacht durch die tödtliche Wirkung, welche das Einblasen von Luft in die Halsvene, auf einen Hund hat, zu erklären. Zugleich macht er auf die damals in Teutschland noch wenig bekannten Infusions-Versuche von Boyle, Clark, Wren etc. aufmerksam. In welcher Achtung er als practischer Arzt gestanden ist, beweist der Umstand, daß er nach und nach über 33,000 Kranke zählen konnte, die sich seiner Hülfe bedient hatten. Er ist der Verfasser von 54, meistens vorzüglichen Dissertationen.

Berühmter und größer noch, wenigstens in

den Naturwissenschaften, ist sein Sohn Rudolph Jakob Cammerer*), berühmt vorzüglich durch die Befestignng der Sexual-Theorie der Pflanzen, die früher schon in England durch Millington, Grew, Rajus, aufgekommen, in Deutschland aber noch wenig beachtet worden war. Dieses geschah in seinem Brief an Valentini de sexu plantarum 1694, einem Werke, was eben so elegant als gelehrt noch heut zu Tage von jedem gelesen werden muß, der sich mit jener Materie beschäftigt. Die Hauptthatsachen, welche er für die Begründung jener Sexual-Theorie anführt, sind ungefähr folgende: „Auf das Entstehen und Abfallen der Blumenblätter und der apices (antheren), sehe man bald den tieferen Theil am Griffel anschwellen; einige Blumen haben blos Blüthen, andere tragen Saamen; beim Mays schwellen die tiefern Aehren an, wenn die obere Blüthe vertrocknet sey. Aehnliche Beispiele finden sich beim Ricinus, Heliotropium tricoccum; bei abies, pinus, corylus, juglans, quercus,

*) Geboren zu Tübingen 1665, studiert hier und wird Magister 1682, reist hierauf durch Deutschland, Holland, England, Frankreich und Italien, wird Doctor der Medicin 1687, ausserordentlicher Prof. derselben und Aufseher des botanischen Gartens, Mitglied der k. Akademie der Naturforscher unter dem Namen Hector II. 1688, ord. Prof. der Physik 1689, ord. Prof. der M. d. 1695, stirbt 1721.

alnus; bei mercurialis, cannabis, spinachia, lupulus, bringen einige Individuen die Blüthen, andere den Saamen hervor, und wenn die Saamen derselbigen Pflanze gehörig reif und fruchtbar dem Boden übergeben werden, so entstehen zweierlei Pflanzen, welche von vorn herein unter einander ähnlich, erst dann Verschiedenheiten zeigen, wenn die Befruchtung eintreten solle. Die einen Pflanzen bringen blos fruchtbare apices die andere hingegen Saamen hervor. Dieselbe Erscheinung komme auch bei einigen Bäumen vor. Man könne mit vollkommenem Rechte schliessen, daß Pflanzen, welche der apices ermangeln, auch keinen Saamen bringen. Gefüllte Blumen seyen in der Regel unfruchtbar, und manchmal zeige sich bei ihnen keine Spur von Saamen. Als er die ersten Köpfe des Ricinus vor der Entwicklung der apices abgerissen, und das Hervorkommen neuer immer wieder verhindert habe, so haben sich doch in dem Saamen tragenden Thyrsus keine Bläschen entwickelt, sondern diese seyen statt Saamen zu geben, endlich gänzlich eingeschrumpft. Eben so seyen beim Mays nach Beschneidung der oberen Aehren zwar die unteren erschienen, aber ohne Körner. Der Morus trage zwar ohne eine männliche Pflanze in der Nähe, Beeren, aber keinen fruchtbaren Saamen; eben so verhalte es sich bei Spinachia und Mercurialis. Bei den Thieren seye doch die Geschlechts-Verschiedenheit gänzlich angenommen, und es sey bekannt, daß zur Zeugung, der männliche Saamen durchaus nöthig sey. Im Pflanzenreich geschehe in den Blumen keine Fortpflanzung, wenn nicht die apices dieselben gehörig zubereitet haben. Jene könne man daher männliche Geschlechtstheile, das Saamengefäß und seinen Griffel, weibliche nennen. Auch in dem Thierreich gebe es Hermaphroditen, welche beiderlei Geschlechtstheile besizen, wie die Cochleae und die Testacea. Bei den Thieren erscheinen die ersten Lineamente des Jungen nach der Befruchtung; bei den Pflanzen komme eben so der neue Foetus erst nach dem Abblühen zum Vorschein. Bei einigen Thieren, wie bei den Fischen, geschehe die Befruchtung der Eier durch den männlichen Saamen, nachdem sie schon aus dem Leibe des Weibchen entfernt seyen; wenn die Hühner ohne vorausgegangene Befruchtung Eyer legen, so seyen dieses unfruchtbare Windeyer, gerade so, wie die Bläschen in dem Saamenbehälter der Pflanzen unfruchtbar bleiben, die von dem männlichen Princip nicht berührt worden seyen.

Troz aller dieser Beweise für die Sexualität der Pflanzen verkennt er doch einige Schwierigkeiten nicht, welche sich dieser Theorie entgegen stellen. Im Equisetum entwickle sich eine Menge Pollen, aber weibliche Geschlechtstheile und Saamen seyen nicht da, eben so beim Lycopodium. Bei den unvollkommenen Pflanzen seye indessen die Entstehung und die Fortpflanzung mehr im Dunkeln. Ferner glaube er fruchttragende Weibchen gesehen zu haben, ohne daß die männliche Theile vorausgegangen wären. Vom Mays seyen zwar zwei Aehren nach dem obenangeführten Verfahren unfruchtbar geblieben, aber die dritte habe troz dem, daß die männlichen Aehren vorsichtig abgeschnitten gewesen, eilf fruchtbare mit ihrer plantula versehene Saamen hervorgebracht. Drei in den Garten verpflanzte weibliche Hanfpflanzen haben von allen männlichen getrennt, doch eine Menge Saamen getragen, ja sogar bei aus dem Saamen gezogenen gänzlich einzeln stehenden Pflanzen, wo bei den männlichen ganz frühe die Blumen abgeschnitten worden, seyen zwar viele unfruchtbare Saamen, die keine plantula enthalten hätten, aber auch mehrere fruchtbare erschienen, und zwar vorzüglich diejenigen, welche dem Stengel am nächsten, und die ersten im Wachsthume gewesen seyen.

Eine das Ganze schliessende Ode beginnt mit den Worten:

> Novi canamus regna cupidinis,
> Novos amores, gaudia non prius
> Audita plantarum, latentes
> Igniculos, veneremque miram.

Seine Abhandlungen über Gegenstände der practischen Medicin scheinen mehr ordnend und kritisch, als aus einer Fülle von Erfahrungen geschöpft zu seyn.

Einer der ausgezeichnetsten Lehrer des achtzehnten Jahrhunderts war Burkhard David

Mauchart *), der als Anatom und Chirurg ganz der neueren Zeit angehört, in welcher anatomische Kenntnisse die Grundlage des chirurgischen Heilverfahrens und selbst physiologischer Ansichten sind. Er ist Verfasser einer solchen Menge augenärztlicher Abhandlungen, daß alle übrigen seit Stiftung der Universität bis auf den heutigen Tag gelieferten, ihnen an Zahl wohl nicht gleich kommen.

Die Inaugural-Disputation desselben de ophthalmoxysi 1726 liefert zugleich die Geschichte seiner Studien in der Augenheilkunde. An dem Hospital des quinze-vingt zu Paris, welchem dazumal Woolhuse vorstund, erweiterte er durch Privat-Collegien bei eben diesem und unter dessen Aufsicht angestellte Operationen in einem Zeitraume von zwei Jahren seine Kenntnisse in dieser

*) Geboren zu Marbach 1696, im Gymnasium zu Stuttgart gebildet, studiert hier seit 1712, geht hierauf nach Altorf, und disputirt unter Heister (de vera glandulae appellatione 1718), reist nach Strasburg und Paris, wo er zwei Jahre verweilet, disputirt nach seiner Rückkehr zu Tübingen de Hernia incarcerata unter Elias Cammerer 1721, wird herzoglicher Hofmedicus, ordentl. Professor der Anatomie und Chirurgie 1726, nach Ablehnung eines zweiten sehr vortheilhaften Rufes in's Ausland, herzoglicher Rath und Leibmedicus 1729, später Mitglied der k. Academie der Naturforscher; stirbt 1751.

Disciplin, in der er schon unter Heister in Altdorf einen guten Grund gelegt hatte.

Es wird in dieser Schrift ein Commentar über die Stelle der hippocratischen Schrift περι ὄψιος geliefert: „cum autem oculi palpebras radis lana milesia, crispa, pura, circa fusum convoluta radito, ea cautione adhibita, ut oculi coronam evites, et ne ad cartilaginem peruras. Satis derasam esse palpebram indicio est, si non amplius sincerus sanguis, sed sanies cruenta et aquosa effluat.“

Diese Stelle sey zuerst von Woolhuse richtig erklärt worden; früher habe man das Wort ατρακτον als Spindel übersezt, was doch so viel als ατρακτυλης, eine Art stechender Distel, die zum Einschneiden und scarificiren ganz tauglich sey, bedeute; die umgewickelte milesische Wolle habe nicht allein dazu gedient, das zu tiefe Eindringen der Stacheln zu verhindern, sondern auch die Finger des Chirurgen zu schüzen.

Woolhuse gebrauche jezt sein βλεφαροξυστρον κατ᾽ ἐξοχην, was wie ein Löffel gestaltet und von Stahl sey, und an seiner convexen Oberfläche kleine scharfe Hervorragungen wie eine Feile habe. Vorzüglich in folgenden Krankheiten seye jene specifische Scarification von Nuzen, in der taraxis, ophthalmia, chemosis, varices, contusionen, gangrän, emphysem, acanthis, stagnatio humorum, lippitudo arida, ophthalmia tabida, atrophia oculi, einigen Arten der gutta serena, dem hypopyon, hypohaema, in psorosis, bei unreinen Geschwüren, im Ectropium und ptilosis tarsorum, atonie der Ausführungsgänge der Thränendrüse, und. phtysis pupillae. In einer nicht unter seinem Praesidio erschienenen, jedoch von ihm (nach einer von seiner Hand an den Rand beigefügten Bemerkung) verfaßten Abhandlung de Ectropio 1733 giebt er folgende Ursachen von diesem als die nächsten und unmittelbaren an: starke Zurückziehung der Hautfasern am Auglied durch Verbrennungen, Narben; Verkürzung und Verzehrung, besonders der äußern Muskelfasern des M. orbicularis, Laxität, Turgescenz und fleischige Auswüchse an der innern Haut des Augliedes, ein aufgetriebener und hervorragender bulbus, ein schwammigter Auswuchs aus dem Aug oder der Augenhöhle, ob paralysis des M. orbicularis am untern Auglied Ectropium hervorbringen könne, seye noch problematisch. Wie sehr er gewohnt gewesen, die Pathologie des Auges auf eine gründliche anatomische Untersuchung zu bauen, beweisen vornehmlich zwei kurz nach einander erschienene Abhandlungen, Corneae examen anatomico-physiologicum, und de Maculis corneae, earumque operatione chirurgica, im Jahre 1743.

Die erstere Abhandlung enthält auf 36 Seiten eine so genaue Beschreibung der Cornea und ihrer Krankheiten, daß selbst die heutigen Anatomen wenig beizufügen wissen würden.

Als von andern Augenärzten noch gar nicht angeführt, stellt er unter dem Namen γεροντοξον arcus senilis, diejenige Verdunklung auf, welche sich bei alten Leuten rings am Rande der Cornea, ungefähr eine Linie tief gegen die Mitte derselben erstreckt.

Bei der Heilung der Krankheiten der Cornea hat er die Erfahrung gemacht, daß Flecken und selbst Leucome von der Peripherie gegen die Mitte zu sich leicht aufhellen, daß die Verdunklung aber in der Mitte am hartnäckigsten ist, und hier meistens noch etwas zurückläßt. Als eine, wenn auch nicht mißlungene, so doch unzweckmäßige Arbeit muß seine Abhandlung über die Blindheit des Tobias und deren Heilung angesehen werden, (Tobiae Leucomata Diss. 1743) worin er zuerst betrachtet, welche Vogel-Species es wohl gewesen, namentlich ob ein Sperling oder eine Schwalbe, welche die Augen des Tobias dermassen bekleistert habe, daß ein Leucom davon die Folge gewesen, und dann zu erklären sucht, wie die Fischgalle bei der Heilung gewirkt habe.

Eine sehr wichtige Abhandluug ist die Diss. de hypopyo 1742, mit welcher eine andre im gleichen Jahr erschienene de Empyesi oculi in Verbindung steht. Hypopyum nennt er eine Eiteransammlung in der vorderen Augenkammer, zwischen Cornea und Iris; Empyesis oder Diapyesis, eine ähnliche Ansammlung in der hinteren Augenkammer zwischen Uvea und Linse.

Als nächste Ursache des Hypopyum betrachtet er zwischen den Lamellen der Cornea gebildete und nach innen ausgebrochene Abscesse, Pusteln an dem äusseren Umkreise der Cornea, Ulceration an deren innerer Oberfläche, Abscesse und Pusteln an der hinteren oder vorderen Fläche der Uvea, und in die vordere Augenkammer extravasirtes und in Eiter übergehendes Blut. Unter den therapeutischen Mitteln wird auch die Ausleerung des Eiters durch einen Einstich mit der Woolhusischen Nadel empfohlen. Nicht uninteressante Krankengeschichten schliessen das Ganze.

Doch es würde die Gränzen dieses Werkes zu sehr übersteigen, auch nur von den übrigen bedeutendern Dissertationen dieses Meisters Inhalts-Anzeigen zu liefern, in welchen er dem frühe gefaßten Plane, die Lehre von den Augenkrankheiten theoretisch und practisch aufzuklären, in einem Zeitraume von 25 Jahren durch eine Reihe gelehrter und schön geschriebener Abhandlungen, ein Genüge leistete.

Aber nicht allein über die Ophthalmojatrik erstreckten sich seine Bemühungen, sondern auch über andere Theile der Medicin. In der Anatomie, von welcher er gleichfalls Professor war, tragen noch die ligamenta transversa et alaria nuchae seinen Namen, (beschrieben in, Capitis articulatio cum prima et secunda vertebra Diss. 1747 und de Luxatione nuchae 1747.) und beinahe in allen seinen Schriften erkennt man den trefflichen Anatomen. Auch über die Entzündung, Legal = Inspektionen, den Gebrauch des Haarseiles, Scirrhus oesophagi, den intermittirenden Puls, eingeklemmte Brüche ꝛc. schrieb er mit Erfolg, und selbst die Thierarzneikunde verdankt ihm zwei sehr gelungene Beschreibungen der Rinderpest, (de lue vaccarum Tubingensi 1745) welche in diesem Jahr, damals wie heut zu Tage, durch die ungarischen Ochsen der österreichischen Truppen nach Schwaben und andere Gegenden Deutschlands gebracht, in Württemberg und namentlich in den benachbarten Dörfern von Tübingen große Verheerungen anrichtete.

Was im 17ten Jahrhunderte die Cammerer für die Universität waren, das leisteten im 18ten die Gmelin. Der berühmteste von ihnen ist Joh. Georg Gmelin *), gewöhnlich auch der ältere genannt. Seine Flora sibirica, wie auch seine Reise nach Sibirien, (4 Bde), sind

*) Geboren zu Tübingen 1709, wird Licentiat der Medicin 1727, geht in demselben Jahre nach Petersburg, wird daselbst an der Akademie Professor der Chemie und Naturgeschichte; durchreist auf Befehl der Kaiserin Anna, 10 Jahre lang, von 1733 — 43, Sibirien mehrmals, und in allen Richtungen, oft unter den größten Beschwerlichkeiten; erhält die Erlaubniß, auf ein Jahr in sein Vaterland zurückzugehen 1747, wird ordentlicher Prof. der Botanik und Chemie zu Tübingen 1749, stirbt 1755.

bleibende Denkmale einer unermüdeten Forschung und umfassender Gelehrsamkeit. Leider war er nach seiner Rückkehr aus Rußland nur sechs Jahre lang Professor hier, in welchen er in zahlreichen akademischen Schriften, sowohl für die Naturwissenschaften, als auch für die praktische Medicin, unermüdet thätig war. Seine Diss. de Rhabarbaro officinarum 1754 liefert noch heut zu Tage die besten Nachrichten über diesen wichtigen Handelsartikel, über welchen er sich selbst an der chinesischen Gränze zu Kiachta unterrichtet hatte. Er betrachtet jene Wurzel aus dem naturhistorischen, wie dem medicinisch-praktischen Gesichtspunkte. Auf gleiche Weise behandelt er (de cortic. peruv. in febribus interm. 1754) die China. In einer Abhandlung de Coffea 1752 giebt er diesem Getränke Schuld, den damals herrschenden Friesel vermehrt zu haben. In Betreff der zu jener Zeit noch sehr häufig angenommenen geheimen Harnwege erklärt er, daß die Schnelligkeit der Harn-Secretion ganz durch die Lehre vom Kreislauf zu begreifen sey. (de viis urinae ordinariis et extraord. 1753.)

Von seinen Einsichten in die praktische Medicin giebt eine treffliche Diss. de febre miliari 1752 et de tactu pulsus 1753 Zeugniß. Ausserdem schrieb er manches über physikalische und chemische Gegenstände.

Noch neben diesem, ihn aber lange überlebend, lehrte die Chemie und Botanik sein Bruder

Philipp Friedrich Gmelin *), Verfasser der Otia botanica, Onomatologia medica, und Onomatologia historiae naturalis, und vieler akademischer und anderer Abhandlungen in den Tübinger Berichten von gelehrten Sachen, wie auch mehrerer Aufsäze in den philosophischen Transactionen.

Der Universität gehört ebenfalls an, nicht durch seine Leistungen als Lehrer, da er seinem Lehramt, zu welchem er schon ernannt war, durch frühzeitigen Tod entrissen wurde, als vielmehr durch seinen Ursprung, und die hier erhaltene Bildung, Samuel Gottlieb Gmelin, ein Neffe der vorigen **).

---

*) Geb. zu Tübingen 1722, studiert hier, wird Licent. der Medicin 1742, macht Reisen durch Deutschland, Holland, England; nach seiner Rückkehr prakticirt er, und giebt akademischen Privat-Unterricht, wird Prof. Medic. extraord. wie auch Stadt-, Amts- und Kloster-Physikus zu Bebenhausen 1750, Prof. ord. der Chemie und Botanik 1755, stirbt 1768.

**) Geboren zu Tübingen 1744, machte, nachdem er hier Medicin studiert hatte, im Jahre 1763 Reisen durch Holland und Frankreich, und wurde im Jahre 1767 Professor der Naturgeschichte bei der Akademie zu Petersburg. Von hier aus stellte er auf Befehl der Kaiserin Katharina in den Jahren 1768 bis 1772. seine interessante Reise durch das südliche Rußland nach Tscherkask, der Hauptstadt der donischen Co-

Nur kurze Zeit lehrte zu Tübingen der später nach Göttingen versezte Joh. Friedr. Gmelin*), schon dazumal Verfasser mehrerer Abhandlungen über Botanik und Chemie und namentlich auch der bis auf den heutigen Tag durch keine neuere ersezten Enumeratio stirpium agro Tubingensi indigenarum. Tub. 1772.

Die Bescheidenheit verbietet über die Leistungen der späteren, zum Theil ganz der neueren Zeit angehörigen Lehrer zu urtheilen, und wir fassen uns kurz über dieselben, da wir ihre Ver-

---

saken, und in das nördliche Persien an. Nicht allein, wie der Titel seiner Reise durch Rußland angiebt, über alle drei Reiche der Natur erstrecken sich seine Forschungen, sondern auch über die Sitten, Geschichte und die Krankheiten der bereisten Länder. Schon im Jahre 1768 wurde er vom Herzog Karl auf den Fall seiner Rückkehr zum Prof. der Botanik, und im Jahre 1772 auch noch zum Prof. der Chemie ernannt. Im Jahre 1773 bereiste er die gefährliche Ostseite des caspischen Meeres, wurde auf der Rückreise 1774 von dem Chan der Chaitaken in Verhaft genommen, wo er am 27. Juli d. J. an der Ruhr starb. Ausser seiner Reisebeschreibung durch Rußland ist noch wichtig seine Historia fucorum Petrop. 1768.

*) Geboren zu Tübingen 1748, wird Doct. Med. 1769, reist hierauf durch Holland, England, Deutschland, wird Prof. Medic. extraord. 1772, geht um Ostern 1775 als Prof. Med. extraord. und Philos. ord. nach Göttingen.

dienste, als noch in frischem Andenken stehend, voraussezen dürfen.

Fruchtbarer Schriftsteller und vieljähriger Lehrer der Anatomie, Chirurgie und Geburtshilfe, war Georg Friedrich Sigwart *). Ueber seine zahlreichen Schriften siehe Böck p. 243.

Einer der ausgezeichnetsten Gelehrten, welche die Universität je besaß, war Christian Friedrich Jäger *). Ueber beinahe alle Theile der Medicin, die theoretischen wie die praktischen, erstreckte sich sein Unterricht und seine schriftstellerische Thätigkeit, von welcher zahlreiche Dissertationen Zeugen sind. Im Jahre 1780 als herzoglicher Leibmedicus nach Stuttgardt versezt, war er viele Jahre für die Medicinal-Angelegenheiten des Landes wirksam, und die Zierde des Medicinal-Collegiums.

*) Geboren 1711, studiert im Theol. Seminarium, wird Magister 1731, Catechet am Frankfurter Waisenhause, studiert Medicin zu Leipzig und Halle, wird Doktor am lezteren Orte 1742, praktizirt hierauf zu Stuttgardt, und wird herzogl. Hofmedicus 1746, reist als ernannter Prof. der Medicin zu Tübingen nach Paris 1751, tritt sein Amt an 1753, stirbt 1795.

*) Geboren zu Stuttgardt 1739, studiert zu Denkendorf und Maulbronn, kommt in's Seminar dahier, wird Magister 1758, geht zur Medicin über 1760, die er hier, zu Leyden, Berlin und Wien studiert, wird Prof. extraord. 1767, Prof. ord. 1768, Leibmedicus, Mitglied der Sanitäts-Deputation 1780, stirbt 1808.

Eine lange Reihe von Jahren stund den Hauptfächern der Medicin vor: Wilhelm Gottfried Ploucquet *), ein Kenner und Schäzer der Alten, ein Mann von eisernem Fleiße, fruchtbarer Schriftsteller über alle Theile der Arzneikunde, vorzüglich die gerichtliche, und ein praktischer Arzt von ausgezeichnetem Geiste und Glücke. Ein Werk des rühmlichsten, ganz Deutschland zur Ehre gereichenden Fleißes, das mehr im Ausland, namentlich in Frankreich und England, bekannt geworden ist, als es sonst mit teutschen Schriften zu geschehen pflegt, hat er in seinem Repertorium medicum geliefert.

Zu früh für die Wissenschaft wurde Tübingen entrissen der treffliche Clossius **), der als Be-

*) Geboren zu Röthenberg den 20. Dezember 1744, studiert hier Philosophie, wird Magister 1761, hört hierauf theologische Vorlesungen, geht zur Medicin über 1762, reist deßhalb nach Strasburg, und widmet sich hier einen ganzen Winter der Anatomie, 1763 kehrt er hieher zurück, wird Doctor 1766; besucht hierauf die Universität Leyden, wird Prof. extraord.; Prof. ord. 1782, stirbt 1814.

**) Karl Friedrich Clossius, geboren den 25. März 1768, zu Honsholredyk bei Haag, einem dem Prinzen von Oranien gehörigen Lustschlosse, wo sich sein Vater, der als Schriftsteller und Arzt bekannte Johann Friedrich Clossius, damals aufhielt. Sein Vater konnte in seiner Lage für die Erziehung

der der seither bedeutend vermehrten anato-
)=pathologischen Sammlung, und eines von
n nie mehr erstorbenen Eifers für die anato-
chen Studien anzusehen ist.

Beim Schluße dieser Betrachtungen kann die
nerkung nicht unterdrückt werden, daß seit der
ftung der Universität bis gegen das Ende des
ten Jahrhunderts hin, der anatomische Unter-
)t sehr mangelhaft geblieben ist. (siehe Froriep
er die anatomischen Anstalten zu Tübingen 1811).
or Fuchsens Zeit wurde nur alle 3 — 4 Jahre

des Sohns nicht sorgen, und schickte ihn schon im zweiten Jahre seines Alters nach Württemberg, seinem Vaterlande, wo er zu Kirchheim unter Teck bis in sein vierzehntes Jahr die dortige Schule besuchte; hierauf studierte er die Medicin und Chirurgie auf den hohen Schulen zu Tübingen, Berlin, Würzburg und Marburg von 1782 — 1790; wurde in dem kurzen Feldzuge der preußischen Armee, der sich mit dem pillnitzer Friedensschluß endigte, Ober-Staabs-Chirurgus 1790 und 1791, erhielt von der Universität Marburg honoris causa das Diplom eines Doctors der Medicin und Chirurgie 1792, ausserordentlicher Professor der Anatomie und Chirurgie an hiesiger Universität 1792, da er im Begriff war, die ihm von den Reichsgrafen von Hochberg-Fürstenberg in Schlesien angetragene Stelle eines Leibarztes anzutreten, Administrator des neuerrichteten clinischen, medicinisch-chirurgischen Instituts 1793, ord. Prof. 1795, gest. den 10. Mai 1797.

einmal, und erst von da an, alljährlich eine Leichenöffnung vorgenommen. Erst durch Fuchs wurde das elende Lehrbuch des Mondini de Luzzi (Prof. zu Bologna) von 1318 abgeschafft. Allein dieser Vorwurf, mangelhaften anatomischen Unterrichtes in den frühern Zeiten, trifft nicht allein Tübingen, sondern alle Universitäten überhaupt. Namentlich wurde in Padua noch lange über den Mondinus gelesen, als Fuchs schon sein eigenes weit besseres anatomisches Handbuch herausgegeben hatte, und auch auf anderen Universitäten wurden nach dem Zeugniß Sprengel's, jährlich nicht mehr als eine oder ein Paar Sectionen vorgenommen.

Obgleich schon seit dem Jahre 1601 von verschiedenen Amteyen aus die Leichname der Verbrecher hieher geschafft werden sollten, so blieben doch lange, und selbst bis in das 18te Jahrhundert herein, die Leichenöffnungen etwas so seltenes, daß noch im Jahre 1691 und 1692 die erfreuliche Ankunft eines Cadavers jedesmal durch einen öffentlichen Anschlag bekannt gemacht wurde, und daß noch im Jahre 1726 B. D. Mauchart in einem eigenen Programm zu Section zweier Subjekte einladen konnte. Wie sehr, besonders seit dem Clossius (im J. 1792) und von Autenrieth den Lehrstuhl der Anatomie beklei ete, das anatomische Studium zugenommen habe, beweist vorzüglich die Zahl der hieher kommenden Cadaver, welche jährlich ohngefähr achtzig beträgt.

Als Haupt-Resultat in Betreff der literarischen Wirksamkeit der medicinischen Facultät scheint sich endlich folgendes zu ergeben: Es ist wahr, sehr lange erhielten sich in Tübingen die Galenischen Ansichten, und die sonst als tausendjährig angenommene Herrschaft des Pergameners erstreckte sich hier noch über diesen Zeitraum hinaus. So wie aber mit dem Wiederaufleben der classischen Literatur die hippocratische Medicin und eine empirische Betrachtungsweise der Natur in ihre Rechte wiederum eingesezt wurden, so hielt Tübingen mit den übrigen deutschen Universitäten stets gleichen Schritt. Als im 18ten Jahrhundert die Naturwissenschaften, wie Botanik, Chemie und Physik, nothwendige Hülfsmittel und die Grundlage der theoretischen Arzneikunde wurden, so zeichnete sich Tübingen rühmlich aus. Zeugen deß sind die Namen der Cammerer, Mauchart, der Gmelin, Jäger. Nie hat man sich in Tübingen in der neueren Zeit in der praktischen Medicin von dem hippocratischen Erfahrungswege entfernt, und sich nie nuzlosen Speculationen und idealischen Träumereien hingegeben. Möge immer in dieser Facultät der Geist fleißiger und nüchterner Natur-Beobachtung und eines auf die reine Erfahrung gegründeten Heilverfahrens wehen.

# Fünfter Abschnitt.

## Lebensskizze noch lebender Tübinger Professoren und Privat-Dozenten.

## Erste Abtheilung.

### Evangelisch-theologische Facultät.

### A. Anderswo angestellte Lehrer.

Dr. Karl Christian Flatt, Stiftsprediger und Ober-Konsistorial-Rath zu Stuttgart, Mitglied des Studienraths. Geboren zu Stuttgart den 18. August 1772. Wurde bis zum 9ten Jahre von seinem Vater unterrichtet, kam dann in die Schule nach Kirchheim unter Teck, deren erster Lehrer damals sein Schwager, Präceptor Seiz, war, besuchte von 1785 bis 1789 das Gymnasium in Stuttgart, blieb dann bis zum Herbst 1794 im theologischen Seminar zu Tübingen, und erstand die Konsistorial-Prüfung im November 1794, begleitete hierauf bis zum Frühling 1796 die Stelle eines Hofmeisters bei dem landschaftlichen Konsulenten, jezt Gesandten zu Paris, Abel; reiste dann anderthalb Jahre bis 1797 durch einen Theil Deutschlands, brachte den größten Theil zu Göttingen zu. Wurde 1798 Bibliothekar des hiesigen Seminariums, und am Ende des Jahrs Repetent bis Ostern 1803, wo er Vikar in Stuttgart, theils an den Kirchen, theils am obern Gymnasium wurde, im Dezember 1803 Diakonus in Kannstadt, begleitete aber diese Stelle nur einen Monat, bekam 1804 einen Ruf als Professor der Theologie zu Heidelberg, lehnte ihn aber ab, weil ihm zu gleicher Zeit die Stelle eines ausserordentlichen Professors und vierten Frühpredigers zu Tübingen übertragen wurde; im Herbst 1805 dritter ordentlicher Professor der Theologie und zweiter Superattendent des theologischen Seminars, wo er 1812 ohne sein Gesuch, die Stelle eines Stiftspredigers und Ober-Konsistorial-Raths, und im folgenden Jahre noch die Stelle eines StudienRaths erhielt. Die von ihm herausgegebenen Schriften (ausser Rezensionen in den Tübinger gelehrten Anzeigen von 1798 — 1808, und einigen Aufsäzen in theologischen Zeitschriften, die nicht mit seinem Namen bezeichnet sind) sind folgende:

Dissertatio de actione vocis βασιλεια των ουρανων ex ipsis Christi dictis eruta. Tub. 1794. Philosophisch-exegetische Untersuchungen über die Lehre von der Versöhnung der Menschen mit Gott. 1. Theil. Göttingen 1797. 2. Theil, Stuttgart 1798. (Eine Schrift, deren eigenthümliche Hauptideen von dem Verfasser zurückgenommen worden sind, wie er theils in seinen Vorlesungen bewiesen, theils in spätern Schriften angedeutet hat.) Fragmentarische Bemerkungen gegen den Kantischen und Kiesewetterschen Grundriß der allgemeinen Logik. Ein Beitrag zur Vervollkommnung dieser Wissenschaft. Tübingen. 1802. Storr's Lehrbuch der christlichen Dogmatik in's Deutsche übersetzt, mit Erläuterungen und literarischen Zusätzen. Stuttgart 1803. Zweite Auflage, vermehrt und verbessert. Erster Theil 1812. Dissertatio de Pauli Apostoli cum Jesu Christo consensu. P. I. II. Tub. 1804. Spicilegium Observationum ad epistolam Jacobi catholicam. Tub. 1806. Programma natalitium, quo genuina secundae Petri epistolae denuo defenditur. Tub. 1806. Symbolarum ad illustranda graviora quaedam Jesu dicta in evangelio Joanneo, Pars I. 1807. Pars II. 1808. Dissertatio historico-exegetica, qua variae de Antichristis et Pseudoprophetis in prima Joannis epistola notatis sententiae modesto examini subjiciuntur. Tub. 1809. Observationes exegetico-dogmaticae ad historiam ortus Jesu. Luc. 1, 26—38. relatam. Pars I. 1809. P. II. 1810. Observationes ad Matth. XXIV. XXV. Tub. 1811. Abhandlungen im Tübinger Magazin für christliche Dogmatik und Moral. Stück 1 — 16. 1796 — 1810. Wie ist der absolut göttliche Inhalt einer angeblichen Offenbarung erkennbar? Stück 1. n. 2. Prüfung einer neuen Theorie über Belohnungen und Strafen. Stück 2. n. 6. Philosophische und historisch-exegetische Bemerkungen über die Wunder Christi. Stück 3. n. 1. Etwas zur Apologie der Mosaischen Religion in Beziehung auf die Einwürfe in Kant's Religionslehre. Stück 3. n. 3. Briefe über Kant's, Forberg's und Fichte's Religions-Theorie. Stück 5. n. 4. Stück 6. n. 6. Noch etwas über die Parabel vom ungerechten Haushalter. Stück 6. n. 2. Ueber den Kanon des Eusebius. St. 7. n. 6. St. 8. n. 3. Ueber das Fundament des Glaubens an die Gottheit. St. 11. n. 9. Läßt sich die Ueberzeugung Jesu von der Gewißheit und moralischen Nothwendigkeit seines Todes aus einem ra-

istischen Gesichtspunkt betrachten? Stück 12. n. 1.
)trag: Noch etwas über die Ueberzeugung Jesu von
)ewißheit und moralischen Nothwendigkeit seines To-
.n Bengel's Archiv für die Theologie und ihre
te Literatur. B. 1. St. 1. n. 11.) Beitrag zu einer
rie der verbotenen Grade der Verwandtschaft in der
mit besonderer Rücksicht auf die Mosaischen Ehe-
ote. Stück 13. n. 4. Ueber das Wunder der Ver-
dlung von Wasser in Wein. Joh. 2, 1 — 11. St. 14.
. Etwas zur Vertheidigung des Wunders der Wie-
elebung des Lazarus. Joh. 11, 1 — 44. St. 14. n. 4.
igmatische Darstellung der Versuchungs-Geschichte Jesu,
t Beiträgen zur Beurtheilung der verschiedenen Ansich-
ı dieser Geschichte. Stück 15. n. 4. St. 16. n. 2. Be-
erkungen über Matth. 9, 6. Stück 16. n. 4. Ausser-
m sind noch im Druck erschienen: Einige praktische Auf-
ze in der Zeitschrift zur Nährung christlichen Sinnes.
erausgegeben von D. Ewald und D. C. C. Flatt. Stutt-
art. 1815 — 1819. Einzelne Predigten und Grabreden.

Dr. Friedr. Gottlieb von Süskind, Direktor des Königl. Württembergischen Studien-Raths, Ober-Konsistorial-Rath und Prälat, Kommandeur des K. Zivil-Verdienst-Ordens, und Ritter des Ordens der Württembergischen Krone. Geb. den 17. Februar 1767 zu Neustatt an der Linde, wo sein Vater Diakonus war. Nach dem frühen Tode desselben brachte er seine Jugendjahre in Stuttgart zu, besuchte das dortige Gymnasium und wurde im Jahre 1783 in das theologische Seminar zu Tübingen aufgenommen. Nach geendigtem fünfjährigen Studienlauf war er eine Zeitlang Vikar auf dem Lande, und gieng hierauf im Jahr 1790 nach Göttingen, wo er zehn Monate blieb, und sodann noch Helmstädt, Berlin, Halle, Leipzig, Jena ꝛc. besuchte. Nach seiner Rückkehr in das Vaterland im J. 1791 wurde er als Repetent in Tübingen, und im J. 1795 als Diakonus in Urach angestellt. Im J. 1798 wurde er, nachdem D. Storr von Tübingen nach Stuttgart berufen worden war, ausserordentlicher Professor der Theologie, Frühprediger und Mitglied des Inspektorats am theologischen Stift in Tübingen. Im J. 1804 ordentlicher Professor der Theologie, im J. 1805 Oberhofprediger und Konsistorial-Rath in Stuttgart, damit war zugleich die Stelle eines Mitgliedes des Ehegerichts verbunden; dazu kamen noch im Jahre 1806 die Stellen eines Raths in der Oberstudien-Direktion, und eines Feldprobst mit dem Charakter eines Prälaten, und im J. 1808 die eines Raths im Oberzensur-Kollegio. Im J. 1814 wurde er der Oberhofpredigers, und Feldprobststelle enthoben, und mit Beibehaltung seiner Stellen am Ober-Konsistorio und Oberzensur-Kollegio zum Director der Oberstudien-Direktion (jezt Studienraths) ernannt.

Schriften: (neben Rezensionen, besonders in den Tübingischen gelehrten Anzeigen, an welchen er eine ziemliche Reihe von Jahren Mitarbeiter war.) Ueber den aus Principien der praktischen Vernunft hergeleiteten Ueberzeugungsgrund von der Möglichkeit und Wirklichkeit einer Offenbarung — als Anzu der von ihm übersetzten Abhandlung Dr. Storr's Kant's philosophische Religionslehre. Tübing. 1794. ich einer Geschichte des Dogma vom Opfer des dmahls vom ersten Jahrhundert bis an's Ende des en. 1796. — in Schleusners und Stäudlins Göttin-r Bibliothek der neuesten theologischen Literatur. 2. Stück 2. 3. Ueber die Möglichkeit der Strahebung oder Sündenvergebung, nach Principien der ischen Vernunft. 1796. — in Dr. Flatt's Magazin hristliche Dogmatik und Moral. St. 1. Ueber das t der Vernunft in Ansehung der negativen Bestim-z des Inhalts einer Offenbarung. 1797. Ebendas. k 2. Ueber den Begriff und die Möglichkeit eines nders. 1797. — Ebend. St. 3. Ist unter der Sün-ergebung, welche das N. T. verspricht, Aufhebung Strafen zu verstehen? Eine exegetische Untersuchung. , 1798. — Ebendas. St. 3 u. 4. Antritts-Predigt übingen. 1798. Aus welchen Gründen nahm Irenäus Aechtheit unserer vier Evangelien an? 1800. — im t'schen Magazin. St. 6. Ob Jesus seine Auferste-g bestimmt vorhergesagt habe? 1801. — Ebend. St. 7. welchem Sinn hat Jesus die Göttlichkeit seiner Reli-s- und Sittenlehre behauptet? Tübingen 1802. (Eine sche Umarbeitung zweier im J. 1798 und 1801 erschie-n lateinischen akademischen Dissertationen.) Sym-e ad illustranda quaedam Evangeliorum loca, in drei emischen Dissertationen. Tübingen 1802, 1803, 1804. e beiden ersten sind wieder abgedruckt in Pott Sylloge mentationum theologicarum. Vol. 8. 1807.) Beitrag Vertheidigung der Aechtheit des Evangeliums Johan-1803. — Im Magazin für christliche Dogmatik und ral St. 9. dessen Herausgabe er von diesem Stück an übernommen hatte. Noch etwas über die moralische Möglichkeit der Aufhebung verdienter Sündenstrafen, 1803. Ebendas. Ueber das Verhältniß der Erzählung von der Wache am Grabe Jesu (Matth. 27, 28.) zur Wahrheit seiner Auferstehung. 1803. Ebendas. Ueber die neueren Ansichten der Stelle Joh. 1, 1—14. 1803. Ebend. St. 10. Ueber die jüdischen Begriffe vom Messias als Weltrichter und Todtenerwecker, und von seinem Reiche am Ende der Welt. 1803. Ebendas. Ueber die Aussprüche Jesu, in welchen er sich die Auferweckung der Todten, das allgemeine Weltgericht und ein Reich am Ende der Welt zuschreibt. 1803. Ebendas. Hat Jesus das heilige Abendmahl als einen mnemonischen Ritus angeordnet? 1804. Ebendas. St. 11. Noch Etwas zur Vertheidigung der Aechtheit des Evangeliums Johannis. 1804. Ebend. Ueber einige anscheinende Widersprüche im Evangelium Johannis in Absicht auf das Höhere in Christo. 1804. Ebend. Vermischte Bemerkungen. 1804. Ebend. Ueber die Gründe des Glaubens an eine Gottheit als ausserordentliche und für sich bestehende Intelligenz, in Beziehung auf das System der absoluten Identität. 1804, 1805. Ebend. St. 11. 12. Abschieds-Predigt in Tübingen. 1805. Ueber die Gränzen der Pflicht, keine Unwahrheit zu sagen. 1806. Im Magazin Stück 13. Ueber die Hypothese, daß Paulus, Röm. 5, 12 f., sich zu jüdischen Meinungen accommodirt habe. 1806. Ebend. Liturgie für die evangelisch-lutherische Kirche im Königreiche Württemberg. Stuttgart 1809. (von ihm theils selbst verfaßt, theils aus andern entlehnt und bearbeitet, und auf höhern Befehl herausgegeben.) Ueber die Eheverbote in der illegalen Affinität. 1810. Ebend. St. 16. Ueber die Pestalozzische Methode, und ihre Einführung in die Volksschulen.

1810. Prüfung der Schellingischen Lehre von Weltschöpfung, Freiheit, moralischem Guten und 1812. Im Magazin St. 17. (auch als besondere t herausgegeben.) Neuer Versuch über chronolog. punkte für die Apostelgeschichte und für das Leben 1815. In Dr. Bengel's Archiv für die Theologie. Stück 1 u. 2.

r. Christian Friedrich von Schnur- Prälat, Kanzler, und Probst (im Ruhe- ), Ritter des Königl. Zivil-Verdienst- s, korrespondirendes Mitglied des fran- en Nat. Instituts, Mitglied der Göttin- Sozietät und der Akademie zu München. )ren den 28. Oktober 1742 zu Kann- studirte im Gymnasium zu Stuttgart, den rschulen zu Maulbronn und Denkendorf, dann eminarium zu Tübingen bis 1765; Mit- des theologischen Repetenten-Kollegiums zu ngen, reiste bis 1770 durch Deutschland, nd, England und Frankreich, wurde 1770 Hofmeister der herzoglichen Edelknaben zu gart, 1772 ausserordentlicher Professor, ordentlicher Professor der philosophischen tät, 1777 Ephorus des theologischen Stifts, t 1805 das Doktor-Diplom von der theolo- n Facultät zu Würzburg, 1806 Kanzler, it und Prof. primarius, 1808 Ritter des Verdienst-Ordens, 1815 — 17 Mitglied der de-Versammlung, u. 1817 in den Ruhestand t. Schriften: Vindiciae veritatis revelatae ab insultibus libelli, Catéchisme de l'honnête homme. Tub. 1765. 4. Dissertat. de Codicum hebr. Vet. test. Ms. aetate difficulter determinanda. ib. 1772. Diss. in canticum Deborae. Judic. V. ib. 1775. 4. Rudimenta logicae sacrae A. I. F. Roos. ib. 1776. 4. Thesium inaug. pars philolog. critica ab anno 1772 ad 1792. 4. ib. Observationes ad quaedam loca proverbiorum Salomonis. 1776. 4. Animadvers. ad quaedam loca Psalmorum. Fasc. II. ib. 1778. 4. Diss. in Psalm. X. ib. 1779. 4. Diss. Historia Davidis. A. F. W. Hanser ib. 1780. 4. Diss. de Pentateucho Arabico-polyglotto. ib. 1780. 4. D. Animadv. ad vaticinia Jesajae. A. H. E. G. Paulus. ib. 1781. 4. Diss. Animadv. ad quaedam loca Jobi. Tub. 1781 et 1782. T. II. 4. D. de charactere poëtico Joëlis cum animadversionibus philologico criticis. A. C. P. Conz. ib. 1783. 4. Animadvers. philol. criticae ad vaticinia Michae ex collatione versionum graecarum reliquarumque in polyglottis Londinensibus editarum. A. J. G. Andler. ib. eod 4. Besorgte die Ausgabe von J. B. de Rossi. Specimen variarum lectionum sacri textus et chaldaica Estheris additamenta cum latina versione et notis edit. altera. Tub. 1783. 8. D. in Psalm. LXVIII. ib. 1784. 4. D. in Jesajae cap. XXVII. ib. 1785. 4. D. ad carmen Chabacuci. cap. III. ib. 1786. 4. D. in Psalmum VII. A. J. H. S. Harter. ibid. eod. 4. D. Obss. quaedam in Psalm. XXII. A. . . Kiechel. ib. 1787. 4. D. ad Obadiam. ib. eod. 4. D. ad Ezechielis cap. XXI. ib. 1788. 4. D. ad Psalm. CVII. ib. 1789. 4. Dissertationes philologico-criticae primum nunc cunctas. edidit. Chr. Fr. Schn. Gothae et Amstelodami 1790. 8. D. ad Psalm. LXXXVIII. Tub. 1790 4. (abgedruckt in Commentat. theol. Vol. I.) R. Tanchum Hierosolymitani ad libros Vet. Testam.

mentarii arabici specimen, una cum annotationibus ad
not loca libri Judicum. Tub. 1791. 4. Antiquissimi
rima malorum humanorum origine philosophematis
s. III. explicandi tentamen criticum et philosophi-
. A. F. G. J. Schelling. ibid. 1792. 4. Biographische
literarische Nachrichten von ehemaligen Lehrern der
äischen Literatur in Tübingen. Ulm 1792. 8. Ob-
ationes ad vaticinia Jeremiae. Partes IV. Tub. 1793
797. 4. (Sie stehen sämmtlich in Comment. theol. ed.
elthusen. T. II — V.) D. ad threnos Jeremiae.
. Otto. ib. 1795. 4. Erläuterungen der württ. Kir-
reformations- und Gelehrten-Geschichte. Ebendas.
. 8. Slavischer Bücherdruck in Württemberg im
zehnten Jahrhundert. Ein literarischer Bericht. Ebend.
9. 8. D. Bibliothecae arabicae specim. Partes VII.
1799 — 1806. 4. Bibliotheca arabica aucta nunc at-
integra edit. Halae ad Salam. 1811. 8. Progr. Obss.
Jesajam. Tub. 1807. 4. Progr. de ecclesia Maroni-
Part. II. ib. 1810 et 1811. 4. Aufsätze in Eich-
s Repertorium für bibl. und morgenländ. Lit.: Sa-
tanischer Briefwechsel (9. Theil 1781); Probe eines
ritanischen biblischen Commentars über 1. B. Mo-
9 (16. Th. 1785.); in Paulus neuem Repert. für
und morgenländ. Literatur: Probe aus dem samari-
schen Chronicon des Abul-Phatach (1. Th. 1790.); in
horn's allg. Bibl. der bibl. Literatur: Schreiben an
n Hofrath Eichhorn (3. B. 3. St. 1791.); auch ei-
über den samaritanisch-arabischen Pentateuch (3. B.
t.); Proben aus R. Jehuda Ben Karisch Anweisung,
Hebräische aus dem Arabischen zu erläutern (4. B.
. 1792.); in Paulus Memorabilien: noch eine Probe
dem samaritänischen Chronicon des Abul-Phatach,

arabisch und teutsch (2. St. S. 54 — 102. 1792.). Rezensionen in die Tübinger gelehrte Anzeigen, die er bis 1793 redigirte, und die Jenaer Lit. Zeit.

**Dr. Nathanael Friedrich Köstlin**, Dekan und Pfarrer der Hospitalkirche zu Stuttgart. Geb. zu Nürtingen den 17. Sept. 1776, kam 1790 in die niedern Klosterschulen, 1794 in das theologische Seminar zu Tübingen; wurde Magister der Philosophie 1796, Hofmeister 1801; war über fünf Jahre auf Reisen zu Braunschweig, Giessen und in der Schweiz; lehnte 1808 die Repetentenstelle im hiesigen Seminarium ab, vikarirte zu Stuttgart, und wurde in demselben Jahr Diakonus zu Tübingen, 1812 Archidiakonus und ausserordentlicher Professor der Theologie, im Herbst 1813 vierter ordentlicher Professor der Theologie mit der Bestimmung für die praktischen Fächer, und vierter Frühprediger; im Anfang des Jahres 1815 Dekan und Pfarrer der Hospital-Kirche zu Stuttgart.

Schriften: Dissert. de jurium humanorum origine et fundamento, 1796. Diss. Symbolae ad illustrandam Novi Testamenti de divina eaque morali mundi gubernatione doctrinam. 1799. Ausserdem mehrere Predigten und andere öffentliche Reden, worunter zwei zum Gedächtnisse der Höchstseligen Königin Katharina; eine bei der Grundlegung zu dem Katharinen-Hospital zu Stuttgart, und einige, die sich auf die neuerrichteten Beschäftigungs-Anstalten für arme Kinder beziehen.

Dr. Jonathan Friedr. Bahnmaier,
an und Stadtpfarrer zu Kirchheim unter Teck,
Titel und Rang eines ordentlichen Professors
Theologie. Geboren zu Oberstenfeld den
en Juli 1774; studirte 1792 — 1797 zu
ingen Philosophie und Theologie; wurde
gister 1794; Vikarius zu Oberstenfeld und Ru-
berg 1797; Repetent 1802; machte als
)er 1805 eine gelehrte Reise durch Deutsch-
) und die Schweiz; 1806 wurde er Diako-
in Marbach, wo er einen pädagogischen
r-Cursus für Schullehrer gab, 1810 zwei-
Diakon zu Ludwigsburg, 1814 erster Diakon
elbst und Bücher-Fiskal; in beiden lezteren
llen leitete er den didaktischen Theil der Schul-
erkonferenz, und einer Lehranstalt für er-
hsene Töchter gebildeter Stände, hielt auch
: eigene Söhneerziehungsanstalt in seinem
use; 1815 wurde er vierter ordentlicher Pro-
or der Theologie an der Universität Tübingen,
vierter Frühprediger, 1817 dritter ordentl.
f. und dritter Frühprediger; 1819 kam er
h Kirchheim u. T., nachdem er als Profes-
in Tübingen das dort bestehende Prediger-
stitut für Seminaristen und Stadtstudirende
chtet, und bis zu seiner Versezung geleitet,
h in den lezten Jahren die Inspection über
dortigen deutschen Schulen gehabt hatte.
hriften: Meletemata de miraculis Christi.
s. theol. Tub. 1797. Dissertatio inaugur. theol.,

sistens observationes in loca quaedam N. T., quibus insunt, quae ad efformandos animos moresque doctorum religionis Christianae pertinent. Tub. 1815. (Diese Materie wurde fortgesezt in 5 folgenden Fest-Programmen 1815 — 19.) Theses theologicae A. 1817. Züge zu Storr's Bild. Tüb. 1805. Ueber die Erwartungen des Volks Gottes in der gegenwärtigen Zeit. Stuttg. 1801. Die Hauptlehren der Religion Jesu für Confirmanden. Stuttg. 1809. Gesänge für die Jugend. Stuttg. 1809. Beschreibung einer Industrie-Anstalt ꝛc. Taschenbüchlein für nachdenkende junge Christen unserer Zeit. Tüb. 1815. Gesänge, in Deutschlands ernster, großer Zeit gesungen. Stuttg. u. Tüb. 1815. Lieder zum fröhlichen Mai gesitteter und christlicher Kinder. Tüb. 1816. Gesänge für christl. Feier vaterländischer Feste. 3te Ausg. Tüb. 1819. Kleine Blätter für Söhne u. Töchter. 4te Ausg. Tüb. 1821. Cäcilia, ein wöchentliches Familienblatt, für Christensinn und Christenfreuden. 2 Jahrgänge. Tüb. 1817 und 1818. Christliche Blätter aus Tübingen. 12 Hefte. Tüb. 1819 — 21. Rede nach der Beerdigung der Frau Professorin Steudel, geb. Flatt. Tüb. 1816. Trauerrede bei dem Begräbniß des Herrn Dr. Rüdiger. Tüb 1816. Ein kurzes Wort der Liebe und des Trostes, bei dem Leichenbegängniß des Hrn. Dr. Christ. Gottlieb Gmelin, Ober-Tribunal-Raths und Prof. der Rechte in Tübingen. 1818. Rede an dem Grabe der verwittibten Frau Pfarrerin Mohr von Plochingen. Tüb. 1818. Rede bei der Beerdigung des Herrn Staatsministers v. Norrmann. Tüb. 1819. Rede bei der Beerdigung des Herrn Dr. Emmert, Prof. der Medicin in Tübingen. 1819. Reden an Kinder und Erwachsene, bei verschiedenen Veranlassungen gesprochen. Tüb. 1818. Feier des dritten Säkularfestes der Reformation auf der

ersität Tübingen. Aus Auftrag des akademischen Se-
beschrieben. Tüb. 1818. Bruder Ulrich an die lieben
der der neuen Gemeinden in Württemberg. Stuttg. u.
1818. Evangelische Gesänge, gesammelt für Missions-
Bibelfreunde. Tüb. 1819. Predigt zum Gedächtnisse
verewigten Königin Katharina von Württemberg. 1819.
nmen der Liebe und Hoffnung, an Kathatina's Ge-
tnißtage in der Schloßkirche zu Tübingen gesungen.
kschrift des Prediger-Instituts in Tübingen, mit
inand Weckherlin's Leben. Tüb. 1818. Abschieds-
digt in Tübingen, und Antritts-predigt in Kirch-
i. Tüb. 1819. Was ich wollte unter den Studiren-
und im Prediger-Berufe. Eine Abschieds-Vorlesung.
. 1819. Rede bei der Einführung der neuen Ver-
ung. Tüb. 1819. Rede bei der Beerdigung des Hrn.
ullehrers Pantel in Kirchheim. Eßlingen 1820. Ueber
Diöcesan-Vereine in Württemberg, ihren Geist und
ck. Tüb. 1820. Aufsäze in Journalen, z. B. in Ama-
s Erholungsstunden, in den Basler Sammlungen für
haber. christl. Wahrheit und Gottseligkeit; in Bengel's
hiv B. II. S. 171. ff. Einige Bemerkungen über den
st und die Quellen des Separatismus, und die Mit-
ihm entgegen zu arbeiten. Auch haben alle — mit n
ichneten Recensionen in diesem Archiv ihn zum Verf.

## B. Noch hier befindliche.

Dr. Johann Friedrich von Flatt, *)
ilat, erster ordentlicher Professor der Theologie,
obst der St. Georgenkirche und erster Frühpre-
er, wie auch des theologischen Seminariums

*) Starb während des Drucks den 24. Nov. 1821.

erster Superattendent; geboren zu Tübingen den 20. Februar 1759; studirte am Gymnasium zu Stuttgart; kam in das theologische Seminarium zu Tübingen 1775; wurde Magister 1777. hielt sich nach Vollendung seiner Studien 1780 im theologischen Seminarium auf. Aufseher der Stiftsbibliothek 1781. Repetent 1782; machte eine gelehrte Reise im J. 1784 — 85. ausserordentlicher Professor der Philosophie an der Universität 1785. vierter ausserordentlicher Professor der Theologie und vierter Frühprediger, zugleich Stadtspezial und Stadtpfarrer 1792. auf sein Ansuchen wurde ihm das Stadtspezialat und die Stadtpfarrei abgenommen 1794. dritter ordentlicher Professor, dritter Frühprediger, und zweiter Superattendent vom theologischen Seminarium 1798. zweiter ordentlicher Professor und zweiter Frühprediger, wie auch erster Superattendent 1804. Ritter des Königl. Zivil-Verdienst-Ordens 1812, erhielt obige Stellen 1817. und den Charakter eines Prälaten 1820.

Schriften: Dissert. theol. (praes. D. et Prof. Theolog. ord. Uhland) in qua argumentum dogmatis de satisfactione Christi ex loco 1. Cor. XV. 17. 18. petitum enucleatur. Tub. 1780. 4. Observationes dogmatico-exegeticae ad loca quaedam N. T. graviora. ibid. 1782. 8. Vermischte Versuche, theol. krit. philos. Inhalts. Leipzig 1785. 8. D. philos. histor. de Theismo Thaleti Milesio abjudicando. Tub. 1785. 4. Fragmentarische Beiträge zur Bestimmung und Deduction des Begriffs und

Grundsatzes der Causalität und zur Grundlegung der natürlichen Theologie, in Beziehung auf die Kantische Philosophie. Leipz. 1788. 8. Commentatio, in qua symbolica ecclesiae nostrae de Deitate Christi sententia probatur et vindicatur. Goetting. 1788. 8. Briefe über den moralischen Erkenntnißgrund der Religion überhaupt, und besonders in Beziehung auf die Kantische Philosophie. Tüb. 1789. 8. Beiträge zur christl. Dogmatik u. Moral und zur Geschichte derselben. Ebend. 1792. 8. Observationes quaedam ad comparandam Kantianam disciplinam cum christiana doctrina pertinentes. ibid. 1792. 4. Huldigungspredigt, den 9. April 1794 in Tübingen gehalten. Ebend. 1794. 8. Beiträge zu dem Magazin für christliche Dogmatik und Moral, deren Geschichte und Anwendung im Vortrag der Religion. Tüb. 1796 — 1812. (das zuerst von ihm, und dann vom J. 1803 an, vom Herrn Direktor und Prälat Dr. Süskind herausgegeben wurde.) Wochenpredigten nebst einer Sonntagspredigt. Ebendas. 1797. 8. Zwei Confirmations-Predigten. Ebend. 1797. 8. Progr. Nonnulla ad quaestionem de tempore, quo Pauli ad Romanos epistola scripta sit, pertinentia. ib. 1798. 4. Progr. Symbolarum ad illustranda nonnulla ex iis Novi Test. locis, quae de παρουσια Christi agunt, partic. I. 1800. part. II. 1805. part. III. 1808. part. IV. 1812. ib. Diss. Annotationes ad loca quaedam epistolae Pauli ad Romanos. ibid. 1801. 4. Progr. Annotationes ad locum Pauli Apostoli I. Thess. XIV. 16. sq. coll. cum Apocal. XX. ibid. 1802. 4. Dissertat. Annotationes ad loca quaedam epistolae Pauli ad Ephesios. ibid. 1803. 4. Progr. Annotationes ad locum Gal. III. 16. ibid. 1804. 4. Predigt über Matth. 22, 1 — 14. im J. 1808 gehalten. Tüb. 1808. Progr. Observationes ad epistolam ad Co-

Iosienses pertinentes part. I. 1814. part. II. 1815. Progr. Annotationes ad verba Apostoli Pauli: Το οἰκητηριον ἡμων το ἐξ οὐρανου 2. Cor. V, 2. 1817. Rezensionen: in den Tübinger gelehrt. Anzeig., in der oberdeutschen Literaturzeitung, in Paulus Bibliothek von Anzeigen und Auszügen kleiner Schriften, in Stäudlin's theolog. Bibl. Ein Beitrag zu Eberhard's philosophischem Magazin. Ein Beitrag zu Paulus Memorabilien. Vorlesungen: 1) Philosophische und philologische: über die Logik, Psychologie, natürliche Theologie, Metaphysik, philosophische Encyclopädie, über einige von Cicero's philosophischen Büchern, und Epictets Enchiridion. 2) Theologische: über einen Theil der christlichen Dogmen, über die Apologetik, christliche Moral, einen Theil der Neu-Testamentlichen Schriften, über die symbolischen Bücher der Lutherischen Kirche, und über die dogmatischen Systeme einiger anderen christlichen Religionspartheyen.

Dr. Ernst Gottlieb Bengel, Prälat, zweiter ordentlicher Professor der Theologie, zweiter Frühprediger und Dekan der Stiftskirche, auch zweiter Superattendent des theologischen Seminars; geb. zu Zavelstein bei Calw den 3. November 1769; studirte zu Tübingen von 1785 bis 1791, erst in der Stadt, dann im theologischen Stift, 3 Jahre Philosophie und 3 Jahre Theologie; Magister der Philos. 1788, Bibliothekar im Stift 1792, Repetent 1793; machte eine literarische Reise durch Deutschland 1796 bis 1797; Vikar in Stuttgart 1798, Diakon in

Marbach 1800, vierter ausserordentlicher Prof. der Theologie und vierter Frühprediger in Tübingen, auch Doctor der Theologie 1806, ordentl. Prof. der Theol. und zugleich Mitglied des Ehegerichts 1810, dritter Prof. der Theologie, dritter Frühprediger und zweiter Superattendent des theolog. Seminars 1812, zweiter Prof. der Theol., zweiter Frühprediger und Dekan der Stiftskirche mit Beibehaltung der Superattendenz des Seminars 1817; erhielt den Charakter eines Prälaten 1820. Schriften: Dissert. inauguralis, ad introductiones in librum Psalmorum supplementa quaedam exhibens. Tub. 1806. Diss. historico-theol. quid in augenda immortalitatis doctrina religioni christianae ipsi hujus conditores tribuerint? Tub. 1808. Diss. hist. theol. quid doctrina de animorum immortalitate religioni christianae debeat? ex caussa natura et ex rebus factis monstrans, P. I. Tub. 1809. P. II. 1810. P. III. 1811. P. IV. Sect. I. et II. 1812. P. V. Sect. I. et II. 1813. P. VI. Sect. I. 1815. Sect. II. 1816. Sect. III. et ult. 1817. Interpretatio loci Paulini Rom. II. 11 — 16. (Progr. in fest. Christi natal.) Tub. 1813. Theses dogm. et exegeticae. Tub. 1814. Untersuchungen aus der jüd. und christlichen Religionsgeschichte, 1. Stück; auch unter dem Titel: Ueber das Alter der jüd. Proselytentaufe, eine hist. Untersuchung. Tüb. 1814. Operis in sacris reformandis peracti indoles religiosa magis quam politica defenditur et commendatur. (Progr. in festum Reformationis Luther. saeculare tertium) 1817, wieder abgedruckt in der Sammlung: Feier des dritten Säkularfestes der Reformation auf der Universität Tübingen, herausgegeben von Dr. Bahnmaier, Tüb. 1818. Observationes de Pauli ad rem christianam conversione Act. IX. 1—16. XXII. 3—16. XXVI. 9—20. narrata, P. I. 1819. P. II. 1820. (Progr. nat. Chr.) Abhandlungen in Zeitschriften: In der Eichhorn'schen Bibliothek für bibl. u. morgenl. Literatur, VII. Bdes 5. St. 1796. „Ueber die muthmaßliche Quelle der alten lat. Uebersezung des Buchs Sirach." Im Flattisch-Süskind'schen Magazin, VII. St. 1801. „Bemerkungen über den Versuch, das Christenthum aus dem Essäismus abzuleiten." Ebendas. XIV. XV. und XVI. Stück. 1808 u. 1810. „Ideen zur historisch-analytischen Erklärung des socinischen Lehrbegriffs." In dem Archiv für Theologie und ihre neueste Literatur, das er selbst herausgiebt, und von welchen jezt 4 je aus 3 Stücken bestehende Bände, 1815—1821, und vom 5ten (oder, nach dem neuen Titel, vom I. Bande des „Neuen Archivs für die Theologie") das 1. Stück erschienen sind: „Historisch-exeget. Bemerkungen über Matth. 11, 2—19." B. I. St. 3. 1816. „Einige Erläuterungen über die Taufe Johannis und Jesu, und das Alter der jüdischen Proselytentaufe, ein Nachtrag zu der historischen Untersuchung über dieses." II. Bd. St. 3. 1818. „Uebersicht der bedeutendsten Schriften über Luther und seine Reformation, aus Anlaß der Jubelfeier der Leztern." B. III. Stück 2. 3. B. IV. St. 1. 1819 u. 20. Einzelne Predigten und Reden: Predigt über Matth. 5, 1—16. in Dr. Bahnmaier's Cäcilia, II. B. 1818. Predigt am Reformations-Jubelfest. Rede an demselben im theol. Seminar. Rede zum Schlusse der akadem. Feier desselben, (sämmtlich abgedruckt in der schon erwähnten Bahnmaier'schen Sammlung). Rede bei der ersten jährlichen allgemeinen Versammlung der Tübinger Bibelgesellschaft, d. 21. Sept. 1820.

(in dem Bericht dieser Gesellschaft. Tüb. 1821.) Rezensionen: in der Jena'schen allg. Lit. Zeitung, in den Tübinger gelehrten Anzeigen, und in seinem theol. Archiv. Vorlesungen: (ausser den frühern über theol. Encyclopädie und Methodologie u. die Einl. in's A. T.) Dogmatik, Kirchengeschichte, Dogmengeschichte, Symbolik, Theologie des A. T., die drei ersten Evangelien, die Apostelgeschichte, und allgemeine Religions-Vorträge für Studirende aus allen Fakultäten.

Dr. Jakob Gottlieb Wurm, vierter ordentlicher Professor der Theologie und vierter Frühprediger; geb. zu Oberensingen den 9. November 1778; studirte in den Klöstern Blaubeuren und Bebenhausen; kam in das theologische Seminarium nach Tübingen 1797, wurde Magister 1799, Vikarius in Sielmingen 1802, in Linsenhofen 1803, Repetent 1804, Diakon in Mezingen 1808, Diakon in Tübingen 1814, ordentlicher Prof. der Theologie für die Lehrfächer der Dogmatik und Exegese mit Beibehaltung seiner Stelle als Diakon 1815, Doktor der Theol. 1816, vierter Professor der Theol. und vierter Frühprediger mit Enthebung von seiner Diakonatsstelle 1817. Schriften: Observationes ad philosophicam Kantii de hermeneutica sacra decretum. Tub. 1799. 4. Observationes ad dijudicandam S. R. Keilii sententiam de argumento loci Matth. XXV. 31 — 46. pertinentes. ibid. 1815. 4. Progr. Fest. Pasch. A. 1818, cui insunt nonnulla ad authentiam Evangelii Johannei vindicandam et momento suo ponderandam spectantia. Theses theologicae, disputationi publicae examinis theologici Candidatorum in semin. regio materiam praebiturae. Tub. 1818. Progr. fest. pasch. A. 1819, quo disseritur de locis quibusdam epistolae Pauli ad Romanos, resurrectionis J. C. mentionem facientibus. Progr. fest. pasch. A. 1820, quo commendatur resuscitati e mortuis J. C. memoria, evangelii praeconibus inprimis fructuosa, occasione loci apostolici II. Tim. II, 8 — 13. Progr. fest. pasch. A. 1821, cui inest commentatio historiae metamorphosis J. C. Rede nach der Beerdigung des Herrn M. Karl Friedrich Hartmann, resign. Dekans in Lauffen. Tüb. 1815. 8. Worte zur Empfehlung eines hochachtungsvollen, dankbaren Angedenkens an Herrn Joh. Friedr. Geß, Universitäts-Kameralverwalter. Ebend. 1816. 8. Worte am Grabe des Herrn Christ. Friedr. Geß, Kandidaten der Rechte in Tübingen. Ebend. 1818. Worte am Grabe des Herrn Dr. Georgii, Prof. der Medicin in Tüb. Ebend. 1819. 8. Worte bei der Leichenfeier des Herrn Dr. Rösler, Prof. der Geschichte in Tüb. Ebend. 1821. 8. (Noch einige andere Parentationen.) Predigt über Phil. 1, 3 — 11., gehalten am Abendmahlssonntag bei der 3ten Jubelfeier der Reformation, den 2. Nov. 1817. (steht in der Beschreibung der Feier des 3ten Säkularfestes der Reformation in Tübingen S. 112 ff.) Vorlesungen: Dogmatik, Einleitung in das neue Testament, theologische Literatur, Hermeneutik und Exegese des neuen Testaments.

Dr. Johann Christian Friedrich Steudel, fünfter ordentlicher Professor der Theologie; geboren zu Eßlingen den 25. Oktober 1779; studirte am Gymnasium zu Stuttgart; kam in das theologische Seminarium nach

Tübingen 1797; wurde Magister 1799, Vikarius zu Oberefslingen 1803, Repetent 1805; machte vorzüglich für den Zweck des Studiums der orientalischen Literatur eine gelehrte Reise 1808 und 1809; Vikarius in Stuttgart 1810, Helfer in Kannstadt im nämlichen Jahr, zweiter Diakonus zu Tübingen 1812, Oberhelfer daselbst 1814; ordentlicher Professor der Theologie für das Fach der biblischen Literatur mit Beibehaltung seiner Stelle als Oberhelfer 1815, interimistisch beauftragt mit dem Professorate der orientalischen Literatur 1816, fünfter ordentl. Prof. der Theol., namentlich für das Fach der Exegese des A. T. mit Beibehaltung seiner kirchlichen Stelle 1817. Schriften: Ueber Religionsvereinigung. Stuttgart. 1811. 8. Ueber die Haltbarkeit des Glaubens an geschichtliche höhere Offenbarung Gottes. Ebend. 1814. 8. Beitrag zur Kenntniß des Geistes gewisser Vermittler des Friedens zwischen der kathol. und protest. Kirche. Ein nöthiger Anhang zu seiner Schrift über Religionsvereinigung. Ebend. 1817. 8. Reden über Religion und Christenthum, mit besonderer Hinsicht auf die Bedürfnisse der Zeit, zunächst für die Zöglinge der Hochschule gehalten, und auch andern gebildeten Lesern gewidmet, Tübingen 1820. 8. Mahnungen in Bezug auf christliches Leben und die Aeußerungen desselben in Württemberg, (auch unter dem Titel) ein Wort der Bruderliebe an und über die Gemeinschaften in Württemberg, namentlich die Gemeinde in Kornthal ꝛc. samt einer Predigt verwandten Inhalts und einem Nachwort an die Geistlichen. Stuttg. 1820. 8. Ruf zu Jesu, zu dessen Bekenntniß und Nachfolge. In einigen

Vorträgen vor der Gemeinde Tübingens gehalten. Tübingen. 1821. 8. Ueber die Vereinigung beider evang. Kirchen, namentlich in Württ. Tüb. 1821. 8. Loci Jes. VII. I — IX, 6. interpretandi tentamen. Diss. inaug. theol. 1815. Weihnachtsprogramm auf 1817 (Disqu. in locum Act. III, 18 — 26). Ebendas. auf 1818 (Disq. in locum Mich. IV, 1 — 8). Pfingstprogramm auf 1820 (Disq. in Joelis cap. III.) Ebend. auf 1821 (Disq. in Ps. XVI, 8 — 11. Fasc. 1.). Mehrere in Druck gekommene Gelegenheitsreden und Predigten. Mehrere, vorzüglich Neu-Confirmirten bestimmte, kleinere anonyme Schriftchen. Aufsäze in mehrere Journale, vorzüglich in: Flatt und Ewald, Zeitschrift zur Nährung christlichen Sinnes, 3 Bde. Stuttg. 1815 — 19; u. in Bengel's Archiv für die Theol. u. ihre neueste Literat. Rezensionen: vorzüglich im eben genannten Bengel'schen Archiv. Vorlesungen: Ueber hebräische, aramäische u. arabische Sprache; Exegese des A. u. N. T., populäre Dogmatik und Moral.

Johann Gottlieb Münch, Dekan und ausserordentlicher Professor der Theologie, ordentl. Mitglied der lateinischen Gesellschaft zu Jena und des Regensischen Blumenordens in Nürnberg. Geboren zu Baireuth den 9. Dezember 1774, studirte zu Jena, Leipzig, Erlangen, Halle; würde 1794 Dr. der Philos. in Jena; machte eine gelehrte Reise nach Italien, Prof. zu Altdorf 1796, Hofprediger in Ellwangen 1803, Pfarrer zu Möhringen 1806, Stadtpfarrer in der St. Leonhards-Kirche in Stuttgart 1808, Dekan zu Tübingen, und ausserord. Prof. der Theol. 1812.

Schriften: Ewald, ein Gemälde nach dem Tagebuch eines Unglücklichen. Lpz. 1794. 8. Züge aus dem Leben glücklicher Menschen. Lpz. 1794. Ueber die ernste Satyre und deren Anwendung auf der Kanzel. Lpz. 1796. Diss. de notione ac indole scepticismi, nominatim Pyrrhonismi. Altorf. 1796. 4. Werden wir uns wiedersehen? In Hinsicht auf Kant's Unsterblichkeitslehre beantwortet. Baireuth. 1796. Ueber den Einfluß der Kriminalpsychologie auf das System des Kriminalrechts und Besserung der Verbrecher. Abriß der Metaphysik nach Kant. Nürnb. 1796. pract. Seelenlehre für Prediger. Regensb. 1800. 5 Bde. Neuer Philosoph für die Welt. Ansp. 1800. Christl. Predigtbuch zur häusl. Erbauung. 2 Bde. Stuttg. Der Genius am Grabe, oder wir werden uns wiederfinden. Nürnb. 1800. Psychologie des neuen Testaments. Regensburg. 1802. 8. Reise der Jünger nach Emaus. Baireuth. 1802. 8. Kleine satyrische Schriften. Nürnb. 1803. 8. Die christliche Biographie für denkende Prediger in Städten und auf dem Lande, zur zweckmäßigen Verfassung der Lebensläufe. Baireuth. 1804. 8. Versuch einer Psychologie der Sünde; Richtern und Seelsorgern zur Prüfung vorgelegt. Heilbronn. 1804. 8. Psycholog. Seelenregister für Landprediger. Ebend. 1804. 8. Morgenbetrachtungen für christliche Familien. Stuttgart. 1813. Abendbetrachtungen für christliche Familien. Stuttgart. 1814. Predigten: Das Glück des Landes in einem religiösen Monarchen. Predigt am erfreulichen Geburtsfeste Seiner Majestät Friedrichs, Königs von Württemberg. Stuttg. 1807. 8. Grabreden. Eßling. 1811. Was fordert die gegenwärtige Zeit von uns. (Am Neujahrfeste.) Ebend. 1814. 8. Bei der Investitur des Hrn. Pfarrers

Chr. Ad. Dann in Oeschingen, mit dessen von ihm selbst verfaßten Lebenslauf. Ebend. 1813. 8. Aufforderung zum frommen und kindlichen Dank gegen Gott, (am Dankfeste für den Erndtesegen d. 27. Sonnt. nach Trinit.) Tübing. 1818. 8. Nach Beerdigung W. G. v. Plouquet, Prof. der Medicin. Tüb. 1814. 8. Nach Beerd. der Frau Elisab. Heinr. Efferenn, Gattin des Kaufmann Heinr. Efferenn. Ebend. 1815. 8. Nach Beerd. des Hrn Christ. Fr. Rüdiger, Dr. der Med. u. Chirurgie. Ebend. 1814. 8. Am Grabe des Hrn. Karl Remy, Theol. Stud. Ebend. 1815. 8. Nach Beerd. des Hrn. Aug. Fr. Bök, Prälaten und Generalsuperintendenten. Ebend. 1815. 8. Am Grabe der Am. El. Fr. Batz. Ebend. 1816. 8. Predigt am Reformationsfeste 1817. (in der Feier des dritten Säkular-Jubelf. der Reform.). Ausserdem viele andere Predigten und Reden. Kleinere Abhandlungen in der Jenaer Literaturzeitung und in Bengels Archiv. Vorlesungen: Pastoraltheologie und kirchliche Gesezkunde Württembr.

Christian Friedrich Schmid, der Philosophie Doktor, und ausserordentlicher Professor der Theologie. Geboren den 25. Mai 1794 zu Bickelsberg, Oberamts Sulz; erhielt seine literarische Bildung in den Seminarien des Vaterlandes, namentlich in dem theolog. Seminar und auf der Universität zu Tübingen, wo er im Jahr 1812 eintrat, 1814 magistrirte, und seine Studien 1817 absolvirte. Er that hierauf Dienste als Vikar, bis er im November 1818 als Repetent des theolog. Seminars nach Tübingen berufen ward; 1819 wurden ihm die Lehrfächer der Homiletik, Katechetik und Pädagogik, so wie die Leitung der homiletischen und katechetischen Uebungen provisorisch übertragen; den 4. Mai 1821 wurde er zum ausserord. Prof. der Theologie ernannt und mit dem Lehrfache der practischen Theologie beauftragt. Zugleich hat er Vorlesungen über die theolog. Moral zu halten.

---

## Zweite Abtheilung.

## Katholisch-theologische Facultät.

### A.) Anderswo angestellte Lehrer *).

Dr. Cölestin Spegele, Pfarrer zu Ziegelbach, Oberamts Waldsee. Geboren zu Weißenhorn den 2. April 1761. Die niedern Klassen durchging er im Kloster Wiblingen; die philosophischen Studien zu Augsburg. Im Jahre 1779 trat er in das Benediktinerkloster St. Georgen zu Villingen, wo er auch bis zum Jahre 1810 verblieb; da er aber nach Auflösung des Klosters in K. Württemb. Pension kam, so wurde er in besagtem Jahre als Prof. der Hermeneutik ꝛc. nach Rottweil abberufen; im Jahre 1812 wurde er von da nach Ellwangen als erster Rector und Professor versezt; erhielt 1813 das Doktordiplom

---

*) Da die hiesige kath. theol. Facultät zu Ellwangen seinen Ursprung nahm, so sind der Vollständigkeit wegen auch diejenigen Lehrer hier aufgenommen, die noch zu Ellwangen verändert wurden.

von der Universität Freiburg; im J. 1814 auf sein Gesuch die Entlassung von seiner Stelle und die Pfarrei Ziegelbach. Schriften: Progr. Inaug. de studio biblico inter Catholicos nunquam penitus neglecto. Gamund. 1813. Fol. (Bei Inauguration der neuerrichteten Universität zu Ellwangen). Aufsätze in der theologischen Quartalschrift.

Dr. Karl Wachter, Pfarrer zu Sullmingen, Wiblinger Oberamts. Geboren zu Sigmaringen den 16. Jänner 1764; stud. seit 1772; legte zu Salmannsweiler 1781 die feierliche Profession ab, wurde 1788 zum Priester geweiht. Schon 1786 wurde ihm der Unterricht in der französischen und italien. Sprache am Salmannsweiler Gymnasium übertragen, 1792 wurde er Prof. bei den untern Schulen, welche durch die Anwesenheit der Franzosen in den Jahren 1796, 99, 1800 unterbrochen wurden, wo er die Leitung des salmannsweilerschen Oberamts Ostrach erhielt, 1795 wurde er zur päbstlichen Nuntiatur in Luzern gesandt, wo er das Diplom als päbstlicher Notarius erhielt, 1804 Prof. der Pastoraltheologie zu Kostanz, 1805 Pfarrer zu Sullmingen, 1807 bischöflicher Deputat, 1809 Schulinspektor und Konkursprüfungs-Examinator, 1812 Prof. des Kirchenrechts, der Kirchengeschichte rc. zu Ellwangen, den 10. Sept. 1813 und den 5. Nov. Rektor, 1814 Bücherzensor, 1817 bat er um seine Entlassung und zog sich auf seine Pfarrei Sullmingen zurück. Schriften: Kurze Anweisung zum Gebrauch der Salmannsweiler Schulen. Lehrbuch der lateinischen Grammatik nach den gewöhnlichen 4 Klassen nebst einem lateinischen Lese- und Wörterbuche, 4 Th. 1792. Analysis ethicae christianae. Marisburg. 1804. Theses ex jure ecclesiastico ac leges patriae adoptato una cum praeviis positionibus ex jure naturae et gentium. 1813. (Zugleich Leitfaden seiner Vorlesungen). Diss. de administratione bonorum ecclesiasticorum. 1816. Mehrere kleinere Abhandlungen, Aufsäze und Rezensionen in verschiednen Zeitschriften, vorzüglich in das Kostanzer Pastoral-Archiv, namentlich: Historische Einleitung oder Geschichte der Konferenzen, über Volkslustbarkeiten, Ordnung beim Jugendunterricht, über die Haustaufe, vom Aberglauben, vom Opfergeben, Volksunterricht über die Gnade — über die Versöhnung, vom Religionsunterricht für Kinder von 6 bis 8 Jahren, die Liturgie nach den Grundsäzen der Vernunft und heiligen Schrift, Predigt nach einem Hagelwetter, über Kirchenvisitationen 2c.

Dr. Johann Nepomuk Bestlin, gewesener Generalvikariatsrath und Professor in der hohen Schule zu Ellwangen, jezt Stadtpfarrer zu Lauchheim im Oberamte Ellwangen. Geboren zu Lauchheim den 28. Febr. 1768. Er studirte am Gymnasium und Lyzeum zu Ellwangen, von wo er nach Dillingen kam, und von 1788 bis 90 die kathol. Theol. hörte; 1790 wurde er zum Priester geweiht, und dann Vikar in Jagstzell bis den 4. Juli 1801, von da war er Kaplan im Priesterhause auf dem Schönberg bei Ellwangen bis den 31. Mai 1805, wo er als Pfarrer in Röhlingen angestellt ward, auch den 28. März 1809 zugleich als Schulinspektor des dortigen Bezirks, und am 28. Sept. 1812 als bischöflicher geistlicher Rath bei dem Generalvikariate in Ellwangen, und als öffentlicher Lehrer der theolog. Moral und Pastoral an der neuerrichteten Universität daselbst. Schriften: Religiöse Lieder zum kirchlichen Gebrauche. Eine Kantate auf den verdienstvollen Beamten Dobler in Ellwangen. Eine Kantate auf den nun verstorbenen Fürsten Franz von Hohenlohe, Bischof zu Tempe. Denkmal auf das Grab der frommen Maria Anna Linderin. München bei Lentner 1811. Ueber das gegenseitige Verhältniß zwischen dem Pfarrer und Vikar. In Felder's kleinem Magazin 1804. Das Grab zu Zalling, d. i. Biographie des Pfarrers Regeln. Im kleinen Magazin. Biblische Geschichte für Kinder. Ein Auszug aus dem größern Werke des Hrn. Chr. Schmids. Zu Gmünd i. d. Ritterschen Buchh. Kantate bei dem Pfarrantritt des Pfarrers Aloys Wagner zu Stimpfach. Schulhausbaugeschichte zu Stimpfach. In der Nationalzeitung der Deutschen. 1802. Akademische Abhandlung de nexu arctissimo, qui virtutem inter et veri cognitionem intercedit, an der Friedrichs-Universität zu Ellwangen. In der Ritterschen Buchhandlung zu Gmünd. 1813. Leichenrede zum Andenken Jos. Wagners, des hochwürd. geistl. Raths, Landdekans und Pfarrers an der Kirche des heil. Vitus in Ellwangen. 1816. Gedruckt zu Gmünd bei Ritter.

Dr. **Alois Gratz**, geb. 1769, wurde 1794 Pfarrer in Unterthalheim, Oberamts Nagold; im J. 1812 an die kath. theol. Facultät in

Ellwangen berufen, und von da 1817 nach Tübingen versetzt, hierauf 1819 als Prof. prim. der kath. theol. Facultät an der königl. preußischen Rheinuniversität zu Bonn. Schriften: Neuer Versuch, die Entstehung der drei ersten Evangelien zu erklären. 1812. Kritische Untersuchungen über Justins M. apostol. Denkwürdigkeiten. Stuttg. 1814. Diss. über Interpolationen in dem Briefe an die Römer. Ellwang. 1814. Diss. über die Gränzen der Freiheit, die einem Katholiken in Erklärung der heil. Schrift zusteht. Ellwang. 1817. (Wieder abgedruckt im 1. Heft des Apologeten des Katholicismus). Kritische Untersuchungen über Marcions Evangelium. Tüb. 1818. Theolog. Quartalschrift in Verbindung mit Dr. Drey, Dr Herbst, Dr. Hirscher. Jahrg. 1819. Tüb. Der Apologet des Katholicismus. Eine Zeitschrift zur Berichtigung mannigfaltiger Entstellungen des Katholicismus. 2 Hefte. Mainz. 1820. Disquisitio in Pastorem Hermae. partic. I. Program. Bonae. 1820. Novum testamentum graeco-latinum. II. Tom. Tub. 1821. Historisch-kritischer Kommentar über das Evangelium des Matthäus. 1r Theil. Tüb. 1821.

---

## B. Noch hier befindliche Lehrer.

Dr. Georg Leonhard Benedikt von Dresch, Ritter des Ordens der Württembergischen Krone, ordentl. Prof. der Geschichte, des Kirchenrechts, der Kirchengeschichte und des deutschen Bundes-Staatsrechts, auch Oberbibliothekar der Universität. Geb. zu Bamberg den 20. März

1786, stud. zu Bamberg, Würzburg und Landshut; wurde Doktor der Philosophie 1803, Doktor beider Rechte 1807, Privatlehrer der Geschichte und der philosophischen Rechtswissenschaften auf der Universität Heidelberg 1808; erhielt die Erlaubniß zu Vorlesungen auf der Universität Tübingen mit dem Charakter und Rang eines Professors 1810, Zensor und Bücherfiskal 1811, zweiter ordentl. Prof. für das Fach der Geschichte 1811, Ritter des K. Zivil-Verdienst-Ordens 1812, Bibliothekar der Universität 1816, Prof. des Kirchenrechts und der Kirchengeschichte an der katholisch-theologischen Facultät mit Beibehaltung seiner bisherigen Dienstverhältnisse 1817, beauftragt zum Vortrage des deutschen Bundes-Staatsrechts 1819, Ritter des Ordens der Württembergischen Krone 1820. Schriften: Ueber die Dauer der Völkerverträge. Eine gekrönte Preisschrift. Landshut 1807. Pr. de indole et gradibus culpae. Heidelb. 1808. Systematische Entwicklung der Grundbegriffe und Grundprinzipien des gesammten Privatrechtes, der Staatslehre und des Völkerrechts. Heidelb. 1810. 8. nebst Zusätzen u. Verbesserungen. ebend. 1817. 8. Bemerkungen über die Bildung des Diplomatikers und die ihm unentbehrlichen Wissenschaften. Tüb. 1810. gr. 8. Uebersicht der allgemeinen politischen Geschichte, insbesondere Europens. 3 Thle. Weimar. 1814 — 16. 8. Betrachtungen über die Ansprüche der Juden auf das Bürgerrecht, insbesondere in der freien Stadt Frankfurt am Main. Tüb. 1816. gr. 8. Betrachtungen über den deutschen Bund. Tüb. 1817. Ueber den methodischen Unterricht in der allgemeinen Geschichte. Ebend. 1818. gr. 8. Lehrbuch der allgemeinen Geschichte, insbesondere Europens. Weimar. 1818. 8. Oeffentliches Recht des deutschen Bundes. Tüb. 1820. 8. Die Schlußakte der über Ausbildung und Befestigung des deutschen Bundes zu Wien gehaltenen Ministerialkonferenzen in ihrem Verhältnisse zur Bundesakte u. s. w. Tüb. 1821. 8. Vorlesungen: Alte Geschichte, Geschichte der drei lezten Jahrhunderte, deutsche Geschichte, Statistik; Naturrecht, zugleich als Kritik der positiven Gesezgebungen, Staatsrecht, allgemeines sowohl als insbesondere das des deutschen Bundes und Württembergs; europäisches Völkerrecht, Kirchenrecht.

Dr. Johann Sebastian Drey, Prof. der Dogmatik; geb. zu Killingen im Oberamte Ellwangen den 17. Okt. 1777; studirte an dem Gymnasium und Lyzeum zu Ellwangen, vollendete seine Studien zu Augsburg; wurde zum Priester geweiht ebendas. den 30. Mai 1801, hierauf unmittelbar Vikarius zu Röhlingen, der Parochie seines Geburtsorts; von dieser Stelle aus Prof. der Physik und Mathematik an dem Lyzeum zu Rottweil den 2. Febr. 1806, als Prof. der Theol. an die neuerrichtete katholische Landesuniversität zu Ellwangen versezt den 28. Sept. 1812, dritter Professor an der kath. theol. Facultät zu Tübingen den 3. Nov. 1817. Schriften: Progr. in diem natalem Regis Friderici: insunt observata quaedam ad illustrandam Justini Martyris de regno millenario sententiam. Gamundiae. 1814. Fol. Dissertatio historico-theologica originem et vicissitudinem exomologeseos in ecclesia catholica ex documentis ecclesiasticis illustrans.

Elvaci. 1815. 4to. Kurze Einleitung in das Studium der Theologie, mit Rücksicht auf den wissenschaftlichen Standpunkt und das katholische System. Tüb. 1819. 8. Ist seit 1819 auch Mitherausgeber und Mitarbeiter der theologischen Quartalschrift, wovon bis jezt 10 Hefte erschienen sind. Lehrt als Hauptfach Dogmatik.

Dr. Johann Georg Herbst, Prof. der oriental. Sprachen und der Exegese des A. T.; geb. zu Rottweil den 13. Jan. 1787; stud. im Gymnasium daselbst, dann Philosophie im Kloster St. Peter im Schwarzwalde, zu Freiburg u. Rottweil, Theologie zu Rortweil u. Freiburg. Nachdem er ein halbes Jahr im Priesterseminar zu Meersburg zugebracht und ein Jahr in der Seelsorge gearbeitet hatte, kam er am Ende des Jahres 1812 als Repetent in das neuerrichtete Priesterseminar zu Ellwangen, wo er in der hebräischen und arabischen Sprache Unterricht ertheilte. Am Ende des Jahres 1814 wurde ihm die Professur der oriental. Sprachen und der Exegese des A. T. provisorisch, im Nov. 1815 definitiv übertragen; 1817 kam er nach Tübingen; hier giebt er Unterricht in der arabischen Sprache, lehrt Einleitung, Hermeneutik des A. T., biblische Archäologie, erklärt cursorisch und kritisch die Bücher des A. T. und trägt (provisorisch) die christliche Kirchengeschichte vor. Doktor der Theologie wurde er im März 1817 zu Ellwangen. Schriften: De Pentateuchi quatuor librorum posteriorum auctore et editore, commentatio. Er ist Mitarbeiter an der Tübinger theologischen Quartalschrift.

Dr. Johann Baptist Hirscher, Prof. der Moral- und Pastoraltheologie. Geb. zu Alt-Ergaten, Oberamts Ravensburg, den 20. Jan. 1788; stud. im Kloster Weissenau, an dem Gymnasium und Lyzeum zu Kostanz und an der Univers. Freiburg im Breisgau, Vikar in Röhlingen 1810, Repetent am Priesterseminar zu Ellwangen 1812, Prof. an dem obern Gymnasium zu Rottweil und Kaplan an der zweiten Pfarrkirche daselbst 1817, Prof. der Moral- und Pastoraltheologie zu Tübingen 1817, (der hiezu ernannte Dekan Eith zu Dormettingen wurde auf sein Gesuch bei seiner Stelle gelassen), Doktor der Theologie 1820. Schriften: Missae genuinam notionem eruere ejusque celebrandae rectam methodum monstrare tentavit. 1821. 8. Er ist Mitarbeiter und Mitherausgeber der theol. Quartalschrift, und liefert ausserdem Aufsäze in die Jahrsschrift für Theologie und Kirchenrecht der Katholiken. Vorlesungen: Moral- u. Pastoraltheol.

Dr. Andreas Benedikt Feilmoser, Prof. der Exegese des N. T.; geb. zu Hopfgarten in Tirol den 8. April 1777; stud. von 1789 bis 1794 im Salzburger Gymnasium, dann bis 1796 zu Innsbruck Philosophie, dann im Benediktinerkloster zu Flecht, 1798 zu Villingen Theol. bis 1800, dann Lehrer im Kloster, kam 1806 als Prof. an die Univers. zu Innsbruck, wurde 1808 Doktor der Theol. und ord. Prof.; blieb mit Beibehaltung seines Rangs Lehrer, als 1810 die Univers. in ein Lyzeum verwandelt wurde, und war Rektoratsassessor; wurde ord. Prof. zu Tübingen 1820. Schriften: Säze aus der christlichen Sittenlehre für die öffentl. Prüfung in dem Benediktinerstifte zu Fiecht. Innsbruck 1803. Säze aus der Einleitung in die Bücher des alten Bundes, und den hebräischen Alterthümern. Ebend. 1803. Animadversiones in histor. ecclesiasticam. Ibid. 1803. Säze aus der Einleitung in die Bücher des neuen Bundes, und der biblischen Hermeneutik. Ebend. 1804. Einleitung in die Bücher des neuen Bundes. Ebend. 1810. Auszug der hebräischen Sprachlehre nach Jahn. Ebend. 1813. Aufsäze: Die Verkezerungskunst in einem Beispiele, im kritischen Journal für das kath. Deutschland. 1820. Rezensionen in die Annalen der österreich. Lit. und Kunst, und die Tübinger theol. Quartalschrift. Vorlesungen: Exegese des neuen Testamentes u. d. einschlägende Fächer.

---

## Dritte Abtheilung.

## Juristische Facultät.

### A. Anderswo angestellte Lehrer.

Dr. Christian Karl August Klotz, Oberamtsrichter in Heidenheim; geb. zu Tübingen den 21. März 1776; stud. daselbst Philos.; wurde Mag. 1794, stud. dann Jurisprudenz, wurde Lizentiat 1797, Sekretär und Archivar bei der Kanzlei des Reichsritterschaft. Kantons am Neckar und Schwarzwald 1797; machte noch eine gelehrte Reise nach Wezlar, Regensburg und Wien, und trat sein Amt an im Herbst 1798; funktionirte bei der Reichsritterschaftl. Ablegation des Regensburger-Kongresses 1802; wurde von dort zweimal in öffentlichen Geschäften nach Paris versandt, und war zugleich bei diesem Kongreß aufgestellter Partikular-Abgeordneter des Fürst-Abts von Mury in der Schweiz, Doktor der Rechte 1804, ausserord. Prof. der Rechte an der Univers. zu Tübingen 1805, geheimer Registrator bei dem königl. Staatsministerium 1811, Justizrath bei dem Provinzial-Justizkollegium in Rottenburg am Neckar 1812, provisorischer Vorstand der vierten Sektion der Justizretardaten-Kommission daselbst 1819, Oberamtsrichter in Heidenheim 1821.

Schriften: D. (praes. S. J. Kapf) de jure protimiseos germanico. Tub. 1797. 4. Reichsunmittelbarkeit, Reichsstandschaft, Landeshoheit, in ihrem genauen Verhältnisse zum Reichsoberhaupte, mit Hinsicht auf die künftige Integrität Deutschlands dargestellt. Germanien (Regensburg) im Aprilmonat 1798. 8. Theoretischer Versuch über die Gerichtsbarkeit der höchsten Reichsgerichte in Klagsachen deutscher Landesobrigkeiten wider ihre eigene Unterthanen in einzig nächster Instanz. Ebend. 1800. gr. 8. Das Heimfalls- und fiskalische Okkupationsrecht des Erzhauses Oesterreich auf den in dessen Erbstaaten gelegenen Besizungen u. Einkünften der durch den neuesten Entschädigungs-Reichsschluß säkularisirten deutschen Stifter, Klöster und übrigen geistlichen Körperschaften entwickelt und dargestellt. (Tüb.) 1803. Skizze der deutschen Reichskreise nach dem neuesten Territorialbestande. Ein publizistischer Versuch. (Tüb.) 1804. 4. D. de aequitate judiciali. ib. 1806. 4. Einleitung in die Doktrin des deutschen Militärprivatrechts und Militärgerichtsprozesses. Stuttg. 1810. 8. Poetische Beyträge in Lang's Almanach von 1797 und 1798. Verschiedene einzelne Gedichte. Rezensionen in die Würzburger Lit. Zeit. von den Jahren 1799 bis 1802, und in die Tübing. gelehrt. Anz. von 1800 bis 1804.

Dr. Ludwig Karl Schmid, provisorischer Oberamtsrichter in Balingen; geboren zu Neuenstein den 10. Sept. 1793; stud. zu Tübingen 1811, Oberamtsaktuar in Baknang 1814, Privatdozent der Rechte zu Tübingen 1817; erhielt am Reformations-Jubelfeste von der juristischen Facult. das Diplom eines Doktors der Rechte, ausserord. Prof. der Rechte 1819. Wurde 1821 berufen, die Stelle eines Oberamtsrichters zu Balingen zu verwalten.

---

## B. Noch hier befindliche Lehrer.

Dr. Christian von Gmelin, ordentl. Prof. der Rechte, Mitglied der Facultät, Herzogl. Würtemb. Rath und Königl. Preußischer Hofrath. Geb. zu Tübingen den 23. Jän. 1750; stud. zu Tübingen, wurde Hofmeister, dann Prof. der Rechte zu Erlangen, und 1781 Professor zu Tübingen. Schriften: Rede von den Kreistagen und dem Unterschied der Kreise im Reiche. Tübing. 1767. 4. D. de scamnis eorumque diversitate in comitiis et judiciis Imperii. ibid. 1769. 4. Programma de remedio legis ultimae C. de edicto D. Adriani tollendo. Erlang. 1773. 4. D. de concursu creditorum materiali ejusque a formali differentiis potioribus. ib. 1775. 4 Die Lehre vom materiellen Konkurs der Gläubiger in ihrem Zusammenhang aus den ächten Grundsäzen vorgetragen. Erlangen. 1775. 8. J. G. Heineccii Elementa juris cambialis. ed. VIII. cum notis. Norimb. 1779. 8. Ueber die Präjudizialklage de partu agnoscendo. Erlang. 1781. 8. D. exhibens historiam repraesentationis ex jure civili romano. Tub. 1787. 4. Neueste juristische Literatur. Erlangen. 1776 — 80 (der Jahrg. zu 2 Bd.). 8. Ebenso auf 1781 bis 1784. (der Jahrg. zu 4 Stücken), jenes in Verbindung mit Hofrath Elsäßer, nachher allein. Gemeinnüzige juristische Beobachtungen und Rechtsfälle. 5 Thl. Frankf. u. Lpz. u. Nürnb. 1777 — 1782. 8. (die ersten 4 Bde mit Hofrath Elsäßer, den 5ten allein.) De jure dotis in concursu creditorum. A. F. Clavel. Tub. 1789. 4. D. exhibens transactionis notionem eamque ineundi modos ex juris romani principiis. Tub. 1795. 4. A. M. de Lutzenberger. Was ist bei Vertheilung der franz. Brandschazung und anderer Kriegsschäden den Rechten und der Klugheit gemäß? Tüb. 1796. 8. Hand muß Hand wahren, auf einen Rechtsfall angewandt. Tüb. 1801. gr. 8. (steht auch im 3ten Heft des juristischen Archivs). Diss. unter seinem Vorsiz: De fictionibus juris romani. A. L. Zahn. Tub. 1787. 4. D. exhibens hist. repraesentationis ex jure civ. rom. A. H. A. Kazner. 1787. De pacto de non alienando A. Cartard. Tub. 1789. 4. De praescriptione actionis pigneratiae A. J. M. S. J. Mousson. Tub. 1799. 4. De indole bonorum possessionis contra tabb. juxta doctr. jur. rom. A. J. G. Cusin. 1796. D. Fructuum perceptio modis adquirendi dominii vindicata seu potius restituta. A. J. G. Gmelin filio. Tub. 1800. 4. D. exhibens principia generalia restitutionis in integrum praetoriae. A. Guil. L. Gmelin filio. Tub. 1809. 4. Nach Hofackers Absterben besorgte er die Ausgabe von dessen Principiis juris civilis Rom. Germ. T. I — III. Tub. 1794 — 98. 8. (am zweiten Theil hatte Volley Antheil, am dritten Lizentiat Zahn.)

Dr. Julius Friedrich v. Malblanc*), ordentlicher Professor der Rechte und Ritter des Königl. Württembergischen Zivil-Verdienst-Ordens. Geboren zu Weinsperg den 18. Januar 1752. Seine Eltern waren Karl Ludwig Malblanc, ehemals Oberamtmann zu Weinsperg, gestorben den 23. April 1785, und Juliane Marie Jakobine, geborne Speidel, gest. den 5. August 1783. Er bezog im Jahre 1765 das Gymnasium zu Stuttgart, wo er bis zum Spätjahr 1769 gegen 4½ Jahre verblieb, und von da er sich auf die Universität zu Tübingen begab. Nach einem dreijährigen dortigen Aufenthalte wurde er im Spätjahr 1772 bei der juridischen Facultät zu Erlangung der Doktorswürde geprüft und gleich darauf bei dem damaligen Hofgericht unter die Zahl der Advokaten aufgenommen. Im folgenden Jahre 1773 vertheidigte er unter dem Vorsitze des Herrn Staats-

*) Diesen Aufsatz, welchen mir der hochgeschätzte Herr Professor von Malblanc selbst mitzutheilen die Güte hatte, glaubte ich, da derselbe für eine Selbstbiographie dieses würdigen Mannes gelten kann, hier unverändert und ohne Abkürzung wiedergeben zu müssen. Der Herausg.

raths und Professors der Rechte, Dr. v. Kapf, seine selbst geschriebene Inaugural-Dissertation de Judiciis, quae Rügegerichte vocantur, wozu er durch die Güte des gedachten Herrn Staatsraths aus dessen trefflicher Bibliothek und Statuten-Sammlung einen großen Theil der literarischen Subsidien erhalten, so wie er auch der ausgezeichneten Gewogenheit und Unterstüzung dieses Gönners den Grund zu seiner nachherigen literarischen Laufbahn zu verdanken hatte. Er praktizirte hierauf einige Jahre als Advokat zu Weinsperg, und erhielt durch jene Inaugural-Dissertation und ihre in juridischen Journalen erfolgte gute Aufnahme auch anderwärts bekannt, im Frühjahr 1779 einen Ruf als ordentlicher Rechtslehrer auf die Nürnbergische Universität zu Altdorf, wo er sich den 22. Mai 1787 mit seiner Gattin, Marie Magdalene Susanne, einer gebornen Hetzel von Schwäbisch-Hall, ehelich verband. Er verblieb in Altdorf bis 1792, etwas über 13 Jahre. Nie wird er diese glückliche Periode seines Lebens vergessen, die er unter einer Reihe der trefflichsten Männer, in diesen eben so wahrhaften als angenehmen Musensize, hingebracht hat, von denen mehrere nachher Zierden auf andern Universitäten wurden, und es zum Theile noch sind. Insbesondere genoß er dort das Vergnügen eines fast täglichen Umgangs mit dem verstorbenen Professor des deutschen Staats- und Privatrechts, Dr. Hoffer, der ihm den freien

Gebrauch seiner ausgedehnten, sich auf alle Theile der Rechtswissenschaft verbreitenden, reichhaltigen Bibliothek gestattete, so wie der freundschaftlichsten Verhältnisse mit dem noch lebenden und gegenwärtig als Professor und Bibliothekar zu Landshut angestellten Hrn. Dr. Siebenkees, welcher große Literator ihm viele literarische Subsidien nach seiner gewohnten Güte mittheilte, auch mit dem in der Folge nach Erlangen und Göttingen versezten noch lebenden berühmten Mathematiker und Physiker, Herrn Professor Mayer und mit dem verstorbenen trefflichen Philologen, Professor Schwarz, der eine ausgedehnte Sammlung von Ausgaben der Classiker von Anfang der Buchdruckerei an, auch von andern Schriften des fünfzehnten und sechszehnten Jahrhunderts besaß. Das Angenehme seines Aufenthalts zu Altdorf wurde noch durch die Bekanntschaft erhöht, in die er zu Nürnberg mit mehrern, sowohl durch ihren edeln Charakter als ihre um die dortige Bürgerschaft und das gemeine Wohl hochverdienten und allgemein geschäzten Männern zu kommen das Glück hatte, unter denen ihm besonders die Herren Kißling, Keßler, Merkel, Reichel u. a. stets unvergeßlich seyn werden. Diese für ihn so angenehme Lage war auch die Ursache, weßhalb er mehrere in jener Zeit auf einige andere Universitäten, so wie zu einigen andern ansehnlichen Stellen erhaltene vortheilhafte Vokationen ausschlug. Nur die späterhin besonders mit Ausbruch des Kriegs in manchem veränderten Verhältnisse bewogen ihn im Jahre 1792 auf einen wiederholten Ruf die Universität zu Erlangen zu beziehen, und das ihm so werthe Altdorf zu verlassen, nach welcher veränderten Lage er jedoch immer noch in der Nähe seiner schäzbaren Freunde zu Altdorf und Nürnberg blieb, und die frühern freundschäftlichen Verhältnisse mit ihnen fortsezen konnte. Bald darauf im Spätjahr 1793 erhielt er aber einen Ruf nach Tübingen als ordentlicher Rechtslehrer an die Stelle des verstorbenen Professors, Dr. Hofacker, die er aus Vaterlandsliebe annahm, und zu gedachter Zeit bezog. Durch die Gnade des Höchstseligen Königs Majestät erhielt er im Jahre 1812 den Königl. Orden des Zivil-Verdienstes und wurde im Jahre 1813 neben Beibehaltung seiner Professur und der damit verbundenen Funktionen auch zugleich als Mitglied bei dem Königl. Obertribunal angestellt, bis dasselbe im J. 1817 nach Stuttgart verlegt ward. Während seines Aufenthaltes zu Tübingen hat er bisher Vorlesungen gehalten, und trägt diese Fächer noch vor: über Institutionen des römischen Rechts, Pandekten, Zivilprozeß, (vormals auch Reichsgerichts-Prozeß) und über das Württembergische Privatrecht. Auch gab er von Zeit zu Zeit Gelegenheit zu praktischen Uebungen und Examinatorien. Zu Altdorf und Erlangen las er ehemals auch gewöhnlich das peinliche Recht. Von ihm sind in Druck erschienen, folgende

Schriften: Dissertatio inauguralis de judiciis, quae Rügegerichte vocantur. Tub. 1773. (unter dem Vorsitze des Herrn Staatsraths u. Prof. Dr. v. Kapf). Programm bei dem Antritt der Professur zu Altdorf: de poenis ab effectibus defensionis naturalis etiam in statu civili probe distinguendis, qua simul leges germanicae adversus facinorosos vagantes (die Zigeuner etc.) illustrantur. Altorf. 1779. 4 (Sowohl jene Inaugural-Dissertationen als auch diese Abhandlung sind auch in die weiter unten bemerkte Sammlung unter dem Titel: opuscula juris criminalis aufgenommen.) Doctrina de Jurejurando e genuinis legum et antiquitatis fontibus illustrata. Norimb. 1781. 8. bei Grattenauer. (Ein jedoch verstümmelter Nachdruck von diesem Buche mit Hinweglassung der Noten ist erschienen zu Yverdun in der Schweiz. 1785. Eine ganz neue von dem Verfasser sehr vermehrte u. verbesserte Ausgabe ist vor kurzer Zeit hier erschienen. Tubingae 1820. sumpt. C. F. Osiander.) Allgemeine juristische Bibliothek (gemeinschaftlich mit Hrn. Prof. Dr. Siebenkees herausgegeben). Nürnb. 1781 — 86. VI Bde in 8. Geschichte der peinlichen Gerichtsordnung Kaiser Karls V. Nürnberg. 1783. 8. Oratio, quam pro auspicando Rectoratu Academico prima vice suscepto festo consueto d. 29. Jun. 1785. habuit Dr. Jul. Fried. Malblanc. Altorfii 1785. 4. (enthält geschichtliche Bemerkungen über die Schicksale und Verbesserungen des akademischen Regiments.) Vollständige Darstellung der Rechte des größern bürgerlichen Raths zu Nürnberg, mit Beilagen. Nürnb. 1787. Fol. Nachtrag zur vollständ. Darstellung u. s. w. mit weitern Urkunden. Veranlaßt durch jene Deduktionen erschienen von ihm mehrere einzelne Abhandlungen aus dem reichsstädtischen Staatsrechte überhaupt, die nachher auch zusammen gedruckt herauskamen unter dem Titel: Abhandlung aus dem Reichsstädtischen Staatsrechte. Erlangen bei J. J. Palm. 1793. 8. (Sie enthalten: 1. Betrachtungen über das Besteuerungsrecht in Reichsstädten; 2. Grundsäze der Finanz-Administration und des Rechnungswesens in Reichsstädten; 3. Von dem Rechte der Kaiserlichen Oberaufsicht über die Reichsstädte.) Historische Einleitung zu dem zwischen einem hochlöblichen Rathe der Reichsstadt Nürnberg und dem Kollegio der Genannten des grossen Raths daselbst errichteten und Kaiserlich bestätigten Grundvertrag. Nürnb. 1796. Fol. (Dieser Einleitung ist der gedachte Grundvertrag nebst der Kaiserl. Bestätigungsurkunde von 1795 selbst beigefügt). Anleitung zur Kenntniß der deutschen Reichsgerichts- und Kanzlei-Verfassung 1r Th. 8. (enthaltend die Verfassung des Kais. u. Reichskammergerichts) Nürnberg, bei Monath u. Kußler. 1791. 8.; 2r Th. Nürnberg. 1791. (enth. den Schluß der Verf. des Reichskammmergerichts); 3r Th. Nürnb. 1792. (enth. die Verfassung des Kais. Reichshofraths, des Reichsministeriums und der Reichskanzlei u. s. w.); 4r Theil. Nürnberg 1795. (enth. die Lehre von der Gerichtsbarkeit der beiden Reichsgerichte). Programm bei dem Antritt der Professur in Erlangen: Observationes quaedam ad delicta universitatum spectantes. Erlangae, 1793. Diese Abhandlung ist mit seiner Inaugural-Dissertation de judiciis, quae Rügegerichte vocantur und dem Altdorfer Antritts-Programm: de poenis ab effectibus defensionis naturalis etiam in statu civili probe distinguendis nachher auch zusammen im Druck erschienen unter dem Titel: Opuscula ad jus criminale spectantia. Erlangae. (bei J. J. Palm) 1793. 8. Conspectus rei judiciariae romano germanicae. Norimbergae et Altorfii 1797. 8. bei

Monath u. Kußler. Principia Juris Romani secundum ordinem digestorum. Pars 1ma. Tub. 1801. 8. (bei Heerbrandt). Pars 2da sectio prior. Tub. 1802. sectio posterior et ultima. Tub. 1802. Unpartheiische Bemerkungen über das IV. K. Württ. Organisations-Edikt vom 31. Dez. 1818. (über die Rechtspflege in den untern Instanzen). Stuttg. 1820. 8. (bei Mezler.) Unter seinem Vorsitze sind zu Tübingen folgende Inaugural-Dissertationen im Drucke erschienen: De remedio nullitatis Commentatio ad ord. proc. sax. elect. Tit. XXXVIII. illustr. Auctor Fried. Carol. Lud. Mann, Knavia Varisens advoc. in sax. elect. immatr. Tub. Aug. 1798. De causis improbati pacti haereditarii ex jure rom. auct. C. H. Rheinwald. Stuttg. Tub. Sept. 1798. Observationes de eo, quod interest. Auct. H. L. C. Euler. Bipontinus. Mart. 1801. Ad legem II. §. 2. digest. de lege rhodia de jactu. Auct. Fr. Christ. Walther. Gaildorf. Mart. 1801. De jure municipali romanorum. Auctor C. J. Fr. Roth Vaihingens. Maj. 1801. Ad quaestionem an et quatenus injuria circa judicia evitari nequeat. Auct. C. H. Schwab. Stuttg. April. 1802. De renunciatione beneficiorum ex Scto Vellejano et authentica si qua mulier a femina aut uxore minore facta haud semper valida. Auct. Christ. Schnurrer. Tub. Maj. 1803. De interventione in judicio, et speciatim de tertii appellatione atque effectu praeventionis circa eum. Auct. J. H. S. Fresenius, Advoc. Maeno-Francof. Octb. 1803. De collatione bonorum. Auct. C. E. Bertschinger, Helveto-Lenzburgens. Mai. 1804. De causis summariis. Auct. H. F. Fehr, Advocat. Sancto-Gallensis. Sept. 1804. De judiciis curiae territorialibus in germania. Auct. Car. Guil. H. Schmidlin, Stuttg. Febr. 1805. De officio tutorum in elocanda pecunia pupillari. Auct. J. I. G. Testaz, helvetus lemano-

Bexensis. Sept. 1805. De caducis. Auct. Carol. Secretan. Helveto-Lausannens. Octb 1805. De jure aquaeductus. Auct. Emman. de la Harpe, Helveto-Lausann. Dec. 1805. De fideicommissis superfuturi. Auct. Fr. Des Gouttes, Helveto-Bernas. Mart. 1806. De formis procedendi diversis in causis civilibus. Auct. Spencer Carol. Du Four, Helveto-Lemanus. Apr. 1806. De culpa ejusque speciebus et gradibus. Auct. J. B. Mayer, Helv. St. Gallensis. Mart. 1807. De praescriptione quinquennii circa res minorum, sine judicis decreto alienatas. Auct. Nic. Binder, Lubec. Mart. 1808. De diversis legislationibus circa litis contestationem ob contumaciam rei aut pro negativa aut pro affirmativa habendam. Auct. Th. Durheim, Helveto-Bernus. April. 1808. De litis contestatione romanorum. Auct. J. Chr. Fr. Vossler, Tuttling. Nov. 1808. De transmissione haereditatum. Auct. Fr. C. Hoff, Maeno-Francof. Febr. 1809. D. exhibens observationes quasdam de jure accrescendi. Auct. Samuel Secretan, Helveto-Lausannens. Febr. 1810. D. exhibens debitorum obaeratorum praecipua jura atque privilegia, praesertim beneficium reluitionis, secundum principia juris, cum romani, tum Württembergici. Auct. J. Chr. Fr. Roemer. Stuttgard. Sept. 1810. D. sistens differentias quasdam praecipuas juris germanici et novissimi francogallici circa societatem bonorum conjugalem. Auct. Fr. Probst, Ehing. Maj. 1811. De jure lignandi. Auct. Edd. Richard, Helveto-Orbensis. Sept. 1811. De tutela honoraria. Auct. L. Pellis, Helv. Cletensis. Oct. 1811. D. sistens fata actionis de partu illegitimo agnoscendo. Auct. And. Mennet, Helv. Lausann. April. 1814. De jure appellantium, nova deducendi et probandi. Auct. Ph. Tscherning, Heilbronn. April. 1815. De concertatione extrajudiciali litis praeparatoria. Auct.

Jul. Em. Demontel, Viviaco Helvetus. 1816. De diversis adoptionis romanae et gallicae principiis eorumque effectibus. Auct. J. E. Galliard, Helveto-Nividuens. Sept. 1817. De locatione conductione pecoris speciatim de contractu qui appellatur Bail à Cheptel. Auct. Chr. J. Fr. Veillon, Helveto-Bexensis. 1818. D. de similitudine inter jus municipale Württemb. antiquius et illud romanorum P. I. Auct. Fr. Walz, Stuttg. Febr. 1819. D. continens differentias praecipuas juris romani et helveto-Waldensis circa jus pignorum et hypothecarum in rebus mobilibus et immobilibus. Auct. J. L. Muret, Helv. Morgiens. 1820. De autoritate hypothecarum generalium legibus complurium regionum recentionibus et inprimis jure helveto-waldensi sapienter abolita aut diminuta. Auct. C. Carrard, Helveto-Lausann. Jan. 1820. D. sistens collationem juris romani cum legislationibus praecipuis hodiernis et speciatim cum jure helveto-Waldensi circa requisita testamentorum interna. Auct. E. Monod, Helv. Nevidunus. Dec. 1821. D. sistens collationem juris romani cum legislationibus praecipuis hodiernis et speciatim cum jure helveto-Waldensi circa solemnitates testamentorum externas. Auct. J. L. C. Duvillard, Helvetico-Nevidun. Dec. 1820. De variis caventium pro aliis appellationibus eorumque significatione, tam ex jure romano praesertim novis Gaji institutionibus nuper repertis, quam ex idiomate germanico. Auct. Cas. Pfyffer ab Altishofen, Lucerna-Helvetus. 1821.

Dr. Heinrich Eduard Siegfried Schrader, ordentlicher Professor der Rechte; geb. zu Hildesheim den 31. März 1779; stud.

zu Helmstädt, Halle und Göttingen, und wurde an lezterm Ort Doktor 1803, hielt daselbst Privatvorlesungen; ausserordentl. Prof. der Rechte und Philosophie zu Helmstädt 1804, ordentl. Prof. 1808, erhielt von der philos. Facultät zu Helmstädt das Diplom eines Doktors der Philosophie 1810, kam 1810 nach Aufhebung der Universität Helmstädt als Professor nach Marburg, erhielt aber noch im nämlichen Jahr eine ordentl. Professur bei der Universität Tübingen, Mitglied des Oberappellations-Tribunals 1813. Schriften: Comment. praemio regio ornata de nexu successionis ab intestato et querelae inofficiosi testamenti. Goett. 1802. 4. Commentationis praemio regio ornatae de remediis contra sententias et de re judicata in causis criminalibus, partis primae sectio I. de appellationibus in causis criminalibus ex jure romano instituendis. ib. 1803. 8. Theses ex variis jurium partibus desumtae. ib. eod. 8. Comment. jurid. - math. de divisione fructuum dotis. Helmst. 1805. 4. Abhandlungen aus dem Zivilrecht. Hanov. 1808. 8. Conspectus digestorum in ordinem redactorum ad Hellfeldii Jurisprudentiam forensem. Helmst. 1810. 4. Gemeinschaftlich mit Prof. Mackeldey. Diss. quid debito pecuniario contracto, praesertim mutationibus circa pecuniam interim factis solvendum sit? Auct. Ch. F. Fels. Tub. 1814. 8. Zivilistische Abhandlungen. Weimar. 1816. 8. Diss. sistens specimen descriptionis Codd. Msptorum Digesti vet. Stuttg. et Tub. cum Florent. Vulg. aliisque Codd. collatorum. Auct. W. F. Clossius. ibid. 1817. 8. Commentat. de summatione seriei

$$\frac{a}{b.(b+d)} + \frac{a}{(b+2d).(b+3d)} + \frac{a}{(b+4d).(b+5d)} + \ldots$$

a societate reg. Hafniensi in certamine literario praemio regio ornata. Vimar. 1818. 4. Diss: de vera indole divisionis hypothecarum in generales et speciales. Auct. G. A. Merz. Tub. 1818. 8. Charakteristik des französ. Zivilgesezbuchs; in Bredow's Chronik des 19ten Jahrhunderts. Juristische Literatur der ersten 5 Jahre des 19ten Jahrh. Ebend. In wie fern gelten ältere positive Rechtsquellen nach geschehener Einführung des Code Napoléon in einem teutschen Lande; in Crome und Jaup Germanien B. 2. H. 1. nebst einem Nachtrag. Ebend. B. 3. H. 3. Ueber Zivil-Zeitberechnung des franz. Rechts, in Oesterley's Zeitschrift. Einige Bemerkungen über Berichtigung des Textes der zum corpus juris civilis gehörigen Rechtsbücher; in Hugo's zivilist. Magazin B. 4. H. 3. Rechtsgeschichtliche Bemerkungen; ebend. B. 5. H. 2. Vorrede zu W. F. Clossius Comment. jurid. liter. sistens Codd. quorundam msptorum Dig. vet. Stuttg. et Tub. accuratiorem descriptionem etc. Vimar. 1818. 8. Editio titulor. Digest. lib. 12. t. 5. et lib. 22. t. 5. Tubing. 1819. Diss. qua epitome Inst. 12 saeculo conscripta quam cod. Tubing. servavit, describitur, Auct. G. F. Specker, Tub. 1819. Ist die Abfassung eines Zivilgesezbuches für Württemberg zu wünschen? Tüb. 1821. Rezensionen in die Jena'schen, Hallischen und Heidelberger Literaturzeitungen. Seit Ostern 1820 ist er in Verbindung mit den Professoren Clossius und Tafel beschäftigt mit Besorgung einer kritisch-exegetischen Ausgabe des Corpus juris civilis, welche nach 10 Jahren erscheinen soll. Vorlesungen: Institutionen, Pandekten, Rechtsgeschichte; Exegetisches Kollegium über römisches Recht, mathematische Jurisprudenz.

Dr. Christian Heinrich Gmelin, ordentlicher Professor der Rechte; geb. zu Tübingen den 15. Dez. 1780; studirte hier, wurde Doktor und Hofgerichts-Advokat 1801; machte eine gelehrte Reise nach Göttingen und Paris, widmete sich der juristischen Praxis 1802 bis 1805, Prof. an der Akademie zu Bern 1805, ordentl. Professor an der Universität Tübingen 1813. Schriften: D. (praes. C. G. Gmelin) de vero conceptu affinitatis ejusque gradibus et generibus nec non ejusdem effectu respectu matrimonii prohibiti. Tubing. 1801. 4. Ueber die Beweiskraft eines Zeugen wider denjenigen, welcher selbst ihn als Zeugen aufgeführt oder benutzt hat. Ebend. 1806. 8. Rede über das rechtliche Verhältniß der Nothleidenden zu der bürgerlichen Gesellschaft; im literar. Archiv der Stadt Bern. B. III. fasc. 2. Rede über Erziehung und öffentliche Erziehungsanstalten. Ebend. fasc. 3. Zusammenstellung und Erklärung einiger altrömischen Maaßbestimmungen, Eintheilungen und Benennungen. Ebend. fasc. 4. Anweisung, wie man das Recht zu erlernen habe, oder Lehrbuch der juridischen Methodologie. Tübingen. 1821. Rezensionen in der allgemeinen deutschen Bibliothek 1803 bis 1805. Vorlesungen: Methodologie, Enzyclopädie, Naturrecht, deutsches Privatrecht, Kirchenrecht und Praktikum.

Dr. Karl Wilhelm Ludwig Hofacker, Prof. der Rechte; geb. den 26. Juni 1794 im Wildbade; stud. von 1812 bis 1816 in Tübingen und Heidelberg, Kriminalamts-Assistent in Eßlingen 1816, Privatdozent 1817, ausserord. Prof. 1819. Schriften: Systematische Uebersicht des gemeinen und württemberg. Strafprozesses. 1820. Mehrere Rezensionen und kleine Abhandlungen, namentlich: über das Verbrechen der Brandstiftung. Neues Arch. des Kriminalrechts. V. Bd. 1. Heft. 1821. Vorlesungen: Kriminalrecht, Kriminalprozeß und Praktikum, Wechselrecht, Kirchenrecht.

Karl Georg Wächter, Prof. der Rechte; geb. zu Marbach am Neckar, den 24. Dez. 1797, bezog die Universität Tübingen im Frühjahr 1815, und absolvirte, nachdem er in der Zwischenzeit sich ein halbes Jahr in Heidelberg aufgehalten hatte, im Herbste 1818 zu Tübingen; wurde im März 1819 Referendär zweiter Klasse bei dem Gerichtshofe in Eßlingen, und noch in demselben Monate zum Ober-Justiz-Assessor bei eben diesem Gerichtshofe ernannt, und im August 1819 zum ausserordent. Prof der Rechte in Tübingen befördert. Vorlesungen: Strafrecht; römisches Privatrecht; (Institutionen nnd Pandekten.)

Dr. Adolph Michaelis, Professor der Rechte; geb. zu Hammeln den 24. Dez. 1795, studirte zu Tübingen, Göttingen und Heidelberg, promovirte in Göttingen 1818, und hielt daselbst Vorlesungen, Privatlehrer der Rechte in Tübingen in demselben Jahr, ausserord. Professor der Rechte 1820. Schriften: D. Commentatio exhibens obss. de ordine succedendi Juris Feudalis Longobardici. Stuttg. 1818. 4. Grundriß zu Vorlesungen über das deutsche Privatrecht. Tüb. 1819. 8. Darstellung des öffentlichen Rechts des deutschen Bundes und der deutschen Bundesstaaten. Tüb. 1820. 8. Vorlesungen: deutsches Privatrecht, Lehenrecht, Kirchenrecht, Handels- und Wechselrecht, deutsches Staats- und Kameralrecht, Zivilprozeß.

Dr. Walther Friedrich Clossius, ausserordent. Prof. der Rechte und Unterbibliothekar; geb. zu Tübingen den 17. Sept. 1795, stud. daselbst, Unterbibliothekar an der Universität 1817, erhielt am Reformationsfeste 1817 von der Universität die Diplome eines Doktors der Rechte und der Philosophie, Privatlehrer der Rechte 1818; machte in den Jahren 1819 und 1820 eine Reise durch einen Theil von Deutschland, das Königreich der Niederlande, Frankreich und Italien, und hielt sich längere Zeit in Berlin, Göttingen und Paris auf; ausserordent. Prof. der Rechte 1821. Schriften: Comment. juridico-literaria sistens codicum quorundam manusc. Digesti veteris, Stuttgartiensium et Tubingensis, accuratiorem descriptionem, eorundemque et inter se, et cum Florentina, Vulgata aliorumque codicum lectionibus comparationem. Vimariae. 1817. 8. D. jurid. liter. (Praes. E. Schrad.) sistens specimen descriptionis codicum manuscriptorum Digesti veteris, Stuttgartiensium et Tubingensis, cum Florentina, Vulgata aliisque codicibus collatorum. Tub. 1817. 8. (ist blos ein Auszug aus obiger Schrift, den er pro gradu vertheidigte). Ein von ihm auf der Ambrosianischen Bibliothek zu Mailand entdecktes Protokoll des Senats in Rom über die Aufnahme des Codex Theodos. befindet sich unter der Presse. Er ist ferner Mitarbeiter der von Prof. Schrader unternommenen exegetisch-kritischen Handausgabe des Corpus juris civilis. Vorlesungen: Enzyclopädie und Methodologie des Rechts, römische Rechtsgeschichte, juristische gelehrte Geschichte, Exegese des römischen Rechts, württembergisches Privatrecht, Konkursprozeß.

---

## Vierte Abtheilung.

## Medicinische Facultät.

### A. Anderswo angestellte Lehrer.

Dr. Karl Friedrich von Kielmeyer, Staatsrath und Direktor; geb. zu Bebenhausen den 22. Okt. 1765; stud. in der hohen Karlsschule von 1774 bis 1786, wurde während seines Aufenthalts daselbst 1785 als Lehrer der Naturgeschichte bei einem damals errichteten Forstinstitut angestellt, (bis 1786) wurde 1786 Doktor der Medicin, reiste hierauf nach Göttingen, wo er 1 ½ Jahre verweilte, von da über den Harz, das Erzgebirge, Berlin und die sächsischen Universitäten bis 1788; wurde öffentlicher Lehrer der Zoologie und Aufseher des Thierkabinets an der hohen Karlsschule, auch Mitglied der ökonomischen Facultät 1790, ordentl. Prof. der Medicin und Chemie, auch Mitglied des Senats und der medicinischen Facultät daselbst 1792, nach Aufhebung der hohen Karlsschule (1794) behielt er die Aufsicht über das Thierkabinet bei; machte im J. 1795 eine Reise an die Nord- und Ostsee zur Untersuchung von Meerprodukten, wurde 1796 zum ausserordentl. Prof. der Chemie in Tübingen ernannt, nahm es aber in Rücksicht auf seine frühere Stellung nicht an, wurde hierauf ordentl. Prof. der Chemie und Medizin in Tübingen, trat 1801 in den Senat und die Fakultät, erhielt einen Ruf auf die Universitäten Halle 1803 und 1804, Göttingen 1804 und 1805, Berlin 1810; Ritter des Königl. Zivil-Verdienst-Ordens 1808, Staatsräth und Direktor der Königl. öffentlichen Bibliothek zu Stuttgart, so wie des Münz-, Medaillen-, Kunst- und Naturalien-Kabinets, wie auch der Königl. Handbibliothek und der damit verbundenen Institute, nämlich des Karten- und Plan-Kabinets, des botanischen Gartens und der Sammlungen für schöne Kunst 1817, Ritter des Ordens der Württembergischen Krone 1818. Schriften: Disquisitio chemica acidulatum Bergensium et Goeppingensium. Stuttg. 1786. 4. Rede über die Verhälnisse der organischen Kräfte unter einander in der Reihe der verschiedenen Organisationen, die Geseze und Folgen dieser Verhältnisse. Ebend. 1793. 8. (Neuer unveränderter Abdruck. Tüb. 1814. 8. übersezt in einem Auszuge v. Oelsner: sur les rapports des forces organiques entr' elles etc. Paris. 1815.) D. sistens observationes physicas et chemicas de electricitate et galvanismo. A. F. G. Gmelin. Tub. 1802. 8. D. sistens examen physico-chemicum gypsi caerulei Sulzae ad Nicrum nuper detecti A. A. Lebret. ibid.

1808. 8. D. sistens cogitata nonnulla de idea vitae hujusque formis praecipuis. A. C. E. Schelling. ibid. eod. 8 Chemische Untersuchung der Fürstenquelle in Imnau 1804. (abgedruckt in Meßlers neuesten Nachrichten von Imnau. Freyburg 1811.) D. de reductione metallorum via humida ope combustibilium stricte sic dictorum perficienda A. L. F. Boeck. ib. 1804. 4. D. sistens observata quaedam de vegetatione in regionibus alpinis. A. C. A. Kielmann. ib. eod. 8. Observata quaedam de materierum quarundam oxydatarum in germinationem efficientia pro diversa seminum rerumque externarum indole. A. F. Schnurrer. ib. 1805. 4. D. de venenatis acidi Borussici in animalia effectibus. A. C. F. Emmert. ib. eod. 8. D. sistens observationes quasdam chemicas de acredine nonnullorum vegetabilium. A. E. G. Steudel. ib. eod. 8. De conditionibus, sub quibus in plantis formatio et evolutio fructus generatim, seminisque et embryonis in specie procedit. 1806. (in Römers collectaneis ad omnem rem botanicam spectantibus. Turici. 1809.) D. sistens annotationes nonnullas de medicaminum in corpus animale actione generatim, praemissa hypothesi de evolutione organica. Auct. J. C. S. Tritschler. ibid. 1807. 8. D. de effectibus arsenici in varios organismos nec non de indiciis quibusdam veneficii ab arsenico illati. Aut. G. F. Jaeger. ib. 1808. 8. D. sistens animadversiones de materiis narcoticis regni vegetabilis earumque ratione botanica. C. H. Koestlin. ibid. eod. 8. D. sistens experimenta quaedam influxum electricitatis in sanguinem et respirationem spectantia. G. Schübler. ib. 1810. 8. Theses medicae. S. F. Barez. ib. eod. 8. Theses physico-medicae. J. L. Falckner. ib. eod. 8. D. sistens observata nonnulla de effectibus causticorum quorundam in corpus animale. C. Th. Williardts.

ibid. 1811. 8. D. sistens observationes nonnullas anatomicas in appendices genitalium ranarum luteas et in systema vasorum cancri astaci. F. R. Kohler. ibid. eod. 8. Theses medicae. G. A. Gmelin. ib. eod. 4. Theses medicae. F. Wolff. ib. eod. 4. D. sistens seriem positionum organismum et seriem organisationum spectantium. C. H. Feer. ib. 1812. Examen mineralogico-chemicum Strontianitarum in monte Jura juxta Aroviam obviarum. J. R. Meyer. ib. 1813. Examen experimentorum quorundam effectus magnetis chemicos spectantium. C. H. Koestlin. ib. eod. D. sistens experimenta quaedam circa effectus nonnullorum venenorum et medicamentorum vegetabilium in diversis animalibus. G. E. Faber. ib. eod. 4. D. sistens descriptionem scitaminum L. nonnullorum nec non Glycynes heterocarpae. J. Hegetschweiler. Turici 1813. Angezeigt vom Prof. Kielmeyer in den Tübinger Blättern B. 1. S. 102 fgg. D. sistens experimenta circa resuscitationem animalium aqua suffocatorum. C. Roesler. Tub. 1814. 4. D. de praecipuis objectis, praesertim mercibus, combustioni sic dictae spontaneae subjectis, et cautelis in eorum tractatione adhibendis. E. F. M. J. Magirus. ibid. eod. 4. D. sistens characteristicen et descriptiones decadis rariorum plantarum horti academici Tubingensis. J. C. Straub. ib. eod. Angez. v. Prof. Kielmeyer in den Tüb. Blätt. Bd. 1. S. 97. fgg. D. exhibens examen salis culinaris Sulzensis et Suevo-Hallensis, adnexis thesibus chirurgicis de caustici actualis usu. C. Th. Wagenmann. ibid. eod. 4. D. sistens observationes nonnullas Zootomicas, os cordis cervi, claviculas felis, os thoracicum limacis agrestis et intestina coeca urogalli spectantes. J. Ch. Lüthi. ibid. eod. 4. Angez. v. Prof. Kielmeyer in den Tüb. Blätt. B. 1. S. 257 fgg. Physisch-chemische Untersuchung des Schwefelwassers vom Stachelberg im Kanton Glarus mit einem Anhang. Stuttg. 1816. 8. D. de quantitatibus proportionalibus partium constituentium proximarum sanguinis aliquot animalium domesticorum, annexis thesibus chirurgicis et obstetriciis. C. M. Lechler. Tub. 1816. 4. D. sistens singularem casum calculositatis et explorationem chemicam concrementorum in vesica urinaria repertorum. H. Ch. Wolff. ib. 1817. 8. D. sistens annotationes et experimenta quaedam nova chemica circa methodos varias veneficium arsenicale detegendi. G. L. Rapp. ib. eod. 4. Ueber die bei Kannstadt im Oktober 1816 entdeckte Gruppe von Mammuths-Stoßzähnen und andern fossilen Knochen, in einem Brief an den reg. Grafen Franz von Erbach-Erbach; in v. Wildungen Feierabende B. IV. 1818. Als Manuskripte kamen von ihm in Abschriften in mehr oder weniger ausgedehnten Umlauf von 1790 bis 1817. Vorlesungen über vergleichende Zoologie, allgemeine und spezielle Zoologie. Verf. 1790 bis 1793. Vorlesungen über allgem. Zoologie insbesondere. Verf. 1790 bis 92, mit Zus. bis 1816. Vorlesungen über vergleichende Anatomie der Thiere insbesondere. In einem jährigen Kurs. Verfaßt von 1790 bis 1792, mit Zusätzen bis 1816. Vorlesungen über Pflanzenphysik und spezielle Botanik. Verf. 1799 mit Zusätzen bis 1816. Vorlesungen über allgemeine und spezielle Chemie in einem jährigen Kurs. Verf. 1792 bis 1794, mit Zusätzen bis 1817. Vorlesungen über allgemeine Materia medica und spezielle der Imponderabilien in einem jährigen Kurs. Verf. 1802 bis 1805. Vorlesungen über Pharmazie. Verf. 1801.

Dr. Ludwig Friedrich von Froriep, Großherzogl. Sachsen-Weimarscher Ober-Medizinalrath und Ritter des Königl. Württembergischen Zivil-Verdienst-Ordens. Geb. in Erfurt den 15. Jan. 1779; studirte in Jena und wurde daselbst 1799. Doktor der Medizin und Chirurgie; machte hierauf eine gelehrte Reise, wobei er sich 9 Monate zu Wien aufhielt, Ostern 1800 trat er als Privatdozent in Jena auf; und disputirte zum zweitenmale pro facultate legendi, wurde im Sommer 1802 ausserord. Prof. der Medizin daselbst, reiste im Herbst nach Paris, wo er sich vorzüglich mit vergleichender Anatomie beschäftigte, nahm im Frühling 1803 seine Rückreise durch die Niederlande und Holland, wo er zu Amsterdam und Leyden mehrere Wochen verweilte. Im Jahr 1804 wurde er als Professor nach Halle berufen; errichtete dort eine Privatentbindungsanstalt, welche die Grundlage des nachher von ihm errichteten Instituts war, und die, später erweitert, noch jezt besteht. Nachdem die Universität 1806 durch Napoleon aufgehoben worden, privatisirte und praktizirte er in Halle. Nach dem Frieden von Tilsit wurde er von der Universität an den König nach Memel gesendet, um darauf anzutragen, daß die Universität von Preüssen nicht mit abgetreten werden möge. Obgleich dieser Wunsch nicht erfüllt wurde, so wurden doch mehrere Professoren und unter diesen auch er für die neue Universität Berlin bestimmt und dahin versezt, wo er im Herbst 1806 seine Vorlesungen begann. Da aber die Besezung Preussens durch die Französen fortdauerte und die Eröffnung der Universität sich verzog, dagegen eine immermehr sich ausbreitende geburtshilfliche Praxis alle literarische Muse zu rauben drohte, so folgte er im Herbst 1808 dem Ruf als Professor der Geburtshilfe und Chirurgie in Tübingen gerne, und trat seine Stelle im November an. Die philosophische Fakultät der Universität Halle kreirte ihn honoris gratia, und wie sie sich ausdrückte, in testimonium desiderii sui znm Doctor Philosophiae. Im J. 1810 übernahm er in Tübingen auch die Professur der Anatomie, die er mit großem Eifer und Vorliebe verwaltete, bis er 1814 zum Leibarzt des verstorbenen Königs ernannt nach Stuttgart abgehen mußte. Im Jahr 1816 zwangen ihn Familien-Verhältnisse seine Stelle niederznlegen, und nach Weimar zu gehen, um die Leitung des Landes-Industrie-Komptoirs zu übernehmen, er wurde zugleich von dem Großherzog zum Ober-Medizinalrathe ernannt, welche Stelle er noch bei der Landes-Direktion bekleidet. Im J. 1817 machte er eine, gelehrte Zwecke beabsichtigende, Reise nach England. Schriften: D. de recto emeticorum usu. Jenae. 1799. 4. D. de neonatis asphycticis succurrendi methodo. ib. 1800. 8. Hysteroplasmata oder Nachbildungen der Vaginalportion des Uterus und des Muttermundes in den verschiedenen Perioden der Schwangerschaft u. Geburt m. d. Touchirapparate. Weimar. 1802. Darstellung der neuen, auf Untersuchungen der Verrichtungen des Gehirns gegründeten Theorie der Physiognomik des Hrn. Dr. Gall in Wien. 2te sehr verm. Aufl. mit 1 Kpf. Ebend. 1802. gr. 8. Einige Worte über populäre Medicin, nebst einem Plane zu Vorlesungen über dieselbe. Ebend. 1801. gr. 8. Bibliothek für vergleichende Anatomie. 1ten Bds 1tes u. 2tes St. Ebend. mit Kupf. 1802. gr. 8. Theoretisch-praktisches Handbuch der Geburtshülfe zum Gebrauch bei akademischen Vorlesungen und für angehende Geburtshelfer. 7te vermehrte und verbesserte Aufl. mit 1 Kupf. Ebend. 1822. gr. 8. Ueber die anatomischen Anstalten zu Tübingen von Errichtung der Universität bis auf gegenwärtige Zeiten. Ebend. 1812. gr. 4. Einige Worte über den Vortrag der Anatomie auf Universitäten nebst einer getreuen Darstellung des Gekröses und der Neze als Fortsäze des Bauchfells. Mit 2 Kupf. Ebend. 1813. gr. 4. Ueber Anatomie in Beziehung auf Chirurgie, nebst einer Darstellung der relativen Dicke und Lage der Muskeln am Ober- und Unterschenkel. Mit 1 Kpf. Ebend. 1814. gr. 4. Ueber die Lage der Eingeweide im Becken, nebst einer Darstellung derselben mit 1 Kpf. Ebend. 1815. gr. 4. Pelviarium oder Becken von Papiermaché, mit Durchmesser, dasselbe ohne Durchmesser. Ebend. Angekündigt auf 1821. Notizen aus dem Gebiete der Natur- und Heilkunde gesammelt und mitgetheilt. Ebend. Ausserdem mehrere Anmerkungen zu Uebersezungen mehrerer Werke von Cuvier, Dumeril, Roux, Cooper etc.

Dr. Wilhelm Friedrich Ludwig, Königl. Leibarzt und Medizinalrath. Geb. zu Ulbach den 16. Sept. 1790; stud. von 1807 bis 1811 zu Tübingen; wurde im Sommer 1811 Doktor der Medizin und Chirurgie; diente als Militär-Unterarzt bis 1812, wurde 1812 Oberarzt, als solcher machte er den rüßischen Feldzug 1812 mit, sodann den Anfang des französischen Feldzugs 1815; erhielt seine Anstellung als ord. Professor der Chirurgie und Geburtshilfe zu Tübingen im Sommer 1815; machte bis zum Winter 1815 eine wissenschaftliche Reise auf sämmtliche südteutsche Universitäten; wurde nach halbjähriger Bekleidung seines Amtes 1816 Leibmedikus und Medizinalrath, vikarirte jedoch noch im Winterhalbjahr 1816 — 17. für den Prof. Georgii zu Tübingen. Schriften: D. (praes. D. Autenrieth) de nova trepano praecipue pro orbitae vulneribus, adjectis thesibus medicis de indole morborum virusalium. Tub. 1811. 8. Ein Auffaz in die Tübinger Blätter: Ueber die Natur der Augenkrankheit, welche Pannus genannt wird.

Dr. Christian Gottlob Hopf, Hofrath und Oberamtsarzt zu Kirchheim unter Teck. Geb. zu Balingen den 15. Jul. 1765; stud. zu Tübingen Philosophie und wurde Mag. 1785, stud. hierauf Theol., ging aber bald darauf zum Studium der Medizin über und wurde Lizentiat 1790, praktizirte zu Tübingen und wurde Doktor der Medizin 1793, ausserord. Prof. derselben 1794, übernahm 1797, nach dem Tode des Prof. Clossius, den praktischen Unterricht in dem damaligen akademischen Lazareth, und sezte denselben nach der Anstellung eines neuen Lehrers gemeinschaftlich mit diesem so lange fort, bis das Königl.

Klinikum errichtet wurde; machte eine gelehrte Reise 1798, zugleich Physikus in Bebenhausen 1806, Oberamtsarzt zu Kirchheim mit dem Charakter eines Hofrath 1811. Schriften: D. qua instruendae Meteorologiae medicae consilia instituuntur. Tub. 1790. 4. Uebersezung D. E. G. Sellens Entwurf einer systematischen Fieberlehre a. d. Lateinischen. Tüb. 1791. 8. Commentarien der neuern Arzneikunde. 1r — 6r Bd. Tübingen. 1793 — 1800. 8. D. Theoriae de principio, febres inflammatoriis epidemicas gignente, rudimenta. ib. 1794. 8. Uebersicht der wichtigeren Vorfälle in dem Clinicum ambulatorium. 1 — 4. Uebers. Ebend. 1796 — 1800. Ueber die Entdeckung eines der wichtigsten Mittel, die Luft zu reinigen und die Ansteckung zu verhüten. Stuttg. 1802. 8. (von dieser Schrift ließ der Churfürst von Pfalzbaiern 100 Exemplare an die Militärspitäler vertheilen). Vorschlag einer neuen Methode, die Uebergalle des Hornviehs zu behandeln. Frankf. u. Lpz. 1796. Grundriß einer systematischen Abtheilung der einfachen und zusammengesezten Arzneikörper. Tübingen. 1803. 8. Bemerkungen über die Anwendung des Galvanismus (in der allg. Justiz- u. Polizeyfama. Jan. 1803. S. 610. f.) Beobachtungen und Bemerkungen über die sogenannte schwarze Blatterkrankheit und die Wechselfieber, die von der Ausdünstung der Sümpfe entstehen. Altenburg im literar. Comtoir. 1812. Versuch eines Umrisses der Hauptgattungen des Schlagflusses 2c. (In den Annalen der Heilkunst. Altenb. 1812.) Vermehrte Auflage dieser Schrift. Stuttg. 1816. Vorschläge zur Erhöhung der landwirthschaftlichen Benuzung der württembergischen Alpen, und zur Gewinnung einer Gesundheits-Anstalt auf einem Theile derselben. (In dem allg. landwirthschaftlich. Blatt. Ulm. 1817.) Gedicht: Die Kannstatter Heilquelle an ihre Verehrer, Stuttg. 1817. Andere Aufsäze in Hufeland's Journal, in das Archiv für Magnetismus 2c. 1820, und Henkes Zeitschrift für die Staatsarzneikunde 1821. Rezensionen in die Salzburg. medic. chirurg. und die Leipziger Literatur-Zeitung.

Dr. August Christian von Reuß, Königl. Leibmedikus und Medizinalrath, Mitglied der Kaiserl. Rußischen physisch-medizinischen Sozietät in Moskau, der medizinischen Gesellschaft in Kopenhagen, der Königl. Großbritanischen medizinischen und physischen Gesellschaften in Edinburgh, und der Gesellschaft für Freunde der Entbindungskunst in Göttingen. Geb. zu Rendsburg im Holsteinischen, den 2. Jan. 1756; stud. in Tübingen Philos. und wurde Magister 1773, stud. dann die Medizin und wurde daselbst Doktor 1778; machte hierauf eine vierjährige gelehrte Reise nach Straßburg, Holland, England, Schottland, Frankreich, Dänemark und Deutschland: Berlin, Wien, sächsische Universitäten 2c.; wurde ausserord. Prof. der Medizin zu Tübingen 1783, Fürst-Bischöfl. Speierscher geheimer Rath und Leibmedikus zu Bruchsal 1784; erhielt den Charakter eines Herzoglich Württemberg. Leibmedikus 1791, wurde wirkl. Leibmedikus und wirkl. Rath bei dem Medizinaldepartement 1808, und des Oberzensurkollegiums 1810, Medizinalrath und ordentl. Mitglied des K. Med. Kollegii 1817,

Ritter des Königl. Zivil-Verdienst-Ordens 1804, und des Ordens der Württemberg. Krone 1820. Schriften: Diss. (praes. J. Kies.) de terrae motuum caussis. Tub. 1773. 4. Diss. (praes. Th.C.Ch. Storr.) de sale sedativo Hombergii. ibid. 1778. 4 Novae observationes circa structuram vasorum in placenta humana, hujusque peculiarem cum utero nexum. ibid. 1784. 4. Aufsäze in Crell's neüesten Entdeckungen in der Chemie, von Verstärkung der Kohlenhize durch dephlogistisirte Luft. Th. 8. 1783 und in Th. 10. 1783. Nro. II. über das Einbalsamiren der Leichen nach Dr. W. Hunters angegebener eigner Weise. Beschreibung eines neuen chemischen Ofens, nebst 3 Kupfertafeln. 1782. Lpz. bei L. S. Hilscher. Viele Rezensionen in Nikolai allgemeiner deutscher Bibliothek, in den Leipziger und Jenaer gel. Zeitungen, und den Tübingischen gel. Anzeigen: auch einige Abhandlungen in den Commentarien der angezeigten gelehrten Gesellschaften.

---

## B. Noch hier befindliche Lehrer.

Dr. Johann Heinrich Ferdinand von Autenrieth, Vizekanzler und Königl. ausserordent. Bevollmächtigter an der Universität, ordentl. Prof. der Medizin, erster Vorsteher des Klinikum, Ritter des Ordens der Württembergischen Krone. Er erhielt das Diplom als ordentliches Mitglied des landwirthschaftlichen Vereins in Württemberg; als Ehren-Mitglied der Kaiserl. medizinisch-chirurgischen Akademie zu St. Peterburg, der med. chirurg. Gesellschaft zu Bern, der phys. med. zu Erlangen, der physikal. zu Göttingen, der in der Wetterau, und der mineralog. zu Jena; als ordentl. Mitglied der Naturforschenden zn Marburg; als korrespond. Mitglied der Königl Akademie der Wissensch. zu Berlin, der ehmaligen Ecole de Méd. zu Paris, der Gesellschaft der wetteifernden Aerzte zu Paris und der physik. zu Jena; und als Mitglied der ehmaligen vaterländischen Gesellschaft der Aerzte und Naturforscher in Schwaben und der ehmaligen phys. math. zu Mainz. (Sein Vater war Rath in der Rentkammer und ordent. Prof. der Staatswirthschaft an der Karls-Akademie zu Stuttgart, zulezt württembergischer Geheimerrath, Jakob Friedrich Autenrieth.) Er wurde geboren in Stuttgart den 20. Okt. 1772; studirte daselbst auf jener hohen Schule Arzneiwissenschaft, und wurde Doktor derselben im Jahr 1792. Er hörte hierauf Vorlesungen in Pavia, bereiste von da aus Oberitalien, und ging 1793 nach Wien, von wo aus er die Bergwerke in der Gegend von Schemniz in Ungarn besuchte. Er wurde als praktischer Arzt in Stuttgart beeidigt; bekleidete aber seinen Vater im Frühjahr 1794 durch das nördliche Deutschland in die mittlern vereinigten Staaten von Nordamerika, wo er zu Lancaster in Pennsylvanien sich eine Zeit lang der medizinischen Praxis widmete, aber im Sommer 1795 nach Stuttgart zurückkehrte, daselbst den Titel als

Herzogl. Hofmedikus erhielt, Aufseher von dem zoologischen Theile des Herzogl. Naturalien-Kabinets, und im Herbste 1796 Mitglied der, wegen damals herrschender Rinderpest niedergesezten, Sanitäts-Deputation wurde. Im Junius des Jahres 1797 wurde er von dem akademischen Senate an die Stelle des verstorbenen Prof. Karl Friedrich Clossius zum ordentl. Prof. der Anatomie und Physiologie, der Geburtshilfe und Chirurgie, neben Besorgung des ältern Klinikums ernannt, und bekleidete vom darauf folgenden Herbste an dieses Amt, so wie das eines Medizinal-Visitators für die obere Gegenden des Landes, bis er im Frühjahr 1805 die Einrichtung des neuen Klinikums der Universität, vorzüglich unter dem Beistand des vormaligen Ministers von Spittler, beendigt hatte, und an den neuernannten Prof. der Chirurgie und Geburtshilfe die Vorlesungen über diese Fächer übergab, mit Ausschluß der über medizinische Chirurgie, welche er erst im Herbst 1817 abtrat. Er übernahm vom Professor von Ploucquet im Herbste 1810 die Vorlesungen über die praktische Medizin, und gab dagegen die über Anatomie und Physiologie ab. Nach Ploucquet's Tode im Jahre 1814 wurden ihm noch die Vorlesungen über gerichtliche Medizin und Rezeptirkunst übertragen. Im Jahre 1813 gab er das Amt eines Medizinal-Visitators ab; von 1815 bis 1818 hatte er aber die Medizinal-Aufsicht auf die Stadt Tübingen. Im Frühjahr 1811 wurde er zum Mitglied der Disziplinar-Kommission ernannt, zu welcher er Vorschläge gemacht hatte, und aus welcher er im Mai 1818 wieder austrat. Im Juni 1819 wurde er, mit Beibehaltung seines Amtes als Lehrer und seiner Stelle in der Fakultät und im Collegio medico, Vizekanzler der Universität, mit den Obliegenheiten und Rechten eines Kanzlers. Als solcher wohnte er im Jahr 1819 dem, die Verfassung abschliessenden, Landtag in Ludwigsburg, und in den folgenden Jahren den zwei, in Stuttgart gehaltenen, Landtagen bei. Zum Königl. ausserordentlichen Bevollmächtigten an der Universität in Beziehung auf die Bundestagsbeschlüsse war er im Novbr. 1819 ernannt worden. Ritter des Königl. Zivil-Verdienst-Ordens wurde er im Nov. 1812, des Ordens der Württembergischen Krone im Jan. 1819. Seine Schriften sind ausser mehreren Rezensionen in Hartenkeil's medizinisch-chirurgischer Zeitung, und in den ehmaligen Tübinger gelehrten Anzeigen: Dissert. exh. Experimenta et observata quaedam de sanguine praesertim venoso. Stuttg. 1792. Nachrichten, Pavia betreffend, in Baldingers neuem Magazin 16. Bd. 5. Stück. 1794. Briefe eines Reisenden über einen Theil von Ungarn, in der Zeitschrift Flora 3. Jahrg. 1. Bändch. 3. H. 1795. Brief an Dr. Pfaff über die Anatomie des Meerschweins, mit Anmerkungen von Prof. Viborg; dänisch übersezt in physicalsk oeconomisk og medico-chirurgisk Bibliothek for Danmark og Norge 5. Bd. Jun. 1795. Ueber den Einfluß des Athemhohlens auf die Ernährung, in Hartenkeils med. chirurg.

Zeitung 3. B. 1795. Beschreibung einer kleinen Fußreise in der Provinz Neujersey in Nordamerika, in Hegewisch und Ebelings amerikanischem Magazin 1. B. 1. St. 1795. Beschreibung des gelben Fiebers von Benj. Rush, übersezt und mit Zusäzen begleitet von Dr. Hopfengärtner und Dr. Autenrieth. Tübingen. 1796. Bemerkungen über die Seekrankheit, in Hufeland's Journal 2. B. 1. St. u. 3. B. 2. St. 1796 u. 97. Bösartige Pokken durch Jalappe geheilt und über den Nuzen des heißen Badens in bösartigen Pokken, in Hufelands Journal 3. B. 4. St. 1797. Supplementa ad historiam embryonis. Tubingae. 1797. Bemerkungen über Gebirge, gesammelt in den Jahren 1792 bis 94, in Voigts kleinen mineralogischen Schriften 2. Th. 1800. Bemerkungen über den Bau der Scholle insbesondere, und den Bau der Fische, hauptsächlich ihres Skelets, im Allgemeinen, in Wiedemanns Archiv für Zoologie und Zootomie, 1. B. 2. St. 1800. Handbuch der empirischen menschlichen Physiologie. Tüb. 1r Theil 1801, 2r Theil 1801, 3r Theil 1802. Bemerkung übrr die psychologische Gleichheit des ganzen Thierreichs, in Wiedemanns Archiv, 2. B. 2. St. 1801. Gedanken über die englischen Stachelschweinmenschen, in Voigts Magazin für den neuesten Zustand der Naturkunde, 4. Bd. 3. St. 1802. Beobachtungen über den Cretinismus, zerstreut in Joseph u. Karl Wenzel: über den Cretinismus 1802. Bemerk. über die verschiedenen Menschenracen und ihren gemeinschaftlichen Ursprung, in Voigts Magazin, 5. B. 5. St 1803. Kleine Bemerkungen über Stahlfunken, die in das Auge springen und darin sich festsezen, in Himly's und Schmidt's ophthalmologischer Bibliothek, 2. B. 1. St. 1803. Beobachtungen über einen Bauchredner, in Voigts Magaz. 7. B. 6. St. 1804.

Kleine naturhistorische Bemerkungen aus dem Thierreiche, ebend. 10. B. 1. St. 1805. Anleitung für gerichtliche Aerzte bei denen Fällen von Legal-Inspektionen und Sektionen, Vergiftungen und der Frage, ob eine Frau kürzlich geboren habe, wo schon die erste Untersuchung genugthuend seyn muß. Tübing. 1806. Versuche für die praktische Heilkunde aus den klinischen Anstalten von Tübingen, 1. B. 1. Heft. Tüb. 1807, 2. H. 1808. Bemerkungen über die Verschiedenheit beider Geschlechter und ihrer Zeugungs-Organe, als Beitrag zu einer Theorie der Anatomie; in Reil und Autenrieth's Archiv für die Physiologie, 7. B. 1. H. 1807. Untersuchung ausgearteter Eierstöcke in physiologischer Hinsicht, ebend. 2. H. Ueber die eigentliche Lage der innern weiblichen Geschlechtstheile, ebend. Ueber die beschnitten geborenen Judenkinder, ebend. Ueber die Rindensubstanz der Leber, ebendaselbst. Uebersezung der Dissertation Autenrieth et Pfleiderer, de dysphagia lusoria, ebend. 1. H. Autenrieth u. Zeller, Ueber das Daseyn von Quecksilber, das äusserlich angewendet worden, in der Blutmasse der Thiere, ebendas. 8. B. 2. H. 1807 u. 1808. Zusaz zu der Abhandlung de dysphagia lusoria, ebend. Autenrieth u. Kerner, Beobachtungen über die Funktion einzelner Theile des Gehörs, ebendas. 9. B. 2. H. 1809. Charakter der in Tübingen herrschenden Krankheiten, in Tüb. Blättern für Naturwissenschaften und Arzneikunde von v. Autenrieth und v. Bohnenberger, Tüb. 1. B. 1. St. 1815, 2. St., 3. St., 2. B. 1. St. 1816, und 2. St. Ueber Gehörkrankheiten 1. B. 1. und 2. St. Ueber Kinderkrankheiten, ebendas. Ueber Georgii analysis chemica acidularum nidernowensium, ebend. Ueber die Schwindsucht, ebend. Ueber Lienterie, ebend. 2. Stück. Allgemeine Skropheln von

Trippergift, ebendas. Ueber Entwicklungs-Entzündungen, ebend. 3. St. Ueber das Osmazom, ebendas. Leichtes Mittel, die zu starke Blutung nach der Anwendung der Blutigel zu stillen, 2. B. 1. St. 1816. Vorschlag beim Kaiserschnitt, ebend. Ueber ein Zeichen, das auch tiefliegende venerische Halsgeschwüre verräth, ebend. 2. St. Belladonna als äusserliches Mittel gegen die Schmerzen bei der weißen Geschwulst der Gelenke, ebend. Anhang zu einer geschichtlichen Skizze eines endemischen Magenleidens, ebend. Ueber Formänderung der Gebährmutter, als eine Ursache weiblicher Unfruchtbarkeit, ebendaselbst. Gründe gegen den Materialismus, 3. St. Ein wirksames Mittel beim Wundliegen, ebend. Anhang zu dem merkwürdigen Beyspiel einer Contrafissur am Schädel, 3. B. 1. St. 1817. Bemerkungen über Gesichtskrebse. Ausgetreten seyn zuweilen von Wasser und Lymphe im Hirn gesunder Personen, ebend. Anzeige von Dissertationen über Gifte, ebend. Ueber den Mangel an Nerven im Nabelstrange, ebend. Anleitung zur Brodzubereitung aus Holz. Stuttg. 1817. Zerstreute Beobachtungen in der Sammlung medizinischer Dissertationen von Tübingen in Uebersezung herausgegeben von Dr. Weber. Tübingen. 1. u. 2. St. 1820. Unter seiner Leitung erschienen folgende akademische Dissertationen: Doerner. De gravioribus quibusdam cartilaginum mutationibus. 1798. Fischer. Observationes de pelvi mammalium. 1798. Kaiser. Graviores errores frequentius in herniotomia occurrentes. 1798. John. Observationes physiologico-pathologicae, quae neonatorum frequentiores morbos spectant. 1799. Schüz. Experimenta circa calorem foetus, et sanguinem ipsius instituta. 1799. Silber. De viribus naturae medicatricibus in situs foetuum iniquos. 1799. Luz. Momenta quaedam circa herniotomiam, praecipue circa evitandam arteriae epigastricae laesionem. 1799. Werner. Experimenta de modo, quo chymus in chylum mutatur. 1800. Hochstetter. Observationes veritatem methodi revulsoriae spectantes. 1802. Metzger. De hactenus praetervisa nervorum lustratione in sectionibus hydrophoborum. 1802. Fischer. Observata circa obstacula, quae conditio symphysium pelvis praeternaturalis, synchondrotomiae opponit. 1802. Sury. De sanandis forsan vesiculae felleae vulneribus. 1803. Schnell. De natura reunionis musculorum vulneratorum. 1804. Ollner. Observata in historiam leprae, subjuncto casu recentiori leprae graecorum. 1805. Rüdiger. De natura et medela morborum nevricorum, generatim spectatis. 1806. Essig. De ortu quorundam morborum provectioris aetatis, praecipue ophthalmiae senilis. 1806. Daeubler. De natura maniae. 1806. Laiblin. De sanatione talipedum varorum, ad virilem aetatem jam provectorum. 1806. Tritschler. Observationes in hernias, praecipue intestini coeci. 1806. Pfleiderer. De Dysphagia lusoria. 1806. Friz. Descriptio morbi epidemici, Münchingae grassati. 1807. Prael. Theses medicae. 1807. Cless. Tentamen, ex hominis anatomia animi phaenomena eruendi. 1807. Wagner. De morbis ex scabie orientibus, magistratuum attentione non indignis. 1807. Reuss. De glandulis sebaceis. 1807. Voehringer. De morbis quibusdam, qui gonorrhoeam male tractatam sequuntur. 1807. Haerlin. Observationes in febres intermittentes, praecipue vernales. 1808. Zeller. Experimenta circa effectus hydrargyri in animalia viva. 1808. Lucae. Theses medicae. 1808. Kerner. Observata de functione singularum partium auris. 1808. Elsaeßer. De natura parotidum malignarum. 1809. Bayr.

Hoffer. Observationes in hydrothoracem virorum, ex cordis vitiis genitum. 1809. Hofaker. De notione pathologica rhevmatis. 1810. Baumgärtner. Theses medicae. 1810. Lipp. De veneficio belladonna producto, atque opii in eo usu. 1810. Stroehlin. Synopsis evolutionum, quas interni morbi subeunt. 1810. Schuk. Observationes in nexum organismi cum natura sic dicta anorganica, quatenus medicum spectat. 1810. Bauer. Topographia medica pagi Ergenzingen. 1810. Weiss. Historia partus ob figuram pelvis oblique cordiformem infausti. 1810. Delmanzo. Observationes in morbos quosdam, ligamenti uteri rotundi, acutos. 1811. Simon. Observationes in varias tumoris articulorum albi causas. 1811. Mathes. De differentia, quae naturam vis organicae et fluidorum imponderabilium indolem intercedit. 1811. Harttmann. Observationes de prosopalgia. 1811. Ludwig. De novo trepano praecipue pro orbitae vulneribus, atque de indole morborum vernalium. 1811. Keller. De hydrocephalo acuto, tumore genu albo; et laesione medullae spinalis. 1811. de Bronner. De nevralgia coeliaca, et de conditionibus reunionis vulnerum absque suppuratione. 1811. Fricker. De organis morbosis resorptionem, puris praecipue, spectantibus. 1811. Schmauk. De nexu ovi humani et restringenda in abortu haemorrhagia. 1811. Gsell. Experimenta de sejunctione materiae vivae, vim cantharidum in renes specificam, illustrante. 1812. Stinzing. Pars anatomes feminae, pede manus instar utentis. 1812. Richter. De vulneratarum venarum sanatione. 1812. Müller. Observationes de morbis mulierum ex scabie repulsa propullulantibus 1813. Hasse. De atrophia membrorum particulari; et anatomes feminae, pede manus instar utentis, pars altera. 1813. Widmann. De usu seminis phellandrici aquatici, in callo ossium mollius remanente. 1813. Benk. Experimenta de penetratione sulphuris in corpus vivum. 1813. Fricker. De secando trunco nervi duri in prosopalgia, additis observationibus de morbis infantum. 1813. Weltin. Observata quaedam in phtisin pulmonalem. 1813. Belser. De luxatione femoris, quae versus inferiora contingit, annexis thesibus medicis de usu diureticorum. 1813. Reusser. Topographia medica pagi Jesingen. 1813. Lohnes. De utilitate hydrargyri, in febre typhode inflammatoria, annexis thesibus de Tetano. 1814. Lindt. De epilepsia, praesertim puerorum umbilicali. 1814. Schmid. De pupilla artificiali in sclerotica aperienda, et de gravi morbillorum epidemia Gomariensi. 1814. Wienhold. Analysis organorum corporis humani, praecipue secernentium, in partes constituentes propiores, annexis thesibus chirurgicis. 1815. Schlaepfer. Experimenta de effectu liquidorum quorundam medicamentosorum, ad vias aëriferas applicatorum, in corpus animale. 1816. de Dillenius. Observat. de vi perniciosa scabiei repulsae in vulnera. 1816. Hardegg. Observat. de vario arsenici in animalia effectu. 1817. Mappes. De penitiori hepatis humani structura. 1817. Steinmüller. Analysis chemica ossium humanorum utriusque sexus, et variae aetatis. 1817. Weber. Observationes in coretodialysin et pupillam in sclerotica aperiendam. 1817. Zeller. De natura morbi, ventriculum infantum perforantis. 1818. Palm. De pedibus artificialibus. 1818. Rheiner. Topographia medica urbis Helvetiorum Sangalli, et epidemia typhosa ibi annis 1817 — 18 exstante. 1818. Keyler. De arithmetica inter sese ratione morborum canalis alimentaris, provectiori aetati frequentiorum. 1818. Gschwind. Retroversio uteri non gravidi, speciminaque duo retroversionis uteri gravidi. 1819. Comes de Goerlitz. Disquisitiones in vim nervorum ad metastases. 1819. de Beuttenmüller. De seniorum cancro cutis superficiali. 1819. Vorlesungen: Allgemeine Pathologie, allgem. Therapie, Nosologie der akuten und chronischen Krankheiten, gerichtliche Medizin, Rezeptirkunst und Klinik.

Dr. Ferdinand Gottlob Gmelin, ordentl. Prof. der Naturgeschichte und Medizin; geb. zu Tübingen den 10. März 1782; stud. hier und wurde Doktor 1802; reiste durch Deutschland, Ungarn, Italien und Frankreich; ausserord. Prof. der Naturgeschichte und Medizin 1805, Arzt bei dem evangelisch-theologischen Seminarium 1806, ordentl. Prof. 1810. Schriften: Allgemeine Pathologie des menschlichen Körpers. 2te Aufl. 1820. 8. Diss. (praes. Kielmeyer) sistens observationes physicas et chemicas de electricitate et galvanismo. Tub. 1802. 8. Diss. sistens analysin renum hominis, vaccae et felis. Auct. C. G. Gmelin. ibid. 1814. 4. Diss. sistens analysin chemicam acidularum Nidernowensium, adjectis thesibus medico-chirurgicis de oculorum morbis. G. A. Georgii. ib. eod. 4. Diss. de plantarum exhalationibus. J. L. Palmer. ib. 1817. 8. Theses chemicae, geologicae et physiologicae. L. Camerer. ib. eod. 4. Diss. sistens analysin chemicam aquae sulphureae Reuttlingensis. B. Krauss. ib. 1818. 8. Diss. sistens animadversiones et experimenta circa mechanicas vires, quibus sanguinis circulatio perficitur. C. F. Nieffer. ibid. 1818. 8. Diss. de fractura colli ossis femoris, annexa descriptione et delineatione novi apparatus chirurgici

Auct. J. A. F. Roemer. ib. 1816. 8. Diss. sistens historiam veneni upas antiar nec non experimenta et ratiocinia quaedam de effectibus illius. J. Schnell. ib. 1815. 8. Diss. sistens annotationes quasdam in historiam et naturam typhi contagiosi nuperrime grassati, adnexis thesibus chirurgicis. J. Keller. ibid. 1816. 8. Diss. sistens animadversiones in leges formationis sceleti, cui annexae sunt theses chirurgicae. J. Mettler. ib. eod. 8. Diss. qua investigatur utrum funiculus umbilicalis nervis polleat an careat. L. S. Riecke. ib. 1816. 8. Diss. sistens singularem casum exsiccati pulmonis e caussa gonorrhoica aliumque ossis tracheae inlapsi et post dimidium annum sponte iterum expulsi. J. J. Freytag. ibid. 1819. 8. Rezensionen in die Tübinger gelehrt. Anzeigen, und Heidelberg. Jahrbücher. Vorlesungen: Mineralogie und Geologie, Einleitung in die allgemeine Naturwissenschaft, Physiologie, allgemeine Pathologie, Materia medica.

Dr. Christian Gottlob Gmelin, ord. Prof. der Chemie und Pharmazie; geb. zu Tübingen den 12. Okt. 1792; stud. in Tübingen, und wurde Doktor der Medizin 1814; machte Reisen durch Deutschland, Frankreich, England, Schottland, Irland, Schweden u. Norwegen; ord. Prof. 1817. Schriften: Diss. (praes. F. G. Gmelin) sistens analysin renum hominis, vaccae et felis. Tub. 1814. Analys af Pargasit from Finland. Analys af Ichthyophthalm from Utö och Groenland (kongl. Vetenskaps Academiens Handlingar för år 1816. Stockholm). Analysis chemica Petalitis, et chemica lithonis disquisitio. Dissert. respond. Jac. Roeser. Tub. 1819.

Experimenta, electricitatem quae contactu evolvitur, spectantia, respond. Chr. Frid. Dihlmann. Tub. 1820. Chemische Untersuchung des Lepidoliths von C. G. Gmelin u. P. A. Wenz; eine Dissertation. 1820. **Vorlesungen**: Chemie der unorganischen und organischen Körper, pharmaceutische Chemie und Waarenkunde, analytische Chemie, technische Chemie.

Dr. **Gustav Schübler**, ord. Prof. der Naturgeschichte und insbesondere der Botanik, der Wetterauischen Gesellschaft für die gesammte Naturkunde, der medizinisch-physikalischen Gesellsch. zu Erlangen, der naturforsch. Gesellsch. zu Halle, der schweizerischen Gesellsch. für die gesammte Naturkunde, des württemberg. landwirthschaftlichen Vereins, und landw. Vereins des Großherzogthum Badens zu Ettlingen korr. Mitglied. **Geb.** zu Heilbronn den 17. Aug. 1787; stud. zu Tübingen, wurde Doktor 1810; reiste nach München, Salzburg und Wien; praktizirte zu Stuttgart 1811, Lehrer am landwirthschaftlichen Institut zu Hofwyl 1812, bereiste von da verschiedene Theile der Schweiz, Savoyens und Oberitaliens, wurde ordentl. Prof. zu Tübingen 1817. **Schriften**: Diss. (praes. C. F. Kielmeyer) sistens experimenta quaedam ad influxum electricitatis in sanguinem et respirationem spectantia, Tub. 1810. 8. Versuche über die Kälte erregende Eigenschaft der Elektrizität und deren Einwirkung auf das Blut. Gilbert Annalen der phys. Bd. 39. S. 305. Bestimmung der Höhe mehrerer Gegenden Württembergs über das Neckarthal und über dem Meer.

Württemb. Staatskal. 1811, und Tübinger Blätter für Naturwissenschaft u. Arzneikunde von Autenrieth u. Bohnenberger, B. I. (1815) S. 329. Ueber die Bildung der polyposen Concremente bei der Ruhr, in Harles Jahrbüchern der teutschen Medizin. B. III. 1813. Ueber die Abweichung der Magnetnadel und die verschiedene Größe ihrer täglichen Veränderungen, je nach der verschiedenen Art, wie ihr Magnetismus mitgetheilt wird. Journ. de Phys. et Chim. Paris. 1812. Beobachtungen über die atmosphärische Elektrizität, ihre jährliche und tägliche Perioden. Schweigger Journ. d. Chemie in mehreren Heften von 1811 — 1817. Bibl. universelle Juin. Genev. 1816. Ueber Regen, Nebel, Wolkenbildung und deren Elektrizität in den Alpen. Schweigger. Journ. der Chemie. B. IX. 1813. Ueber die trocknen elektrischen Säulen von Deluc und Zamboni. Ebend. B. XVI. Gilberts Annal. 1815. Medizinische Topographie v. Stuttgart. Stuttg. 1815. 8. Gemeinschaftlich mit Dr. Cleß. Untersuchungen über die physischen Eigenschaften der Erden in Vergleichung mit ihren chemischen Bestandtheilen. Bibl. brittan. Genev. 1815. May. Gilberts Annal. Nov. 1815 Landwirthsch. Blätt. von Hofwyl. St. V. 1817. Chemische Untersuchungen mehrerer Erdarten in den Umgebungen von Stuttgart. Bibl. brittan. 1815. Dez. Ueber den Humus und dessen Zerlegung. Bibl. univ. Genev. Okt. 1816. Ueber die nähere Bestandtheile der Milch. Landwirthsch. Blätter von Hofwyl, St. VII. 1817 und Meckel's Archiv der Physiologie Tom. IV. 1818. p. 557. Beobachtungen über die täglichen periodischen Veränderungen der Abweichung der Magnetnadel in Schweigger's Journal der Chemie, Tom. 28. p. 305. im Jahrg. 1820. Chemische Untersuchung über die Erdarten verschiedener

Gegenden Württembergs mit einer Uebersicht der für die Vegetation wichtigsten physischen Eigenschaften der Erden in Varnbüler's Annal. der württemb. Landw. Tom. II. Heft 4. 1821. Verschiedene Beiträge in die Geographie und Statistik Württemberg's von Memminger. Stuttg. 1820 2c. Diss. sistens characteristicen et descriptiones cerealium in horto academico Tubingensi et in Württembergia cultorum, annexis observationibus de plantatione et ubertate eorum. Resp. J. L. Rode. Tub. 1818. 8. Im Auszug mit einigen weitern Ausführungen in der botanischen Zeitschrift Flora. Regensb. 1820. p. 445. Diss. sistens characteristicen et descriptiones testaceorum circa Tubingam indigenorum. Auct. J. Klees. ibid. eod. 8. Chemische Untersuchung der Hanfblätter, eine Inaug. Dissert. Auct. Ferd. Tscheppe, Tub. 1821. Chemische Untersuchung des Mineralwassers bei Stuttgart zwischen dem Königsbad und Kahlenstein, eine Inaugural-Dissert. Auct. Wilh. Frid. Unfrid. Tüb. 1821. Vorlesungen: (im Sommerhalbjahr) Allgemeine und spezielle Botanik in näherer Beziehung auf Medizin, ökonomische Botanik, Anatomie und Physiologie der Pflanzen; (im Winterhalbjahr) Zoologie, Statistik Württemberg's in naturhistorischer Beziehung oder Naturgeschichte Württemberg's, Agrikulturchemie.

Dr. Johann Daniel Hofacker, Prof. der Medizin; geb. zu Worms den 30. Septbr. 1788; studirte zu Tübingen in den Jahren 1806 bis 1810, zu Wien 1810 und 1811, kehrte nach Tübingen zurück 1812, ausserordentl. Prof. der Medizin für das Fach der Thierarzneikunde 1814. Schriften: Diss. (praes. Autenrieth)

Schriften: D. de nervis funiculi umbilicalis. Tub. 1817. Vorlesungen: Ueber Chirurgie, Geburtshilfe, Augenheilkunde und andere chirurgische Gegenstände.

Dr. Christian Jakob Baur, Prof. der Anatomie; geb. den 16. Febr. 1786; stud. in Tübingen, wurde im J. 1805 als Prosektor bei der Anatomie angestellt, und erhielt im J. 1817 das Diplom eines Doktors der Chirurgie, im J. 1818 den Titel eines ausserord. Professors. Schriften: Tractatus de nervis anterioris superficiei trunci humani, thoracis praesertim abdominisque. Tub. 1818. 4. Abweichung des ersten Halswirbelbeins, Verschiebung des Zahnfortsazes vom zweiten und Anchylose beyder so veränderten Knochen, in dem Leichname eines Weibs gefunden. (In den Tübinger Blättern B. 1. S. 154. f.) Vorlesungen: Ueber Anatomie und gerichtliche Sektionen.

Dr. Karl Friedrich von Gärtner, Universitäts-Operateur und ausserord. Professor; geb. zu Backnang 1786, stud. zu Tübingen, wurde Militär-Oberarzt und machte als solcher die Feldzüge 1806 — 1807, 1809, 1812, 1813 und 1814 mit, erhielt für den Feldzug gegen Frankreich den Königl. Württemb. Zivil-Verdienst-Orden 1814, und in demselben Jahre seine nachgesuchte Entlassung, wurde Universitäts-Operateur 1816, Lehrer an der mit der klinischen Anstalt verbundenen wundärztlichen und Hebammenschule 1817, erhielt am Reformationsjubelfeste das Diplom eines Doktors der Chirurgie. Diss. de respicienda primaria causa in morbis chirurgicis observationibus illustrata. Tub. 1819. Vorlesungen: Ueber Chirurgie und Geburtshilfe.

Dr. Johann Sebastian Weber, Privatdozent; geb. den 2. Jan. 1792 zu Königsbronn; stud. beim militärärztlichen Institut zu Ludwigsburg, dann zu Tübingen, Doktor der Medizin und Chirurgie und Lizentiat der Geburtshilfe. Schriften: D. Observat. quaedam in coretodialysin et pupillam in sclerotica aperiendam. Praes. Autenrieth. Tub. 1817. 8. Sammlung medizinischer Dissertationen von Tübingen. Vorlesungen: Ueber praktische und gerichtliche Medizin, über Frauenzimmer- und Kinderkrankheiten, Repetitorien, Examinatorien ꝛc.

---

## Fünfte Abtheilung.

## Philosophische Fakultät.

### A. Anderswo angestellte Lehrer.

Dr. Johann Friedrich Gaab, Prälat und Generalsuperintendent von Tübingen; geb. zu Göppingen den 10. Okt. 1761; studirte in den Klöstern Blaubeuren und Bebenhausen, kam in das theolog. Seminarium zu Tübingen 1779, wurde Magister 1781, Hofmeister in Appenzell 1784, Aufseher der Stiftsbibliothek 1787, Repetent 1788, ausserord. Prof. der Philos. 1792, ord. Prof. extra senatum und Inspektoratsassessor bei dem theolog. Semin. 1798, Mitglied des Senats und der philos. Fakultät, so wie Ephorus des theolog. Seminariums 1806; Bibliothekar der Univers. 1814, Prälat und Generalsuperintendent von Tübingen 1815, erhielt am Reformationsfeste von der Universität Tübingen das Diplom eines Doktors der Theologie. Schriften: Animadversiones tum criticae, tum philologicae, ad loca quaedam veteris testamenti. Tub. 1792. 4. (Ist auch im 2. B. der Commentatt. theol. ed. a Velthusen etc. abgedruckt.) Diss. de locis quibusdam sententiarum Jesu Siracidae. ibid. 1809 4. Versio carminum quorundam arabicorum, quae in Abulphedae annalibus muslemicis continentur, cum animadversionibus ad sententias Jesu Siracidae. ib. 1810. 4. Animadversiones ad antiquiorem Judaeorum historiam. ib. 1811. 4. Dijudicationes antiquarum, quae in bibliis polyglottis Anglicanis continentur, Hoseae versionum. Pars I. et II. ibid. 1812. 4. Progr. de Judaeo immortali. ibid. 1815. 4. Erste Linien zu einer Geschichte der Dogmatik. Winterthur. 1785. 8. (Ist auch in den Beiträgen zum vernünftigen Denken in der Religion. Bd. VII. abgedruckt.) Observationes ad historiam judaicam. ibid. 1787. 4. Abhandlungen zur Dogmengeschichte der ältesten griechischen Kirche bis auf die Zeiten Clemens von Alexandrien. Jena. 1790. 8. Apologie Pabst Gregors VII. Ein Versuch. Tüb. 1792. 8. Entwurf zu Vorlesungen über die Literaturgeschichte. Tüb. 1794. 8. Beiträge zur Erklärung des sogenannten Hohenliedes, Koheleths und der Klaglieder. Ebendaselbst. 1795. 8. Beiträge zur Erklärung des 1. 2. u. 4. Buchs

Moses. Ebend. 1796. 8. Kleine Aufsäze für die Geschichte. Ebend. 1797. 8. Ueber die Parthien, mit welchen die Christen in den ersten drei Jahrhunderten und im Anfang des vierten zu streiten hatten. Ebend. 1801. 8. Das Buch Hiob bearbeitet. Ebend. 1809. Handbuch zum philolog. Verstehen der apokryphischen Schriften des alten Testaments. Ebend. gr. 8. 2 Bde. 1818 und 1819. Ueber die Literatur der christl. Syrer, in Paulus neuem Repert. für bibl. und morgenl. Literatur. Th. 3. (1791) S. 358 fgg. Conjecturen über einige Stellen in der syrischen Chrestomathie von Michaelis. Ebend. S. 366 fgg. Beitrag zur Geschichte der Schrifterklärung aus Ephraem dem Syrer, in Paulus Memorabilien. St. 1. (1791) S. 65 fgg. Wünsche bei Castellus syrischem Lexikon nach Michaelis Ausgabe. Ebend. S. 82 fgg. Züge zu einer pragmatischen Biographie von Ephraem dem Syrer. Ebend. St. 2. S. 136 fgg. Explicatio nova cap. XXXIII. Deuteronomii; im 4ten Bd. der Commentt. theolog. ed. a Velthusen etc. Hatte Antheil an der zu Jena herausgekommenen Bibliothek von Anzeigen kleiner akadem. Schriften, herausgegeben von Paulus. War von 1793 bis 1808 Herausgeber der Tüb. gelehrt. Anzeigen.

Dr. Jakob Friedrich von Abel, Prälat, Generalsuperintendent von Oehringen und Vorsteher des evang. Seminariums zu Schönthal; geb. zu Vayhingen den 9. Mai 1751; stud. in den Klöstern Denkendorf und Maulbronn, kam in das theolog. Seminarium zu Tübingen 1768, wurde Magister 1770, Prof. auf der Solitude an der damaligen Militärpflanzschule, nachmaligen Karls hohen Schule zu Stuttgart 1772, ord. Prof. der Philosophie, wie auch der Beredtsamkeit und Poesie an der Universität zu Tübingen 1790, Pädagogarch der lateinischen Schulen ob der Steig 1792, Prälat und Generalsuperintendent 1811, Ritter des Königl. Zivil-Verdienst-Ordens 1812, Mitglied der Ständeversammlung seit 1819. Schriften: De origine characteris animi. Stuttg. 1776. 4. Philosophische Theses. Ebendaselbst. 1776. 4. Ueber die Frage: Wird das Genie geboren oder erzogen? Eine Rede. Ebend. 1776. 4. Aesthetische Theses. 1777. Theses aus der Geschichte der Philosophie. 1777. Rede: Worin besteht die Stärke des Geistes? 1777. 4. Philosophische Säze über das höchste Gut. Ebend. 1778. 4. Beiträge zur Geschichte der Liebe, aus einer Sammlung von Briefen. 2 Thle. Lpz. 1778. 8. Moralische Säze von den Quellen der Achtung u. der Liebe. Stuttg. 1779. 4. De phaenomenis sympathiae in corpore animali conspicuis. ib. 1780. 4. Theses psychologicae. ib. eod. 4 Philosophische Säze über die Religionen des Alterthums. Ebend. 1780. Philos. Säze über den Selbstbetrug. Ebend. 1781. 4. Sammlung und Erklärung merkwürdiger Erscheinungen aus dem menschlichen Leben. Frankf. u. Lpz. 1r Th. 1784, 2r Th. 1787, 3r Th. 1790. 8. Einleitung in die Seelenlehre. Stuttg. 1786. 8. Ueber die Quellen der menschl. Vorstellungen. Ebend. 1786. 8. Grundsäze der Metaphysik, nebst einem Anhange über die Kritik der reinen Vernunft. Ebend. 1786. 8. Plan einer systematischen Metaphysik. Ebend. 1787. 8. Versuch über die Natur der spekulativen Vernunft zur Prüfung des Kantischen Systems. Frankf. (Stuttg.) 1787. 8.

Erläuterungen wichtiger Gegenstände aus der philos. und christl. Moral, besonders der Ascetik, durch Beobachtungen aus der Seelenlehre. Tüb. 1790. 8. Thesium inauguralium pars moralis. 1797. 4. Philos. Untersuchungen über die Verbindung der Menschen mit höhern Geistern, 1r Th. Stuttg. 1791. 8. Proselytenmacherei aus Aberglauben, eine Geschichte nach Criminalakten mit philos. Untersuchungen. Tüb. 1791. 8. D. quo modo suavitas, virtuti propria, in alia objecta derivari possit. Tub. 1791. 4. Disq. omnium tam pro immortalitate, quam pro mortalitate animi argumentandi generum. Tom. II. ib. 1792 et 1793. 4. Ueber Hofackers Leben und Charakter; ein Denkmal für seine Freunde und ein Beitrag zur Gelehrtengeschichte. Ebend. 1793. 8. D. de causa reproductionis idearum. Part. II. ib. 1794. et 95. 4. Lebensbeschreibung Johann Osiander's, Konsistorial- und Kirchenraths der Könige von Schweden und Polen, Geheimenraths des Herzogs von Würtemberg. Ebend. 1795. (eigentl. 1794). 8. D. de sensu interno et conscientia. Tub. 1796. 4. D. de sensu interno. ib. 1797. 4. D. de conscientiae speciebus. Part. III. ibid. 1798, 1799 et 1802. 4. Einfall der Franzosen in Schwaben. Tüb. 1799. 8. D. observationes ad philosophicum Kantii de hermeneutica sacra decretum. A. J. Ch. Wurm. ibid. 1799. 4. D. de Fortitudine animi. Part. II. 1800, 1801. 4. Versuch über die Seelenstärke. Ebend. 1804. 8 1r Th. D. de ultimo veritatis a nobis quaerendae fundamento. ib. 1806. 4. D. de fundamento veritatis tam subjectivo quam objectivo. ib. 1807. 4. D. An cognitio humana omnis a fundamento objectivo et subjectivo possit derivari? ibid. Part. II. 1808, 1809. 4. D. de cognitione fundamentali. ib. 1810. 4. D. de limitibus humanae cognitionis. ibid.

1811. 4. Allgemeine Grundsäze über das Vertreten der Kirche bei Ständeversammlungen mit näherer Beziehung auf Württemberg. Herausgeg. v. Dr. E. H. E. G. Paulus. Heidelb. 1816. 8. Philos. Untersuchungen über die lezten Gründe des Glaubens an Gott. Heilbronn. 1818. 8. Beschreibung der Einrichtung der niedern Seminarien in Württemberg nebst Vorschlägen zu ihrer Verbesserung nach den Beobachtungen eines mehrjährigen Vorstehers. Oehringen. 1818. 8. Ueber den Vorschlag, die ehmals bestandenen vier württ. niedern Seminarien in eines zu vereinigen. Stuttg. 1818. 8. Ob das Kirchengut Eigenthum der württ. evangel. Kirche oder des Staats sey, und ob dasselbe von diesem oder jener verwaltet werden solle? Untersucht nach Grundsäzen des Rechts, nach der Verfassung und der Zweckmäßigkeit. Stuttg. 1821. 8. Zerstreute Aufsäze im Württemb. Repertorium, Mosers Archiv, Mauchart's Repert., Schmid's Journal für Psychologie, Klemm's schwäbisch. Magazin zur Beförderung der Aufklärung, Lebensbeschreibung des sel. Geheimenraths Bilfinger (in Mosers patriot. Arch. B. 9. S. 359 — 402). Rezensionen in die Tüb. gelehrt. Anzeigen, die Jenaer Literaturzeit., Abichts Journal 2c.

Salomo Heinrich Michaelis *).

## B. Noch hier befindliche Lehrer.

Dr. Andreas Heinrich Schott, ord. Prof. der Logik und Metaphysik, Mitglied der Fakultät, Pädagogarch der lateinischen Schulen

*) Hat seinen Lebenslauf nicht mitgetheilt.

ab der Steig; geb. zu Tübingen den 17. Febr. 1758; studirte in den Klöstern Denkendorf und Maulbronn, kam in das theol. Seminarium zu Tübingen 1776, wurde Magister 1778, reiste zwei Jahre lang durch Deutschland und hielt sich ein Vierteljahr in Berlin, ein Jahr in Erlangen und ein halbes Jahr in Göttingen auf; Unterbibliothekar der Universität 1784, hielt Privatvorlesungen, ausserord. Prof. der Philos. 1793, ord. Prof. der Logik und Metaphysik und der Beredtsamkeit 1798, Pädagogarch 1812, als welcher er ausser den Trivialschulen auch das Gymnasium zu Ulm sechs Jahre lang visitirte. **Schriften:** Diss. inaug. de ratione aestimandi libertatem et aequalitatem politicam. ibid. 1794. 4. Diss. inaug. de pulchro deque principiis dijudicandi pulchrum. ibid. 1798. 4. Pars I. Diss. sistens theoriam Fichtianam de summo fine cum ceteris philosophiae systematibus comparatam. Auct. G. C. F. Fischhaber. ib. 1799. 4. Diss. sistens disquisitiones quasdam in Spinozam. Auct. C. L. F. Kausler. ibid. 1803. 4. Diss. de spinozismo. ib. 1804. 4. Diss de variis Pantheismi formis. ib. 1805. 4. Disq. argumentorum de immortalitate animi in Wielandi Euthanasia expositorum. ibid. 1807. 4. Diss. de origine cognitionis humanae. Pars prior. ib. 1809. 4. P. post. 1810. Diss. sistens animadversiones in historiam philosophiae, P. I. ib. 1811. 4. P. II. et III. 1812. Diss. de idea juris naturalis. P. I. II. 1813. 4. Commentatio de ratione historiam universalem philosophiae mediam tractandi. ib. 1814. 4. Theses a Magisterii Philos. Candidatis ventilandae. ib. 1815, 1819 et 1820. 4. Comment. de ratione historiam universalem philosophiae recentioris tractandi. P. I. ib. 1816. P. II. 1818. 4. Comment. Memoria Philippi Melanchthonis meritorumque illius in artium liberalium et philosophiae studia. ib. 1817. 4. Diss. Paedagogiam sistens Psychologiae legibus superstructam. Auct. G. A. C. Biecke. (gekrönte Preisschrift). ibid. 1817. 4. Ueber das Studium des Homer in niedern und höhern Schulen. Lpz. 1783. 8. Theorie der schönen Wissenschaften. Tüb. 1789 u. 1790. 8. 2 Bde. Rede an der Feier der Württemb. Churwürde, gehalten im akadem. Hörsale. Ebend. 1803. 8. Rezensionen in die Tüb. gel. Anzeig., die Erlang. neue juristische Literat. u. die allg. teutsche Biblioth. Ist Verfasser vieler akademischen Programme und anderer öffentlicher Aufsäze, welche er als Prof. der Beredtsamkeit vom Jahr 1798 an bis 1811 im Namen der Universität zu verfertigen hatte. Die zur Feier des Königl. Geburtsfestes verfertigten Programme enthalten Annalen der Universität in diesem Zeitraume. Vorlesungen hielt er als Privatdozent und ausserord. Professor über alle Theile der theoret. u. prakt. Philos. nach den Federschen Lehrbüchern, über Kant's Rechtslehre, über Aesthetik und allgemeine Geschichte der Philosophie nach eigenen Heften; hernach skeptisch-kritisch als ord. Prof. über Logik und Metaphysik nach Platner, späterhin über die erstere nach Schulze, und die leztere, so wie auch über Geschichte der Philosophie nach eigenen Heften, und über Enzyklopädie der Philos. nach Schulze.

Dr. Johann Gottlieb Friedrich von Bohnenberger, ord. Prof. der Mathematik und Physik, Mitglied der Kataster-Kommission, Ritter des Königl. Ordens der Württemb. Krone,

Mitglied mehrerer gelehrten Gesellschaften; geb. zu Simmozheim den 5. Juni 1765., stud. Theologie, wurde 1786 Mag., 1789 Vikar zu Altburg; machte 1793 Reisen nach Gotha, auf den Seeberg, wo er sich bei v. Zach aufhielt, und nach Göttingen, von 1794 an wieder in Altburg mit Verfertigung einer Karte beschäftigt, 1796 bei der hiesigen Sternwarte angestellt, 1797 korrespond. Mitglied der Göttinger Sozietät, 1798 Prof. der Philos., 1803 ord. Prof., 1812 Ritter des Königl. Zivil-Verdienst-Ordens, erhielt 1817 von der Univ. Marburg das Diplom eines Doktors der Medizin; 1818 ausserord. Mitglied der Kataster-Kommission, auch Ritter des Königl. Ordens der Württemb. Krone, 1820 korrespond. Mitglied des Pariser Nationalinstituts. Schriften: Anleitung zur geographischen Ortsbestimmung. Gött. 1795. 8. C. F. Pfleiderers vollständige ebene Trigonom. mit Anwendungen und Beitr. zur Geschichte derselben, a. d. Latein. übers. Tüb. 1802. 8. Astronomie. Tüb. 1811. 8. Anfangsgründe der höhern Analysis. Tüb. 1812. 8. Beschreibung einer Maschine zur Erläuterung der Geseze der Umdrehung der Erde um ihre Axe und der Veränderung der Lage der leztern. Tüb. 1817. 8. (Abdruck einer Abh. in den Tüb. Blätt.) Journale: Tüb. Blätter für Naturwissenschaften und Arzneikunde, in Verbindung mit J. H. F. v. Autenrieth. III. Bde. Tüb. 1816 bis 1818. 8. Zeitschrift für Astronomie und verwandte Wissenschaften in Verbindung mit B. v. Lindenau. Stuttg. und Tübingen. Aufsäze in Journalen: In Bode astr. Jahrb. f. 1789: die erste astronom. Beobacht. des Durchgangs des Merkurs vor der Sonne. 1789. In Zach's monatl. Korr. 1801. März: trigonometrische Vermessung von Schwaben, 1802. Nov.: Beschreibung eines von dem Mechanikus Baumann zu Stuttgart verfertigten metallenen Kollkreises. 1803 Sept.: Ueber den freien Fall der Körper mit Rücksicht auf die Umdrehung der Erde. In Zach's geogr. Ephemeriden B. 1. St. 2. u. 3.: Nachricht von seiner Karte von Württemb. und seiner Dreiecksmessung. Endlich giebt er in Verbindung mit J. A. Amman aus Dillingen eine Karte von Schwaben auf ungefähr 60 Blatt heraus, wovon 40 Karten bereits fertig sind, er bearbeitet dabei die nordwestliche Hälfte des Landes. Vorlesungen: Algebra und deren Anwendung auf Geometrie, Trigonometrie, höhere Analysis, praktische Geometrie, angewandte Mathematik, Astronomie, Experimentalphysik.

Dr. Karl Philipp Conz, ord. Prof. der klassischen Literatur und der Eloquenz; geb. zu Lorch den 28. Okt. 1762, stud. in den niedern Klöstern und dem theolog. Seminar, wurde 1789 Repetent daselbst, 1793 Diakon zu Vaihingen, 179.. Diakon zu Ludwigsburg, 1804 ord. Prof. der klassischen Literatur und 1812 der Eloquenz. Schriften: Konradin von Schwaben. Frankf. und Lpz. 1782. 8. (mit einem neuen Titelblat. Ansb. 1783.) Kriegslieder des Tyrtäus, aus dem Griech. in's Deutsche übersezt; mit den (von Reinhard) übersezten Elegien des Tibulls, nebst einigen Elegien des Properz. Zürich. 1783. 8. De charactere poetico Joelis cum animadversionibus philologico criticis. Tub. 1783. 4. Schildereien aus Griechenland. Reuttl. 1785. Beiträge zur Philosophie, Geschmack und Literatur, 1s Heft. Tüb. 1786. 8. (war nur Herausgeber und Mitverfasser). Ueber den Geist und die Geschichte des Ritterwesens älterer Zeit, vorzüglich in Rücksicht auf Deutschland. Gotha. 1786. 8. Moses Mendelsohn, der Weise und der Mensch, ein lyrisch-didaktisches Gedicht in 4 Gesängen. Stuttg. 1787. 8. Seneka von der Ruhe des Geistes, der Unerschütterlichkeit des Weisen und der Vorsehung; mit einer eigenen Abhandlung über die Zufriedenheit. Stuttg. 1790. 8. Andenken Gottfr. Ploucquet's, Prof. der Logik und Metaphysik in Tübingen. Tüb. 1790. 4. Schicksale der Seelenwanderungs-Hypothese unter verschiedenen Völkern und in verschiedenen Zeiten. Königsb. 1791. 8. Seneka über das glückliche Leben, von der Kürze des Lebens und von der Musse des Weisen; verdeutscht und mit Anmerkungen herausg. Stuttg. 1791. 8. Nikodem Frischlin, der unglückliche württ. Gelehrte und Dichter: seinem Andenken von Conz. Aus dem Hausleutnerschen Archiv besonders abgedruckt. Frankf. u. Lpz. 1791. 8. (mit einem neuen Titel. Königsb. 1792). Gedichte. Tüb. 1792. 8. (Zürich 1806. Tüb. 2 Thl. 1818 u. 1819.) Seneka an Helvia und Marcia, übersezt und mit einer eigenen Abhandlung über Seneka's Leben und sittlichen Charakter begleitet. Tüb. 1792. 8. Analekten oder Blumen, Phantasien und Gemälde aus Griechenland. Lpz. 1793. Abhandlungen für die Geschichte und das Eigenthümliche der spätern Stoischen Philosophie, nebst einem Versuche über Christliche, Kantische und Stoische Moral. Tüb. 1794. 8. Museum für die griechische und römische Literatur. 1s St. Zürich und Leipz. 1794. 8., 2s St. ebend. 1795, 3s St. ebend. 1795. Timoleons Rückkehr nach Korinth. Ein dramatisches Gedicht. Ludwigsb. 1801. 8. Rhapsodien, moralischen und religiösen Inhalts, mit einem Anhange von Briefen über die Religion, als Beiträge zur Würdigung des Geistes unserer Zeit. Tüb. 1801. 8. Morgenländ. Apologen, oder Lehrweisheit Jesu in Parabeln und Sentenzen. Angehängt sind Beiträge zu einer morgenländ. Anthologie. Heilbr. 1803. 8. Nachrichten von dem Leben und den Schriften Rudolph Weckherlin's. Ein Beitrag zur Literaturgeschichte des siebzehnten Jahrh. Ludwigsb. 1803. 8. Die Stufen des Menschen. Ein Gemälde aus dem Lukrez. V. B. v. 923 — 1456. Stuttg. 1805. 8. Benedikts von Spinoza theologisch-politische Abhandlungen, übersetzt, mit einer einleitenden Vorrede und einigen Anmerkungen begleitet. Stuttg. 1805. 8. Plutos, eine Komödie des Aristophanes. Metrisch verdeutscht und mit Anmerkungen begleitet. Tüb. 1807. 8. Die Frösche, eine Komödie des Aristophanes, metr. verd. u. mit Anmerk. begleitet. Zürich. 1808. (S. Neues attisches Museum von Wieland ꝛc. II. Bds 2s Heft.) Aeschylos die Choephoren, metr. verd. Zürich. 1811. (S. attisches Museum III. B. 3. H.). Fried. Ferd. Drücks kleinere Schriften, gesammelt und herausg. von Prof. Conz. Tüb. 1811. 8. 3 Bde. Observationes phil. ad Sophoclis aliquot loca, praesertim ex Ajace illius lorario. ibid. 1813. D. quaestiones in Homerum atque Hesiodum illustrandos atque inter se comparandos, A. E. C. Cless. ib. 1814. Tragoediae graecae primordia et progressus. A. C. Pfaff. ib. eod. Aeschylos Agamemnon, ein Trauerspiel, in der Versart der Urschrift verdeutscht. Tüb. 1815. 8. Aeschylos: die Eumeniden, ein Trauersp. in der Versart der Urschr. verd. Tüb. 1816. 8. Aeschylos: die Perser und die Sieben vor Thebä. Ebend. 1817. Biblische Gemälde und Ge-

dichte. Frankf. a. M. 1818. Laudatio Wielandi oratio habita a C. P. Conz, accessit sermo de Nioeta et Cinnamo. Tub. 1818. Aeschylos: der gefesselte Prometheus. Tüb. 1819. 8. Aeschylos: die Schutzflehenden. Tüb. 1820. 8. Worte der Weihe an Luthers Fest. Ebendas. 1818. 8. Gedächtnißrede auf den Tod der Königin Katharina von Württemberg, gehalten den 7. März. Angehängt ist ein Gedicht: den Manen Katharina's. Tübingen. 1819. 8.
Aufsäze: Viele Gedichte in Städlin's schwäb. Musenalmanach für 1782, 83 u. 84.; in Städlin's Beitrag zur Erläut. der bibl. Prophet: Nahum u. Habakuk, neu übersezt (1 Th. 1785); in Armbrusters schwäb. Mus. v. 1785: Brutus, ein prosaischer Monolog; in Posselts Archiv für ä. u. n. Geschichte: Lezte Szenen aus dem Leben Kaiser Heinrichs IV., ein Fragment, (B. 1. 1790). Konnatonta und Tarsa, eine amerikanische Geschichte, (B. 2. 1791.); in Wielands neuem deutsch. Merkur: Gedichte, Theokrits zweite Idylle, (1792. St. 10), der erste Akt aus der Aulularia des Plautus, (1801. Dez.); in Paulus Memorabilien: War die Unsterblichkeit den alten Ebräern bekannt und wie? (St. 3. 1792.); in Mauchارts allgem. Repert. für empir. Psychol.: Ueber das Feierliche, (B. 1. 1792.), Ein paar Worte über den Streit der Sittlichkeit und der Kunst, (B. 1. S. 297.), Etwas über das Wunderbare und den Hang zu demselben, (B. 6.), Ueber den Philoktet des Sophokles, (ebend.); in Schillers Thalia: Die Seele, ein philos. Gedicht in 3 Gesängen, erster Gesang (3s H. 1792. 4s H. 1793); in Hauffs Philologie: Ueber die Elegie der Alten und die vornehmsten elegischen Dichter, (St. 1. Nro. 5. 1803. u. St. 2.), Bemerkungen über Sophokles Oedipus Tyrannus, (St. 3. 1804.), Hexametrische Uebersezung des 17ten Briefs aus dem ersten

Buche der Horazischen Episteln (ebd.); in desselben Zeitschrift für klass. Literatur: Drei Briefe des Horaz (in Hexametern übers. B. 1. St. 1. 1805.); Xenophon, einige Bemerk. über dessen geschichtschreiberischen Charakter, (St. 2. 1806.); in Henken's Museum für Religionswissenschaft: Bemerkungen über das Buch Sirach, (B. 2. St. 2. N. 1. 1804.), Johannes und Jesus u. m. a. (ebend.); in Bengel's Archiv: Die Klaglieder Jeremiä mit einer kritischen Einleitung in dieselben; in die Stäudlinsche Beitr. zur Philos. u. Gesch. der Religion: Etwas über die ältern Vorstellungen von Schicksal, Nothwendigkeit und Strafgerechtigkeit mit Beziehung auf einen Aufs. in den Horen, (IV. B. S. 51 — 82. 1798.); in Stäudlin's Magaz. für Religion, Moral und Kirchengesch.: Weitere Bemerkungen über diesen Gegenstand (1. B. 1. St. S. 187 — 215. 1801.); in den europ. Annalen: Histor. Aufsäze zur Geschichte des Hohenstaufischen Hauses (Jhrg. 1804. 4s St. S. 72 — 108.); in Jason: Friedrich I. in Italien, Belagerung von Tortona, Einzug und Krönung des Kaisers in Rom. (11s St. Nov. 1811. S. 201 — 225.); in den Rheinischen Almanach: Belagerung und Verheerung Mailands und Friedrich Barbarossa im J. 1162., Kaiser Friedrichs I. Kreuzzug und Tod (Jhrg. 1820.), Kaiser Friedrich II. und sein Sohn Heinrich (J. 1821). Mehrere Aufsäze und Gedichte in Seybolds Magazin für Frauenzimmer, Hausleutners Archiv, Langs Familienfreund, Benekens Jhrb. für die Menschheit, Schillers Musenalm., die Thalia, die Horen, Karl Reinhards Musenalmanach, die Flora, den schwäbischen, Hamburger, Göttinger, Jakobischen, Tübinger u. a. Musenalmanache, das Morgenblatt, die Zeitung für elegante Welt 2c. Viele Rezensionen in die Tüb. gel. Anz., die Hallesche Literaturzeit., in Bengel's Archiv ꝛc. Seine Vorlesungen erstrecken sich meist über griechische und römische Prosaiker und Dichter, nebst damit verbundenen größeren oder kleineren literarischen Einleitungen, wie z. B. über platonische Schriften: Eutyphron, Kriton, Apologie des Sokrates und Phädros; über mehrere Komödien des Aristophanes (Plutos, Wespen, Frösche, Wolken u.s.w.); einzelne Tragödien des Aeschylus, Sophokles und Euripides, sodann was die römischen Schriftsteller betrifft, über Tazitus Annalen und Historien; Seneka (einzelne Abhandlungen mit Einleitungen über stoische Philosophie), Horazius (abwechslungsweise bald die Oden, bald die Episteln, bald die Sermonen), Persius, Juvenal, Lukrezius u. s. w. Auch hält er zuweilen Vorlesungen über schöne Wissenschaften, Geschichte der deutschen schönen Literatur und Styltheorie mit praktischen Uebungen.

Dr. Georg Leonhard Benedikt von Dresch *).

Dr. Gottlieb Friedrich Jäger, Ephorus am theol. Seminarium und ord. Prof. der hebräischen und griechischen Sprachen; geb. zu Stuttgart den 7. Juni 1783; stud. am dortigen Gymnasium und kam in das theolog. Seminarium nach Tübingen 1800, wurde Mag. 1802, Hofmeister zu Kiel 1805, hielt daselbst auch theol. Privatvorlesungen; Repetent 1808, Vikar zu Stuttgart 1811, Pfarrer in Thamm 1811, Ephorus am theol. Seminarium und ord. Prof. der hebräischen und biblisch=griechischen Sprachen 1816.

*) Man sehe oben bei der kath. theol. Fakultät.

Schriften: Diss. de locis proverbiorum in N. T. laudatis. Tub. 1816. 4. Commentatio de integritate libri Job. Tub. 1819. 4. Vorlesungen: Exegese des Alten und Neuen Testaments.

Dr. Karl Adolph von Eschenmayer, ord. Prof. der praktischen Philosophie; Ritter des Königl. Zivil-Verdienst-Ordens; geb. zu Neuenbürg den 4. Juli 1770; stud. in der Karlsakademie zu Stuttgart und zu Tübingen die Medizin, wurde Doktor derselben 1796, praktizirte hierauf zu Kirchheim unter Teck, hielt sich in Göttingen auf 1797, Stadt- und Amtsphysikus zu Sulz am Neckar 1798, zu Kirchheim u. T. 1800, ausserord. Prof. der Medizin und Philosophie an der Universität und Ritter des Königl. Zivil-Verdienst-Orden 1812, ord. Prof. der praktischen Philosophie 1818. Schriften: Diss. (praes. Th. C. Ch. Storr) de principiis quibusdam disciplinae naturali, inprimis chemiae, ex metaphysica naturae substernendis. Tub. 1796 4. Ueber die Enthauptung. Ebend. 1797. 8. Naturmetaphysische Säze auf chymische und medizinische Gegenstände angewandt. Ebend. 1797. 8. Versuch, die Geseze magnetischer Erscheinungen a priori zu entwickeln. Ebend. 1797. 8. Philosophie in ihrem Uebergang zur Nichtphilosophie. Erlang. 1804. 8. Der Eremit und der Fremdling. Gespräche über das Heilige und die Geschichte. Ebend. 1805. gr. 8. Einleitung in Natur und Geschichte. 1s Bändch. Ebend. 1806. 8. Ueber die Epidemie des Croups. Tüb. 1811. (Neue Aufl. 1815. gr. 8.) Versuch, die Magie des thierischen Magnetismus aus psychischen und physischen Gesetzen zu erklären. 1816. gr. 8. Psychologie in drei Theilen als empirische, reine und angewandte. 1817. gr. 8. System der Moralphilosophie, 1818. gr. 8. Normalrecht. 2 Thle. 1819. gr. 8. Religions-Philosophie. 1r Th. Rationalismus 1818. gr. 8. Archiv des thierischen Magnetismus, verschiedene Abhandlungen als Mitherausgeber. Beschreibung eines monstrosen Fettmädchens, das in einem Alter von 10 Jahren starb, nachdem es eine Höhe von 5 Fuß 3 Zoll und ein Gewicht von 219 Pfunden erreicht hatte; in den Tübinger Blättern. B. 1. S. 261 fgg. Aufsäze und Rezensionen in das Röschlaubische Magazin, Schelling's Zeitschrift für spekulative Physik, und die Heidelberger Jahrbücher. Vorlesungen; Religionsphilosophie, Moralphilosophie, Psychologie und Naturrecht.

Dr. Heinrich Christoph Wilhelm Sigwart, ord. Prof. der Philosophie; geb. zu Remmingsheim den 31. Aug. 1789; stud. in den Klöstern Blaubeuren, Bebenhausen und Maulbronn, kam in das theol. Seminarium zu Tübingen 1807, ward Magister 1809, Hofmeister 1812, Repetent 1813, ausserord. Prof. der Philosophie bei der Universität 1816, ord. Prof. 1818. Schriften: Ueber den Zusammenhang des Spinozismus mit der Cartesianischen Philosophie. Tüb. 1815. 8. Diss. de peccato s. malo morali. ibid. 1816. 4. Handbuch zu Vorlesungen über die Logik. Tüb. 1818. gr. 8. Handbuch der theoretischen Philosophie. Tüb. 1820. gr. 8. Antwort auf die Rezension meines Handbuchs der theoret. Philos., in der allgem. Jena'schen Lit. Zeit. Okt. 1820. N. 183. gr. 8. Tüb. 1821.

Dr. Johann Heinrich Emmert, Prof. der neuern Sprachen; geb. den 28. Okt. 1748 zu Dundorf in Franken; wurde Lehrer der englischen und französischen Sprache zu Göttingen, 1792 kam er als Professor der neuern Sprachen nach Tübingen. Schriften: A Collection of maxims, anecdotes, fables, allegorics, histories, reflexions, letters etc. Goett. 1782. 8. Anthologie pour former le coeur, l'esprit et le goût des jeunes gens etc. ibid. 1783. 8. Nouvelle edition à Leipz. 1789. 8. Teinture de l'histoire naturelle pour les enfans, accompagnée d'un vocabulaire. François-Allemand à Goett. 1786. 8. Nouvelle edition. Theatre for the improvement of youth. ib. 1787. 8. Bibliotheca scelta de' migliori prosatori e poeti. ibid. 1788. 8. Esquisse de l'histoire universelle pour les enfans, accompagnée d'un vocabulaire François-Allemand. ibid. 1789. 8. Nouvelle edition. The Theatre, or a selection of easy plays to facilitate the study of the English language. ibid. 1789. 8. Vol. II. ibid. 1806. 8. C. Corn. Taciti de situ, moribus et populis Germaniae libellus cum annotationibus et vocabulorum explicatione in usum juventutis editus. ib. 1791. 8. Tableau statistique de l'Allemagne. ib. 1792. 8. Theatre ou choix de drames aisés pour faciliter l'étude de la langue Française, à Chemnice. 1792. 8. Vol. II. 1796. The Novellist; or a choice selection of the best novels. Vol. I. containing Sir Ch. Grandison and Tom Jones abriged. ibid. 1792. 8. Vol. II. containing Jos. Andrews and Clar. Harlowe abriged. ib. 1793. History of Great-Britain, extracted from the works of Hume, Guthrie and Adams, with a vocabulary English and German etc. Tub. 1794. 8. 2. Edit. 1816. Teatro o sia scelta di drammi facili etc. ib. 1794. 2. d Ed. 1816. The flowers of the British Litterature, oder: Auszüge aus den besten Schriftstellern der Engländer rc. mit Bezeichnung der Aussprache und Erklärung der Wörter, nebst einer Abhandlung über die englische Aussprache. Gera. 1795. 8. 2r Theil. Ebend. 1806. 2te Aufl. 1808. 3te Aufl. 1815. A philosophical Essay on Man, by Alex. Pope mit Bezeichnung der Aussprache und Erklärung der Wörter. Erfurt. 1797. 8. Il Pastor Fido, Tragicomedia di Giovan Batt. Guarini. Mit einem erklärenden Wortregister. Ebend. 1798. Neue Ausg. Giessen. 1800. Letters written between Yorik and Eliza, mit einem erklärenden Wortregister. Giessen. 1802. The historical Characteristics of Virtue and Wisdom, oder: Züge von Tugend und Weisheit. Mit Bezeichnung der Aussprache und Erklärung der Wörter. Stuttg. 1804. 8. Traits historiques de Vertu et de Sagesse, oder: Züge von Tugend und Weisheit, mit einer Erklärung der Wörter. Gera. 1806. 2te Ausgabe. 1808. Tratti istorici di virtù e di saviezza, oder: Züge von Tugend u. Weisheit, mit einem erklärenden Wortregister. Gera. 1808. Aminta, Tàvola pastorale di Torquato Tasso. Mit einem erklärenden Wortregister. Giessen 1813. A curious collection of entertaining und interesting voyages and Travels with a vocabulary English and German. Tüb. 1816. The second edit. 1819. The British biography; containing brief and accurate accounts of the lives, acts, and writings of the most remarkable persons of the British Nation, from the year 56 before Christ to the year 1810 after Christ etc. Goett. 1820. 8. Vorlesungen: Ueber französische, englische, italienische und spanische Sprache.

Dr. Johann Benedikt von Scherer, Professor der französischen Sprache und Literatur, Ritter des Königl. französischen Lilienordens, Mitglied der gelehrten Gesellschaften zu Basel, Upsal, Halle, Berlin, Bern und Lyon; geboren zu Straßburg den 1. Septbr. 1741; studirte daselbst Philosophie, und wurde Doktor derselben 175.., dann Rechtswissenschaft, und wurde Lizentiat 1756, machte gelehrte Reisen und hielt sich längere Zeit zu Jena, Leipzig und Freiberg auf 175.. — 175.., Doktor der Rechte 175.., Mitglied des Reichsjustiz-Kollegiums für finnische, esthische und liefländische Rechtssachen zu St. Peterburg 175.., gieng in französ. Dienste über, und war theils Attaché der franz. Gesandtschaft in Peterburg, theils wurde er zu verschiedenen diplomatischen Missionen nach Polen, Schweden, Kopenhagen, Hamburg und Berlin gebraucht 17... — 177.., wurde bei dem Ministerium der auswärtigen Angelegenheiten in Versailles angestellt 177.., erhielt auf sein Verlangen die Entlassung und kehrte nach Straßburg zurück 178.., Schöff und Mitglied des Obersenats daselbst 178.., Hauptmann, kam, während er sich Gesundheit halber in Baden-Baden aufhielt, in die Liste der Emigrirten 179.. und wurde von dem Generalfeldmarschall v. Wurmser in der österreichischen Kriegskanzlei angestellt 179.., Lehrer der französ. Sprache zu Kirchheim unter Teck, Professor der französ. Sprache und Literatur an der Universität Tübingen 1808, erhielt die Dekoration des K. franz. Lilienordens 1814. Schriften: Er unterstüzte seinen Vater bei Herausgabe von Montfaucons Wörterbuche. Des heil. Nestors, Mönnichs im petscherischen Kloster des heil. Theodosius in Kiev und der Fortsezer desselben, älteste Jahrb. der russischen Geschichte vom Jahre 858 bis zum J. 1203 übers. mit Anmerk. 4. 1774. Lpz. Nordische Nebenstunden. 1r Theil. Frankf. u. Lpz. 1776. 8. Recherches hist. et géogr. sur le nouveau monde. Paris. 1777. 8. Histoire raisonnée du commerce de la Russie. Tom. II. 8. Paris. 1788. Annales de la petite Russie, ou Hist. des Cosaques Saporoques et des Cosaques de l' Ucraine. Suivie d'un Abrégé de l' hist. des Hettmanns des Cosaques et des pieces justificatives. II. T. 8. Paris. 1788. (beide Werke übers. Lpz. 1789 von Prof. Karl Hammerdörfer.) Ursprung aller Revolutionen und Volksempörungen zc. Vorzüge der Monarchie. 1790. 8. Chinesische Gedanken. 8. .... Gräuel der Verwüstungen, Blicke in die franz. Revol. 1793. 8. Wichtige Anekdoten eines Augenzeugen über die franz. Revolution. 8. 2 Theile. Was ist von den Ausgewanderten, besonders Elsässern zu halten? 8. Geschichte des General Mack' samt der Offenbarung Bonapartens. 8. Die Urheber des Mordes der franz. Kongreßgesandten. 8. u. a. über die franz. Revolution. Ueber die Anpflanzung des Tabaks. Tüb. 1811. 8. Besorgte die Uebersezung und Herausgabe von G. W. Stellers Beschreibung von dem Lande Kamtschatka, dessen Einwohnern, deren Sitten, Namen, Lebensart u. verschiedenen Gewohnheiten. Frankf. u. Lpz. 1774. 8. Kleinere Abhandlungen in den Straßburger wöchentl. Ephemeriden. Vorlesungen: über französische Sprache und Literatur, Geschichte der franz. Revolution, des russischen Reichs, Diplomatik, griechische Alterthümer und andere geschichtliche Fächer.

Dr. Gottlieb Lukas Friedrich Tafel, Professor der klassischen Literatur an der Universität, Prof. der 5ten Klasse des Lyzeums und Vorstand des Präzeptoranden-Instituts; geb. zu Bempflingen den 6. Sept. 1787; stud. in den Klöstern Blaubeuren und Bebenhausen von 1801 bis 1805, kam in das theol. Seminarium nach Tübingen 1805, ward Magister 1807, absolvirte 1810, Erzieher der Adoptivsöhne des Grafen Friedrich Reventlow auf Enkendorf bei Rendsburg in Holstein vom J. 1810 bis 1814, Vikarius zu Ballendorf bei Ulm 1814. — 15, Repetent im evang. Seminar zu Tübingen 1815 — 18. Hielt in den Jahren 1816 und 1817 philologische Vorlesungen; ausserord. Prof. der klassischen Literatur an der Universität, Prof. der neuerrichteten 5ten Klasse des Tübinger Lyzeums, und Vorstand des mit dem Lyzeum verbundenen Präzeptoranden-Instituts 1818. Schriften: Polyhymnia, Uebersezung auserlesener Epigramme d. griech. Anthologie, Zürich. 1808. Pindari carminum Pythiorum quintum cum octavo recens illustratum. Diss. inaugur. philolog. Tub. 1819. 4. Mehrere Beiträge zur kritischen Bibliothek des Erziehungs- und Unterrichtswesens, herausgegeben von Seebode. Jahrg. 1821. Vorlesungen seit 1818: Thucydides Reden, Theophrast's Karaktere, Pindar's auserlesene Hymnen, Tacitus Annalen, römische Geschichte und Alterthümer, alte vorzüglich griechische und römische Verfassungsgeschichte; Enzyklopädie der griechischen Dichter, Geschichtschreiber und Redner; Enzyklopädie der römischen Dichter, Geschichtschreiber und Redner; Exercitationes latinae.

Dr. Karl Friedrich Haug, Professor der Geschichte; geb. den 27. Januar 1795 zu Stuttgart; trat im Oktober 1808 aus dem Gymnasium zu Stuttgart in das Seminarium zu Denkendorf, 1810 in das zu Maulbronn; stud. im theol. Seminar zu Tübingen 1812 — 1817. Reiste im Juni 1817 durch einen Theil Deutschlands, und hielt sich als Hofmeister in Holstein 2 Jahre lang auf, kehrte im Juli 1819 nach Württemberg zurück; versah Vikariate bis Januar 1820, trat im Februar 1820 als Repetent in's theolog. Seminar in Tübingen ein, wurde im Mai desselben Jahres als Privatdozent der Geschichte angestellt, und 1821 ausserord. Prof. derselben. Vorlesungen: Universalgeschichte, Geschichte des Mittelalters.

Dr. Heinrich Ferdinand Eisenbach, Privatdozent der Geschichte, Mitglied der physikalischen Gesellschaft zu Erlangen; geb. den 29. März 1795 zu Bietigheim, besuchte seit 1809 die akademischen Vorlesungen zu Tübingen, bereiste von hier aus mehrere württembergische und badische Bergwerke; nahm 1814 bei der Königl. Württemberg. Artillerie Dienste, erhielt 1815 den Abschied und inskribirte zu Tübingen, wo er bis 1817 studirte, machte verschiedene Reisen durch Deutschland, Frankreich, Schweiz, Italien, die Niederlande und England, hielt sich drei Vierteljahre zu Paris, wo er in das Nationalinstitut eingeführt wurde, einige Zeit zu London, zu Gera, zu Erlangen, zu Jena auf; wurde Doktor der Philosophie 1820, erhielt 1821 die Erlaubniß, Vorlesungen zu halten. Schriften: Uebersezung und gänzliche Umarbeitung von Nougarets Merkwürdigstem aus der russischen Geschichte. 2 Theile. Tübingen. 1820. 8. Viele einzelne Aufsäze in Schweigger's Journal für Chemie und Physik, und in das Morgenblatt. Vorlesungen: Geschichte und ihre Hilfswissenschaften, besonders Geographie und Württemb. Geschichte.

---

## Sechste Abtheilung.

## Staatswirthschaftliche Fakultät.

### A. Anderswo angestellte Lehrer.

Friedrich List *).

---

### B.) Noch hier befindliche Lehrer.

Dr. Friedrich Karl Fulda, ord. Prof. der Kameralwissenschaften und Mitglied der phy-

---

*) Hat seinen Lebenslauf nicht mitgetheilt.

sikalischen Gesellschaft in Göttingen; geb. zu Mühlhausen an der Enz den 27. Dez. 1774; studirte seit 1789 in der hohen Karlsschule zu Stuttgart bis zu deren Aufhebung 1794, dann zu Göttingen bis 1797; machte eine gelehrte Reise und wurde 1798 ord. Prof. der Kameralwissenschaften zu Tübingen, 1808 Zensor, 1817 erster Lehrer an der neuerrichteten staatswirtschaftlichen Fakultät für die Theorie der Staatswirthschaft, erhielt am Reformationsfeste von der philosophischen Fakultät das Diplom eines Doktors der Philosophie. **Schriften:** Versuch einer statischen Theorie der Dächer und Hängwerke, mit 2 Kupft. Gött. 1796. 8. Ueber das richtige Verhältniß zwischen Acker- Wiesenbau und Viehzucht in der Landwirthschaft. Tüb. 1798. 8. Staatswirthschaftliche Ideen in besonderer Hinsicht auf die neue deutsche Zuckerbereitung. Tübing. 1800. 8. Systematischer Abriß der Kameralwissensch. für seine Vorlesungen entworfen. Tüb. 1801. 8. Ueber das Kameralstudium in Württemberg. In vier Briefen. Tüb. 1805. 8. Ueber Nationaleinkommen. Ein Beitrag zu den neuesten Untersuchungen über die Staatswirthschaft Stuttg. 1805. 8. Grundsäze der ökonomisch-politischen oder Kameralwissenschaften. Tüb. 1816. 8. (2te Ausgabe 1820. 8.) Ueber Produktion und Consumtion der materiellen Güter rc. mit angehängtem Studienplan für künftige Staatswirthe aller höhern Klassen. Eine nationalökonom. Abh. und Einladungsschr. zu den Vorlesungen der staatswirthschaftlichen Fakultät auf der Württemb. hohen Schule zu Tübingen. Tüb. 1820. **Aufsäze:** Bemerkungen über Hrn. Prof. Hube's Erklärung der Ebbe und Fluth, in Grens neuem Journal der Physik. B. 4. Stück 1. (1797). Ueber Feuerkugeln, in Gmelin's Götting. Journal der Naturwissenschaften. B. 1. H. 2. (1798). Ueber die besten Ermunterungsmittel zu Aufnahme des Ackerbaues. Abgedruckt in den Preisschriften der Churfürstlich-sächsischen Leipziger ökonom. Sozietät über diese Frage, oder neuere und größere Schriften der Churfürstl. sächs. Leipz. ökonom. Sozietät. 3. Band. S. 333 — 382. Dresden. 1805. Ueber die Wirkung der verschiedenen Arten der Steuern auf die Moralität, den Fleiß und die Industrie des Volks. Eine von der Königl. Sozietät der Wissenschaften zu Göttingen im J. 1807 gekrönte Preisschrift. Abgedruckt in dem neuen Hannöverschen Magazin. 1807. 58 — 66. Stück. Rezensionen in Tüb. gel. Anz. 1800 — 1808. Desgleichen und kleine Aufsäze und Uebersezungen in andern Zeitschriften. Vorlesungen: Enzyklopädie der Kameralwissenschaften, Grundsäze der Finanzwissenschaft und Nationalökonomie.

Georg Ferdinand Forstner von Dambenoy, Professor der Staatswirthschaft; geb. zu Greglingen bei Weikkersheim in Ostfranken im Jahre 1763; erhielt seinen ersten Unterricht zu Erlangen, wurde dann unter die Pagen des Großherzogs von Gotha aufgenommen, stud. seit 1780 im dortigen Gymnasium, dann 4 Jahre zu Jena, reiste durch Obersachsen, wo er sich längere Zeit zu Würchwiz aufhielt, dann England in staatswirthschaftlicher Rücksicht durchreiste, dann zu Frankenberg auf einem Gute seines Oheims diese

Wissenschaft praktisch übte, von wo aus er Mecklenburg bereiste; nach 5 Jahren übernahm er sein eigenes Gut Garrenberg bei Künzelsau und machte in's Mecklenburgische, die Schweiz und Frankreich mehrere wissenschaftliche Reisen, wurde Landstand von Seiten der Gerabronner und 1817 Professor der Staatswirthschaft und Direktor des ökonomischen Vereins in der Nähe. **Schriften:** Ausser mehreren nicht staatswirthschaftlichen und andern kleineren Aufsäzen: Landwirthschaftskalender von Franken. 13 Jahrgänge. Schwabach. 1787. Oekonomische Skizzen oder Dornen im Labyrinthe der heutigen Oekonomie. 2 Bändch. Schwabach. 1788. Ideen über Landwirthschaft. Schwabach. 1790. Ein paar Worte über Viehseuchen. Marktbreit. 1790. Physikalisch-ökonomische Beschreibung von Franken. 2 Bände. Lpz. 1791. Ueber die Bienenzucht im Hohenlohischen. Fränkischer Merkur. 1794. Biographie des Pastor Mayers. Als Herbstblume auf das Grab dieses verehrten Landwirthes. ... Aufruf zur Stallfütterung der Schafe. (Württemb. Archiv 2s H. 1816.) Ideen über die Entbehrlichkeit oder Unentbehrlichkeit einer Landwirthschaftsschule im Königreiche Würtemberg (Ebend. 2. B. 1. H. 1817.) Nachtheiliger Witterungs-Einfluß der Jahre 1815 und 1816 auf die Gesundheit der weidenden Schafe. (Ebend.) Dreifelder- und Wechselwirthschaft nach ihrem Werthe dargestellt und den landwirthschaftlichen Vereinen im Königreiche zugeeignet. Ulm. 1818. Landwirthschafts-Polizei. Tübingen. 1819. Nähere Beleuchtung des Zehent- und Triftzwangs. Tüb. 1819. Leitfaden zum Vortrage der Landwirthschaftslehre. Tüb. 1819. Freiheit des Grundeigenthums, die Seele des Landbaues. Tübingen. 1820. Der Landgeistliche als Landwirth. Tüb. 1822. Vorlesungen: Landwirthschaftslehre ꝛc.

Johann Christian Hundeshagen, ordentl. Professor der Forstwissenschaft, (vierter Sohn des Kurhessischen geheimen Regierungsraths Hundeshagen an der Regierung und dem Hofgericht zu Hanau); geb. am 10. Aug. 1783 zu Hanau. Erhielt seine Schulbildung bis zum 17ten Jahre auf dortigem reformirtem Gymnasio, widmete sich auf mehreren Forstlehranstalten vom J. 1800 bis 1804 dem Forstfache, studirte dann zu Heidelberg Kameralwissenschaft und trat im Jahre 1806 in Kurhessische Dienste, und zwar bis zum Jahr 1808 als Forstamtsassessor beim Forst- und Salinenamte zu Allendorf; mit Einschluß der westphälischen Zwischenregierung stand derselbe vom Jahr 1808 — 1818 einer Oberförsterei-Verwaltung im Oberforste Hersfeld (in Kurhessen) vor, und folgte dann dem Rufe als ord. Prof. der Forstwissenschaft an der staatswirthschaftlichen Fakultät zu Tübingen *). Er ist, ausser mehreren Beiträgen in mineralogische, physische und forstliche Schriften, der Verf. folgender bes. Schriften: Anleitung zum Entwerfen von Bauholzanschlägen ꝛc. für Forstmänner bearbeitet. Hanau 1818, desselben 2te Aufl. Tübingen. 1818. Methodologie und Grundriß der Forst-

*) Wurde während des Drucks Oberforstmeister und Direktor eines Forstinstituts zu Fulda.

wissenschaft. Tüb. 1819. Prüfung der Cottaischen Baumfeldwirthschaft nach Theorie und Erfahrung. Tüb. 1820. Ueber die Heckwaldwirthschaft überhaupt und ihre Einführung in Würtemberg insbesondere. Eine Rechtfertigungsschrift. Tüb. 1821. Enzyklopädie der Forstwissenschaft systematisch bearbeitet. 2 Bde. Tüb 1821. Vorlesungen: Forstwissenschaftliche Gegenstände.

Johann Heinrich Moriz Poppe, ordentl. Professor der Technologie, Hofrath, Assoziirter der Hamburgischen Gesellschaft zur Beförderung der Künste und nüzlichen Gewerbe, ordentliches Mitglied der Frankfurtischen Gesellschaft zur Beförderung der nüzlichen Künste und ihrer Hilfswissenschaften, der Wetterauischen Gesellschaft für die gesammte Naturkunde und der physikal. Gesellsch. zu Göttingen, korresp. Mitgl. der allgemeinen kameralistisch-ökonomischen Sozietät zu Erlangen, und der Gesellsch. der gesammten Naturwissensch. zu Marburg, Ehrenmitglied der Herzogl. Sächs. technologischen Gesellschaft zu Koburg, der Königl. Gesellschaft zur Vervollkommnung der Künste und Gewerbe in Würzburg und des polytechnischen Vereins für das Königreich Baiern. Geb. den 16. Januar 1776 in Göttingen. Er studirte daselbst seit dem Jahre 1795 unter Kästners und Lichtenbergs Leitung Mathematik und Physik, gewann im Jahr 1800 den von der philosophischen Fakultät ausgesezten (mathematischen) Preis, wurde im Jahr 1802 von dem Fürsten von Schwarzburg-Sondershausen zum wirklichen

Rath ernannt, promovirte im Jahr 1804 zum Doktor der Philosophie, und nachdem er ein halbes Jahr als Privatdozent mathematische Vorlesungen gehalten hatte, so folgte er im Jahr 1805 einem Rufe nach Frankfurt am Main als Prof. der Mathematik und Physik am Gymnasium. Als im J. 1811 der damalige Großherzog von Frankfurt zu Frankfurt a. M. ein akademisches Lyzeum (ein Theil der sogenannten Karlsuniversität) errichtete, so wurde er an dasselbe, mit bedeutenden Vortheilen, als Professor der Naturwissenschaften versezt. Ohne Schmälerung dieser Vortheile trat er im Jahr 1814 an das Gymnasium als erster Prof. der Mathematik und Physik zurück, als nach wiederhergestellter freier Verfassung der Stadt, das Lyzeum wieder eingieng. Im J. 1816 stiftete er die Frankfurtische Gesellschaft zur Beförderung der nüzlichen Künste und ihrer Hilfswissenschaften, der er bis zu seinem Abgange von Frankfurt als proponirender Sekretär vorstand. Er gab auch die erste Veranlassung, daß bald hernach die freie Sonntagsschule für Handwerker und Künstler gestiftet wurde, welche bald zur besten Blüthe kam. Im J. 1818 folgte er dem an ihn ergangenen Rufe nach Tübingen. Schriften: Ueber Stellung und Behandlung der Uhren, im Hannöv. Magazin von 1794. Versuch einer Geschichte der theoretisch-praktischen Uhrmacherkunst. Gött. 1797. 8. Theoretisch-praktisches Wörterbuch der Uhrmacherkunst, mit Kupf. 2 Bde. Lpz. 1799. 1800. 8. Optische Täuschungen oder Erklärung verschiedener wunderbarer Erscheinungen in der Natur, mit Kupf. Gött. 1800. Commentatio de usibus circuli et aliarum curvarum in artibus mechanicis et architectura, quas animadverterunt graeci geometrae ac illis posteriores ante Cartesium, in certamine literario 1800. praemio regio ornata. Goett. 1800. 4 Praktische Abhandlung über die Lehre von der Reibung, mit Kupf. Gött. 1801. Mechanische Unterhaltungen für die Jugend, mit Kupf. Gött. 1801. 8. Ausführliche Geschichte der theoretisch-praktischen Uhrmacherkunst, seit der ältesten Art den Tag einzutheilen bis an das Ende des achtzehnten Jahrhunderts. Lpz. 1801. 8. Ausführliche Geschichte der Anwendung aller krummen Linien in mechanischen Künsten und in der Architektur, seit den ältesten Zeiten bis zu Anfange des 19ten Jahrh. Nürnb. 1802. 8. Neue physikalische Unterhaltungen für die Jugend. 2 Bdch. mit Kupf. Lpz. 1802. 12. Das Ganze des Schornsteinbaues. Hannov. 1804. 8. Enzyklopädie des gesammten Maschinenwesens, oder vollständiger Unterricht in der praktischen Mechanik und Maschinenlehre. 7 Thle mit vielen Kupf. Lpz. 1803 bis 1818. 8. Neue Aufl. 1r Th. 1820. 8. Was für Maschinen und Erfindungen zur Rettung des menschlichen Lebens aus verschiedenen Gefahren sind bekannt? und welche verdienen vor andern den Vorzug? Gekrönte Preisschrift. Wien. 1804. 8. Ist auch in's Französische, in's Holländische, in's Dänische, in's Schwedische und in's Ungarische übersezt worden. Allgemeines Rettungsbuch oder Anleitung, vielerlei Lebensgefahren, welchen die Menschen zu Lande und zu Wasser ausgesezt sind, vorzubeugen und sich aus den unausweichlichen zu retten. Gekrönte Preisschr. Hannover u. Pyrmont. 1805. 8. Nachtrag dazu. Ebend. 1808. 8. Commentatio de incrementis et progressibus literarum mechanicarum seculo duodevigesimo A. 1805. praemio ornata, in den Actis Societatis Jablonovianae. Lips. 1812. 4. Geschichte der Technologie seit der Wiederherstellung der Wissenschaften bis an das Ende des 18ten Jahrh. 3 Bde. Gött. 1807 bis 1811. 8. Auch unter dem Titel: Geschichte der Künste und Wissenschaften, von einer Gesellschaft gelehrter Männer ausgearbeitet, 8te Abth. IV. Geschichte der Technologie. Die Mechanik des 18ten Jahrh. und der ersten Jahre des 19ten. Gekr. Preisschr. Hannov. 1808. 8. Lehrbuch der allgemeinen Technologie ꝛc. Frankfurt a. M. 1809. 8. Handbuch der Technologie. 3 Thle. Frankf. a. M. 1806 bis 1810. 8. Der physikalische Jugendfreund. 8 Thle. m. Kupf. Frankf. a. M. 1811 — 1820. 12. (Ist in's Holländische übersetzt, aber auch in Wien nachgedruckt worden.) Der magische Jugendfreund. 3 Bdch. mit Kupf. Frankf. a. M. 1817. 12. Technologisches Lexikon ꝛc. 5 Thle mit vielen Kupf. Stuttg. u. Tüb. 1816 — 1820. 8. Noth- und Hilfslexikon zur Behütung des menschlichen Lebens vor Gefahren und zur Rettung aus denselben. 3 Bde. m. Kupf. Nürnb. 1811 — 1815. 8. Handbuch der Experimentalphysik, nach den neuesten Entdeckungen bearbeitet, mit K. Hannov. 1809. 8. (Eine neue Aufl. ist unter der Presse.) Lehrbuch der reinen und angewandten Mathematik. 2 Thle. m. K. Frankf. a. M. 1814. 1815. Neue Aufl. 1820. Beschreibung eines neu erfundenen Weckers, m. Kupf. Heidelb. 1809. 12. 2te Aufl. 1811. Geist der englischen Manufakturen. Heidelberg. 1812. 8. Deutschland auf der höchstmöglichen Stufe seines Kunstfleißes und seiner Industrie überhaupt ꝛc. Frankf. a. M. 1816. 8. J. Auch, Anleitung zur Kenntniß und Behandlung der Taschenuhren, m. K. Gotha. 1807. 2te Aufl. 1809. 8. Die Wand-, Stand- und Taschenuhren, ihr Mechanismus, ihre Erhaltung, Reparatur u. Stellung rc. m. K. Frankf. a. M. 1818. 12. (Eine neue Aufl. ist unter der Presse.) Handbuch der Erfindungen. Hannov. 1818. 8. Gemeinnüzige Waaren-Enzyklopädie. Lpz. 1818. 8. Lehrbuch der speziellen Technologie, vornehmlich zum Gebrauch beim akademischen Unterricht. Stuttg. u. Tüb. 1819. 8. Ueber das Studium der Technologie, vornehmlich für die der Staatswirthschaft Beflissenen. Tüb. 1818. 2te Aufl. 1820. 8. Allgemeines ökonomisch-technologisches Hilfsbuch für den Bürger und Landmann. Frankf. a. M. 1820. 8. Lehrbuch der Maschinenkunde, nach einem neuen umfassendern Plane und ohne Voraussezung höherer analytischer Kenntnisse bearbeitet. mit Kupf. Tüb. 1821. 8. Ausführlichere Anleitung zur allgemeinen Technologie, nach einem ganz neuen Systeme bearbeitet. m. K. Stuttg. u. Tüb. 1821. 8. Er besorgte auch die neueste Auflage von Schedels Waarenlexikon (2 Bde, Offenbach am Main, 1814. 8.) und von Hochheimers allgemeinem Haus- und Kunstbuche (3 Bde, Lpz. 1819. 1820. 8.); ferner hat er schon mehrere Abtheilungen aus Martins circle of the mechanical Arts übersezt (die Baumwollen- und Wollenzeugmanufaktur, den Uhrmacher und den Drechsler, Pesth. 1819. 8.) Seit sechs Jahren redigirt er auch das Magazin der Erfindungen. Ausser allen diesen lieferte er von Zeit zu Zeit Abhandlungen in das Hannöverische Magazin, in das Journal für Fabriken, in die allgemeinen Annalen der Gewerbkunde, in das Morgenblatt, und vor mehreren Jahren auch Rezensionen in die Göttinger gelehrten Anzeigen, in die Jenaer Literaturzeitung und in die Heidelberger Jahrbücher *). Seine Vorlesungen betrafen bis jezt: Allgemeine Technologie, spezielle Technologie, Maschinenlehre, reine Mathematik, besonders für Kameralisten.

Dr. Karl Heinrich Ferdinand Krehl, ordentlicher Professor der staatswirthschaftlichen Fakultät; geb. zu Münsingen den 28. Mai 1783, studirte in Tübingen und Göttingen 1800 bis 1805; erhielt in Tübingen 1804 die juristische Doktorwürde, und wurde im nehmlichen Jahre württemb. Kanzleiadvokat. Von Göttingen aus bereiste er einen Theil des nördlichen Deutschlands, um die polizeilichen Anstalten kennen zu lernen, und kam dann 1806 zu dem Oberamte Weinsperg zuerst als Assistent, späterhin als Aktuar. Im Jahr 1810 zog er sich von diesen Posten zurück, und widmete sich der juristischen Praxis, zuerst in Weinsperg, nachher in Ulm, wo er zugleich im J. 1812 K. Notar wurde; Krankheitshalber verließ er leztern Ort im J. 1814 und zog nach Nürtingen, wo er 1815 Mitglied des dortigen Oberamtsgerichts und Magistrats wurde. Von da wurde er 1817 nach Stuttgart zu einem be-

*) Vergleicht man dieses Schriftenverzeichniß mit dem in Saalfelds Geschichte von Göttingen befindlichen, so findet man es in manchen Stücken vermehrt, in andern vermindert. Um daher dem Vorwurfe der Unvollständigkeit zu entgehen, muß ich bemerken, daß der bescheidene Hr. Verf. selbst diese Auswahl aus seinen so allgemein nüzlichen Schriften getroffen hat.

sondern Geschäft berufen, dann zum Kollegien-Assessor ernannt, wurde im nehmlichen Jahr bei der erfolgten Organisation Assessor im Steuer-Kollegium, im J. 1818 Mitglied der Kataster-Kommission, und im J. 1819 ordentlicher Professor an der staatswirthschaftlichen Fakultät in Tübingen. Schriften: Diss. (praes. C. Th. Gmelin) de casu post moram praestando. Tub. 1804. 4. Ueber die Losungen, ein Beitrag zur Bildung des würtemberg. Privatrechts. Ulm. 1814. Skizze eines Steuersystems. Erlangen. 1814. Der Bund der Deutschen. Eine patriotische und weltbürgerliche Idee. Erl. 1814. Das Steuersystem nach den Grundsätzen des Staatsrechts und der Staatswirthschaft. Erl. 1816. Ueber die Organisation der Ziviljustizpflege bei den Untergerichten in Würtemberg. Stuttg. 1816. Beiträge zur Bildung der Steuerwissenschaft. Stuttg. 1819. Ueber die Aufhebung der Grundgefälle. 1820. Vorlesungen: Polizey, Steuerlehre, Kameralrecht und Verwaltungs-Praxis.

# Sechster Abschnitt.

## Verfassung und Einrichtungen der Hochschule.

---

### Allgemeine Verhältnisse.

Die Universität steht unmittelbar unter dem Minister des Kirchen- und Schulwesens. Die Aufnahme von studirenden Inländern auf dieselbe, hängt von Vorprüfung bei dem Studienrath in Stuttgart ab; die Aufnahme fremder Studirenden von der Uebereinkunft des Rektors und Kanzlers *). Inländer, die sich erst zur Prüfung in Stuttgart vorbereiten wollen, oder solche, die sich bloß in einzelnen Zweigen der Wissenschaften ausbilden wollen, ohne auf Staatsdienste Anspruch zu machen, erhalten bestimmte Zeitfristen, innerhalb welcher sie ihren Zweck auf der Universität verfolgen können, ohne aber damit der Rechte der Studirenden namentlich der Konskriptionsfreiheit theilhaftig zu werden.

Der akademische Senat besteht aus dem Kanzler und der Gesammtheit der ordentlichen Professoren, die halbjährlich einen Rektor als

---

*) Ausländer müssen sich nicht bloß durch gute Zeugnisse von ihrem bisherigen Aufenthaltsorte legitimiren, sondern auch einen zureichenden Kautionsschein für etwa zu machende Legalschulden beibringen.

Vorstand desselben durch geheime Stimmen erwählen. Gewöhnlich wechseln die Fakultäten, aus denen er genommen wird, der Reihe nach ab. Der akademische Senat entscheidet über alle Universitäts-Angelegenheiten und Stipendiensachen, (wenn jene sich nicht zur höhern Erkenntniß des Ministers eignen), ohne jedoch als Ganzes Gerichtsbarkeit oder Straferkenntniß zu haben. In ihm sizen und stimmen die Mitglieder der Fakultäten in der Ordnung ihres Amtsalters als Senatoren. (Ehmals stimmten sie nach der Ordnung der Fakultäten). Er wird vom Ministerium über alle, die Universität und das akademische Studienwesen angehende allgemeine Anordnungen und in's Ganze eingreifende Einrichtungen um sein Gutachten vernommen, so wie er auch berechtigt und verpflichtet ist, Anträge über solche Angelegenheiten vorzulegen. Bei Besezung ordentlicher Lehrstellen wird sein Gutachten vernommen und Niemand, den er nicht entweder selbst vorgeschlagen hat, oder gegen den er erhebliche Gründe anführen kann, als ordentlicher Lehrer angestellt. Er ernennt den Universitätssekretär, so wie die zur Universität und ihren Instituten gehörigen untern Offizialen und niedern Diener. Zur Stelle eines Justitiars und Universitäts-Kameralverwalters schlägt er vor. Er kann einzelnen Gelehrten, die sich mit dem Unterrichte der Studirenden wirklich beschäftigen, das akademische Bürgerrecht bewilligen; auch genießt er noch das Patronatrecht über Leonberg, Brakenheim, Holzgerlingen, Weil im Dorf, Feuerbach, Neckarthalfingen, Asch, Wolfenhausen, Ringingen bei Blaubeuren, Ehningen unter Achalm, Dagersheim und Darmsheim.

Ehmals waren seine Rechte viel ausgedehnter, er hatte das freie Wahlrecht der Professoren, und dieses erstreckte sich so weit, daß er (1584) dem Nikodem Frischlin, troz der dringenden Empfehlung des Herzogs, nicht nur eine ausserordentliche Lehrstelle verweigern konnte, sondern ihm sogar das akademische Bürgerrecht versagte. Der erwählte Professor mußte jedoch vom Fürsten bestätigt werden, der auch den Kanzler ernannte. Ebenso hatte der Rektor und Senat die bürgerliche und peinliche Gerichtsbarkeit über alle ihre Mitglieder, das Todesurtheil aber mußte von dem Landesherrn bestätigt werden, dem in solchen Fällen das Begnadigungsurtheil zustand. Auch stand dem Senat die Verwaltung der Einkünfte, womit die Universität fondirt war, zu.

Der Rektor hat im Allgemeinen die nähere Aufsicht über das ganze Universitätswesen und die dabei angestellten Personen. Er präsidirt in dem akademischen Senat, dem Dekanen-Kollegium und der Disziplinarkommission und kann in Strafsachen bis auf achttägige Inkarzeration und Geldstrafen von zehn Thalern erkennen. Gegenwärtig ist es Professor Dr. v. Eschenmeyer.

Der Kanzler (der vom Könige ernannt wird), ist beständiger Regierungskommissär, er wacht über die Befolgung der königlichen Befehle, hat nach dem Rektor die erste Stimme im Senat, ist Mitglied aller einzelnen Kommissionen oder Ausschüsse des Senats, hat die nähere Aufsicht über regelmäßige Haltung der Vorlesungen nnd berichtet periodisch und sonst in ungewöhnlicheren Fällen an die Regierung. Er ertheilt im Namen der Regierung die Erlaubniß zu Ertheilung akademischer Würden, und hat bei den Prüfungen der Fakultäten und den öffentlichen Prüfungen im evangelischen Seminar und katholischen Konvikt anwesend zu seyn. Der Kanzler der Universität ist nach §. 133. der Verfassungsurkunde Mitglied der Kammer der Abgeordneten bei dem Landtage. Ehmals war der Kanzler immer zugleich Probst der Kirche, weßhalb man einen theolog. Professor dazu nahm, seit dem Jahre 1819 bekleidet aber diese Stelle als Vizekanzler der Prof. der Medizin, v. Autenrieth. Ihm wurde zugleich zu Vollziehung des Beschlusses der deutschen Bundesversammlung das Amt eines ausserordentlichen Königlichen Bevollmächtigten an der Universität übertragen, nach welchem er ohne Einmischung in das Wissenschaftliche und die Lehrmethode allem, was zur Beförderung der Sittlichkeit dienen kann und etwaiger Verbreitung von der öffentlichen Ruhe, feindseligen Gesinnungen entgegen ist, seine Aufmerksamkeit zu widmen hat.

Jede Fakultät, deren sechs sind, ist ein für sich bestehender Körper, der aus seinen Mitgliedern einen Dekan wählt, und zwar die theologische und philosophische Fakultät jährlich, die übrigen halbjährlich. Nicht jeder ordentliche Professor kann Dekan werden, sondern bei jeder Fakultät wechselt dieses Amt unter einer bestimmten Anzahl von ordentlichen Professoren, die die sogenannte alte Fakultät, die Fakultät nach der ehmaligen Anzahl bilden *). Diese bestand ehmals aus gewißen Professoren, die bestimmte Fächer lehrten, über welche öffentliche (d. h. unentgeldliche) Vorlesungen gehalten werden mußten und die durch die Vortheile der Dekanats- und Rektoratswürde nebst einigen andern dafür schadlos gehalten wurden. In neuern Zeiten wurden aber diese Fächer bei den meisten Fakultäten getheilt, wodurch diese Einrichtung sich von selbst aufhob, bei der philosophischen Fakultät aber besteht sie noch fort. Auch das Verhältniß der ausserordentlichen Professoren zu den Fakultäten ist ein verschiedenes. Einige derselben haben, wie in der juristischen und medizinischen Fakultät, Antheil an den Prüfungen zu nehmen, während andere diesen Antheil nicht haben und mit ihren Fakultäten in keiner näheren Beziehung stehen.

---

*) Dieses gilt nicht von den beiden neuerrichteten Fakultäten, der katholisch-theologischen und der staatswirthschaftlichen.

Der Dekan hat die Direktion in der Fakultät, verwahrt ihre Akten, Protokolle, Siegel und Insignien; Fakultätssachen, die nicht vor den ganzen Senat gebracht werden, entscheidet er mit Zuziehung der Fakultät.

Die vereinigten Dekane bilden unter dem Vorsiz des Rektors ein Kollegium, bei welchem in dringenden Fällen der Rektor sich Raths erholt, so wie es auch bei mehreren feierlichen Veranlassungen den gesammten akademischen Senat repräsentirt. Ausserdem bildet das Kollegium der Dekane mit dem Rektor und Kanzler eine Kommission, deren Befugniß zu strafen sowohl bei Studirenden als auch bei den übrigen Universitätsverwandten bis auf vierwöchentliche Inkarzeration, 20 Thlr. Geldstrafe und bei Studirenden bis zur Relegation geht. Bei zum Prozeß erwachsenen Zivilklagen gegen Professoren geniessen diese eines privilegirten Gerichtsstandes. Klagen dieser Art gegen Andere werden an die ordentlichen Gerichtsstellen des Beklagten verwiesen.

Der Rektor, Kanzler und Dekan der Juristen-Fakultät bilden eine Deputation, unter deren Leitung Handlungen der willkührlichen Gerichtsbarkeit durch den Justitiar vorgenommen werden. Der Justitiar hat ausserdem unter dem Rektor Schuldsachen und Untersuchungen von Vergehen zu besorgen. Gegenwärtig verwaltet dieses Amt provisorisch. Professor Christian Heinrich Gmelin.

Die Disziplinarkommission besteht aus dem Rektor, Kanzler, drei Senatoren, dem Ephorus des protestantischen Seminars und dem Direktor des katholischen Konvikts. Sie hat die spezielle Verpflichtung, unsittliche oder unfleißige Studirende zu warnen, und die Befugniß, wenn solche Warnuug nicht hilft, Inländer das erstemal auf ein Halbjahr, Ausländer nach Befinden der Umstände auf immer von der Universität zu entfernen. Sie entscheidet als Kollegium nach moralischer Ueberzeugung, ohne streng juridische Beweise nöthig zu haben.

Der Universitätssekretarius, wozu immer ein Jurist genommen wird, führt die Protokolle bei den Verhandlungen des Senats und Dekanen-Kollegiums, fertigt die Senatsschlüsse aus, besorgt die Registratur und öffentliche Korrespondenz. Bis in die Mitte des siebzehnten Jahrhunderts hieß er Notarius. Der gegenwärtige Sekretarius heißt Johann Friedrich Uhland: er hat Altershalber einen Assistenten, Ludwig Friedrich Conz.

Die sämmtlichen Studirenden wählen in Anwesenheit des Rektors einen Ausschuß von fünfzehn Mitgliedern, der in jedem Halbjahr zu zwei Dritttheilen erneuert wird und in regelmäßiger Verbindung mit der Disziplinarkommission steht. Dieser Ausschuß hat die öffentliche Ruhe, die Erhaltung des Friedens und die Sittlichkeit unter den Studirenden möglichst zu unterstüzen; der Disziplinarkommission Wünsche und Vorschläge; die sich auf das gesellschaftliche Leben der Studirenden beziehen, vorzutragen. Er hat das Recht im Namen der Studirenden bei den akademischen Behörden zu klagen und das Recht, wenn er glaubt, bestimmte Milderungsgründe angeben zu können, für Studirende, die schwerer gestraft werden sollten, sich zu verwenden, weßwegen ihm auch von jeden Straferkenntniß Nachricht ertheilt wird.

Das Oekonomische der Universität steht unmittelbar unter dem Finanzministerium, unter dem ein Universitäts-Kameralverwalter (Christ. Friedr. Ammermüller), der auf Vorschlag des Senats vom Könige ernannt wird, das Einzelne besorgt. Eine von dem Senat ernannte Kommission, die aus einem Mitgliede aus jeder Fakultät, nebst dem Kanzler besteht, und woraus der Senat einen Direktor ernennt, solle die jährliche Voranschläge für die Bedürfnisse der Universität mit dem Universitäts-Kameralverwalter gemeinschaftlich in Berathschlagung ziehen, und die jährlich gestellte Rechnung, ehe sie zur Probe eingeschickt wird, prüfen und mit ihren Erinnerungen begleiten.

Gegenwärtig aber ist überhaupt das Oekonomische der Universität und die Fundirung des von der Staatskasse indessen nöthigen jährlichen Zuschußes, Gegenstand der Unterhandlungen zwischen der Regierung und den Landständen.

Die Handhabung der öffentlichen Ordnung und

Sicherheit besorgt der Pedell oder öffentliche Diener des Senats (Friedrich Payer). Zu diesem Zwecke ist ihm ein Vizepedell (Georg Friedr. Elsenbach) zugegeben, und sind ihm acht Schaarwächter untergeordnet.

## Verhältnisse der einzelnen Fakultäten.

Den ersten Rang hat die evangelisch-theologische Fakultät. Anfangs bestand sie aus drei ordentlichen Mitgliedern, deren Anzahl 1496 auf vier erhöht wurde, und von dieser Zeit an war sie zusammengesezt aus dem Kanzler, der zugleich Probst der Stiftskirche war, dem Dekan der Stiftskirche und einem ordentlichen Professor, der vierte war Stadtpfarrer und nicht immer Mitglied des akademischen Senates. Die Kanzlerswürde befindet sich gegenwärtig nicht mehr bei dieser Fakultät, es haben aber zwei Mitglieder derselben, (v. Flatt und v. Bengel) 1820 den Prälatentitel erhalten. Die theologischen Professoren sind ordentliche Frühprediger an der Stiftskirche. Aus dieser Fakultät werden die Superattendenten des theologischen Seminars genommen. Auch waren zwei theologische Professoren Mitglieder vom Ehegericht, so lange dieses hier war, und wohnten den Ehescheidungen bei.

Die katholisch-theologische Fakultät, ein herrliches Denkmal der Aufklärung unserer Zeit; auf einer Hochschule, wo noch vor hundert Jahren die geringste Abweichung von den anbefohlenen Glaubensgrundsäzen der lutherischen Kirche Haß, Abscheu und Verfolgung nach sich gezogen hätte, sieht man jezt die Theologen beider Religionsansichten in brüderlicher Eintracht zusammenleben. Den ersten Grund hiezu legte König Friedrich, als seine katholischen Unterthanen durch Vermehrung seines Landes einen beträchtlichen Zuwachs erhalten hatten, durch die Stiftung einer katholischen Universität zu Ellwangen (Sept. 1812). Sie wurde aber erst 1813 eingeweiht; der erste Rektor war Dr. Cölestin Spegele. Die Studirenden wurden hier nach überstandener Prüfung großen Theils auf öffentliche Kosten verpflegt, und das Ellwanger Rathhaus zu den Vorlesungen und andern öffentlichen Feierlichkeiten bestimmt. Die neue Universität kam schnell in Aufnahme *); der vorige König faßte daher den Plan, sie nach Tübingen zu verlegen, an der Ausführung hinderte ihn aber der Tod. Der jezige Monarch verlegte sie aber wirklich hieher (1817 im Herbst). Sie besteht aus fünf Professoren, worunter einer die Würde eines Dekans bekleidet. In Verbindung mit ihr steht das Konvikt.

Die Juristen-Fakultät besteht aus fünf ordentlichen Professoren, die ehmals den Titel Herzogliche Räthe hatten. Einer desselben war

*) 1760 fl. waren jährlich zu Stipendien bestimmt, die Zahl der Studirenden betrug 60 bis 70.

Assessor primarius des hiesigen Hofgerichts mit der ersten Stimme, wie auch des Kollegii illustris. Während der Anwesenheit des Obertribunals waren drei Professoren (v. Malblanc, Majer und Schrader) Räthe bei demselben und behalten diesen Titel noch bei. In Verbindung mit dieser Fakultät steht das Spruch-Kollegium.

Die medizinische Fakultät hat gegenwärtig vier ordentliche Professoren, zieht aussserdem zu ihren Prüfungen noch zwei ausserordentliche bei; in Verbindung mit ihr stehen ferner derzeit als ausserordentliche Professoren der Lehrer der Thierarzneikunde, der Gehilfe beim chemischen Laboratorium, der Prosektor und der Universitätsoperateur. In den ältesten Zeiten war sie das einzige Kollegium medicum im Lande; als die Leibärzte ein zweites solches bildeten, war die Obliegenheit, die Medizinalanstalten des Landes zu visitiren namentlich die Apotheken, die zünftigen Wund- und Hebärzte und die Hebammen zu prüfen und zu Ausübung ihrer Kunst zu legitimiren, nach bestimmten Distrikten getheilt unter beide Kollegien. Damals hatte die speziellere Aufsicht über das Medizinalfach noch der Kirchenrath; es bestand aber neben ihm eine gemeinschaftliche aus herrschaftlichen Dienern und Landschaftsmitgliedern zusammengesezte Sanitätskommission. Da in diesen Zeiten das Gutachten der juristischen Fakultät in allen wichtigen Kriminalfällen eingeholt werden mußte, so hatte die medizinische

Fakultät auch in allen solchen Fällen die nöthige medizinische Responsa zu stellen. Als unter der vorigen Regierung des Kollegium Archiatrale zur Medizinaldirektion erhoben wurde und die Landvogteiärzte die Visitationen vornahmen, blieb der medizinischen Fakultät die, jedoch wenig in's Leben getretene, Obliegenheit einer Supervisitation; die Prüfung der Hebammen fiel weg, so wie die Prüfung der niedrigsten Klasse der Wundärzte. Damit daß die Juristen-Fakultät aufhörte, Spruchkollegium in den angeführten Fällen, zu seyn, hörte auch die Benuzung der medizinischen Fakultät zu ärztlichen Responsis auf. Als Kollegium medicum, in welcher Eigenschaft zu ihren vier ordentlichen Mitgliedern der gegenwärtige ausserordentliche Professor der Chirurgie und der Universitätsoperateur nebst zwei Examinatoren der Tübinger chirurgischen Lade gezogen werden, hat die Fakultät bloß noch die Prüfung und Legitimation der Geburtshelfer und Wundärzte der drei höheren Klassen in dem Schwarzwald- und Donaukreise zu besorgen. Akademische Würden, die sie in der Medizin und Chirurgie ertheilt, berechtigen noch nicht zur Ausübung der Kunst; es gehört dazu für den Kandidaten noch ein Examen beim Medizinalkollegium in Stuttgart, das jedoch keinen zu dieser Prüfung zuzulassen hat, der nicht vorher die Fakultätsprüfung bestand. Mit der Fakultät sind verbunden das Klinikum, das jedoch eine eigene Superattendenz hat, die Anatomie, das Naturalienkabinet, der botanische Garten und das chemische Laboratorium.

Aus sechs ordentlichen Mitgliedern besteht die philosophische Fakultät, deren Mitglieder ehmals Artisten oder Lehrer der freien Künste genannt wurden. Von der Geringschäzung der Artisten in älteren Zeiten war schon oben die Rede, aber selbst bis in die neueren Zeiten erhielten sich Ueberbleibsel hievon, indem nur drei ihrer ordentlichen Mitglieder dem Senate anwohnen durften, wiewohl sie fünf Mitglieder nach der ehmaligen Anzahl hatte, die auch jezt noch besonderer Vorzüge geniessen. Aus dieser Fakultät wird jedesmal der Ephorus des evang. theolog. Seminars, der Bibliothekar, der Professor der Eloquenz und die Administratoren verschiedener Stipendien namentlich des Neuenbau's und der Hochmann'schen Stiftung genommen. Mit ihr steht das physikalische Instrumentenkabinet und die Sternwarte in Verbindung.

Den sechsten Rang hat die staatswirthschaftliche Fakultät, die erst seit 1817 errichtet ist und fünf ordentliche Mitglieder hat; mit ihr steht die Modellsammlung in Verbindung.

## Universitäts-Bürgerrecht.

Dieses geniessen alle bei der Universität Angestellte, also zunächst die Professoren und Privatdozenten, die Lehrer der freien Künste, der Universitäts-Kameralverwalter, Sekretarius, der

Speismeister im Neuenbau, und der Universitäts-Mechanikus ꝛc. nebst ihren Familien und Dienern, auch ihre Wittwen, in soferne sie sich hier aufhalten*). Das akademische Bürgerrecht erstreckte sich auch noch auf alle in das Album inskribirte. Die Rechte der Universitätsbürger bestehen vorzüglich in der Befreiung von gewißen Steuern z. B. dem Amtsschaden und in einigen andern Vortheilen.

## Oeffentliche Anstalten.

### Bibliothek **).

Die Geschichte der gegenwärtigen Büchersammlung der Universität fängt nicht mit der Geschichte der Universität selbst an: denn nach Crusius [1]) wurde im Jahre 1534 die Bibliothek mit dem sogenannten Sapienzhaus und einigen andern academischen Gebäuden ein Raub der Flammen. Ob die Sammlung bedeutend war: darüber fehlt es uns fast gänzlich an Nachrichten; nur Conrad Pellican [2]) erzählt: er habe von Conrad Summenhart eine

*) Den Buchhändlern und Buchdruckern ist zwar durch den Verf. Entw. v. 1817 das Univ. Bürgerrecht wieder zugesagt worden; dieses Versprechen kam aber bis jezt noch nicht zur Ausführung.

**) Zeller Merkwürdigkeiten S. 705 fgg. Böcks Geschichte S. 30. 73. 185. 282.

1) Crusius P. III., Lib. XI. c. 9.

2) Moser's erläutertes Würtemberg. Th. 2. Seite 295. Schnurrer's Nachrichten von ehemaligen Lehrern der hebräischen Literatur in Tübingen. S. 3.

hebräische Gesezrolle auf Pergamen (Sepher thora); desgleichen Petri Nigri Schrift gegen die Juden aus der Universitäts-Bibliothek zum Gebrauch erhalten, und Crusius meldet [3]), durch den Brand der Universitäts-Bibliothek seyen sämtliche Bücher und Instrumente des berühmten Mathematikers, Joh. Stöffler's, zu Grunde gegangen und von seinen Handschriften würde nichts der Nachwelt gerettet worden seyn, wenn nicht sein Schüler, Sebastian Münster, viele davon vorher abgeschrieben hätte.

Eine Reihe von Jahren scheint nun die Universität eine Bibliothek gänzlich entbehrt, und erst um 1562 an Errichtung einer neuen gedacht zu haben: denn in diesem Jahre schenkte nach Crusius [4]) Joh. Scheubel (der auch seine mathematische Bücher vermachte) dem Senat mathematische Figuren von Euclid — sie sind noch, wenigstens theilweise, vorhanden — für die Universitäts-Bibliothek, die damals zu errichten angefangen worden; doch war ihr Anfang wahrscheinlich höchst unbedeutend und es mag ihr daher recht wohl angestanden haben, als sie von Ludwig Gremp, Professor der Rechte zu Tübingen und nachher vieljährigem Rath und Advocat der damaligen freien Reichsstadt Straßburg († 1583) einen ansehnlichen Zuwachs erhielt, indem dieser seine aus verschiedenen Zweigen der Wissenschaften

3) P. III. L. X. c. 5.
4) P. III. L. XII. c. 8.

bestehende, über 2600 Bände betragende, Büchersammlung mit der Universitäts-Bibliothek gewissermaßen vereinigte, doch so, daß sie vorzugsweise zum Gebrauch der Gremp'schen Stipendiaten bestimmt seyn sollte, und auch eine jährliche Summe zu ihrer Completirung aussezte.

Um das Jahr 1592 scheint man erst eine eigentliche Regulirung der Bibliothek vorgenommen zu haben; wenigstens findet sich in der Universitäts-Registratur von dem damaligen Bibliothekar, Georg Burkhard, ein Schreiben an den academischen Senat, worin er von dem ihm ertheilten Auftrag, eine Revision der Universitäts- und Gremp'schen Bibliothek vorzunehmen, Rechenschaft ablegt, zugleich die Verfertigung von Realcatalogen anzeigt, hingegen nun an das gegebene Versprechen mahnt, ihm einen fixen Gehalt auszusezen und eine eigene Instruction zu entwerfen, wovon er einen Entwurf beilegte. Von regelmäßigen Einkünften der Bibliothek findet sich aber noch eine Spur, und erst in den Statuten von 1601 wurde ihr die Summe von jährlichen hundert Gulden zur Anschaffung neuer Bücher ausgesezt, allein bei dem Prinzip der Sparsamkeit, das sich von jeher in dem ganzen Haushalt der Universität, vorzüglich in ihren Instituten, zeigte, theils gar nicht, theils in einer bedeutend geringern Summe 5) ausgezahlt, und so konnte daher die

5) Nach einem Extract aus den Rectoratsrechnungen erhielt die Bibliothek vom 1. Mai 1702 bis 1. Mai 1743

Bibliothek nur langsamen Fortgang gewinnen. Erst unter der Regierung Herzog Carl's, dem die Universität überhaupt so manche neue oder verbesserte Einrichtungen verdankt, begann auch für die Bibliothek eine günstige Epoche [6]). Nicht nur machte er in wiederholten Rezessen dem Senat die regelmäßige Abreichung der statutenmäßigen Einkünfte zur Pflicht, sondern vermehrte dieselbe durch angeordnete Beiträge der Studierenden (Inscriptions- und Depositionsgelder), durch Verwilligung einer ausserordentlichen Summe aus dem Kirchenrath (500fl.) und Bestimmung des academischen Senats zu einer gleichen Summe zur Anschaffung einiger Hauptwerke, durch die Verordnung, daß jeder neuernannte ordentliche Professor ein Buch von ungefähr 20 Thalern im Werth in die Bibliothek zu stiften habe, durch den Befehl, daß alle Buchhändler und Buchdrucker ein Exemplar von ihren verlegenden oder druckenden Schriften an die Bibliothek abzugeben haben, wozu sie ohnehin schon nach den Statuten von 1701 und spätern Befeh-

im Ganzen die Summe von — baaren 700 fl., wofür die Decane die Bücher anzuschaffen hatten. Der Bibliothekar hatte nichts zu seiner Disposition, als seit 1724 die Zinsen aus dem Reischach'schen Kapital mit jährlichen 10 fl., wofür er Anfangs nicht einmal Rechnung ablegte.

6) Recesse vom 24. Jul. 1744. und 13. Dezbr. 1751. Statute von 1752.

len von 1737 und 1739 verbunden waren, so wie er durch die Doubletten der Stuttgarter öffentlichen, und der Ludwigsburger Hofbibliothek [7]) die hiesige bedeutend vermehrte; ausserdem erhielt sie auch in andern Beziehungen eine zweckmässigere Einrichtung: öffentliche Lesetage wurden angeordnet, und durch Ernennung eines Unterbibliothekars (1774) wurde ihr Gebrauch um Vieles gemeinnüziger, als bisher, gemacht.

So gelangte die Bibliothek in kurzer Zeit zu einem immer grössern Umfang. Hiezu kam 1769, und definitiv 1776, die Vereinigung der Bibliothek der philos. Facultät, eines Vermächtnisses von Martin Crusius und Veit Müller und seiner Ehefrau; 1776 der Bibliothek des Martinianischen Stipendiums, wodurch sie eine bedeutende Anzahl von Werken aus den ersten Zeiten der Buchdruckerkunst erhielt; der Bibliothek des Fleck'schen Stipendiums [8]); 1805 der Bibliothek des 1804

7) Aus lezterer Bibliothek wurden 1881 Werke abgegeben, hauptsächlich historischen und belletristischen Inhalts in verschiedenen Sprachen. Sie waren früher Theile der Bibliotheken Herzogs Eberhard Ludwig, Herzogs Carl Alexanders und von Prinzen aus den Nebenlinien Winnenthal und Mömpelgart, und sind zum Theil mit den eigenhändigen Namensunterschriften dieser fürstlichen Personen bezeichnet.

8) Folgende Nachrichten verdanke ich den gefälligen Mittheilungen des Hrn. Prof. Schott, Administrator's des Fleck'schen Stipendiums: Georg Fleck,

verstorbenen Geheimenraths, Godf. Dan. Hoffmann, welche seine Wittwe gegen eine jährliche Leibrente von 150 fl. überließ, ausgezeichnet durch ihren Reichthum an staatsrechtlichen Schriften und einer Sammlung von 451 Disputationsbänden, welche durch treffliche alphabetische und Realcatalogen vorzüglich brauchbar ist; 1810 der Biblio-

---

der heiligen Schrift Doctor, bestimmte in der Fundation seines Stipendiums von 1611: Daß den Stipendiariis im Contubernio oder der ehemaligen Bursa, eine Stube nebst Kammer zur Wohnung gegen Miethzins an das Kontubernium, so wie noch eine andere Kammer für Aufstellung der Bibliothek des Stifters in einem Kasten, und vielleicht noch einer andern Bibliothek, die ein Vetter des Stifters legiren werde, eingeräumt werden und daß jährlich bei der Rechnungsabhör der Catalogus librorum justifizirt werden solle. Es ist aber kein Fond zur Vermehrung dieser Bibliothek angewiesen worden. Da aber diese Fundation durch einen zu Lebzeiten des Stifters getroffenen Vergleich mit Deputirten von Sulz und einigen Verwandten des Stifters in vielen Punkten abgeändert wurde, so wurde unter anderen auch in diesem Vergleich bestimmt: Daß in defectu familiae drei Sulzer Bürgerssöhne, jeder mit 60 fl. jährlich, wovon aber jeder 5 fl. zur Vermehrung der Bibliothek davon abgeben solle, recipirt werden können, was also 15 fl. jährlich betragen würde. Ob dieß wirklich so gehalten worden, ist nicht mit Gewißheit auszumitteln, aber fast zu bezweifeln. Genug es gab in der Folge, als thek des Ministers von Spittler, der man es aber wohl ansieht, daß ihrem berühmten und um die hiesige Universität hochverdienten Besizer die Götting'sche Bibliothek, welche besonders im historischen Fach einzig genannt zu werden verdient, früher zu Gebot gestanden hat; 1811 einiger Doubletten der Stuttgarter öffentlichen und der aufgehobenen Closter-Bibliotheken [9]).

Rechnen wir noch hinzu die Bereicherungen, welche der Bibliothek durch die Gnade des jezigen Königs zu Theil wurden: 1818 die, hauptsächlich aus technologischen und landwirthschaftlichen Schriften bestehende, Bibliothek des Professor's Gatterer in Heidelberg, welche der König mit dessen naturhistorischen Sammlungen [10]) für die Universität erkaufte, wodurch eine wahre, schon

die bestehende Einrichtung des Contubernii aufhörte, und die Bibl. mit der Univ. Bibl. vereinigt wurde, dem Prof. Rösler, als Administrator des Flek'schen Stipendiums und als Universitäts-Bibliothekar Veranlassung, bei der Superattendenz dieses Stipendiums auf einen jährlichen Beitrag von 25 fl. zur Univ. Bibl. anzutragen, welches auch durch ein Concl. d. d. 13. März 1806. genehmigt wurde. Die Bibl. blieb aber wegen Mangel an Raum in ihrem alten Lokal, und wurde erst 1819, als die Univ. Bibl. auf das Schloß transferirt wurde, mit dieser wirklich vereinigt.

9) Programm auf das Geburtsfest des Königs. 1811.

10) Schwäbische Chronik 1818. S. 284. 301. Memminger's Würt. Jahrbuch. 1819. S. 69.

längst gefühlte Lücke in diesem Zweig der Literatur ausgefüllt worden; die Bibliothek der katholischen Landesuniversität in Ellwangen, welche der hiesigen, bei Vereinigung dieser Lehranstalt mit der Universität Tübingen im Jahr 1817, einverleibt worden; 1818 die Bibliothek des vormaligen Collegii illustris, aus Veranlassung der Bestimmung des Gebäudes zu einem höhern katholischen Konvict; endlich Theile aus aufgehobenen Ritterstifts- und reichsritterschaftlichen Bibliotheken zu Comburg und Eßlingen; so kann nach einer nicht übertriebenen Schäzung die Zahl der Bände etliche und 60,000 betragen.

Dankbare Anerkennung verdienen ausserdem so manche Gönner und Freunde der Wissenschaften, denen die Bibliothek schäzbare Bereicherungen durch einzele Geschenke verdankt, von denen nur einige Namen hier stehen mögen, da der Raum nicht erlaubt, sie Alle aufzuführen: Se. K. Hoh. der Prinz Paul von Württemberg; der im Jahr 1724 zu Kirchheim unter Teck verstorbene Kais. Reichshofrath und Obervogt G. W. v. Reischach, welcher der Bibliothek 200 fl. legirte [11]); Prof. Smalcalder (✝ 1774), welcher seine beträchtliche Kupferstichsammlung der Bibliothek vermachte;

11) Die Bibliothek besizt ausser diesem noch einige weitere Capitalien, welche unter dem Bibliothekariat des um die Bibliothek hochverdienten Prof. Rösler's angelegt worden sind, so daß sich die Einkünfte aus dem Capitalfond auf 90 fl. belaufen.

der 1797 verstorbene Fürstbischof von Speier, aus dem gräfl. Hause Limburg-Stirum, der in seinem Testamente d d. 28. Okt. 1788 der Bibliothek eine beträchtliche Sammlung geschriebener und gedruckter, zum Theil seltener, Aktenstücke und Druckschriften über die Rechte der Speier'schen Domdechanei, welche er mit unerschütterlicher Standhaftigkeit während seines Lebens vertheidigt hatte, überließ, ausserdem aber eine Summe von 2000 fl. zu einen Capitalfond übergab, um aus den Zinsen Preise für Studierende auszusezen, den Ueberschuß aber, — welcher jezt, da sich das Capital indessen sehr vermehrt hat, nicht unbedeutend ist, — „zu Anschaffung einer Bibliothecae Juris ecclesiastici publici, zu Erleichterung dieses Studii und zum allgemeinen Besten“, zu verwenden[12]; der 1819 verstorbene Christ. Friedr. Freiherr v. Palm, ein Mann, dessen ganzes Leben aus einer Reihe von edlen Handlungen bestund, welcher nicht nur die Bibliothek wiederholt mit Büchern beschenkte, sondern ihr auch die Aufsicht auf ein bedeutendes Vermächtniß eröffnete. In einem an das Inspectorat des theolog. Seminariums erlassenen Schreiben d. d. 10. Juni 1801 drückt er sich hierüber folgendermassen aus: „Bei dieser Gelegenheit findet sich Unterzeichneter zugleich bewogen, einem Inspectorat zu eröffnen, daß er in einem seinem Testa-

12) Tübingische gel. Anz. 1797. S. 497. Schwäb. Chronik. 1797. S. 216.

ment beigefügten Codizill d.d. Kirchheim den 8ten Aug. 1798 dem hochansehnlichen academischen Senat in Tübingen 1200 fl. zum Behuf der ihm von dem Hrn. Prof. Seybold vorgeschlagenen Preisstiftung für drei der besten Abhandlungen über einen Schriftsteller des Alterthums vermacht habe. Dieses Institut hat Unterzeichneter zwar seither (seit 1797) aufrecht zu erhalten gesucht; wenn es sich aber nach seinem Tode ergeben sollte, daß durch besagtes Vermächtniß der intendirte Zweck nicht länger auf eine befriedigende Weise erreicht werden könnte, so geht der Wunsch des Unterzeichneten dahin, besagtes Vermächtniß der Universitäts-Bibliothek in der Absicht zu übergeben, daß aus den jährlichen Zinsen desselben Schriften aus alter classischer Literatur und der damit verbundenen Archäologie erkauft werden sollen." [13]); der Hr. Prof. Fulda von hier, welcher 1820 mit den handschriftlichen Sammlungen seines Vaters, des berühmten Sprachforschers, Friedr. C. Fulda, der Universitäts-Bibliothek ein angenehmes Geschenk machte; Regierungsrath und geheimer Sekretär von Frommann in Stuttgart († 1815) [14]); Pfarrer Wenzelburger in Dettenhausen; die Bibelgesellschaft in London; Lord Franz Heinrich Egerton; der rußische Graf Chwostow;

13) Programme auf die Churfürstenfeier 1803; auf die Preisvertheilungen 1820. 1821.

14) Programm auf das Geburtsfest des Königs. 1808.

der Graf Wackerbarth u. a.; auch erhielt die Bibliothek aus Gelegenheit der dritten Jubelfeierlichkeit der Universität (1777) von Auswärtigen und Einheimischen höchst ansehnliche Geschenke[15]).

Was den innern Gehalt der Bibliothek betrifft, so zeigt sich hierin die einsichtsvolle und zweckmäßige Wahl, die bei Anschaffung der Bücher von jeher die Administration leitete: beinahe in jedem Zweig des menschlichen Wissens sind die Hauptwerke vorhanden, und manche Fächer sind so besezt, daß die hiesige Bibliothek vor den Bibliotheken mancher anderer Universitäten den Vorzug verdient, namentlich das Fach der Geschichte und der Rechtswissenschaft; ersteres ist vorzüglich gut besezt mit Quellenschriftstellern des Mittelalters, lezteres zeichnet sich aus durch Reichthum an civilistischen Werken, vornehmlich an Schriftstellern vor der humanistischen Schule, und an Ausgaben der einzelen Theile des römisch. Justin. Gesezbuchs aus den ersten Zeiten der Buchdruckerkunst[16]). Ueberhaupt ist die Bibliothek reich an typographischen Seltenheiten und zur Erweiterung der Bücherkenntniß in dieser Beziehung von hohem Interesse. Einen Theil dieser Schäze

---

15) (A. F. Böck) Beschreibung des dritten Jubelfestes S. XXXVII fgg.

16) Schrader's civilistische Abhandlungen. Weimar 1816. 8 S. 364 fgg. und Ebend. in Hugo's civilist. Magaz. Bd. 4. S. 432.

hat Herr Hofrath und Professor Reuß in Göttingen bekannt gemacht, welcher während der Zeit seines hiesigen Unterbibliothekariats sich ausgezeichnete Verdienste um die hiesige Bibliothek erworben: durch sein Bestreben, sie, die bisher ganz in Vergessenheit begraben lag, auch der gelehrten Welt bekannt zu machen[17]; durch seinen Eifer, ihr, so weit es die damaligen Umstände erlaubten, eine zweckmäßige Einrichtung zu geben, besonders als 1776, vor dem Jubiläum der Universität, mehrere Bibliotheken definitiv mit der Universitäts-Bibliothek vereinigt wurden; durch Verfertigung von Realcatalogen, einem besonders tief gefühlten Bedürfniß, und eines Verzeichnisses der Handschriften, daß man den Verlust, welchen die Bibliothek durch seinen baldigen Abgang erlitten, bedauern muß, wenn man nicht vielmehr ihm Glück zu wünschen Ursache hat, da es ihm nun vergönnt ist, seine umfassende Kenntnisse, gepaart mit einer angebohrnen Vorliebe für bibliographische Beschäftigungen, in einem ausgedehntern Wirkungskreis zum Besten eines Instituts anwenden zu können, welches die Bewunderung Aller erregt, welche es sehen, und noch mehr, welche

17) Beschreibung merkwürdiger Bücher aus der Universitäts-Bibliothek zu Tübingen vom J. 1468 — 1477 und zweier hebräischen Fragmente. Tüb. 1780. 8. In der Vorrede sagt er, daß er in sein Verzeichniß von seltenen Büchern auf der Bibliothek bereits über 600 Stücke aufgenommen habe.

die ausgezeichnete Liberalität, womit sein Gebrauch gestattet wird, aus eigner Erfahrung kennen zu lernen das Glück haben.

Auch die Handschriftensammlung, obgleich nicht besonders zahlreich, zählt mehrere, theils durch Alter, theils in anderer Beziehung merkwürdige, Stücke.

Um die Handschrift von Polyb und einige hebräisch-biblische Fragmente, welche der Fleiß von Hrn. Hofrath Reuß ebenfalls öffentlich bekannt gemacht hat [18]), so wie was Moser und Hoffmann [19]), und der Verfasser dieser Beschreibung in der Geschichte der Juristen schon oben mitgetheilt haben, zu übergehen, sind noch folgende anzugeben: eine Handschrift auf Pergamen vom XII. oder Anfang des XIII. Jahrhunderts, aus der Bibliothek von Mart. Crusius, enthaltend: Plato's Ἐυθυφρων, Κριτων, Φαιδων, Παρμενιδης, Ἀλκιβιαδης πρωτος, Ἀλκιβιαδης δευτερος, Τιμαιος [20]); Petri exceptiones Romanorum, von

---

18) Beschreibung einiger Handschriften aus der Universitäts-Bibliothek zu Tübingen. Tüb. 1778. 8.

19) J. J. Moser Vitae Professorum Tubingensium. S. 57 — 59. G. D. Hoffmann D. de unico juris feudalis Longobardici libro. Tub. 1754. 4. edit. auct. 1760. 4.

20) Herr Hofrath Reuß hat die ganze Handschrift auf das Genaueste verglichen und seine Papiere auf das Liberalste mehreren Herausgebern mitgetheilt: so sind in der Zweybrücker Ausgabe der Werke des Plato (18$\frac{81}{87}$.) die Lesarten von Euthyphro, Crito und Phaedo

v. Savigny bei einem Besuche der Bibliothek im Jahre 1804 entdeckt [21]), in Einem Bande mit Rogerii summa Codicis, und einem Auszug aus den Institutionen Justinians vom XII. Jahrhundert [22]); 2 merkwürdige, von den gewöhnlichen Handschriften abweichende, Blätter von Gratian's Decret, von dem Verfasser dieser Beschreibung 1817 in dem Einbande eines Buchs gefunden [23]); ein Schwabenspiegel, geschrieben 1424, nebst dem Augsburger Stadtrecht, verfaßt 1276, ebenfalls aus dem XV. Jahrhundert; ein Kalender mit vielen Bildern und astrologischen Beobachtungen vom J. 1404 [24]); Quaestiones grammaticae Moschopuli [25]); Philippi Solitarii Dioptra

---

benutzt, (T. 2. Praef. u. S. 309—312, 321—349. T. 3. Praef.) eben so von Fischer. Lips. 1783. 8. u. aus letzterem für Crito von Biester u. Buttmann. Berol. 1811. 8.

21) v. Savigny Geschichte des römischen Rechts im Mittelalter. Th. 2. S. 130 fg. Zeitschrift für geschichtliche Rechtswissenschaft von v. Savigny, Eichhorn und Göschen, B. 2. S. 413. 415. Ed. Schraderi Tituli Dig. Lib. XII. Tit. V. de condict. ob turpem causam — Tub. 1819. 8. S. 76.

22) Ed. Schraderi D. qua epitome Institutionum duodecimo saeculo conscripta quam Codex Tubingensis ejusdem fere aetatis servat, describitur. Tub. 1819. 8. v. Savigny a. a. O. S. 248. fg.

23) Schraderi Tituli Digestorum — S. XII. fg. und LVII.

24) Tüb. Berichte von gelehrten Sachen. 1752. S. 17. fgg.

25) Crusii Turcograecia L. VIII. p. 244. sq.

griechisch, noch unedirt in der Originalsprache; das jüt'sche Lowbuch von 1240 [26]); ein Originalbrief Luther's an Erasmus vom J. 1524 [27]); Stöffler's Commentaria in Geographiae Ptolomaei libros priores, una cum appendicula de aquis, ein Collegienheft vom 15. Mai 1512 bis 18. Juli 1514, merkwürdig, weil nach der oben (S. 462) angeführten Stelle in Crusius alle seine Papiere in dem Brande der Bibliothek zu Grunde gegangen seyn sollen, diese Handschrift aber von Stöffler's Hand selbst geschrieben zu seyn scheint; mehrere arabische Manuscripte, unter andern ein Coran und einige Gebetrollen; ausserdem Handschriften, die für die Geschichte Würtemberg's merkwürdig sind, unter denen nur einige hier angeführt werden können: das Autographum von Wolleber's Chorographie, und in Abschrift das vollständige Werk desselben: Chronik, Chorographie und Landbuch [28]); J. Frischlin vom Ursprung, Anfang und altem Herkommen der Freiherren von Beutelsbach und der Grafen und Herzoge von Württemberg, in lat. und teutschen Versen [29]);

26) (v. Dresch) in der Hallischen Allgem. Lit. Zeit. 1820. Nro. 16. S. 126.

27) Abgedruckt in Luther's Werken, herausgegeben von Walch, B. XVIII. S. 1958 — 1962.

28) Moser's Würtemb. Bibliothek — Stuttg. 1796. 8. S. 70 sqq.

29) Moser a. a. O. S. 60 fg.

vom Ursprung der Herren von Württemberg; eine zahlreiche Correspondenz Herz. Christoph's in Abschrift; mehrere Bittschriften und Briefe an Herz. Friedrich I. mit eigenhändigen Antworten desselben, zum Theil höchst bezeichnend und interessant für die Geschichte seiner Regierung; eine Menge, zum Theil in griechischer Sprache in der Kirche nachgeschriebene, Predigten, Tagebücher und historische Collectaneen von Crusius, aus denen man, wer sich die oft undankbare Mühe nicht verdriessen liesse, sich durch die vielen unbedeutende, kleinlichte Erzählungen durchzuarbeiten, gewiß noch manche interessante Notizen für die Geschichte Württemberg's, vornehmlich der Universität, schöpfen könnte; Reisetagbücher der Prinzen Friedrich Ludwig und Magnus Friedrich nach Berlin im J. 1613, und der Prinzen Carl Maximilian und Georg Friedrich im J. 1667 und 1675 durch die Schweiz nach Italien; die Prozeßacten des berüchtigten Juden, Joseph Süß Oppenheimer's vom Jahr 1737, bestehend in der Facti species, verfaßt vom Regierungsrath, Phil. Friedr. Jäger, der Defensionsschrift des Hofgerichts-Advokaten Mich. Andr. Mögling, dem Extract des Inquisitionsprotokolls, den an den Defensor vom herz. Obervormundschaftsrath erlassenen Befehlen im Original nebst mehreren Originalbriefen von Süß und vielen Rapporten und Privatschreiben des Commandanten zu Hohen-Asperg, Major's Glaser, die zu der Geschichte dieses Prozesses merkwürdige Dotheils darbieten; J. J. Moser's unedirte, durch die Censur sehr veränderte, Einleitung in das Würtembergische Staatsrecht vom J. 1752[30]) u.ä.m.

Manche äussere Hindernisse aber stunden bisher der freien Benuzung der Schäze der Bibliothek im Wege, und erst der Regierung des jezigen Königs, welchem die Universität schon so manche Verbesserungen, namentlich ihrer Institute verdankt, war es vorbehalten, der Bibliothek Einrichtungen zu geben, wie sie die Bedürfnisse und die Vergleichung mit andern Universitäten dringend forderten. Während sie durch ein Rescript vom 18. Dez. 1816 den Verkehr mit der öffentlichen und königl. Privatbibliothek zu Stuttgart durch Portofreiheit erleichterte, und den Gebrauch derselben den hiesigen Lehrern in grösserer Ausdehnung gestattete, als schon durch ein Rescript von 1811 in Beziehung auf die Privatbibliothek geschehen war; während sie ferner zu dem jährlichen Fond, welcher schon 1802 [31]) und 1811 vermehrt worden war, für die zwei neu errichtete Facultäten bedeutende Zuschüsse bewilligte, führte sie freysinnig und mit großem Aufwand einen Plan aus, den früher schon Spittler, welchem nur günstigere Verhältnisse fehlten, um Tübingen's Münchhausen zu werden, gehabt hatte.

Durch die bedeutende nud schnelle Vermehrun-

30) Moser a. a. O. S. 245.
31) Programm auf die Churfürstenfeier 1803.

gen der Bibliothek war nehmlich ihr beschränktes Lokal immer fühlbarer geworden und manche Nachtheile daraus entsprungen, die eine Veränderung wünschenswerth machten, namentlich die Unmöglichkeit einer systematischen Aufstellung der Bücher, die für eine Büchersammlung, welche einer gelehrten Anstalt gehört, doch am ehesten sich eignen möchte, und der Mangel eines eigenen Lesezimmers, wovon die Folge war, daß im Winter die Bibliothek durch die Umstände Jedermann verschlossen blieb. Der König hat dieß gleich nach seinem Regierungsantritt bei seinem regen Eifer für die Wissenschaften und das Beste der Universität anerkannt, und das Schloß der Universität für die Bibliothek und die übrigen Sammlungen eingeräumt [32]). Der ganze nördliche Flügel zur ebenen Erde ist zu Einem Bibliotheksaal umgeschaffen worden (Sommer 1818 bis Frühjahr 1819) und gewährt in der Länge von 220', der Breite von 50' und der Höhe von 21' [33]) einen wahrhaft imposanten und die Bewunderung Aller erregenden Anblick.

Zugleich ist in dem obern Geschosse des nehmlichen Flügels der Bibliothek ein weiterer Saal vorbehalten, und so auf eine lange Reihe von Jahren für hinlänglichen Raum gesorgt worden.

---

32) Memminger's Württ. Jahrb. 1818. S. 44. 1819. S. 69. 1821. S. 87.

33) Die Angaben in Memminger's Jahrb. 1818. S. 44. sind nicht richtig.

Auf dem westlichen Flügel des Schlosses befinden sich das Lesezimmer der Bibliothek, welches nun mehrere Stunden des Tages der öffentlichen Besuchung geöffnet ist, und die Wohnungen für den Ober- und den neuernannten Unterbibliothekar[34], der Professoren v. Dresch und Clossius[35], so wie dem ebenfalls neuernannten

34) Das Personale der Bibliothek, welches nach den Statuten bisher immer Mitglieder der philosophischen Fakultät waren, ist, so weit die Nachrichten reichen, folgendes: Georg. Burckhard, ernannt 1590; Paul Biberstein um 1655; Johann Graft um 1664 — 1670; Caspar Bucher um 1617; Martin Rymmelin um 1617 — 1626; Friedr. Hermann Flayder von 1526 — 1640, und nun in ununterbrochener Reihenfolge: Joh. Eberhard Rösler 1705 — 1733; Joh. Mich. Hallwachs † 1738; Israel Gottlieb Canz 1738; Paul Biberstein 1748; Christ. Ferd. Harpprecht 1750; Godfr. Ploucquet 1751; Otto Christian von Lohenschiold 1753; Chr. Fried. Schott 1754; Johann Kies 1761; Joh. Jac. Baur 1774; Jerem. Dav. Reuß, Unterbibliothekar 1774 — 1782; Ludw. Jos. Uhland 1775; Aug. Friedr. Böck 1777; Andr. Heinr. Schott, Unterbibliothekar 1784 — 1798; Christ. Friedr. Rösler 1798; Joh. Friedr. Gaab 1814; Georg Leonh. Bened. v. Dresch 1816; Walther Friedr. Clossius, Unterbibliothekar 1817.

35) Zwar war die Stelle eines Unterbibliothekars mehrmals besezt, allein immer wieder eingegangen. Siehe Note 34.

(1817) Bibliothekdiener [36]) eine eigene, hinter dem nehmlichen Flügel befindliche, Wohnung eingeräumt worden ist.

Auch in der technischen Einrichtung der Bibliothek giengen nun wesentliche Veränderungen vor sich. Es wurden neue alphabetische und wissenschaftliche (Real-) Catalogen verfertigt und die Bibliothek nach lezterm (1819) aufgestellt. Er zerfällt in 10 Hauptabtheilungen (Philosophie; Mathematik und Naturkunde; Philologie und alte Classiker; schöne Künste und Wissenschaften; Staats- und Cameralwissenschaften; Geschichte mit ihren Hilfswissenschaften; Theologie; Rechtswissenschaft; Arzneikunde; allgemeine Schriften vermischten Inhalts), diese wieder in 135 Unterabtheilungen, und in jeder derselben sind die Formate (fol. quart. octav.) von einander gesondert. Jede Hauptabtheilung wird mit einem großen, jede Unterabtheilung mit einem kleinen Buchstaben bezeichnet, und jedes Format hat seine eigene Nummer, so daß Jeder, der den einfachen Mechanismus der Eintichtung und die Localität kennt, die Bücher auf das Leichteste auffinden kann.

## Münzcabinet.

Verbunden mit der Bibliothek und der Aufsicht des jeweiligen Bibliothekars übertragen ist

36) Bisher hatte der Universitäts-Pedell mit einem Beidiener diese Stelle versehen.

das Münzcabinet der Universität; welches der im J. 1798 zu Stuttgart verstorbene Regierungsrath, Carl Sigmund Tux, auf Veranlassung des Canzler's Lebret der Universität vermacht hatte [1]). Dieses Geschenk war um so angenehmer, als es nun möglich wurde, regelmäßige numis-

1) Der sich hierauf beziehende Theil seines Testaments d.d. 12. Jan. 1795 lautet wörtlich so: V) Da ich mit vieler Mühe und Aufwand eine nicht unbeträchtliche Sammlung von antiken und modernen Münzen zusammengebracht, und wünsche, daß solche nicht distrahirt, sondern beisammen wohlverwahrlich aufbehalten werden mögen; so will ich hiermit diesen ganzen in zwei besondern Kästen befindlichen Vorrath, nebst allen dazu gehörigen Antiquitäten, metallenen Bildern, Münzbüchern, Catalogis und sonstigen Literalien, auch andern Sachen, welche einen Bezug auf Münzen und Alterthümer haben, der Universität Tübingen dergestalt vermacht haben, daß solche in der Universitäts-Bibliothek nebst meinem von der Frau Therbusch in Oel gemaltem Porträt aufbehalten werden sollen. Und wie ich billig der Universität überlasse, wem die Aufsicht jedesmal anvertraut werden wolle; so wünsche, daß auf gelegenheitliche Vermehrung dieser Sammlung der beliebige Bedacht genommen, auch solche den Liebhabern vorgezeigt, dadurch der Geschmack an der Numismatik bei ein oder dem andern erwecket und meiner dabei mit Gütigkeit gedacht werden möge. Tüb. gelehrte Anz. 1798. S. 399. Lobfot recitatio de museo numario ab

matische Vorlesungen hier zu halten, welche auch schon im Sommer 1800 von Prof. und Bibliothekar Rösler eröffnet wurden [2]), während sie bisher nur zufällig Statt finden konnten, wenn einzele Lehrer, neben Liebhaberei für dieses Fach, zugleich eigene Privatsammlungen hatten, wie Joh. Jac. Helfferich († 1750) und G. Dan. Hoffmann († 1780), wovon der erstere eine auserlesene Münzsammlung besaß, welche mit dem Münzcabinet zu Stuttgart vereinigt worden, der andere der Verfasser einiger sehr geschäzter numismatischer Schriften ist [3]).

Die Sammlung zeichnet sich zwar nicht durch Reichthum und Seltenheit der Stücke im Ganzen aus; ist aber für Vorlesungen, um die allgemeine und Elementar-Kenntnisse der Numismatik beizubringen, durch die Planmäßigkeit, womit Tux, so wie schon früher sein Vater, (der Württemb. Oelsnische Regierungsrath Friedr. Tux) sammlte, ganz besonders geeignet, und durch zweckmäßig und mit Sachkenntniß eingerichtete Catalogen im höchsten Grade brauchbar und nüzlich.

Einen kleinen, aber schäzbaren, Theil davon hat Tux selbst in einer Abhandlung bekannt ge-

---

amicissimo viro Tuxio academiae nostrae legato. Tub. 1800. 4. Programm auf die Churfürstenfeier. 1803.

2) Lebret a. a. O. S. 4.

3) Bök's Geschichte S. 156. 227. fgg.

macht hat, welche mit vielen Beifall aufgenommen worden [4]), so wie schon früher der berühmte Martin Gerbert, Abt zu St. Blasien, sowohl der Ordnung der Sammlung überhaupt, als auch besonders ihres Reichthums an Münzen der griechischen Städte Dyrrhachium und Apollonia rühmlich gedacht hatte [5]).

Nach einer im J. 1821 von dem Oberbibliothekar, Prof. v. Dresch vorgenommenen Revision besteht sie 1) aus 95 griechischen Münzen von Silber und Kupfer; unter diesen zwei von Mithridates, Eine von Philipp, zwei von Alexander, Eine mit der Umschrift: Cleopatra und Antiochus, ausserdem von verschiedenen griechischen Städten und Völkerschaften: Antiochien, Athen, Rhodus u. s. w., worunter allein 53 von Dyrrhachium und 17 von Apollonia sind. 2) 115 römischen Consularmünzen, nebst 12 Assen, nach dem

4) Tentamen catalogi universalis numorum Dyrrhachinorum et Apolloniatum. Tub. 1791. 4. anonym herausgegeben und mit einer Vorrede von Canzler Lebret begleitet. Tüb. gel. Anz. 1791. S. 809. fgg. Gött. Anz. von gel. Sachen. 1792. S. 790. fg. Auf der Universitäts-Bibliothek befindet sich ein Exemplar mit eigenhändigen Nachträgen von Tux und verschiedenen sich auf die Entstehung dieser Schrift beziehenden historischen Notizen.

5) Iter alemanicum — St. Blasii 1765. 8. S. 319. ed. sec. 1773. S. 331.; auch in's Teutsche übersetzt 1767. Jen. gel. Zeit. 1766. S. 466.

Alphabet der Familien geordnet, theils von Silber, theils von anderm Metall. 3) 1854 römischen Münzen aus der Kaiserzeit, chronologisch geordnet, von Jul. Cäsar an bis Joh. Zimisces († 976 n. C.), einige wenige (4) von Gold, worunter eine sehr seltene von Nicephorus Phocas († 969 n. C.), die andere von Silber und anderm Metall. 4) 1854 neuern Münzen, 8 goldene, die andere von Silber und anderm Metall, hauptsächlich europäische von beinahe allen Ländern: dänische, englische, französische, italienische, portugiesische, spanische u. s. w., vornehmlich aber teutsche, doch auch einige nicht europäische: tartarische; türkische, chinesische, ost- und westindische, africanische und americanische, sämtlich geographisch geordnet. Unter den teutschen ist hervorzuheben eine Sammlung von 136 würtembergischen Münzen: 2 vom Grafen Ludwig († 1450), die andere aus der Zeit der Herzoge von Ulrich an in ununterbrochener Reihenfolge bis Friedrich Eugen. Besonders bemerkenswerth ist ein Goldgulden der Stadt Stuttgart vom J. 1520, welchen Köhler (in seinen Münzbelustigungen Th. IX. S. 433.) „sehr rar" nennt; 2 Münzen aus der Zeit der österreichischen Occupation Würtemberg's, wovon die eine die Jahrszahl 1527 hat, endlich eine Münze vom Prinzen, nachmaligen Herzog, Carl Alexander, im Werth von 1 fl. 4 kr. und in Form eines länglichten Achteck's, welche er während der Belagerung von Landau 1713 aus seinem Tafelservice hätte schlagen lassen. 5) 55 Abdrücken von neuern Medaillen und Münzen in Zinn, Blei, Kupfer, Messing und 28 Abdrücken von Preismedaillen der Carls-Academie zu Stuttgart, beide Sammlungen besonders verzeichnet; ausserdem 487 theils ächten, theils unächten, alten und neuen Münzen oder Abdrücken und Pasten alter und neuer Münzen, die aber wegen ihrer Unbedeutenheit von Tux in kein besonderes Verzeichniß gebracht worden sind.

Ausser der Münzsammlung kamen nach dem Willen des Testator's noch hieher seine ganze Münzbibliothek, die sich jezt mit dem, was vorher schon da war, und was inzwischen angeschafft worden, auf 316 Schriften belauft; alle seine Papiere numismatischen Inhalts, ferner 165 Gypsabgüsse berühmter Fürsten, Gelehrter, Künstler und Medaillen mit einem besondern Verzeichniß; 10 antike Statuen von Bronce [6]), 4 neuere von

6) Seit der neusten Zeit befinden sich auch die Alterthümer teutschen Ursprungs auf der Bibliothek, welche im Sommer 1821 zwischen Bebenhausen und Weil im Schönbuch ausgegraben worden sind. Sie bestehen in Urnen mit Knochen, Asche und Erde angefüllt, die gewöhnlich mit einer dünnen metallenen, von Grünspan aber ganz durchgefressenen Platte von Bronce bedeckt waren, wovon aber nur Eine, wenigstens der Form nach, noch erhalten ist, 2 kleinen goldenen Ohrenringen, metallenen Ringen u. s. w.

Alabaster, und ein Brustbild von Holz unter dem Namen von Cicero.

Da sich damals kein passender Plaz auf der Bibliothek fand, wo die Sammlung aufgestellt werden konnte, so wurde sie nebst den Büchern in ein eigenes Zimmer auf dem Universitätshaus gebracht, im J. 1819 aber mit der Bibliothek auf das Schloß verpflanzt, wo ihr ein besonderes hiezu eingerichtetes Zimmer, nebst einem daranstoßenden Hörsaale, eingeräumt worden ist, die Bücher aber sind mit der Bibliothek vereinigt worden.

Schon früher (1811) erhielt das Münzcabinet einen jährlichen Fond von 100 fl., wodurch man in den Stand gesezt wurde, dasselbe mit 7 weitern Münzen, namentlich 4 türkischen, zu vermehren, so wie eine Sammlung von mehr als 3000 Abdrücken in Zinn, Blei, Kupfer, Gyps und Wachs anzukaufen; auch wurde es mit 2 auf die Verfassung geschlagenen Medaillen in Gold und Silber bereichert, womit der König der Universität ein großmüthiges Geschenk machte.

Bei der Bibliothek ist wohl am zweckmäßigsten von den übrigen literarischen Verhältnissen die Rede. Die Anstalten für Zeitungsleser werden bei den Einrichtungen für's Vergnügen erwähnt werden.

---

von verschiedener Größe und Form, einigen Fragmenten von Lanzen und andern Waffen, und einer Kette von kleinen schwarzen durchlöcherten Kugeln von Gagat. Schwäbische Chronik 1821. S. 761.

Von periodischen Schriften erscheinen hier gegenwärtig: Dr. Bengel's Archiv für die Theologie und ihre neuste Literatur. Katholisch-theologische Quartalschrift. Tübinger Blätter ꝛc. von v. Autenrieth und v. Bohnenberger; (von diesen drei Schriften siehe oben bei den Lebensbeschreibungen). — Ausser diesen erscheint bei Buchdrucker W. H. Schramm ein Tübinger und Rottenburger Intelligenzblatt.

Tübingen hat gegenwärtig kein, alle Wissenschaften umfassendes, literarisches Blatt. Ehmals erschienen hier: Wochentliche gelehrte Neuigkeiten. 8. 1735 — 40. Tübingische Berichte von gelehrten Sachen. 8. 1752 — 63. Tüb. gelehrte Anzeigen. 8. 1783 — 1808.

Buchhandlungen sind hier zwei: die C. F. Osiander'sche (vormals Heerbrandt'sche) und die Heinr. Laupp'sche; beide sind gleich solid und wohl mit Sortiment versehen, auch wird von ihnen eine nicht unbedeutende Anzahl von Schriften jährlich verlegt. Eine dritte Buchhandlung giebt es hier nicht, wie man aus den Titeln der Cotta'schen Verlagsartikel schliessen könnte, auf denen meistens der Name Tübingen (neben Stuttgart) steht, während schon seit mehrern Jahren die berühmte J. G. Cotta'sche Buchhandlung von ihrem Besizer nach Stuttgart verlegt wurde.

Auch ein Antiquar und Disputationenhändler (Haselmeyer) ist hier, (dessen Firma: gebundene Bücherhandlung lautet), der auch ein ziemliches Lager von alten Büchern, und eine Leihbibliothek führt.

Diese Plage der Gelehrten und Buchhändler, dem Käufer zwar zum Schein nüzlich, in der That aber die Blüthen unserer Literatur zerstörend, der Nachdruck, hat sich seit den ältesten Zeiten in unserer Gegend eingenistet, und ist bisher leider unserer so weisen und liberalen Gesezgebung entgangen. Zwar haben diese literarischen Flibustier zu Tübingen und Wankheim aufgehört, ihr Wesen zu treiben, aber in Reuttlingen befinden sich noch drei derselben: Mäcken, Enslin und Fleischhauer.

Buchdrucker sind hier sechs: *) Schramm, Hopfer de l'Orme, Reiß, Fues, Richter, Schönhart. Anfangs war auf unserer Hochschule keine Buchdruckerpresse. M. Johannes Ottmar, ein Bürger von Reuttlingen, druckte die hier erscheinenden Werke; da man damals mit den Pressen umher zog, so läßt sich nicht genau bestimmen, wann er seinen Siz hieher verlegte, wahrscheinlich geschah dieses vor

*) Nach den ältern Universitätsstatuten durften nur vier Buchdruckereien hier geduldet werden, da aber nach der Organisation unter der vorigen Regierung die Buchdrucker unter das Stadtforum kamen, so wurde durch das Ministerium des Innern mehrere Buchdruckereien hier zu errichten gestattet.

dem J. 1488, mit Gewißheit kann man sagen, daß er 1498 hier war. Zu der Geschichte unserer Buchdruckerei scheint auch der slavische Bibeldruck in Tübingen und der Gegend zu gehören, welcher aber in einer besondern Schrift von Kanzler v. Schnurrer ausführlich behandelt ist.

## Universitätsgebäude.

Das Universitätshaus, ein schönes freistehendes Gebäude mit einem auf Säulen ruhenden Balkon*). Man nannte es ehmals das Sapienzhaus, es verbrannte 1534 mit dem daran befindlichen Archiv und der Bibliothek, wodurch die meisten ältern Urkunden unserer Universität verloren giengen. Laut einer lateinischen Inschrift über dem Eingang wurde es 1547 wiederhergestellt, weswegen auch der untere große Saal Aula nova heißt. Dieser ist seiner ursprünglichen Bestimmung nach ein theologischer Hörsaal**), wird aber jezt blos zu öffentlichen Feierlichkeiten, Disputationen u. d. gl. benüzt. Unter diesem Saale befand sich ehmals ein medizinischer Hörsaal und vor Kurzem noch die Bibliothek; jezt ist daselbst ein kameralistischer Hörsaal, ein Saal

*) Die Vignette auf dem Titel stellt die Vorderseite dieses Gebäudes dar.

**) Wozu bis 1537 das Chor der Kirche diente, wo jezt die Gruft befindlich ist.

für die Modellsammlung und ein Zimmer für das Zeichnungsinstitut eingerichtet; noch ein Stockwerk tiefer befindet sich die Registratur, und ebendaselbst das Universitätsarchiv. Diese Geschosse sind wegen der terrassenförmigen Gestalt des Platzes, von drei Seiten frei, indeß man Treppen hinuntersteigen muß, um zu ihnen zu gelangen. Von dem Eingang an aufwärts im mittlern Stockwerke ist das Senakulum, oder der Saal für Senatssizungen; im Nebenzimmer befinden sich Bildnisse verstorbener Professören von den ältesten Zeiten her. Im obersten Stockwerke befindet sich ein Fruchtboden für die der Universität gehörigen Früchte.

Das Fakultätshaus in der Münzgasse hat seinen Namen von der Artistenfakultät, der es früher zugehörte, es wurde im J. 1777 beinahe ganz neu aufgebaut, und enthält unten einen sehr großen juristischen Hörsaal und das Kriminalgefängniß der Universität. Im ersten Stockwerk zwei medizinische, wovon der größere der vordere heißt, und einen juristischen. Im obern Theile des Gebäudes befindet sich ein Wachtzimmer und zwei Karzer. In dem untern östlichen Theile rechts von der steinernen Treppe, die nach dem Klinikum führt, ist die Aula vetus, wo auch die Bakkalaureats- und Magisteriumsfeierlichkeiten vorgenommen wurden; 1593 wurde sie ausgebessert und erhielt den Namen Aula renovata, jezt heißt sie das Auditorium philosophikum ästivum. Neben dem untern Theile der erwähnten steinernen Treppe befindet sich das Auditorium philos. hibernum. Die übrigen Theile dieses Gebäudes, so wie die daranstehende, gleichfalls der Universität gehörige, Reihe von Häusern bis zum Universitätshause sind Amtswohnungen der Professoren. Ausserdem sind auf dem Schlosse, im Seminarium, Klinikum und in dem anatomischen Theater Hörsäle eingerichtet.

## Klöster.

Weil die beiden hiesigen theol. Pflanzschulen aus alten Klöstern entstanden, so mag eine kurze Geschichte dieser, hier ihre Stelle finden. In früheren Zeiten waren mehrere Klöster hier; ausser dem sogleich zu beschreibenden Franziskaner- und dem Augustiner-Kloster gab es auch Klosterfrauen vom dritten Orden der Franziskaner, 1333 von den Pfalzgrafen von Tübingen gestiftet; 1478 giengen sie zum Augustinerorden über, sie hießen nun die Sammlungsfrauen zu St. Ursula und erhielten bei dieser Gelegenheit vom Herzog Eberhard Steuerfreiheit und die Erlaubniß, für sich und andere Leute arbeiten zu dürfen; 1495 baten sie, weil der Lärmen ihre Andacht störe, ihr Haus und Güter verkaufen und nach Owen ziehen zu dürfen; dieses wurde auch sogleich ausgeführt; doch stand ihre Kapelle noch 1528. Noch jezt heißt ein Haus an der Ammer das

Nonnenhaus. Ein zweites Frauenkloster war das Blaubeurer (Benediktinerordens), es dauerte beinahe bis auf die Zeit der Reformation. 1511 wurde eine Gesellschaft Galiläischer Jakobiter-Brüder angefangen, ihre weitere Schicksale sind aber nicht bekannt. — Ferner war hier ein Frauenkloster, die Klause genannt, aus dessen Kapelle nachher die St. Jakobskirche wurde, und welches Herzog Ludwig 1576 seinem Burgvogt zu Tübingen, Hans Hermann Ochsenbach, schenkte.

## Augustinerkloster.

### Protestantisch-theologisches Stift.

Kurz nach der Entstehung der Augustiner Eremiten stiftete Pfalzgraf Rudolph (1262) hier ein Kloster für Mönche dieses Ordens *). Bischof Herrmann von Augsburg ertheilte ihnen Indulgenzbriefe, vermöge deren sie aus seinem Sprengel reichliche Beiträge erhielten. Dagegen mußten sie mit den Weltgeistlichen manchen harten Strauß bestehen; wir wissen zum Beispiel, daß der Bischof von Kostanz, seinen Weltgeistlichen (1304) verwieß, weil sie es nicht leiden wollten, daß die Augustiner auch Beichte hören und auf den Gottesacker begraben; er sagte: sie sollen Ordensleute von einem so exemplarischen Wandel

*) Die Zeitangaben schwanken zwischen 1260 u. 1264: einige halten Pfalzgraf Hugo für den Stifter.

und verdienstvoller Gelehrsamkeit in ihrem Wesen nicht hindern, sondern ihnen vielmehr gute Worte geben, damit sie ihre Nachläßigkeit wieder ersezen.

Wo die erste Wohnung dieser Mönche gestanden habe, ist nicht bekannt; das jezige dem theologischen Seminarium eingeräumte Gebäude wurde erst 1464 angefangen, da das Kloster während der Erbauung reichere Beiträge erhielt, so dauerte der Bau sehr lange, und wurde wie es scheint erst um's Jahr 1492 vollendet *). Die Ausschweifungen der Mönche machten 1483 eine Reformation des Klosters nothwendig, nachdem der Herzog vergeblich versucht hatte, dasselbe nach Vaihingen oder Offenhausen zu versezen. Vom Jahre 1499 an hatte es den berühmten Johann Staupitz, nachherigen väterlichen Freund Luther's, zum Prior, bis er als öffentlicher Lehrer und Provinzial seines Ordens nach Wittenberg kam. Bei der allgemeinen Kirchenreformation des Landes wurden auch (1535. 1536.) die Mönche dieses Klosters vertrieben. Dagegen errichtete Herzog Ulrich 1536 die Stipendiatenanstalt, in welcher eine Anzahl junger Leute, die auf der Universität studirten und sich zu württembergischen Staats- und Kirchendiensten verbindlich machten, auf öffentliche Kosten (durch jährliche Beiträge von den Armenkästen der Städte und

*) Nach Sattler; denn nach Crusius stürzte das Gebäude 1490 wieder ein, und mußte von Grund aus neu aufgeführt werden.

Dörfer des Landes) erhalten und erzogen werden sollten. Diese nun waren gleich Anfangs der Aufsicht zweier Superattendenten und eines Magister Domus untergeben, wohnten aber zuerst zerstreut in der Stadt, bis ihnen 1541 die Hälfte der sogenannten Burs (Contubernium academicum) und endlich nach P. C. Phrygios früherem Vorschlag, 1548 das leerstehende Gebäude der Augustiner eingeräumt und zu ihrer Aufnahme eingerichtet wurde. Herzog Christoph, der mit Recht als der zweite Stifter dieses Instituts betrachtet wird, vermehrte die von 14 nach und nach auf 70 gestiegene Anzahl der Stipendiaten zulezt bis auf 150, und bestimmte die Anstalt jezt ausschliessend für Theologen *). Es war eine Vergrösserung des Gebäudes nöthig; diese erfolgte durch Aufsezung eines doppelten Stockwerks über Kirche und Chor 1560**); troz der harten Bedräng-

*) In der neuen Ordination für das Stipendium vom 15. Mai 1557, wieder abgedrückt mit ganz unbedeutenden Aenderungen in der großen Kirchenordnung von 1559.

**) Auch Nebenstiftungen kamen hinzu, um die Anzahl von Zeit zu Zeit zu vergrößern. Michael Tyffernus aus Illyrien, Herzogs Christoph's Lehrer und Lebensretter sezte eine Summe aus für 4 Stipendiaten (die sogen. Tyfferniten) und Graf Georg v. Württ. bestimmte für 10 Stipendiaten (sechs Mömpelgarder und vier Elsäßer) aus seinen Herrschaften (1555) eine Stiftung von 10,000 fl.

nisse des dreißigjährigen Krieges wurde das Institut doch während desselben nie gänzlich geschlossen, es verdankte seine Erhaltung vornehmlich auch dem hochverdienten Val. Andreä, der, seit 1539 Hofprediger in Stuttgart, unermüdet dafür wachte und wirkte; und da die Anzahl der Zöglinge nicht lange nach Beendigung dieses Kriegs selbst noch höher stieg, als je zuvor, so mußte nun auch der vordere Flügel des Klostergebäudes (gegen den Neckar zu) der ohnedieß während der Kriegsjahre ziemlich gelitten hatte, um ein paar Geschosse erhöht werden (1668); er erhielt den Namen des Neuen Bau's.

Das Gebäude besteht noch jezt aus vier Flügeln, welche ein Quadrat bildet, in dessen Mitte ein Brunnen steht *). Es hat 3 Stockwerke, (sogenannte Sphären), auf ihnen befinden sich ausser 2 Hörsälen 43 Wohnzimmer. Den Wohnzimmern gegenüber befinden sich größtentheils die Schlafzimmer, deren Anzahl 41 ist. Die ehmalige Hauskapelle ist jezt der Klosterbibliothek eingeräumt. In dem untersten Stockwerke ist die Küche und ein sehr großer gemeinschaftlicher Speisesaal. Der Haupteingang des Stifts ist von einer Mauer umgeben, an deren

*). Seine Quelle ist in dem Helmling gegen dem Schwärzloch; ausser dem hatte sonst das Stift einen Schöpfbrunnen, dessen Wasser aus der Gegend des Philosophenbrunnen herkommen soll.

Thor sich die Wohnung des Thorwärts befindet. Gegen den Neckar zu ist der Klostergarten, welcher eine sehr anmuthige Lage hat, und den Vorstehern des Seminars und dem Speismeister zur Benuzung überlassen ist. Gegen Osten in der unmittelbaren Nähe des Seminars ist die Wohnung des Ephorus, gegen Westen, etwas entfernter, ist die Wohnung des ersten Superattendenten, gegen der Neckarhalde zu ist der sogenannte Bärengraben; über diesen führt eine hölzerne Gallerie, der Repetentengang genannt, weil er zunächst für den Gebrauch der Repetenten bestimmt ist.

In dieses Seminarium werden alle Jahre im Herbst die Zöglinge einer der 4 niedern Klosterschulen, so wie einzelne Schüler, namentlich der obern Klasse des Stuttgarter Gymnasiums aufgenommen, welche zusammen dann eine Promotion bilden. In den ersten zwei Jahren studiren sie Philologie und Philosophie, in den drei folgenden Theologie. (Nach dem gegenwärtig provisorisch eingeführten abgekürzten Kursus studiren sie nur 1½ Jahr Philologie und Philosophie, und nur 2½ Jahr Theologie). Im ersten Jahre nennt man die Stipendiaten Novizen *); bisher war

*) Sie wurden ehmals sogleich nach ihrer Ankunft zu Bakkalaureis gemacht. — Die Kandidaten hießen auch Komplenten, weil sie die Lücken der Kenntnisse noch ausfüllen sollten, die ihnen zur Magisterswürde fehlten.

es Gesez, daß nun die ganze Promotion durch Vertheidigung einer Dissertation oder (nach einer Verordnung vom 6. Mai 1814) kurzer Thesen sich die Magisterwürde erwerben mußte, dieses ist aber izt durch ein Reskript vom 3. Dez. 1821 jedem freigestellt. Nach beendigter philosophischer Laufbahn beginnt die theologische; die Predigtübungen werden theils im Speisesaal des Seminar's in eigenen dazu festgesezten Stunden (ehmals wurde sogar während des Essens gepredigt), theils in dem seit dem 14. Nov. 1815 angeordneten Predigerinstitut in der Schloß- und Spitalkirche gehalten.

Die für die besondern Verhältnisse des Seminariums nöthige Disziplin ist durch die Statuten von 1793 bestimmt, welche im Wesentlichen noch jezt gültig sind. Jeder Stipendiat hat freie Wohnung im Seminar *), von den Repetenten hat jeder sein eignes Zimmer. Mittags und Abends erhalten die Stipendiaten freie Kost, ausserdem ist für jeden Theologie Studirenden über das Essen ½ Maaß, für jeden Philosophie Studirenden ¼ Maaß Wein ausgesezt, wofür sie jedoch größtentheils ein Geldsurrogat erhalten, — eine Einrichtung, welche bei der Mittellosigkeit so vieler Seminaristen sehr wohlthätig ist.

*) In neuern Zeiten ist es Manchen, die wegen kränklicher Umstände einer bequemern Wohnung bedürfen, auf ärzliches Zeugniß erlaubt worden, auf ihre Kosten die Wohnung in der Stadt zu nehmen.

Kranke werden besonders verpflegt, es sind zu dem Ende 3 Krankenzimmer bestimmt und die Kranken erhalten eine eigne Krankenkost. Ein besonderer Arzt, (derzeit Prof. Ferd. Gmelin) nebst einem Krankenwärter sind bei dem Stift angestellt. Jeder Stipendiat bekommt jährlich 4 Reichsthaler und 4 Buch Papier, auch Beiträge zu den Disputationskosten und Reisekosten zur Prüfung in Stuttgart und zu Beziehung eines Vikariats. Ausserdem sind noch mehrere Privatstiftungen zur Austheilung an einzelne bedürftige und gut prädizirte Seminaristen vorhanden, namentlich die Guothische, welche jährlich für einen Seminaristen 30 fl., für einen Repetenten 60 fl. beträgt. Die nöthigsten Kollegia werden unentgeldlich gelesen, auch hat das Stift seine eigene Bibliothek, aus welcher die Bücher auch auf's Zimmer gegeben werden; die Aufsicht über dieselbe hat ein eigener Bibliothekar. Jeder Stipendiat muß sich anheischig machen, in keine fremden Dienste ohne Vorwissen und Einwilligung des Landesherrn zu treten. Im entgegengesezten Falle, wie auch, wenn er aus dem Stifte gestossen wird, muß er die auf ihn verwandte Kosten ersezen.

Mit dieser Anstalt ist ein sogenannter Hospitum-Tisch verbunden, an dem 40 — 50 Studirende aus allen Fakultäten, worunter bisher immer auch namentlich einige Ungarn und Siebenbürger waren, freie Kost geniessen; sie sind den Disziplinargesezen des Seminariums, so weit sie auf sie anwendbar sind, gleichfalls unterworfen. Der Gesammtaufwand für die Anstalt, welcher aus dem Kirchengute zu bestreiten ist, beträgt jährlich ungefähr 65,000 fl.

Zur leichteren Handhabung der Ordnung sind 12 Famuli angestellt, welche die Verfehlungen gegen die Geseze des Instituts zu notiren, und den Repetenten und dem Inspektorat anzuzeigen haben, — sie haben zugleich die Bestimmung, sich zu Lehrstellen in lateinischen Schulen vorzubereiten. Die Bedienung geschieht durch 5 herrschaftliche und 12 — 13 Seminaristen-Diener. Alle Vierteljahre wird ein Verzeichniß sämmtlicher Stipendiaten gedruckt, der Magisterzettel; nach dem neuesten auf Georgi 1821 verfertigten Verzeichnisse sind im Seminar anwesend: 123 theol. stud., 50 philos. stud., 36 hospites.

Aus der Zahl derjenigen Stipendiaten, welche sich durch Kenntnisse, Fleiß, und gute Sitten auszeichnen; werden 8 — 10 Repetenten (magistri repetentes) ernannt, welchen die unmittelbarste und nächste Aufsicht und Leitung der Seminaristen anvertraut ist, welche die Prüfungen derselben zu besorgen, namentlich den sogenannten locus theol. zu halten ꝛc., auch zugleich in der Hospital- und St. Georgen-Kirche zu predigen haben.

Das Inspektorat ist ein eignes Kollegium aus zwei Superattendenten von der theologischen, und einem Ephorus aus der philosophischen Fakultät *); Superattendenten sind gegenwärtig: Dr. Johann Friedrich v. Flatt **) und Dr. Ernst Gottlieb Bengel, Ephorus ist Prof. Jäger. Das Inspektorat hat die Oberaufsicht über das Seminar in jeder Beziehung, jedoch in Absicht auf das Oekonomische gemeinschaftlich mit einem Rechnungsbeamten (Prokurator); in wichtigeren Fällen hat es an den königl. Studienrath zu berichtigen.

Das hiesige Seminarium war von jeher eine Pflanzschule tüchtiger Männer aus allen Fächern; ein Andreä, Brenz, Bidembach, Osiander, Lyser, Hafenreffer, Sigwatt, Thumm, Bilfinger, Kies, Bengel, Spittler, Flatt, und viele andere, theils verstorbene theils noch lebende berühmte Gelehrte giengen daraus hervor. Es ist auch bekannt, daß es im Auslande für keine geringe Empfehlung gilt, im Tübinger Stift studirt zu haben; demungeachtet hat schon der berühmte württemb. Philosoph und Staatsmann Bilfinger an die Aufhebung desselben gedacht und den Vorschlag gemacht, den Stipendiaten lieber das Geld zu geben; bei solchen Vorschlägen bedenkt man indessen nicht, daß die Ersparniß der (durch die Verakkordirung der Speisung ohnehin jezt sehr verminderten) Administrationskosten nur ein sehr geringer Vortheil

*) Früher „Magister Domus" genannt.

**) Die durch seinen Tod erledigte Stelle ist noch nicht besezt.

wäre gegen den großen Nuzen, welchen diese in ihrer Art einzige Anstalt von jeher dem Staat und der Kirche Württemberg's gewährt hat; und wir dürfen in dieser Hinsicht wohl an die alte Aufschrift des Seminar's erinnern:

Claustrum hoc cum patria statque caditque sua.

## Franziskanerkloster.

### Kollegium illustre, katholisch-theologisches Konvikt.

Die Zeit seiner Stiftung ist unbekannt *); als die Hochschule zu Tübingen gestiftet wurde, waren die dasselbe bewohnenden Franziskaner-Minoriten oder Barfüsser-Mönche durch ihr ausschweifendes Leben übel berüchtigt; doch giengen auch tüchtige Männer aus ihrer Mitte hervor, namentlich ein Paul Scriptoris und ein Sebastian Münster. Indessen kam es nach und nach so sehr in Abgang, daß seit 1537 die darin befindliche Kirche in einen Pferdestall verwandelt wurde, endlich brannte es ganz ab (1540), wobei fast alles ein Raub der Flammen wurde bis auf den besagten Pferdestall, den wahrscheinlich sein steinernes Gewölbe schüzte, und im J. 1587 wurde es vollends abgebrochen. An seiner Stelle entstand das

*) Wahrscheinlich fällt sie zwischen 1270 und 1280, im J. 1446 wurde es reformirt und mit Rekollekten besezt.

Kollegium illustre, das 1588 angefangen, 1592 vollendet und mit großen Feierlichkeiten eingeweiht wurde. Der Zweck war eine Lehranstalt für Staatsdiener zu errichten; im Wesentlichen der Einrichtung des theologischen Seminar's ähnlich, die sich schon so trefflich bewährt hatte. Herzog Christoph hatte diesen Plan gefaßt und auch schon mit seiner Ausführung einen Versuch im Kleinen angestellt, indem er seit 1559 durch den berühmten Martin Crusius mehrere Jünglinge in einem Gebäude auf der Stelle des abgebrannten Franziskanerklosters erziehen ließ. Die Universität selbst drang auf die Ausführung und machte 1564 durch ihren Kanzler Andreä das Anerbieten, das Gebäude auf ihre Kosten aufführen und mit Lehrern und Aufsehern versehen zu lassen, aber der Herzog erlebte die Ausführung nicht mehr. Sein Sohn und Nachfolger Ludwig ergriff die Idee mit grossem Eifer, aber betrieb auch die Ausführung, zum Theil durch seine öftere persönliche Gegenwart, mit solcher Ungeduld, daß sich die Kosten, die größtentheils aus dem Kirchenkasten genommen wurden, auf 60,000 Goldgulden (nach Sattler) beliefen, ungeachtet man die Steine von dem abgebrannten Kloster Einsiedel im Schönbuch herbeiführte Es war als hätte er seinen frühen Tod vorausgesehen, und doch auch ein Denkmal seiner Thätigkeit hinterlassen wollen, denn im folgenden Jahre starb er, ohne etwas weiteres für die neue Anstalt thun zu können. Sein Nachfolger Friedrich I., der überall die Ausländer vorzog, bestimmte es nun auch hauptsächlich für junge Fürsten, Grafen und Edelleute, ohne die Söhne inländischer Staatsdiener nach dem früheren Plane aufzunehmen.

Das ganz aus Quadersteinen aufgeführte Gebäude besteht aus vier Flügeln, welche einen Hofraum einschliessen; in dem nördlichen und westlichen Theile sind sehr schöne Zimmer eingerichtet. Unter der Erde fließt die Ammer durch; mitten im Hofe steht ein Brunnen mit einem eisernen Trog *). Der hinter dem Gebäude liegende Tummel- oder Turnirgarten enthielt ein Schießhaus, einen Ringplaz, eine Reit- und Laufbahn, ein Ballhaus und eine Kegelbahn, die sämmtlich verschwunden sind, an der Stelle des Ballhauses ist jezt die katholische Kirche erbaut. Im Gebäude selbst war ein Fecht- und Tanzsaal, der gleichfalls bei der Errichtung des Konvikts aufhörte, benüzt zu werden.

Dieses Kollegium stund nicht unter der Universität, es hatte seine eigne Jurisdiktion, seine eigenen Statuten, seine eigene Professoren, einen für die Institutionen, einen für Lehen- und Kriminalrecht, nebst dem Rechtsprozeß, einen für Staatskunst und Geschichte, und einen Sprach-

*) Seine Quellen sind auf der Viehweide. Auch hatte das Kollegium früher einen Schöpfbrunnen, der so alt war, als das Kloster selbst.

meister, einen Arzt, vier Exerzitienmeister, (einen Bereiter, einen Fechtmeister, einen Ballspieler und einen Tanzmeister) und eine ziemliche Dienerschaft. Auch besaß dasselbe eine schöne Bibliothek, und einen Saal für Experimentalphysik. Die jungen Adelichen wohnten und speisten hier beisammen, mit Beobachtung eines gewißen Rangreglements *). Die Aufsicht über das Ganze war einem Oberhofmeister übertragen, die Unterhaltung geschah aus dem Kirchengut und war einem eignen Verwalter übertragen; anfangs waren die Einkünfte des eingegangenen Klosters Einsiedel dazu bestimmt. Zum Andenken an die Einsiedlermönche mußten die Kollegiaten einen violetten Rock und Talar tragen.

Die Einrichtung fand im In- und Auslande bald so vielen Beifall, daß von allen Seiten Adliche herzuströmten, und manchmal die Zimmer

*) So wurden dreierlei Tische gehalten; auf dem ersten kamen jedesmal 10 Trachten und Wein nach Nothdurft; auf den zweiten 6 Trachten und jedem 2 Quart Wein; auf den dritten 4 Trachten und 1 Schoppen Wein. Das Kostgeld war am ersten wöchentlich 3 fl., am zweiten 2 fl. 24 kr., am dritten 1 fl. 52 kr. (1609) damals waren 70 Kollegiaten darin. Der Oberhofmeister hatte einen schweren Stand, seiner Instruktion gemäß sollte er für die Befolgung der Geseze sorgen, jedoch den Strafbaren immer so behandeln, daß er ja auf keine Art anstossen könnte. Die Professoren sollten ihre Lektionen fein, kurz, leicht, deutlich und verständlich vorbringen.

sie beinahe nicht fassen konnten. Johann Friedrich, nachher Herzog von Württemberg, war der erste, welcher darin aufgenommen wurde; Herzog Friedrich I. gab (1607) dem Oberhofmeister des Kollegiums den Vortritt vor dem Rektor der Universität. Der darin erzogene Herzog Johann Friedrich gab ihm 1609 neue Ordnungen und Freiheiten, welche Eberhard III. 1666 erneuerte. In den neuern Zeiten hörte diese Anstalt durch Mangel an Zöglingen auf.

Im J. 1817 wurde sie aufgehoben und zu einem katholischen Konvikt eingerichtet, einer Bildungsanstalt von kathol. Geistlichen, auf 200 Zöglinge berechnet, die 5 Jahre lang ganz nach Art der lutherischen Stipendiaten auf öffentliche Kosten verpflegt werden und von da in das Priesterseminarium zu Rottenburg eintreten, wo sie sich unter der Aufsicht des Bischofs vollends ausbilden. Es steht unter der Aufsicht eines Direktors, Leopold Koch, und 5 Repetenten.

Mit dem Konvikt ist auch zugleich ein sogenanntes Präparandeninstitut verbunden, d. h. eine Bildungsanstalt für künftige Lehrer an den Gymnasien der Katholiken.

## Andere Stiftungen.

In den bischöflichen und Mönchsschulen des Mittelalters sah man hauptsächlich darauf, daß die Schüler gemeinschaftlich wohnten, als daher die Universitäten entstanden, so trug man auch Sorge, daß die Ankommenden eine Art öffentlicher

Herbergen fänden, wo sie unter ihren Magistern auf gemeinschaftliche Kosten lebten und einer gewißen Aufsicht unterworfen waren. Wegen der täglich oder wöchentlich zu leistenden Beiträge, aus denen eine gemeinschaftliche Kasse entstand, erhielten diese Anstalten wahrscheinlich den Namen Bursen (Bursae); das Einlegen des Geldes hieß Positio. Einige dieser Bursen hießen Communes, bei welchen jeder Studirende gleiches Eintrittsrecht hatte, denn es gab auch verschiedene Bursas privatas für diesen oder jenen Zweig der Wissenschaft oder für diese oder jene Landsmannschaft (Nation); diese leztern hörten aber bald auf oder giengen in Stipendien über, besonders wenn sie reich dotirt waren. In Tübingen gab es Anfangs 4 Bursen, die aber nach einem Befehl Herzog Eberhard's vom 26. Mai 1479 *) zu einer gemeinschaftlichen vereinigt werden sollten, (in dem Gebäude des jezigen Klinikums). Sie erhielt sich sehr lange, während auf andern Hochschulen die Bursen frühe schon wegen der durch sie veranlaßten Sittenlosigkeit verboten wurden. Sie erhielt zwar Beiträge von der Regierung, doch mußten immer noch die Aufgenommenen Beiträge leisten. Anfangs hatte sie zwei Abtheilungen, die Burse der Realisten gegen

*) Nach einer Urkunde: Wenn daher Mart. Crusius das Jahr 1483 angiebt, so scheint er dieses von der Vollendung des Gebäudes zu verstehen.

Osten, und die des neuen Wegs oder der Nominalisten gegen Westen, wovon schon oben die Rede war. Zunftmäßig hatte die eine das Sinnbild eines Adlers, die andere eines Pfauen, welche sogar König Ferdinand in der Ordination von 1525 anführt. Die Burse stand unter einem Rector Bursae und ungefähr 10 Magistris conventoribus, ferner war ein Depositor da, der die Aufsicht über die Dienerschaft führte, die Kost besorgte ein Oekonomus. Sie erhielt einen solchen Zulauf, daß sie bis auf einen geringen Fruchtbeitrag der Regierung, alle ihre Bedürfnisse aus eignen Mitteln bestreiten konnte. Ja die Einkünfte erreichten eine solche Höhe, daß Eberhard in der nova ordin. v. 1491 schreibt: „Man solle das von der Burse eingenommene Geld so verwenden, daß zuerst die Zinsen des aufgenommenen Geldes bezahlt werden, dann die Gülten abgelöst, dann für anderes Nothwendiges und Nüzliches, besonders für eine Bibliothek und ein Pädagogium gesorgt, und endlich auch ein bedeutender („der merer") Theil für unvorhergesehene Bedürfnisse zurückgelegt werde." Das eben erwähnte Pädagogium ist nicht mit den Schulen zu verwechseln, sondern war eine philosophische Vorbereitungsanstalt mit 4 Klassen und ungefähr 6 Lehrern, welche Classici hießen und in den freien Künsten und Sprachen Unterricht gaben. (Das Quadrivium zum Unterschied von dem Trivium, den Trivialschulen, die nur 3 Klassen hatten).

Hier wurden alle neu ankommende Studirende, die noch nicht Bakkalaurei waren, oder selbst solche, wenn sie im Examen nicht bestanden, aufgenommen und vor vollendetem Kursus nicht einmal zu philosophischen Vorlesungen zugelassen. Mehrere Geschichtschreiber, namentlich Bock in seiner Geschichte von Tübingen ließen sich durch die oben angeführten Worte Eberhard's d. ä. verleiten, anzunehmen, dieser Herzog habe das Pädagogium gestiftet, es ist aber nicht so, damals war es ein bloßer Entwurf; erst zur Zeit der Reformation fieng man an, ernstlich an die Ausführung zu denken. In einer Ordination von 1535 wird darauf gedrungen, daß diese Anstalt in's Leben trete und Jünglinge aus der Trivialschule aufnehme. Herzog Ulrich wollte Anfangs das leergewordene Augustinerkloster dazu einräumen und einen Pädagogarchen mit 3 Magistern hineinsezen, aber aus einer spätern Ordination Ulrich's von 1544 erhellt, daß es nicht lange darin geblieben oder noch wahrscheinlicher gar nie hineingekommen war, denn hier wird auf's Neue den Artisten befohlen, mit dem Pädagogium den Anfang zu machen, und ihm einen Theil der Burs einzuräumen, bis ein bestimmter Plaz dafür ausgemittelt wäre. Es scheint aber auch hier nicht gewesen zu seyn und überhaupt nie einen festbestimmten Plaz gehabt zu haben. Blos der Pädagogarch und seine Magister hatten 1557 daselbst ihre Kost (victum sumebant et mensas regebant); die Schüler aber wohnten wahrscheinlich zerstreut bei den Bürgern, und hatten (nach den Senatsakten) nicht einmal ihren Unterricht in einem Hause; erst lange nachher wurde die 3te Klasse in dem Kontubernium gehalten, wie aus den Rechnungen erhellt.

Diese Ausschweifung über das Pädagogium schien mir nöthig, um die bisherigen irrigen Ansichten darüber zu beleuchten, doch kehren wir zu den Begebenheiten der Bursa zurück. Bei der Reformation wurden die beiden philosophischen Parthien aufgehoben, die Anzahl der daselbst wohnenden Zöglinge betrug damals und in der Folge ungefähr 30, höchstens 40. Aber an der Kost hatten weit mehrere Antheil, es wurden gewöhnlich, 15 auch 16 Tische gedeckt, jeder zu 8 Personen. Die Regierung gab jährlich 40 Scheffel Frucht, ausserdem hatte die Burs einige jedoch unbedeutende Gülten. So blieb es bis zum dreißigjährigen Kriege, wo sie gänzlich aufhörte, aber noch vor seinem Ende kamen schon wieder nach und nach Studirende, doch sah man bald ein, daß sie nie wieder die vorige Höhe erreichen könnte, die Gülten, die jährlichen Schenkungen und Beiträge blieben aus, und innere Uneinigkeit und Zügellosigkeit zogen den gänzlichen Untergang nach sich. Es wollte Niemand eine Reparatur vornehmen und es sah so unreinlich und verfallen aus, daß nicht einmal mehr ein Professor der philosophischen Fakultät die Administration übernehmen wollte. Endlich wurden gegen das Ende des 17ten Jahrhunderts die traurigen Ueberreste derselben der philosophischen Fakultät übergeben, mit der Bedingung, daß ein Professor daselbst wohnen, einen Kosttisch für Studirende halten, und die Aufsicht über dieselbe führen sollte. Aber auch diese Einrichtung hatte keinen Erfolg; man stellte daher im Anfang des folgenden Jahrhunderts einen Rector-Contubernii auf, der nun sogleich den Depositor und Oekonomus entfernte, die rohe Art der Deposition aufhob oder milderte, und dem Ganzen bald eine solche Gestalt gab, daß oft das Haus die Menge derer nicht fassen konnte, welche aufgenommen zu werden wünschten, aber die Einkünfte reichten nicht zu, das Gebäude im gehörigen Stand zu erhalten, es wurde daher baufällig und zulezt dem Klinikum, (welches zur Entschädigung der philosophischen Fakultät jährlich 200 fl. zu bezahlen hat) eingeräumt, bei dessen Beschreibung weiter davon die Rede seyn wird.

Mit dieser Anstalt waren mehrere Privatstiftungen verbunden, namentlich die von Martin Crusius, der auch hier seine Bibliothek aufstellte, und die Fleck'sche.

Wie sich mit dem Kontubernium solche Privatstiftungen vereinigten, so machten andere auch ihre Einrichtungen nach seinem Muster. Auf diese Art entstand das Stipendium Martinianum, eine von Georg Hartsesser und Martin Plantsch im J. 1518 gemachte Stiftung, vermöge welcher mehrere Studirende freie Kost und Wohnung erhielten. Es sollten blos solche aufgenommen werden, die nicht im Stande wären, jährlich 20 fl. zum Studiren aufzubringen (Adliche und Reiche waren ausdrücklich ausgeschlossen), jezt ist natürlich die Summe erhöht und die Kompetenten müssen ein Vermögenszeugniß aufweisen, daß sie jährlich nicht im Stande seyen, 150 fl. aufzubringen, weder durch Unterstüzung ihrer Eltern, noch ihrer Verwandten und Freunde. Solche Stipendiaten heißen Gratianer, weil sie ex gratia, nicht wegen eines Familienrechts aufgenommen werden.

Man nannte diese Anstalt anfangs nach beiden Stiftern; weil sie aber erst nach Hartsessers Tode (1518) unter Plantsch's Leitung vollends zu Stande kam, so wurde jener vergessen. Ausser dem Martinianum gab es noch mehrere ähnliche „Stipendia vaga“, die in verschiedenen Häusern bestanden; um diese zu vereinigen wurde 1663 bis 1665 der jezige Neue Bau errichtet, der den Namen „Martinianum“ von den Martinianern, damals der Hauptzahl, erhielt. Es wurden in diesen mehrere kleine, theils für Arme, theils für besondere Familien gemachte Stiftungen aufgenommen, deren Rechte zum Theil sehr im Dunkel liegen, jedoch in Kurzem aufgeklärt werden sollen, indem die Superattendenz gegenwärtig eine Revision der Akten vornehmen läßt, die seiner Zeit öffentlich bekannt gemacht werden soll. Abgesondert verwaltet wird die Fickler'sche Familienstiftung, (von 1586), die jedoch dasselbe Lokal und dieselben Statuten hat. Es gelten bei ihr folgende Grundsäze: daß nie 2 Brüder neben einander oder unmittelbar nacheinander aufgenommen werden, daß bei Gleichberechtigten auf Bedürftigkeit, Fleiß und Sitten Rücksicht genommen wird, bei sonst gleichen Umständen aber die eigentlich auf 3 Jahre bestimmte Zeit auf 2 oder 1 Jahr abgekürzt wird, damit der andere auch Theil daran nehme, und daß endlich gleichberechtigte Familien miteinander abwechseln dürfen.

In der Regel sind in dieser Anstalt 16 Studirende, sie stehen unter der Superattendenz von Prälat Bengel, Hofrath Chr. v. Gmelin, Vizekanzler v. Autenrieth und Professor von Eschenmayer; lezterer ist zugleich Administrator der Anstalt. Die neuesten Statuten sind von 1752. Die Stipendiaten erhalten in einem geräumigen Saale, der Kommunität, gemeinschaftlich ihre Kost, welche ein Speismeister (Williards) besorgt und bewohnen 8 hübsche Zimmer nebst 8 Schlafkammern in einem überhaupt sehr schönen massiven Gebäude, das früher an seinen Fenstern sehr geschmackvolle italienische Frontons hatte, welche die Bauleute bei der Reparation von 1777 aus Unwissenheit wegschlugen. Diese Anstalt hatte früher eine eigene Bibliothek, die jezt mit der Universitäts-Bibliothek verbunden ist.

Eine zweite ähnliche Stiftung war die von Johann Hochmann aus Biberach, Prof. der Rechte zu Tübingen, gestiftet im J. 1603. Das Gebäude (Unser Frauen Haus genannt, und vom Kloster Bebenhausen erkauft) war schon 1595 eingerichtet worden. Sie war für die Verwandte des Stifters, ferner für 2 Tübinger und für 2 Biberacher Bürgersöhne und in ihrer Ermangelung für andere arme, ehrlich geborne, Studirende bestimmt. Mit dieser Stiftung wurde eine zweite verbunden, von dem Bürgermeister Gottschalk Klock *) aus Biberach im J. 1593 für arme Knaben, vorzugsweise aus Biberach, Ulm und Eßlingen, gestiftet, so jedoch, daß besonders auf seine Verwandte Rücksicht genommen werde, und die Stipendiaten, welche evangelischer Religion seyn müssen, sich zum Studium der Theologie anheischig machen **). Als aber Klock im J. 1594 starb, so gab es Streitigkeiten mit seinen Descendenten über die Erbschaft, welche bis zum J. 1670 dauerten. Jezt erst konnte es in Gang gebracht werden, und den Stipendiaten wurde ein Plaz im Hochmann'schen Stipendium angewiesen. Das Gebäude, welches diesen beiden Stiftungen gewidmet war, brannte aber bei der grossen Feuersbrunst von 1789 gänzlich ab, und da-

*) So und nicht Glock heißt es in der Stiftungsurkunde.

**) Nur einer von den Blutsfreunden des Stifters durfte irgend eine andre Fakultät wählen.

durch hörte die Anstalt auf. Das von der Brandversicherungsanstalt ersezte und das aus der Brandstätte erlöste Geld wird jedoch immer umgetrieben und hat sich so weit vermehrt, daß man in wenigen Jahren der Wiederaufbauung und Erneuerung dieses Instituts entgegen sieht.

Die Anzahl der übrigen Privatstiftungen, welche gewöhnlich in Geld ausbezahlt werden, ist so beträchtlich, daß ihre ausführlichere Beschreibung allein ein Buch füllen würde. Moser und Klemm haben hierin einiges vorgearbeitet, aber leider nicht immer zuverläßige Quellen benüzt.

## Klinikum.

Im Sommer 1802 erhielt die Universität, nachdem die medizinische Fakultät früher die Nothwendigkeit einer klinischen uud geburtshilflichen Anstalt und das Unzureichende der, von dem ehmaligen Prof. Clossius im Universitäts-Lazarethhause *) und der von Prof. Hopf errichteten ambulatorischen Klinik vorgestellt hatte, vorzüglich durch Verwendung des damaligen Geheimenrath's Spittler **) von Herzog Friedrich II. eine

*) Die erste Entstehung dieses Universitäts-Lazarethhauses konnte ich aller Bemühungen ungeachtet nicht mehr ausmitteln. Schon Zeller scheint es nicht gewußt zu haben, doch bestand es schon im J. 1667.

**) Des berühmten Göttinger Historikers, nachmaligen Staatsministers, der um die hiesigen gelehrten An-

Anweisung auf 20,000 fl., halb Geld, halb Naturalien, welche der herzogliche Kirchenrath innerhalb zwei Jahren entrichten sollte. Die jährlichen 10,000 fl. waren der Beitrag des Kirchenraths zu der um diese Zeit aufhörenden gemeinschaftlichen Schuldenzahlungs-Kasse und nach Herzog Christoph's großer Kirchenordnung hatte das Kirchengut auch für das Medizinalwesen des Herzogthums zu sorgen *). Die medizinische Fakultät erhielt nun von der philosophischen das baufällig gewordene Haus der sogenannten Burs nebst einigen diesem Institut gehörigen Kapitalien, um die alte Burse ganz neu zu dem Zweck eines vollständigen Klinikums zu bauen und einzurichten, wozu das Gebäude um so geeigneter war, da es auf der Südseite der Stadt zwar noch in der Stadt, allein ganz an ihrem Rande, in der Nähe des rasch fliessenden Neckars und doch hinreichend hoch über ihn erhaben lag. Der hiesige Stadtmagistrat erkaufte ein altes Gebäude, welches der Burs gegenüber an der Stadtmauer stand und schenkte den Plaz desselben dem neuen Institut; eben so überließ er später demselben der ganzen

stalten überhaupt, namentlich auch um den botanischen Garten, so große Verdienste hatte. Er starb zu Stuttgart im Jahre 1810.

*) Nach der damaligen Rechnungsweise waren 20000 fl. halb Geld, halb Naturalien, gleich 40000 fl. baar Geld.

Länge des Gebäudes gegenüber die hohe Stadtmauer, um sie bis auf Brusthöhe abbrechen zu können. Ein zweites an dieser Mauer stehendes Gebäude gehörte schon früher der Burs und wurde weggeräumt; ein drittes Gebäude an der gleichen Mauer wurde gemeinschaftlich vom Kirchenrathe und dem Universitätsfond gekauft und zum Wegbrechen dem Institut überlassen, das auf diese Art seiner ganzen nach Süden gekehrten Hauptfronte nach die freie Aussicht auf das Feld und einen geräumigen freien Plaz vor sich gewann, wie es überhaupt ringsum frei steht. Der Herzog hatte bestimmt, daß von dem bei dem Kirchenrathe angewiesenen Geld 10,000 fl. zum Bau und zu der Einrichtung verwendet werden sollten, 30,000 fl. blieben, in vier Kapitalbriefen zinsbar bei dem Kirchenrath vertheilt, bei dem Kirchenfond für die zukünftige Unterhaltung des Instituts stehen. Zu jenen baar bezahlten 10,000 fl. für den Bau und die Einrichtung hatte der Kirchenrath im Jahr 1804 noch 3000 fl. weiter zugeschossen, so wie er auch später auf seine Kosten noch die völlige Ausrüstung zweier Betten dem neuen Institut bewilligte. Weil jedoch die Kosten des Baues und der Einrichtung beträchtlich höher sich beliefen, so traten die Wohlhabendern von den damaligen württ. piis corporibus auf Verwendung des Geheimenraths Spittler mit Beiträgen von etwas über 7000 fl. ein, namentlich der Spital in Nürtingen, das Amt Stuttgart, Ebingen, Kirchheim, der Spital in Schorndorf, Maulbronn, Leonberg, Markgröningen, Ludwigsburg, Laichingen, das Färberstift in Calw, denen sich auch einzelne Privaten wie Dörtenbach und Haselmeyer in Calw und der durch seine vielfache Unterstüzung wohlthätiger Anstalten und junger Gelehrten so bekannte v. Palm in Kirchheim unter Teck angeschlossen hatten. Der akademische Senat bewilligte das alte unnüz gewordene Gebäude des Lazarethhauses, und gab auf den einstigen Erlös aus demselben 1200 fl. Späterhin überließ er dem Institute eine von den ersten Jahren des französischen Kriegs her noch guthabende Schuld von 1950 fl., welche für dasselbe bezahlt zu erhalten dem Geheimenrath Spittler gelang. Der Bau und die Einrichtung des 184' langen, vorne 90' hohen Gebäudes war im Frühjahre 1805 vollendet. Im Juni 1806 besuchte es König Friedrich.

Es enthält, ausser zwei Wohnungen für den Professor der innern Heilkunde und den der Chirurgie und Geburtshilfe, eine Wohnung für den Hauptkrankenwärter (der zugleich nach einem mit den Kornpreisen steigenden und fallenden bestimmten Anschlag und auf vorgeschriebene Weise die Kranken zu verköstigen hat) und für dessen Dienstboten, ferner neben allem zur Haushaltung gehörigen Raum und zwei Zimmern für chirurgische Pensionärs, einem Lesezimmer, einem Zimmer, wo Kranke zusammen kommen, einem Operations-

und einem Geburtszimmer, einem besonders eingerichteten Zimmer für Augenkranke und 2 Badezimmern noch 12 heizbare Zimmer für Kranke und Schwangere von 1 bis 5 Betten. Unter seinen Einrichtungen sind vielleicht die nüzlichsten die mit den Oefen verbundene Luftanstalten, wodurch im Winter die Krankenluft mittelst des Feuerheerds aus den Zimmern in's Kamin getrieben, die frische Luft von aussen aber vorher erwärmt wird, ehe sie in das Zimmer tritt. Auch sind alle Gänge mit eigenen Luftkaminen versorgt. Diesen Anstalten kann man es hauptsächlich zuschreiben, daß selbst zu der Zeit, als bei und nach dem Durchzuge der rußischen Armee Tübingen voll von ansteckendem Typhus war, sich derselbe nicht in dem Klinikum ausbreitete, unerachtet es nicht geschlossen wurde; auch ist bis jezt noch kein ansteckendes Kindbettfieber darin erschienen. Eine steinerne Treppe *) führt an den Neckar ausserhalb der Stadtmauer hinab, wo eine leicht zu Flußbädern einzurichtende Gelegenheit sich befindet. Ausserdem besizt auch das Haus, das in dem einen Stockwerke die Weiber, in dem andern die kranken Männer beherbergt, in jedem derselben eine eigene Badeinrichtung, die auch zu Dampfbädern jeder Art eingerichtet ist und deren eine ausserdem ein beinahe 40' hohes Tropfbad enthält.

---

*) Ihr Gewölbe ist nach dem Bogen eines Kreises von 108 Fuß im Durchmesser erbaut.

Professor Autenrieth, der die Einrichtung besorgt hatte, konnte den 13. Mai 1805 den Betrieb dieses Instituts beginnen. Im Anfang des J. 1806 fieng das geburtshilfliche Klinikum unter dem ersten eigens für Chirurgie und Geburtshilfe angestellten ehmaligen Prof. Hiller an, das übrigens Prof. v. Froriep, der im Herbst des J. 1808 hier ankam, zuerst zu we

nikum hatte nun einige Einkünfte von denen mit der Burs übernommenen Kapitalien, wozu später noch einige Stiftungen von Privaten kamen, ausserdem die Zinse jener 30,000 fl. vom Kirchengut, einige Vortheile, weil dieses Gut zwei chirurgische Pensionär's nach alter Stiftung jezt in diesem Institute unterhält, so wie 50 Scheffel Dinkel, 700 fl. vom Universitäts-Lazareth, 50 fl. vom Universitäts-Fiskus, zugleich die Honorarien der Studirenden, die das Institut benüzten, (die aber später König Wilhelm den Professoren zu lassen befahl und sie aus der Staatskasse ersezte) und die Kostgelder von wohlhabenden darin verpflegten Kranken. Da jedoch bald sich zeigte, daß durch Rücksicht auf Verpflegungsgeld die nöthige Auswahl der Kran-

in das Institut gewidmet ist, gestört wird, und da jene Einkünfte zum Theil nicht ganz rein und mit einigen Lasten beschwert, überhaupt aber für eine hinlänglich große, zur Bildung von praktischen Aerzten, Wundärzten und Geburtshelfern für das ganze Reich bestimmte,

Anstalt nicht zureichend waren, so bestimmte ein königl. Reskript vom Anfang d. J. 1806, daß jedes pium corpus in Altwürttemberg jährlich 10 Prozent von dem etwaigen Ueberschuß ihres Fonds der Anstalt entrichten sollte, wogegen was von den bisher versprochenen Beiträgen der einzelnen piorum corporum noch nicht bezahlt war, zurückzubleiben hatte. Da diese Beiträge zum Theil auch wegen der größeren Ausgaben der piorum corpp. durch die Kriegszeiten unregelmäßig eingiengen, so würde, als die Verwaltung von allen piis corpp. unter eine Zentralleitung gestellt worden war, durch eine weitere königl. Verordnung im Herbst 1810 bestimmt, daß jährlich 5000 fl.*) auf alle pia corpora des alten und neuen Landes vertheilt werden sollten. Diese 5000 fl. würden nun unter der Regierung König Wilhelm's auf die Staatskasse unter andern Zuschüssen für die Universität übernommen und werden in 4 jährlichen Raten bezahlt.

Das Institut hält nun im Durchschnitt etlich und 20 Betten besezt; es kommen ungefähr 70 bis 90 Geburten in demselben jährlich vor. In neuern Zeiten werden zugleich Hebammen einzeln dabei unterrichtet; die übrigen Betten werden mit Kranken belegt, an denen chirurgische Operationen zu machen sind, und mit einzelnen merk-

*) Vor dem Kriege hatten die pia corpora in Altwürttemberg im Durchschnitt jährlich 70,000 fl. Ueberschuß.

würdigen innerlichen Kranken. Das Haus nahm anfangs auch Gemüthskranke auf und hatte eigene Betten dazu, es zeigte sich aber, daß ihre Besorgung sich mit der eines geburtshilflichen Instituts in einem Lokal nicht vereinigen liesse und so mußte das Institut solche ausschliessen. Zu bestimmter Stunde werden täglich Kranke zur medizinischen Berathung und wenn sie ein Armuthszeugniß ihrer Obrigkeit mitbringen, auch zur unentgeldlichen Abreichung von Arzneien angenommen, nicht bloß aus der Stadt, sondern aus der ganzen Gegend, und bei langwierigen Krankheiten aus einer Entfernung oft von mehreren Meilen. — Die Zahl dieser Kranken beträgt, je nachdem ein Jahrgang gesund ist oder nicht, in neuern Zeiten zwischen 700 und 1400. In der Stadt liegende Kranke werden unter der Leitung des Professors von Studirenden besucht und unentgeldlich mit Arzneien versehen. Im Frühjahr 1810 wurde, nachdem vollends jede nöthige Einrichtung beendet war, eine eigene Superattendenz aus dem jeweiligen Kanzler (damals v. Schnurrer) und den beiden im Hause wohnenden Professoren, dem der innern Arzneikunst und dem der Chirurgie und Geburtshilfe errichtet, dem Prof. Autenrieth aber die Direktion über das Oekonomische der ganzen Anstalt durch ein königl. Reskript übertragen. Ein eigener Verwalter besorgt unter der Superattendenz die Rechnungen. Gegenwärtig da, Prof. v. Autenrieth Vizekanzler geworden ist, steht das Institut unter ihm und dem Prof. der Chirurgie Riecke. Der Operateur der Universität (jezt Prof. v. Gärtner) hat, um Gehilfe des Professors der Chirurgie zu seyn und zugleich als Lehrer der niedern Chirurgie Verrichtungen zu leisten, so wie als Lehrer der Hebammen einen Gehalt. Die Verwaltung des Instituts hat der gegenwärtige Universitäts-Kameralverwalter, die jedoch immer abgesondert geführt wird. Professor für die innere Heilkunde ist von Anfang an Vizekanzler v. Autenrieth; Professor der Chirurgie war zuerst Prof. Hiller, der nachher als Oberamtsarzt in Urach starb, dann Prof. v. Froriep, auf ihn folgte Prof. Ludwig, dann Prof. Georgii, der im Nov. 1819 hier starb, hierauf Prof. Riecke, der gegenwärtig das Amt bekleidet und Besizer der ehmaligen v. Froriep'schen Sammlung chirurgischer Instrumente, wohl einer der größten in Deutschland, ist.

Schon vor Errichtung der Superattendenz hatte König Friedrich im Febr. 1808, als er in Tübingen das zoologische und Instrumenten-Kabinet des Prof. v. Froriep sah, eine goldene, 15 Dukaten schwere Medaille aus der Staatskasse gestiftet, die nach einer in Gegenwart des Kanzlers von den Professoren des Klinikums zu haltenden Prüfung jährlich dem, in der praktischen Chirurgie sich am meisten auszeichnenden, Zögling ertheilt werden sollte. Diese chirurgische Preismedaille wird nach der Verordnung

König Wilhelm's alle Jahre mit den ähnlichen Preisen der 6 Fakultäten am 6. Nov. als dem Geburtstage des verewigten Königs öffentlich überreicht.

## Anatomie *).

Zwar wurde diese Wissenschaft schon in den ersten Jahren der Entstehung unserer Hochschule gelehrt, aber sehr unvollständig, man zergliederte nur alle 3 bis 4 Jahre einen menschlichen Körper. Pabst Sixtus IV. ertheilte dazu durch ein besonderes Breve (1482) die nöthige Erlaubniß; daher kömmt es wahrscheinlich auch, daß eine Kapelle später bei der Jakobskirche zu diesem Zwecke eingeräumt wurde. In der Mitte des sechzehnten Jahrhunderts kam das jezige anatomische Theater durch Leonhard Fuchs wahrscheinlich zuerst in Gebrauch und auf Herzog Ulrich's Befehl wurde ein „Beinmann" (Skelett) für 50 Goldstücke erkauft; um dieselbe Zeit (1569) erhielt die medizinische Fakultät die Erlaubniß, sich um Gefangene, die mit dem Strang oder Wasser vom Leben zum Tode gebracht wurden, zu melden. Herzog Friedrich I. erheilte den benachbarten Amtleuten (1601) Befehl, alle Hingerichtete an die Anatomie einzuliefern. Damals wurde alle Jahre eine Zergliederung vorgenommen. Nach

---

*) Ausführlich beschrieben von v. Froriep in seiner Schrift: Ueber die anatomischen Anstalten zu Tübingen. Weimar. 1811.

dem dreissigjährigen Krieg liess Herzog Eberhard III. wieder ein Theatrum anatomicum anlegen; wegen der Schwierigkeit, Kadaver zu bekommen und aufzubewahren, sezte man alles andere bei Seite, wenn ein solches ankam, noch 1748 dauerte die Anatomie in diesem Fall täglich 7 bis 8 Stunden: Herzog Karl stellte 1763 einen eigenen Prosektor auf, befahl 1764 die in den Armenhäusern und dem Lazareth zu Stuttgart Verstorbenen an das anatomische Theater abzugeben, liess auch das Gebäude verändern und erweitern. C. F. Clossius legte 1792 bis 1797 den Grund zu der pathologischen Sammlung, welche eigentlich erst durch Prof. Autenrieth die gegenwärtige Vollständigkeit erhielt. Im Spätjahr 1810 gewann die Anatomie sehr viel, indem ihr ein Nebengebäude, das bisherige chemische Laboratorium, und ein ziemlicher Hofraum *) eingeräumt wurde. Die Pläze der Zuschauer wurden nun in der Kapelle amphitheatralisch angeordnet, so daß alle leicht das zu Demonstrirende sehen können, in dem Nebengebäude sind drei Zimmer zum Präpariren, eines zum Aufbewahren der Präparate bestimmt, hier ist auch die Leichenkammer, Knochenbleiche u. d. gl. damit die Luft des Hörsaals nie anhal-

*) Sie erhielt nämlich hauptsächlich durch Einwirkung Prof Autenrieth's ein Gärtchen zwischen beiden Gebäuden, das dem Stadtmagistrat um einen geringen Preis abekauft wurde.

tend verdorben werde. Das Selbstpräpariren wird den Studirenden leicht gestattet; die Sammlung ist zwar noch nicht sehr zahlreich, hat aber vieles Seltene und Schäzbare z. B. eine Reihe von Skeletten jedes Alters, Kretinen-Skelette, krankhaft veränderte Knochen, worunter auch eine allmählige Luxation und nachherige Anchylose der zwei ersten Halswirbel von einer alten Frau, ferner eine sogenannte Verknöcherung der Krystallinse und des Glaskörpers, eine skrophulös affizirte Choroidea, u. s. w. Auch besizt die Anatomie eine Sammlung von 14 kolossalen Abbildungen, 77 anatomischen Zeichnungen in natürlicher Größe und 120 Kupfertafeln zum Demonstriren, welche Medizinalrath v. Froriep der Anstalt, der er früher so rühmlich vorgestanden hatte, im Jahre 1817 zum Andenken überließ.

## Der botanische Garten.

Die botanischen Gärten waren in ihrer ersten Entstehung Privatanstalten; einen solchen hatte hier der berühmte Leonhard Fuchs. Die erste Nachricht von Errichtung eines öffentlichen botanischen Garten findet sich unter Eberhard III. 1652, ob aber vor dem dreißigjährigen Kriege schon einer existirt habe, ist mir unbekannt. Seitdem besaß Tübingen einen wiewohl sehr unbedeutenden Garten in der Stadt selbst auf der südlichen und südöstlichen Seite des Universitätshauses, der wenigstens in den neuern Zeiten ein kleines Treibhaus enthielt. Bei den zunehmenden Fortschritten der Botanik war indessen das Bedürfniß nach einem neuen geräumigeren Plaze immer fühlbarer. Durch die Sorgfalt des Geheimenraths v. Spittler wurde diesem Bedürfnisse abgeholfen. Der Tummelgarten *) wurde den 17. Dez. 1805 gegen einen Erbpacht von 200 fl. zu diesem Zwecke überlassen, der Hausische Garten (Sept. 1806) um 200 fl. dazu gekauft, so wie später (20. Jan. 1808) der Cotta'sche um 750, und im Sommer 1809 vom Magistrat die sogenannten Herrengärten (wo jezt das Museum steht) überlassen. Auf diese Art gewann man einen ebenen fruchtbaren Plaz zunächst an den Thoren der Stadt. Zu Bestreitung der Unkosten gab der Kirchenrath jährlich 900 fl., Der akademische Fiskus für die Einrichtung 6000 fl., ausserdem jährlich 200 fl. für den Betrieb des Garten, auch übernahm er die oben erwähnte 200 fl. Pachtgeld, und von dem Inskriptionsgeld jedes Studirenden, das damals erhöht wurde, werden 3 fl. zu diesem Zwecke abgesondert **). Im November 1806 wurde ein besonderer Gärtner (Bosch ***) mit 34 fl. monatlichen Gehalt aus der Gartenkasse, freier Wohnung,

---

*) Er hatte seinen Namen von dem Reithaus, ehmals das Tummelhaus genannt.

**) Ausserdem löste der akadem. Senat (Herbst 1810) 5000 fl. Schulden ab, die der Garten noch hatte.

***) Er wurde im Jahre 1817 versezt.

Holz und Licht angestellt, (der überdieß 10 Prozent vom rohen Ertrag des Garten erhielt) und Lieutenant Vetter als Inspektor konstituirt mit 50 fl. Die ersten Plane wurden Spittler's Genehmigung vorgelegt *) und dann unter Leitung Prof. Kielmeyer's durch den Gärtner Bosch ausgeführt. Der Ueberschlag des zu errichtenden großen Gewächshauses beträgt 13,000 fl., es wurde im Frühjahre 1809 aufgeschlagen, im Herbste desselben Jahres angefüllt, und der Gärtner zog ein.

Dieser neue Garten hatte sich bald eines bedeutenden Reichthums von Pflanzen zu erfreuen, theils durch Uebertragen aus dem ältern Garten, welcher schon vieles, wenn gleich sehr zusammengedrängt, enthalten hatte, theils aus dem botanischen Garten in Stuttgart, von welchem Doubletten und überhaupt merkwürdigere Pflanzen unentgeldlich an den Universitätsgarten in Tübingen abgegeben werden. Vor zwei Jahren wurde der ganze Garten umgegraben, die einzelnen Pflanzen nach den natürlichen Familien Jussieu's geordnet, und jede Pflanze mit ihrem Namen versehen, neue besondere Anlagen wurden für Gebirgs- und Alpenpflanzen, eben so für Wasserpflanzen gemacht.

Seit einigen Jahren steht der Garten mit den ersten Gärten Deutschlands in wechselseitigen Samenmittheilungen, wodurch er mit jedem Jahre einen bedeutenden Zuwachs neuer Pflanzen erhält.

---

*) Einen sehr bedeutenden Einfluß auf die Anordnung und Einrichtung hatte Prof. Autenrieth.

Das Gewächshaus des Gartens, in dessen oberem Stock der jedesmalige Universitätsgärtner wohnt, hat 180 Schuh Länge und 33 Schuh verglichene Breite; es enthält für die Pflanzen selbst 4 Hauptabtheilungen, in deren Mitte sich ein kleiner Hörsaal befindet, 2 dieser Abtheilungen sind für die Pflanzen der wärmsten Klimate eingerichtet, wovon jedoch gewöhnlich nur das eine südwestliche zu den Pflanzen aus den wärmsten Gegenden benüzt wird, während in dem andern Pflanzen aus weniger warmen Gegenden befindlich sind; in den 2 andern dem mittlern Eingang zunächst liegenden finden sich die Pflanzen des südlichen Europa's die sogenannten kalten Hauspflanzen und Orangeriegewächse, überhaupt Pflanzen, welche den Sommer über in's Freie kommen und nur den Winter über im Gewächshause stehen. Ausser dem eigentlichen Gewächshaus finden sich auf beiden Seiten desselben mehrere größere warme Kästen und Mistbeete, welche theils zum Ueberwintern gewißer Pflanzen theils zur Anpflanzung solcher einjähriger Gewächse benüzt werden, für deren vollkommene Entwicklung unsere Sommer zu kurz sind, und welche daher frühzeitig unter Glas gesäet werden müssen, wenn sie die gehörige Vollkommenheit erreichen sollen; einzelne bleiben auch in diesen Behältnissen den ganzen Sommer hindurch größtentheils unter Glas, wie empfindlichere Mimosen, Ananas, Melonen rc. Da es bei der Menge der Gewächse eines botanischen Gartens so leicht geschieht, daß selbst die merkwürdigern Pflanzen übersehen werden, wenn der den Garten Besüchende nicht auf sie aufmerksam gemacht wird, so halten wir es für zweckmäßig hier einige der merkwürdigern Pflanzen des Gartens nach den Hauptabtheilungen desselben nur kurz aufzuführen.

## Pflanzen der südlichen Gegenden.

### Im warmen Hause:

Musa paradisiaca (die Banane, Paradies- oder Adamsfeige). Strelitzia Reginae. Phoenix dactylifera (Dattelpalme). Chamaerops humilis (kleine Fächerpalme). Cycas revoluta (eine Art Sagopalme). Bambos arundinacea (Bambusrohr). Saccharum officinarum (Zuckerrohr). Coffea arabica (Kaffeebaum). Vanilla aromatica (Vanillenstrauch). Aletris fragrans. Piper nigrum (der schwarze Pfeffer). Cotyledon calycinum. Brucea antidysenterica (der giftige od. unächte Angusturarindenbaum). Dracaena ferrea (der kleine Drachenbaum). Dorstenia Contrajerva. Pothos crassinervia. Cactus grandiflorus. Hedysarum gyrans. Gossypium herbaceum (Baumwolle). Mimosa sensitiva et pudica (Sinnpflanzen). Bromelia Ananas. Carica Papaya (Melonenbaum) etc.

### In den kalten Häusern:

Melianthus major (der Honigbaum). Cupressus sempervirens (Cypresse). Arbutus Unedo (Erdbeerbaum). Myrtus communis. Punica Granatum (Granatapfelbaum). Citrus medica u. aurantium (Zitronen und Pomeranzen). Capparis spinosa (Kappernstrauch). Passiflora coerulea

(Passionsblume). Prunus. laurocerasus (Kirschlorbeerbaum). Cobaea scandens. Metrosideros Lophantha. Melaleuca hypericifolia. Phormium tenax (Neuseeländischer Flachs) &c.

## Merkwürdigere im Freien ausdauernde perennirende Pflanzen des Gartens sind:

a) unter den baum- und strauchartigen Pflanzen.

Ailanthus glandulosa. Koelreuteria paniculata. Ginkgo biloba (Ginkgobaum aus Japan). Dirca palustris (Lederbaum). Laurus Benzoin (Benzoebaum aus Nordamerika). Rhus Toxicodendron (Giftbaum). Corchorus japonicus. Calycanthus flor dus (Gewürzstrauch). Peganum Harmala (Syrische Raute). Pinus Cedrus (Ceder vom Libanon). P. Cembra (Zirbelkiefer aus den Alpen). P. Pinea (Pinie oder Pineole aus Italien). P. Strobus (Weymuthskiefer aus Nordamerika) &c.

b) In der Anlage für die Alpenpflanzen.

Rhododendron hirsutum (haarige Alpenrose). Daphne alpina (Alpenseidelbast). Andromeda polifolia. Arbutus Uva ursi (Bärentraube). Vaccinium Vitis Idaea (Preuselbeere). V. uliginosum (Sumpfbeere). Sempervivum arachnoideum (Spinnenwebhauswurz). Eryngium alpinum. Gentiana lutea (offizineller großer Enzian). Digitalis purpurea (giftiger rother Fingerhut). Swertia perennis. Astrantia major und minor. Conium maculatum (gefleckter Schierling). Cicuta virosa (gewöhnlicher Schierling). Moehringia muscosa. Alchemilla alpina und pentaphylla. Saxifraga mutata, recta, muscoides, hypnoides, bryoides, Aizoon etc. Primula Auricula flava, farinosa, glutinosa. Draba Aizoides Wahlenberg. Cacalia alpina. Soldanella alpina. Helleborus niger etc.

Die ein- und zweijährigen Pflanzen des Gartens sind aus einem gedruckten Verzeichniß zu ersehen, welches im Herbst 1820 zum Erstenmal gedruckt wurde; es finden sich darin diejenigen Pflanzen des Gartens, von denen Saamen gesammelt werden, unter welchen sich auch mehrere perennirende finden. Ein ähnliches Verzeichniß soll in Zukunft jährlich gedruckt werden; es ist vorzüglich zur Mittheilung für andere Gärten bestimmt, ist jedoch auch einzeln bei dem Universitätsgärtner zu erhalten.

Der Garten selbst ist jedem Studirenden und dem Publikum überhaupt von Morgens 5 Uhr bis 12 Uhr und Nachmittags von 1 bis 6 geöffnet, er ist jedoch an Sonntagen und an Tagszeiten, wo nicht darin gearbeitet wird, gewöhnlich geschlossen.

Die nähere Aufsicht hat der jedesmalige ordentliche Professor der Botanik, gegenwärtig Prof. Schübler, welcher zugleich Vorsteher des Gartens ist; der gegenwärtige erste Universitätsgärtner heißt Orthmann, der zweite Gamper.

## Naturaliensammlung.

Die ältesten Geseze über das Naturalienkabinet stehen im Rezeß vom 20. März 1771. §. 33., wo von den Gmelin'schen Kabinetten die Rede ist, wobei die nöthigen Kollegia für Naturgeschichte von den Professoren der Chemie und Botanik gelesen werden können. Diese Sammlungen kamen aber größtentheils nach Göttingen, als, Philipp Friedr. Gmelin's Sohn und Erbe, Joh. Friedr. Gmelin dort Professor wurde. D. D. Storr, der 1774 Professor der Botanik und Chemie wurde, brachte eine ausgezeichnete Sammlung mit, die er 1784 durch Ankauf der Sammlung Pasquay's von Frankfurt beträchtlich vermehrte und wozu ihm Herzog Karl ein Lokal im Kollegium illustre einräumte. 1784 wurde die im angeführten Rezeß versprochene Stelle eines Lehrers für Naturgeschichte in's Werk gesezt und Storr mit 200 fl. zum Kollegiums-Professor ernannt, er lehrte Naturgeschichte, besonders aber Zoologie und Mineralogie bis er 1801 resignirte, worauf die Universität wieder des Kabinets beraubt war. Da trugen (im Sommer 1802) die damaligen Professoren der medizinischen Fakultät vieles von ihren Privatsammlungen zur Grundlage einer öffentlichen Sammlung zusammen. In demselben Jahre machte der Baron Christ. von Palm aus Kirchheim unter Teck eine Schenkung von 2000 fl. Die Sammlung des berühmten Bergrath's Widemann, die dieser selbst gesammelt, kaufte nach seinem Tode Apotheker Walz, und nach dessen Tode wurde sie um 1800 fl. gekauft. Bald darauf machte Freiherr von Palm eine Schenkung mit einem zusammengesezten Mikroscop, 138 fl. an Werth. Im August 1802 gab der akademische Senat 1000 fl., deren Zinse zu diesem Zweck bestimmt wurden, und vom churfürstlichen Kabinet in Stuttgart wurden Doubletten eingetauscht. Im Jahr 1803 räumte der Churfürst einen Plaz auf dem Schlosse zu Aufstellung des Kabinets ein, Professor Ferdinand Gmelin wurde 1804 dabei angestellt, trat aber seine Stelle erst 1805 an. Von dieser Zeit an wurde beschlossen, diese Sammlung zu einem umfassenden Kabinet aller Naturwissenschaften zu erweitern, und durch fortgesezte Sammlungen, Beiträge und Arbeiten der Professoren zu erweitern, wozu auch der vorige König einzelne Schenkungen machte. Se. Maj. König Wilhelm schenkte im Sommer 1818 das Kabinet des Heidelberger Professors Gatterer, (welches 7700 fl. kostete) und befahl, daß die Doubletten aus dem Storr'schen Kabinet abgegeben werden sollten; auch die höchstselige Königin Katharina schenkte einen Theil ihrer eigenen Sammlung. Einen reichen Zuwachs erhielt das Kabinet durch die wichtige Skelettsammlung des verstorbenen Professor Emmert. Noch sind einzelne Privatbeiträge zu erwähnen: der ehmalige Bürgermeister in Ludwigsburg, Landschafts-Konsulent Baz, vermachte im Sommer 1808 seine Sammlung, Professor Zipser ~~aus Neusohl~~ in Ungarn schenkte im J. 1817 sehr vieles.

Diese Sammlung ist in dem westlichen Flügel des Schlosses in 4 ineinandergehenden Zimmern aufgestellt. Die Administration des Ganzen steht unter Prof. Ferdinand Gmelin als dem ältesten Mitgliede. Ausserdem hat derselbe, so wie auch die Prof. Schübler und Rapp jeder die spezielle Aufsicht über sein besonderes Fach. — Seit dem Jahre 1809 besizt das Kabinet zugleich einen eigenen Unteraufseher, welcher die Funktion hat, die für das Kabinet sich eignenden Naturprodukte gehörig zuzubereiten, auszubälgen und aufzustellen. Derselbe wohnt zugleich in der Nähe des Kabinets und ist verpflichtet, an bestimmten Tagen der Woche, namentlich am Donnerstage gegenwärtig von 10 — 12 Uhr und 2 — 3 Uhr, jedem Studirenden das Kabinet zu öffnen, ohne eine Belohnung dafür anzusprechen.

Das Kabinet umfaßt alle 3 Naturreiche; der mineralogische Theil als der früher angelegte ist natürlich der vollständigste. Ausserdem besteht es in einer zoologischen Sammlung, die sich über alle Thierklassen verbreitet, einer Saamen-, Holz- und Pflanzensammlung.

Die meisten der einzelnen Naturprodukte sind unter Glas aufbewahrt, um sie besser gegen das Verderben zu schüzen, ohne sie dem Auge zu entziehen; jede Art der größern Säugethiere, Vögel und Fische ist in einem besondern Glaskasten, mehrere derselben sind auch in Weingeist; die Insekten stehen zum Theil familienweise in einzelnen größern Glaskästchen. Als ein Theil der zoologischen Sammlung ist in 2 benachbarten Zimmern die Sammlung für vergleichende Anatomie aufgestellt, sie enthält die wichtigsten Skelette der bei uns einheimischen Thiere, einzelne merkwürdige Knochen und getrocknete thierische Theile, Mägen und verschiedene Präparate in Weingeist von gesunden und kranken thierischen Theilen. Eine besondere Sammlung der Gebirgsarten und Mineralien Württemberg's legte seit seinem Hierseyn Prof. Schübler in seinem neben dem Kabinet befindlichen Auditorium an, welche bereits gegen 1000 Stücke aus den verschiedenen Gebirgsformationen Württemberg's enthält und geognostisch geordnet ist; so wie auch eine auf Agrikultur und angewandte Chemie sich beziehende Sammlung der wichtigsten Mergelarten, Erdarten und Fabrikprodukte Württemberg's.

Wir halten es nicht für unzweckmäßig, einige der allgemein merkwürdigern Gegenstände der zoologischen Theile des Kabinets hier nach den einzelnen Thierklassen mit Namen aufzuführen, um die das Kabinet Besuchenden darauf aufmerksam zu machen.

### Von Säugethieren:

Simia Sphinx (Pavian). Didelphis Marsupialis (Opossum) und D. Gigantea (Känguruh), beides Beutelthiere. Cervus Axis (Bengalischer Hirsch). Lutra vulgaris (Fischotter von ungewöhnlicher Größe). Antilope Rupicapra (Gemse). Mustela furo (Frettel). Marmota alpina (Murmelthier). M. Cricetus (Hamster). Lepus variabilis (Alpenhaase). L. Cuniculus ferus (wildes Kaninchen). Talpa europaea var. flavescens (der erbsengelbe Maulwurf). Sciurus volans (fliegendes Eichhörnchen). Glis esculentus (Siebenschläfer). Dasypus decemcinctus (Panzerthier oder Armadill). Phoca groenlandica (ein junger grönländischer Seehund). Einzelne Theile vom Rennthier, Steinbock, Naßhorn, Seeeinhorn oder Narrwall und Wallfisch, fossile Mammuthszähne rc.

## Von Vögeln:

Vultur barbatus (Lämmergeyer, Bartgeyer). Falco Aquila (Steinadler). F. Lagopus (rauhfüßige Falke.). F. Milvus (große Gabelweihe). Picus auratus (amerikanischer Specht). Certhia muraria (Mauerspecht). Trochilus pegasus (Kolibri aus Amerika). Paradisea Apoda (Paradiesvogel). Cuculus rufus (der rothbraune Kukuk). Oriolus phoeniceus (Maysdieb). O. persicus (persischer Pyrol). Sturnus americanus (amerikanischer Staar). Loxia orycivora (Reißvogel aus Java). Columba coronata (Kronentaube). Tetrao Urogallus (Auerhahn). Phasianus pictus (Goldfasan). Otis Tarda (Trappe). Platalea Leucordia (Löffelgans). Ardea Grus (Kranich). A. Nycticorax (Nachtreiher). A. minuta (kleine Rohrdommel). Haemantopus Ostralegus (Austerndieb). Colymbus Immer (der große Seetaucher). Larus canus (die große Sturmmöve). Procellaria glacialis (Eismeersturmvogel) rc.

## Von Reptilien oder sogenannten Amphibien:

Lacerta Crocodilus (Nilkrokodill). L. Chamaeleon (das Chamäleon). L. Scincus (Stink). L. ocellata (große grüne Eidechse). Draco volans (fliegende Eidechse, Drache). Salamandra maculata (Erdsalamander). Triton cristatus (Wassersalamander). Proteus anguinus (Olm aus Kärnthen). Crotalus horridus (die Klapperschlange). Coluber Berus (Vipper oder giftige Otter). C laevis (rothe Natter). C. Natrix (die gewöhnliche Natter von ungewöhnlicher Größe). Amphisbaena fuliginosa (Rußschlange) ꝛc.

## Von Fischen:

Raja Rubus (Dornroche). Raja Torpedo (elektrische Zitterrochen). Squalus canicula (der kleine Hayfisch). Acipenser Sturio (Stör). Ostracion quadricoris u. cornutus (Panzerfische). Diodon Hystrix (Stachelfisch). Syngnatus Acus (Meernadel). S. Hippocampus (Seepferdchen). Uranoscopus scaber (Sternseher). Gadus Lota (Drüsche, Aalruppe). Echeneis Remora (Saugfisch). Zeus Faber Sonnenfisch). Pleuronectes Solea u. Hippoglossus (Schollen). Sparus Sargus (Brachse aus dem mittelländischen Meer). Perca Lucioperca (Schiel, aus der Donau bei Ulm). P. Zingel (der Zindel, ebendaher). P. Schreitser (der Steuren, ebend.). Salmo salar u. lacustris (der Rhein- und Bodenseesalm). S. Hucho (Hauchen oder Rothfisch aus der Donau). S. Thymalus (Aesche aus der Nagold). Clupea Alosa (Rheinhäring, Else, Mayfisch aus dem Neckar bei Heilbronn). Cyprinus Brama (Bley oder Brachse aus dem Bodensee). C. Carrassus (Karausche aus dem Böblinger See) ꝛc.

## Von Crustaceen oder Schaalthieren:

Cancer Cammarus (Hummer aus der Nordsee. C. Mantis (Schwanenkrebs aus dem mittelländischen Meer). C. Astacus nobilis (Edelkrebs aus der Blaulache bei

Tübingen). C. Bernhardus (Einsiedler oder Bernhards-Krebs). C. Pagurus (Taschenkrebs oder Krappe). C. hastatus (große Seespinne). Monoculus Polyphemus (der molukische Krebs). M. Apus (Kiefenfuß aus Sümpfen bei Tübingen). Scorpio europaeus u. americanus (der europäische und amerikanische Skorpion.

## Von Insekten:

Scarabaeus nasicornis (der europäische Nashornkäfer). S. Aloeus (der Riesenkäfer aus Südamerika). Buprestis Gigantea (Prachtkäfer aus Ostindien). Curculio imperialis (Jubelen oder Kaiserkäfer aus Brasilien). Hydrophilus piceus (der große schwarze Wasserkäfer). Bostrichus Typographus (Borkenkäfer). Gryllus migratorius (Wanderheuschrecke). G. morbillosus (warzige Heuschrecke vom Cap der guten Hoffnung). Fulgora Candelaria (chinesischer Laternenträger). Notonecta glauca (Wasserwanze). Nepa cinerea (Wasserscorpion). Papilio Hector. P. Pammon. Sphinx Atropos (Todtenkopf). S. Elpenor (der große Weinvogel) Phalaena Pavonia Myrmeleon formicarius (Ameisenlöwe). Raphidia Ophiopsis (Kameelfliege). Sirex Gigas (die große Holzwespe). Vesp Crabr (Hornisse). Formica herculanea (Roßameise). Phalangium Cancroides (Bücherscorpion). Aranea avicularia (Vogelspinne aus Amerika). Oniscus Ceti (Wallfischlauß) ꝛc.

## Von Mollusken und Würmern:

Sepia officinalis (Tintenfisch). S. Octopodia (Seepoppe). Holothuria tubulosa (Seeblase). Actinia senilis (Seeanemone, Seenessel). Chiton squamosus grünliche Käfermuschel). Lepas Balanus (Meertulpe). Lepas anatifera (Entenmuschel). Pholas crispatus u. pusillus (Bohrmuscheln). Mya margaritifera (Flußperlmuttermuschel). Venus Dione (ächte Venusmuschel). Chama Gigas (Riesenmuschel). Arca Noae (Arche oder Noamuschel). Ostrea Pleuronectes (Kompaßmuschel). Mytilus Margaritifer (die indische Meerperlmuttermuschel). Pinna rudis (Schinkenmuschel). Argonauta Argo (Papiernautilus). Nautilus Pompilius (das Schiffsboot). Cypraea Moneta (die Simlipuri, als Scheidemünze in Ostindien dienend). Voluta musica (Notenschnecke). Buccinum Harpa (Davidsharfe). Strombus Chiragra (Teufelsklaue). Trochus perspectivus (Perspektivschnecke). Turbo scalaris (Wendeltreppe). Echinus anocystus, saxatilis, calamarius etc. (Seeigel). Asterias Caput Medusae (Medusenhaupt). Tubipora musica (Orgelwerk, ein Röhrenkorall). Madrepora muricata (der stachliche Sternkorall). Isis nobilis (rothe Staudenkorallen). Gorgonia Flabellum (Venusfliegenwedel). Pennatula phosphorea (leuchtende Seefeder) ꝛc.

Noch verdienen als Merkwürdigkeiten des Kabinets erwähnt zu werden eine Sammlung von Insekten, welche aus lakirtem Blech in Japan verfertigt wurden, und eine kleine Sammlung von 150 Conchylien mit japanesischen Signaturen.

## Physikalische Instrumentensammlung.

Eine Sammlung, über deren Entstehung keine Urkunden vorhanden sind. Sie wurde 1752 durch Herzog Karl beträchtlich vermehrt, auch ließ er im Kollegium illustre einen großen Hörsaal für Experimentalphysik einrichten; um das Jahr 1804 wurde ein großer Saal und mehrere Zimmer des Schlosses dazu eingerichtet, sie wird immer noch vermehrt.

## Sternwarte.

Vor 1752 hatte die Universität nicht einmal eine Sternwarte; erst unter Herzog Karl erhielt sie dieselbe. Der Plaz war gut gewählt: ein altes massives also unerschütterliches Gebäude mit einem weiten Horizont. Sie erhielt einen in Frankreich gemachten, für jene Zeiten vorzüglichen eisernen Quadranten, zwei gute Pendeluhren und große 20 — 30' lange Fernröhren. 1785 wurde sie wieder neu gebaut. Ihre Spize liegt 1227 par. Fuß über der Meeresfläche und 249 par. Fuß über dem Neckar. Um das Jahr 1800 wurden die untern Zimmer zu Beobachtungen und eine Wohnung für den Astronomen eingerichtet. In neuerer Zeit wurden mehrere Instrumente angeschafft, worunter sich ein Reichenbachischer Kreis von 3 Fuß im Durchmesser auszeichnet. Die Aufsicht über die Instrumentensammlung und Sternwarte hat Prof. v. Bohnenberger.

## Chemisches Laboratorium.

Herzog Eberhard Ludwig scheint zuerst die Errichtung eines Laboratoriums genehmigt zu haben; man fieng aber erst im Jahr 1734 mit dessen Erbauung an und der Bau dauerte bis 1752; dieses Gebäude wurde jedoch 1810 für die Anatomie eingeräumt. Gegenwärtig ist ein chemisches Laboratorium auf dem Schlosse; es wurde im Jahre 1817 renovirt, und 6000 fl. zu seiner Einrichtung bestimmt *). Das Lokal ist sehr bequem, auch ist schon vieles, namentlich Platina-Gefäße, u. s. w. dafür angeschafft. Mit diesem Laboratorium ist ein chemischer Hörsaal verbunden, auch hat die staatswirthschaftliche Fakultät einen geschlossenen zu chemischen Versuchen eingerichteten Hörsaal auf dem Schlosse.

## Modellsammlung.

Diese wurde 1818 angelegt, und in dem Universitätshause aufgestellt; in dem physikalischen Kabinet waren nur ein paar brauchbare Modelle vorhanden; die Sammlung wuchs aber unter der zweckmäßigen Leitung Hofrath Poppe's schnell zu einer solchen Vollständigkeit, als man nur immer erwarten kann. Für ihre Einrichtung sind auf 5 Jahre lang jährlich 400 fl. bestimmt.

## Unterricht in freien Künsten.

Früher standen die öffentlich angestellten Lehrer der freien Künste, Exerzitienmeister genannt,

*) Früher waren jährlich nur 45 fl. zu chemischen Versuchen bestimmt, diese Summe wurde im Sommer 1818 auf 150 fl. erhöht.

unter der Jurisdiktion des Kollegium illustre, jezt gehören sie zur Universität. — Universitäts-Musikdirektor Friedrich Silcher giebt im evangelischen Seminarium und im katholischen Konvikt öffentlich Unterricht im mehrstimmigen Gesang, und hat überhaupt alle öffentliche Vokal- und Instrumentalmusik an der Universität, in der Kirche und im Seminarium zu leiten. Unterricht im Zeichnen und Malen geben Maler Christoph Friedr. Dörr und Hellwig *); im Tanzen Tanzmeister Klemens Alexander Français; im Reiten Stallmeister Ladner; im Fechten und Voltigiren Fechtmeister Castropp; im Billardspielen Ballmeister Keller (früher gab derselbe auch im Ballschlagen Unterricht).

## Oeffentliche Feierlichkeiten und Ferien.

Die Vorlesungen werden jährlich zweimal unterbrochen: durch die Osterferien vom Palmtage bis zum Sonntag Quasimodogeniti und die Herbstferien vom 29. September bis zum 22. Oktober; auch werden die meisten Lektionen am Donnerstage als dies academicus ausgesezt.

*) Man findet auch Gelegenheit nach Gyps zu zeichnen; hiezu bildete sich unter Leitung Maler Dörr's ein Privatinstitut, das jezt durch einen jährlichen Beitrag der Regierung von 150 fl. unterhalten wird.

Die öffentlichen Feierlichkeiten bei Rektorswahlen, Antritt eines neuen Professors, Disputationen ꝛc. haben nichts besonderes. Am Tage vor dem Christ-, Oster- und Pfingstfeste wird statt der früher gehaltenen Reden ein gedrucktes Programm ausgetheilt. Besonders aber wird der Geburtstag unseres geliebten Königs mit der herzlichsten Dankbarkeit und Freude gefeiert.

Die öffentliche Preisertheilungen für die Beantwortung von Preisfragen aus jeder Fakultätswissenschaft, wurden von König Friedrich II. den 17. September 1811 angeordnet und werden alle Jahre den 6. November, am Geburtstage desselben gehalten. Die Preise bestehen in einer goldenen Medaille, 15 Dukaten an Werth, mit der Inschrift: ingenio et studio, und werden unpartheiisch Inländern und Ausländern ertheilt, auch sind noch andere Vortheile für den Gekrönten damit verbunden.

Seltener sind die Säkularfeierlichkeiten, sie werden zu Ehren folgender Begebenheiten begangen: der Gründung der Universität 1477, der Reformation 1517, der Augsburger Konfession 1530, (sie konnte 1630 wegen der damaligen politischen Verhältnisse nicht gefeiert werden), der erfundenen Buchdruckerkunst 1440, der den 2. Sept. 1535 vom Ambrosius Blarer in der Stiftskirche gehaltenen ersten evangelischen

Predigt und Reformation des Herzogthums (1735 zum Erstenmal gefeiert).

## Anzahl der Studirenden.

Ein von den jedesmaligen Pedellen geführtes, noch nirgends gedrucktes Verzeichniß von mehr als 60 Jahren sezt mich in den Stand die beigefügte Tabelle mitzutheilen, bei der freilich die Anzahl der Seminaristen nicht ganz genau gefaßt ist, indem ich sie nur durch Addition von je 5 Promotionen aus dem „Verzeichniß sämmtlicher Geistlichen ꝛc. Stuttg. 1815" bestimmte. Im Jahre 1817, wo man auch aufhörte, die Adlichen besonders aufzuzählen, sind im Herbstsemester die 67 anwesenden Stipendiaten des katholischen Konvikts zu den Seminaristen mitgezählt, und von dieser Zeit an, wo sechs Fakultäten entstanden, werden halbjährliche Verzeichnisse der Studirenden gedruckt, die ich hiebei benüzt habe. Ich enthalte mich, meine Leser auf die sehr interessante Resultate aufmerksam zu machen, daß z. B. 1772 nur ein Medizin Studirender hier war; besonders wird es jeden Vaterlandsfreund mit dankbarer Rührung gegen unsern König erfüllen, daß sich unter seiner Regierung die Bevölkerung unserer Universität beinahe auf das vierfache vermehrt hat. (Man sehe nebenbefindliche Tabelle.)

Zu pag. 544.

| …r. | Adliche. | Hofmeister. | Seminaristen. | Theologen in der Stadt. | …uristen. | Medizinner. | Philosophen. | Summa. |
|---|---|---|---|---|---|---|---|---|
| Kai. | 7 | 0 | 119 | 12 | 26 | 38 | 3 | 306 |
| m. Jud. | 10 | 0 | 123 | 14 | 30 | 41 | 9 | 227 |
| Kai. | 10 | 0 | 123 | 18 | 22 | 45 | 9 | 227 |
| m. Jud. | 11 | 2 | 117 | 29 | 37 | 41 | 7 | 231 |
| Kai. | 8 | 2 | 117 | 55 | 31 | 47 | 9 | 259 |
| m. Jud. | 7 | 1 | 120 | 59 | 32 | 49 | 16 | 276 |
| Kai. | 8 | 0 | 120 | 51 | 33 | 60 | 21 | 285 |
| m. Jud. | 10 | 0 | 123 | 52 | 37 | 67 | 29 | 308 |
| Kai. | 13 | 0 | 123 | 45 | 43 | 72 | 26 | 309 |
| m. Jud. | 9 | 0 | 140 | 53 | 55 | 84 | 44 | 376 |
| Kai. |  | 0 | 136 | 49 | 47 | 84 | 58 | 374 |
| m. Jud. |  | 0 | 220 | 52 | 96 | 88 | 9 | 465 |

| r. | Evangelische Theologen. | Katholische Theologen. | Juristen. | Medizinner u. Chirurgen. | Philosophen. | Kameralisten. | Summa. |
|---|---|---|---|---|---|---|---|
| Kai. | 112 | 36 | 108 | 116 | 139 | 46 | 557 |
| m. Jud. | 143 | 46 | 139 | 128 | 157 | 85 | 698 |
| Kai. | 117 | 45 | 147 | 116 | 156 | 97 | 678 |
| m. Jud. | 168 | 46 | 163 | 105 | 160 | 108 | 750 |
| Kai. |  | 43 | 156 | 106 | 159 | 109 | 709 |
| m. Jud |  | 46 | 166 | 97 | 156 | 103 | 740 |
| Kai. |  | 42 | 166 |  |  | 102 | 735 |
| m. Jud. |  | 45 | 163 |  |  |  | 764 |

ai.
n. Jud.
ai.
n. Jud.
ai.
n. Jud.
ai.
n. Jud.
ai.
n. Jud.
ai.
n. Jud.
ai.
n. Jud.
ai.
n. Jud.
Kai.
n. Jud.
Kai.
n. Jud.
Kai.
n. Jud.
ai.
n. Jud.
ai.

# Erweiterungen der Universität durch König Wilhelm.

Tübingen war eine kleine Universität, berechnet für die dringendsten Bedürfnisse des Landes, aber ausgestattet mit Allem, was zu ihrer Sicherstellung sowohl in unglücklichen Zeitläuften, als in Hinsicht auf schnellwechselnde, zuweilen Anderes an die Stelle der Universität zu sezen wünschende, Ansichten der am Ruder des Staats sich gerade befindenden Männer dienen konnte. So überlebte die Universität Jahrhunderte hindurch selbstständig alle Stürme der Zeit. Die nothwendige ängstliche Sorge für Erhaltung des Oekonomischen, das dem gesammten akademischen Senat anvertraut war, ließ jedoch diejenigen Zweige der Wissenschaft am wenigsten empor kommen, welche vieler gelehrten Hilfsmittel bedurften oder auf anschauliche Kenntniß der Natur gegründet kostbarer Institute nöthig gehabt hätten. Auch entzogen die früher nothwendig gewesenen Privilegien der Universität in manchen Fällen ihr zuviel die allgemeine Theilnahme des Staates an ihrem inneren Betrieb. Doch erwachte in den lezten Zeiten der Selbstständigkeit der Universität im Senate selbst ein reger Eifer mit der Ausdehnung der Wissenschaften, besonders der Naturwissenschaften im weitern Sinn genommen gleichen Schritt zu halten, und es sezte das damals noch abgesonderte vorhandene Kirchengut mit freier Bestimmung der dasselbe verwaltenden Behörde die Regierung in den Stand, zu Errichtung und Vervollkommnung der Universitäts-Institute mächtige Hilfe zu leisten, deren bei den einzelnen Instituten den Hauptpunkten nach schon Erwähnung geschehen ist. So schritt im Anfang des gegenwärtigen Jahrhunderts die Universität mit raschen Schritten einem Zustande zu, der den Erweiterungen der Wissenschaften entsprach, und das Beengende, welches die älteren aus dem Mittelalter noch herstammenden Einrichtungen hatten, verschwand allmählig.

Den 20. Juni 1811 aber wurde der Universität durch die damalige Regierung die Aufhebung aller ihrer bisherigen Privilegien angekündigt, die eigene Administration ihres Fonds, der jedoch noch abgesondert verwaltet wurde, ihr gänzlich entzogen und eine neue Organisation ihr bekannt gemacht. Doch wurde jezt ein eigener Kurator für sie ernannt, (der um die Universität vielfach verdiente Baron von Wangenheim) welcher unter Kommunikation mit den akademischen Behörden geeignete Vorschläge über den jährlichen Etat, vorzüglich die Institute betreffend, machen sollte; Inländer, welche die Universität beziehen wollten, hatten vorher ihre Fähigkeit dazu in einer strengen Prüfung zu erweisen, und zu Belebung des Fleißes wurde in jeder der 4 damaligen

Fakultäten ein eigener Preis ausgesezt; auf die Institute der Universität wurde in allweg mehr verwendet, als früher sie für sich hatte thun können.

König Wilhelm bestieg den 30. Oktober 1816 den Thron. Schon durch das Universitäts-Statut von 1817 wurde dem akademischen Senat wieder zugesagt, daß bei Besezung ordentlicher Lehrstellen er jedesmal um sein Gutachten vernommen und niemand als ordentlicher Lehrer werde angestellt werden, den er nicht entweder selbst vorgeschlagen habe, oder gegen den er erhebliche Gründe anführen könne. Der Senat solle berechtigt und verpflichtet seyn, in allen wichtigen Universitäts-Angelegenheiten seine Anträge vorzulegen, und er werde um alle die Universität angehende und in's Ganze des akademischen Studienwesens eingreifende Einrichtungen um sein Gutachten vernommen werden, zu den Beamten und bei der Universität angestellten Dienern habe er theils Vorschläge zu machen, theils sie selbst zu ernennen. Der Senat solle auf seine Verantwortlichkeit hin für unvorhergesehene Ausgaben jährlich über die Summe von 1000 fl. verfügen können, die jährlichen Voranschläge der ganzen Ausgabe für die Universität seyen unter der Leitung einer von dem Senat hiezu zu beauftragenden Kommission zu entwerfen und die jährlich gestellten Rechnungen von dieser zu prüfen.

Auf dem Landtage von 1821 ernannte der König selbst Kommissäre, um gemeinschaftlich mit den Abgeordneten der Landstände zu berathen, wie der bedeutende jährliche Geldzuschuß zur Universität aus der Staatskasse sicherer für alle Zeiten in Grundeinkünfte aus einem zusammenhängenden Bezirke verwandelt werden könne, und wie ein früher schon durch einen königl. Kommissär mit dem akademischen Senat entworfener Normaletat für die Universität in's Leben geführt werden möchte. So blüht der Universität wieder die Hoffnung einer schönern Zukunft, wo sie nicht mehr vereinzelt im Staate, diejenige nöthige Selbstständigkeit, ohne die es keine moralische Kraft giebt, erhalten wird; wo sie der höhern unmittelbaren Hilfe der Regierung sich zu erfreuen hat, und doch in Kleinigkeiten, die so gerne von entfernten Aufsichtsbehörden vergessen werden und welche doch so Vieles beitragen, das Leben unangenehm oder freundlich zu machen, sich selbst wieder helfen kann.

Auf Befehl des Königs bearbeitet gegenwärtig ein Ausschuß des akademischen Senats neue umfassende Statuten. Mehrere Lehrer erhielten Auszeichnung durch Orden und höhern Rang. (So wurden verdiente Professoren der evangelisch-theologischen Fakultät in den Prälatenstand erhoben.) Ueberhaupt aber erhob die Gnade des Königs die Professoren der Universität dem öffentlich ausgesprochenen Range der Staats- diener zu Folge, zu einer bedeutend höheren Stellung in der Gesellschaft, als welche sie vorher gehabt hatten. Der akademische Senat genießt ausserdem der Ehre seiner Patronat- rechte wieder. In hohes Alter vorgerückten Lehrern wurde unter Beibehaltung ihres ganzen Gehalts die verdiente Ruhe bewilligt, Wittwen und Waisen frühzeitig Verstorbener erhielten groß- müthige Unterstüzung durch Pensionen, mehreren wurden Gehaltsvermehrungen zu Theil, und er- höhter Hauszins denjenigen Lehrern, welche keine Amtswohnung besassen.

Aber auch beinahe jeden einzelnen Zweig des so vielseitigen Betriebs einer Universität umfaßte die Sorge des Königs. Tübingen, an Eifer auch für sittliche Vollkommenheit der Studirenden wohl keiner deutschen Universität nachstehend, erhielt, um die Bundestags-Beschlüsse zu vollziehen, aus dem Kreise seiner Lehrer selbst einen ausserordentlichen Regierungs-Bevollmächtigten; ausgedehnt wurde das dieser Universität eigenthümliche strenge nach bloßer moralischer Ueberzeugung handelnde Insti- tut der Disziplinar-Kommission durch Zuziehung der Vorsteher der beiden größern theologischen Er- ziehungsanstalten, mannigfaltig wurde die Kraft der Disziplinargeseze verstärkt; auf der andern Seite aber wurde den Studirenden zur eigenen Uebung in der Aufsicht unter sich und in der

Achtung für Geseze ein von ihnen selbst gewählter Ausschuß gestattet mit Verpflichtungen und Rechten, welche junge Männer zu gesezlicher Selbstständigkeit bilden sollen. Den Universitäts-Justitiar in seinen Geschäften zu unterstüzen, wurde dem Sekretariat ein eigener Gehilfe zugegeben. Auch in Tübingen wurde durch Errichtung eines Lyzeums Gelegenheit gegeben, für die Universität reif in Kenntnissen zu werden. Bei der Universität wurde durch Erbauung eines neuen Fecht- und Voltigir-Saals statt der aufgehobenen Turnanstalt für die nöthige körperliche Uebung des Jugendalters gesorgt, und ein neuer Fechtmeister angestellt. Mannigfach wurde die Erbauung eines, gesellschaftlichem Vergnügen und literarischer Unterhaltung gemeinschaftlich gewidmeten, Museums durch eine Privatgesellschaft von der Regierung begünstigt, ein vorher durch bloße Privatthätigkeit entstandenes Zeichnungs-Institut wurde öffentlich anerkannt und vom Staate unterstüzt, und 2 Lehrer dabei erhielten Gehalt. Ein eigener Musiklehrer wurde mit höherem Gehalt angestellt, ein weiterer ausserordentlicher Professor der französischen Sprache wurde besoldet, und für die klassische Literatur ein zweiter ausserordentlicher Professor ernannt.

Die Universitäts-Bibliothek dankt der Regierung ihre gleichsam neue Schöpfung. Mit großem Aufwande wurde auf dem Schlosse von Tübingen einer der schönsten Säle in Deutschland ihr erbaut, die Bibliothek des ehmaligen Collegii illustris und für die katholisch-theologische Fakultät vorzüglich ein Theil der Bibliothek des ehmaligen Stifts Komburg der Universitäts-Bibliothek überlassen, eben so eine kleine Büchersammlung, die mit dem Gatterer'schen Naturalien-Kabinet für die Universität gekauft worden, jährlich wurde für die katholisch-theologische Fakultät der Bibliothek die Summe von 400 fl., für die staatswirthschaftliche Fakultät 300 fl. angewiesen, es wurden Lesezimmer gebaut, und den Bibliothekaren in der Nähe der Bibliothek Wohnungen ertheilt, für einen Unterbibliothekar wurde eine neue Besoldung geschaffen, und ein eigener Bibliothekdiener aufgestellt. Befehle wurden ertheilt, daß auch für Tübinger Gelehrte der Verkehr mit der großen öffentlichen Bibliothek in Stuttgart und selbst mit der, an seltenen kostbaren Werken so reichen, königlichen Privatbibliothek erleichtert werden solle, und Verordnungen wurden erlassen, welche die Benüzung der Universitäts-Bibliothek für Studirende immer mehr begünstigen sollen. Der König ehrte seine Landesuniversität, indem er dem Münzkabinet zur Aufbewahrung für künftige Zeiten die goldene und silberne Denkmünze übergab, welche auf den für Württemberg so wichtigen Abschluß der Konstitution den 25. September 1819 die unsterbliche Wohlthat König Wilhelm's, geprägt worden waren. Durch ihren

Kanzler, der durch sein Amt Landstand ist, nimmt die Universität näheren Antheil an dieser Verfassung.

Das ganze große Schloßgebäude zu Tübingen wurde vollends der Universität eingeräumt und zur Aufbewahrung ihrer Sammlungen aus der Staatskasse eingerichtet, für 7700 Gulden wurde vom Hofrath Gatterer in Heidelberg ein, an manchen einzelnen Seltenheiten vorzüglich aber durch eine große Sammlung ausgestopfter Vögel reiches Naturalien-Kabinet für die Universität angeschafft, und dem bestehenden Kabinet derselben, zu dem der edle Baron v. Palm durch Ankauf und Schenkung des Widmann'schen Naturalien-Kabinets den Grund gelegt hatte, und welches dann durch Beiträge der akademischen Lehrer und Geschenke in- und ausländischer Freunde vermehrt worden war, einverleibt. Auch ein Theil des vorzüglichen Naturalien-Kabinets von Prof. Storr wurde durch den König der Universität angewiesen, mehrere seltene Thiere aus der ehmaligen königlichen Menagerie in Stuttgart dem Tübinger Naturalien-Kabinet überlassen. Es ergieng ein königl. Befehl, daß Mißgeburten und andere Seltenheiten solcher Art, die aus dem Lande bisher an das Naturalien-Kabinet in Stuttgart abzuliefern waren, künftig an das der Universität geschickt werden sollten. Ein eigener Ausstopfer für das Naturalien-Kabinet wurde mit Besoldung angestellt.

Im botanischen Garten wurden die Gewächshäuser mit bedeutendem Aufwand vollends im Stand gesezt, die Einkünfte desselben mit 300 fl. jährlich vermehrt. Ganz neu wurde auf dem Schloß ein grosses, schönes, chemisches Laboratorium statt des älteren kleineren, der Anatomie überlassenen, eingerichtet und an jährlichen 500 fl. die Summe von 6000 fl. bewilligt, zu nach und nach zu besorgender Anschaffung eines chemischen Apparats. Ein Gehilfe des Professors der Chemie wurde besoldet, für chemische Versuche dem ordentlichen Lehrer der Chemie die jährliche Summe von 150 fl. bewilligt, dem Lehrer der Naturgeschichte und agronomischen Chemie jährlich 120 fl. zu Anstellung von Versuchen und Anlegung einer Sammlung der für Landwirthschaft, Gewerbe und Statistik Württemberg's in naturhistorischer Beziehung (vaterländischer Naturgeschichte) wichtigen Natur- und Kunstprodukte, wozu ebenfalls ein eigenes Lokale eingerichtet wurde. Für eine Modellsammlung wurden der staatswirthschaftlichen Fakultät auf 5 Jahre jährlich 400 fl. angewiesen und für ihre Aufstellung ein besonderer Saal im Universitätshaus gebaut. Für die Erhaltung und Erweiterung solcher Apparate sind eigene Mittel angewiesen, so wie für die kleinen Bedürfnisse der neu errichteten Fakultät, auch wurden mehrere neue Hörsäle zur Bequemlichkeit des Lesens eingerichtet.

Das klinische Institut erhielt im Gehilfen des Professors der Chirurgie und der Geburtshilfe zugleich einen mit vermehrtem Gehalt angestellten Mitlehrer für den Unterricht von Hebammen, 5000 fl. welche früher jährlich die gesammten Pia corpora des Landes zu bezahlen hatten, wurden auf die Staatskasse übernommen, 400 fl. jährliches Honorar, das die Lehrer am Institut der Kasse desselben bisher überlassen hatten, wurden von denselben nicht weiter angenommen und das Institut dafür aus der Staatskasse entschädigt.

Durch die Errichtung aber zweier neuen Fakultäten, indem die katholisch-theologische Fakultät von Ellwangen hieher versezt wurde und eine neue Staatswirthschaftliche ganz neu gestiftet, wurde Tübingen dem Begriffe einer Universität der Wissenschaften am mächtigsten genähert. Im Zusammenhang mit jener katholisch-theologischen Fakultät steht eine Erziehungs- und Unterhalts-Anstalt für Studirende der katholischen Theologie, das Konvikt, wozu das ehmalige Kollegium illustre mit bedeutenden Summen neu eingerichtet wurde. Dieses Konvikt erhielt eigene Statuten und eine eigene Bibliothek. Auch die Besoldung der Repetenten des evangelisch-theologischen Seminariums, so wie des Bibliothekars dieser Anstalt wurden bedeutend erhöht.

Der staatswirthschaftlichen Fakultät, wie der katholisch-theologischen wurde zu Belebung des

Fleißes ihrer Studirenden nicht nur ebenfalls eine goldene Preismedaille verwilligt, sondern auch jährlich eine Unterstüzung vorzüglicher Studirenden von 150 fl. jedem bis zur Zahl von 6 ausgesezt. Was für die Anstalten bei dieser Fakultät weiter geschehen, ist früher schon bemerkt. Auch Studirende, die von der ehmaligen Forstschule nach Tübingen kamen, erhielten Unterstüzung. Vorzüglich wichtig ist die Theilung mehrerer Lehrfächer, wo der Umfang der Wissenschaft für einen Mann zu groß geworden war, wie z. B. in der medizinischen Fakultät; eben so wichtig ist namentlich in der juristischen Fakultät die Anstellung mehrerer Privatdozenten mit Gehalt und die ihnen verstattete Theilnahme an den Geschäften des Spruchkollegiums. Sie wurden zu ausserordentlichen Professoren befördert, wenn sie ihre Tüchtigkeit zum Lehren erprobt hatten; einigen Lehrern wurde gnädige Bewilligung einer Anstellung in einer anderen Laufbahn zu Theil, wenn Neigung zu praktischer Beschäftigung ihre Liebe zum Lehrfach überwog.

So nähert sich die Universität durch die Gnade des Regenten immer mehr dem System, das einzig fähig ist, den deutschen Hochschulen ächte Gründlichkeit zu ertheilen, zu dem nämlich, stufenweise junge Männer zu ordentlichen Lehrern nachzuziehen, ihre Versuche im Lehrfach, wenn sie etwa die Neigung dazu verläßt, doch als et=

worbenes Verdienst für anderweitige geeignete Anstellung im Staatsdienste anzusehen, bei der Universität ausharrende Lehrer zu belohnen, sie aber nicht sich selbst in ihrem Amte überleben zu lassen, sondern am Ende durch Versezung in ehrenvollen Ruhestand, den sie verdienen, den Dank der Gesellschaft für das ihrem Amt gebrachte Opfer des sogenannten Lebensgenusses auszusprechen.

Alle diese Fortschritte zur Vervollkommnung dankt die Landes-Universität, obschon sie nicht am Size der Regierung sich befindet, und in Zeiten, dem ruhigen Fortblühen der Wissenschaften so ungünstig, einer erst 5 jährigen Regierung König Wilhelm's!

## Siebenter Abschnitt.

# Beschreibung der Stadt und ihrer Einrichtungen.

### Verfassung.

Aus den älteren Zeiten haben wir wenige Nachrichten in dieser Beziehung; ein altes Stadtrecht von 1388 *) findet sich noch auf dem hiesigen Rathhause; es enthält aber beinahe nichts als Bestimmungen über das bei Erlangung des Bürgerrechtes zu bezahlende Geld, Wahl der Meßner, Gebüttel, Feldschüzen, Underkoffel (Unterkäufer), Eicher und Weinzieher; Freveln, Gerichtssporteln, Abgaben von Kauf und Verkauf, Weinmaaße, Gewicht, Pflichten des Feldschüzen, von den Müllern, Schweinbesehern, Schindern, Todtengräbern. — Auch ist die Rede darin von dem Fronacker, der eine Freistätte seyn soll, wie sie von ihren Vordern gehört haben (cnf. Zeller p. 572). Die Stadt hatte auch von alten Zeiten her das Recht über Leben und Tod, die Richtstätte war am Neckar vom Universitätshaus

*) Auf Pergament mit der Ueberschrift: „Dis sint der Stat Recht ze Tüwingen alz sie von altr her da selbs gehalten sind, vnd sind hie ernewt und beschrieben. so anno dni millmo CCC.mo Octuagesimo octavo.“

gerade über. Ein noch vorhandener Freiheitsbrief von 1471 bestätigte ihnen dieß Recht und erlaubte das Blutgericht auf dem Rathhause zu halten, bisher mußte es unter freiem Himmel geschehen. Ehmals hatten die Pfalzgrafen von Tübingen auch das Münzrecht; die Tübinger Schillinge (solidi) kamen schon im J. 1228 vor, während die Grafen von Württemberg erst 1374 das Münzrecht erhielten. Man rechnete nach Pfund Heller und Schilling Heller, 1 Tübinger Pfenning galt 3 Heller. Die späteste Nachricht vom Gebrauche dieser Münzsorten finde ich im J. 1460, damals galt 1 Tüb. Schilling = 2 Kreuzer 5 Heller*). Auch unter den Grafen von Württemberg wurde hier Geld geschlagen; Graf Eberhard d. ä. ließ 1493 durch Hans Wydenbein Schillinge, Pfenninge und Heller prägen; die Münzstätte war beim Lustnauer-Thore.

Diese ältere Verfassung verlor Tübingen nach und nach unter dem Hause Württemberg, wo dem Schwanken der Geseze durch eine immer allgemeiner verbreitete Gleichförmigkeit Schranken gesezt wurden, es hat daher in dieser Beziehung nichts Unterscheidendes mehr von den übrigen Städten des Landes; wiewohl es die zweite Hauptstadt und seit der Erbauung von Ludwigsburg (1718) die dritte Residenzstadt

*) Noch heut zu Tage heißt hier eine Gasse, wo der Neubau und die Universitätsgebäude stehen, die Münzgasse.

hieß *), bloß der Titel einer der sieben guten Städte des Landes hat ihr das besondere Vorrecht ertheilt, ausser den Oberamts-Deputirten noch einen besondern Abgeordneten zu den Landtagen schicken zu dürfen **).

---

*) Auch dieses Leztere fiel unter der vorigen Regierung weg.

**) Das Beamtenpersonal hier ist gegenwärtig folgendes: An der Spize der Geschäfte stehen für die Stadt sowohl als auch für den Oberamtsbezirk 1) aus dem Departement der Justiz ein Oberamtsrichter, Karl Friedr. Hufnagel mit einem Oberamtsgerichtsaktuar Ernst Wilh. Bierer, welchen für rechtliche Entscheidungen besondere Gerichtsbeisizer und in Kriminalfällen Urkundspersonen beigegeben sind. 2) Aus dem Departement des Innern ein Oberamtmann, Karl Lud. Seubert, J. C., welcher insbesondere die Oberaufsicht über das Oekonomische, die Polizei rc. hat, er bildet in Ehesachen u. dgl. mit dem Dekan das gemeinschaftliche Oberamt. Unmittelbar unter ihm stehen der Stiftungsrath, bestehend aus dem Dekan, dem Stiftungsverwalter Ulrich Friedr. Vogt, und den Mitgliedern des Stadtraths, ferner der Kommunrechnungs-Revisor Oetinger, der Stiftungsrechnungs-Revisor Reinhard. Das Polizeiliche besorgt nächst dem Stadtschultheiß ein besonderer Polizeikommissär, Daniel Friedr. Groß, der auch zugleich die Polizei des Oberamtsbezirks versieht; für die Stadt insbesondere ist ein Polizeiinspektor Böckmann angestellt. Auch ist hier der Siz eines der

Es war aber seit mehr als dreihundert Jahren ein Obergericht des Landes hier. Das Hofgericht, dessen Ursprung sich wahrscheinlich in die Zeiten Eberhard's des ältern und Ulrich's des vielgeliebten verliert, ist zu Folge des oben angeführten Privilegiums von 1514 stets in Tübingen gehalten worden; es bildete kein stehendes Gericht, und wurde zu verschiedenen Zeiten bald zwei-, bald viermal, bald auch nur einmal jährlich ge-

---

4 königl. Oberpostämter, dessen Vorstand Oberpostmeister Heinr. Ernst v. Hoff ist., 3) Aus dem Finanz-Departement ein Stadtkameralverwalter Friedr. Georg Ludw. Bleibel, ein Oberförster, Vogelmann zu Bebenhausen mit einem Forstassistenten, ein Oberamtspfleger, K. Chr. Fr. Schüz, ein Oberzoller, Ries, ein Oberakziser, Rettich, ein Oberumgelder, Heerbrandt. Das Medizinalwesen steht unter dem Oberamtsarzt Dr Gotthold Uhland, welcher der einzige besonders angestellte Arzt ist, weil zugleich 11 Professoren der Medizin praktiziren. Die Stadt hat einen Oberamtschirurgen, J. G. Fehleisen, ferner 7 Chirurgen, 1 Geburtshelfer, 3 Hebammen und eine geschworne Frau. Die Thierarzneikunst wird durch den Professor derselben ausgeübt. Apotheken sind hier 3, (die erste Nachricht von einer hiesigen Apotheke finde ich 1490, wo Graf Eberhard d. Ä. seine Apotheke zu Tübingen an Johann Wennolt von Gröningen verlieh, der sich verpflichten mußte, den Feldzügen als Arzt und Apotheker anzuwohnen. Im J. 1800 war sie, ausser der Stift-

halten. Es bestand aus einem Hofrichter und 12 Beisizern, worunter auch die Professoren der Juristen-Fakultät sich befanden; die Sizungen waren auf dem Rathhause. Es bestand fort bis zum Jahre 1805, wo es sich in ein Oberhofgericht, das zu Stuttgart errichtet wurde, verwandelte. Im J. 1806 wurde das **Oberappellations-Tribunal** errichtet, und ihm Tübingen zum Size angewiesen, im J. 1817 wurde der **Appellationsgerichtshof** für den Neckar- und Schwarzwald-Kreis in Tübingen errichtet und das Oberappellations-Tribunal nach Stuttgart verlegt; seit dem Oktober 1818 ist

---

garter, die einzige im Lande); die eine gehört Prof. Dr. Christ. **Gmelin**, der einen Provisor und etliche Gehilfen darauf hält; die andere mit 2 Gehilfen M. J. Ch. Fr. **Märklin**; die dritte mit einem Inzipienten Ch. L. H. **Haller**. (Nach amtlichen Angaben von 1818). Die Angelegenheiten des Stadtgemeindewesens besorgt der Stadtschultheiß, Andr. **Laupp** und ein aus 12 Mitgliedern bestehender Stadtrath, welcher zugleich wieder in einzelnen Abtheilungen das Waisengericht, Bauschau- und Untergangsgericht bildet. Auch befinden sich hier ein Stadt- und Amtsschreiber, dermaliger Amtsverweser, Stiftungsverwalter **Faber**, sodann sind noch zu bemerken: der Stadtpfleger **Knaus**, der Steuereinnehmer **Bozenhart**, der Volksvertreter für die Stadt, Dr. **Uhland**, der Bürgerausschuß unter einem Obmann, Apotheker **Haller**.

ein, sämmtliche Zweige der Rechtspflege umfassender Gerichtshof, jedoch ausschließlich für den Schwarzwald-Kreis konstituirt, der aus einem Direktor (v. Georgii), einem zweiten Vorstande mit dem Rang und Charakter eines Obertribunalraths, 5 Oberjustizräthen, einem Pupillenrath, 4 Assessoren und dem erforderlichen Kanzleipersonal besteht und theils in Plenarversammlungen, theils in einzelnen Senaten, einem Kriminalsenate, einem Zivilsenat und einem Pupillensenat je nach den verschiedenen Zweigen der Gerichtsbarkeit arbeitet.

Die Stadt hat zwei Jahrmärkte, einen auf Montag nach Georgii, den andern auf Montag nach Martini, beide dauern 6 Tage lang; ausserdem werden alle Wochen 4 Wochenmärkte gehalten.

Das Stadtwappen besteht aus einer rothen Kirchenfahne im goldnen Felde, durch Herzog Ulrich mit zwei gekreuzten Armen vermehrt, welche Hirschhörner halten.

## Kirchen.

Die Hauptkirche der Stadt ist die Stifts- oder St. Georgen-Kirche, im spätern gothischen Stil erbaut, 153 Fuß lang, 104 Fuß breit. Sie steht auf einem erhöhten Plaz, ganz frei gegen die Neckarseite, und eine erhabene Fronte bildend gegen das Universitätshaus und den Neuen Bau. Das Alter dieser Kirche, die ursprünglich auch dem heil. Martinus und der Maria geweiht ward und bei Gelegenheit der Versezung des Sindelfinger Stifts im J. 1483 zur Würde einer Kollegiat-Kirche sich erhob, läßt sich historisch ziemlich genau ausmitteln. Es finden sich drei Grundsteine, an verschiedenen Ecken des Gebäudes gelegt, der erste vom J. 1470, der zweite vom J. 1478, der dritte vom J. 1483. Aus früherer Zeit stammt eine Glocke, die schon im J. 1411 für die Georgen-Kirche gegossen ward, welche leztere als veraltet und baufällig vom Grund aus abgebrochen werden mußte, um einer neuen Plaz zu machen. Nach dem Zeugniß der Grundsteine möchte der Bau der jezigen Kirche also wohl in das lezte Drittel des 15ten Jahrhunderts fallen, wenn gleich weit früher schon der Gedanke zu diesem Werk gehegt und die Materialien gesammelt seyn mochten. Von späterem Alter ist der Thurm, der im J. 1529 vollendet wurde. Er hat 2 Glocken, die schon genannte von 66 Zentnern, und die zweite von 40 Zentnern im J. 1469 um den Preis von 400 fl. gegossen, und „Unser lieben Frauen-Glocke“ benannt. Im J. 1777 gewann die Kirche nicht wenig durch Bauverbesserungen und Reparaturen.

Das Innere der Kirche ist durch zwei Säulenreihen in drei Theile getheilt, deren Bestimmung war, ein Gewölbe zu tragen, das aber nie zu Stande kam. Die Pfeiler sind zwar da, aber die Decke der Kirche ist nur mit Brettern getäfelt.

An den Säulen wären zum Theil alte Gemälde und Inschriften zur Erinnerung der Verstorbenen aufgehängt. Die hölzerne Emporkirchen ragen ziemlich weit hervor, und sind mit Oelgemälden, welche die merkwürdigsten Szenen aus der biblischen Geschichte darstellen, ringsum geziert. Die Kanzel befindet sich in der Mitte der Kirche. Ueber dem Eingang vom Chor in dem untern, weiteren Kirchenraum steht die Orgel, im Jahr 1732 gebaut, nachdem vorher die Kirche deren zwei zählte. In der Nähe der Orgel ist der ausgebreitete Kirchenstuhl der Seminaristen. Hinter dem Chor ist die Gruft, worin sich die Grabmäler des alten herzoglich württembergischen Hauses und anderer verstorbener Personen aus fürstlichem Geblüte befinden. Hier liegen die irdischen Ueberreste vom Herzog Eberhard im Bart, Christoph und Ulrich begraben. Das Erbbegräbniß unseres Fürstenhauses *) war früher zu Güterstein bei Urach, wurde aber auf Befehl des Herzogs Ulrich im J. 1538 hieher verlegt.

Neben dem Eingang der Kirche hängt das

---

*) Eine Sammlung aller dieser Grabmäler und Inschriften findet sich in Zeller's Merkwürdigkeiten ꝛc. S. 83 ꝛc. Ebendaselbst ist ein Verzeichniß der übrigen Denkmäler und Grabsteine in- und außerhalb der Kirche. Ausführlicher sind sie beschrieben in J. Fr. Baumhauwer Inscriptiones, monumenta, quae sunt Tubingae. Tub. 1524. 4.

schwarze Brett, woran die Universität ihre öffentliche Anschläge macht.

In Beziehung auf die kirchlichen Verhältnisse in Tübingen ist im Allgemeinen historisch zu bemerken: daß der Pfalzgraf Gottfried im J. 1294 den Kirchensaz an das Kloster Bebenhausen schenkte, der an den Besiz der Bebenhauser Freyhöfe gebunden war, kraft dessen der Prälat und Konvent des Klosters den Pfarrherrn in der St. Georgen-Kirche präsentiren durften*). Dem Prälaten kam noch in den spätern Zeiten nach der Reformation die Kirchen- und Spitalvisitation zu (1743). Nach Verlegung des Sindelfinger Stifts waren die Professoren Chorherrn der Kirche und erschienen bei allen öffentlichen Gelegenheiten mit Priesterläppchen und im schwarzen Mantel. Der jedesmalige Kanzler war zugleich Probst der Stiftskirche. Nach der Reformation erfolgte unter den Herzogen Friedrich und Johann Friedrich die Verordnung, daß die Pröbste von Stuttgart und Tübingen gegenseitiges Präsentations- und Renunziationsrecht für ihre Stellen ausüben durften. Späterhin hörte dieses Recht auf.

Die Stiftskirche hat 7 ordentliche Prediger. Die 4 Professoren der Theologie sind Frühprediger. Der Erste ist in der Regel Probst und der Zweite Dekan der Kirche. Der vierte Professor

*) Zeller führt ein Beispiel vom Jahr 1479 an.

war früher Spezialsuperintendent der Stadt; der erste Abendprediger ist Spezialsuperintendent des Amts Tübingen, nach diesem folgen die zwei Diakone, dazu kommen noch die Repetenten des theolog. Stifts, welche als Vikarien an der Kirche zu gottesdienstlichen Funktionen verpflichtet sind. Die Amts- und Stadtsuperintendenz ist jezt vereinigt, und steht unter dem Generalsuperintendenten von Bebenhausen, der hier seinen Siz hat. Die Stadtgeistlichkeit im engern Sinn besteht gegenwärtig aus dem Dekan Münch, dem Prof. Steudel als Oberhelfer, und dem Unterhelfer, Mag. Pressel. In der Stiftskirche wird der Hauptgottesdienst gehalten, und zwar wird an den gewöhnlichen Sonntagen Vormittag über das Evangelium, Nachmittag nach der Kinderlehre über die epistolischen Perikopen gepredigt. An einzelnen Festtagen kommen drei Predigten vor, ausserdem wird noch neben den Betstunden eine Wochenpredigt am Donnerstag gehalten. Das Ehebuch der Stiftskirche wurde im J. 1553, das Taufbuch im J. 1558, das Todtenbuch im J. 1596 angefangen.

Die zweite Kirche ist die Spitalkirche oder die Kirche zum h. Jakobus. Die Zeit ihrer Entstehung ist unbekannt. Sie liegt in der alten Stadt, ist älter als die St. Georgen-Kirche, denn die fruheste Nachricht geht bis in das Jahr 1393 zurück. Sie war ursprünglich die Kapelle eines Nonnenklosters, und hat daher keinen Taufstein. Den Gottesdienst für die leiblich- und geistig-armen Pfleglinge des Spitals versehen an Fest- und Kommuniontagen die Repetenten des theologischen Stifts, die Beichte und das Abendmahl fällt einem Stadtgeistlichen zu, und sonst werden die Predigten und Katechisationen von Studirenden aus dem Stift und der Stadt unter der Leitung des Vorstehers vom Predigerinstitut gehalten.

Eine Schloßkirche existirte wahrscheinlich schon unter den Pfalzgrafen als Schloßkapelle. Schon im J. 1477 finden wir einen Schloßkaplan. Unter dem Vorwand, es sey ihm und seinen Hofleuten besonders Nachts zu beschwerlich, von dem Schloß in die Pfarrkirche der Stadt herabzugehen, und mit der geäusserten Besorgniß, es könne leicht bei solcher Gelegenheit ein Anschlag auf sein Leben ausgeführt werden, drückte Graf Eberhard d. ä. dem Pabst den sehnlichen Wunsch aus, die Schloßkapelle zu einer Pfarrkirche erhoben zu sehen. Zugleich gab er den Rath an die Hand, man könne gar wohl die Pfarrkirche auf dem h. Floriansberge bei Metzingen eingehen lassen, weil dort Niemand wohne, sie selbst also ohne Pfarrkinder sey. Der Pabst übertrug die zur Entscheidung führende Untersuchung dem berühmten Abt Heinrich von Blaubeuren, welcher deßhalb den Abt von Bebenhausen, als Patron der bisherigen Pfarrkirche zu Tübingen, den Kirchherrn desselben und der Pfarrkirche St. Florian's, und den bisherigen

Kaplan der Schloßkapelle in seine Abtei berief. Da kein Hinderniß obwaltete, ward dem Wunsche des Grafen willfahren (1481). Die Einkünfte der Florianskirche wurden, nachdem deren Vorsteher mit einem jährlichen Leibgeding von 10 fl. abgefertigt war, zur Besoldungsfundation der neuen Pfarrei verwandt und derselben auch ein Stück Boden innerhalb der Reviere des Schloßgebiets zwischen dem Burggraben und Schloßzwinger ꝛc. zugetheilt. Die Besezung dieser Stelle überließ Eberhard dem Stift St. Amandi zu Urach. Der Probst desselben, Gabriel Biel, wohnte der feierlichen Handlung bei, und sezte als ersten Parochus (Plebanus Castri Tubingensis) den bisherigen Uracher Stiftsherrn, Wendelin Steinbach, ein (1482), dem so die Seelsorge über die Leute, welche im Schloß und Zwinger wohnten, worunter auch die Garnison begriffen war, übergeben wurde. Diese Fundation der neuen Pfarrkirche wurde nebst andern Stiftungen des ältern Eberhards im J. 1516 von Herzog Ulrich mit Bewilligung des Pabstes „abgethan", und die dabei angestellten „Pfaffen" traten in ihre geistliche Orden zurück.

Die jezige Schloßkirche bildet zu einem großen Theil die untere Etage des linken gegen die Neckarseite stehenden Schloßflügels, — ein freundlicher, in neueren Zeiten schön reparirter Betsaal mit Orgel, Kanzel und Altar. Sonst wurde an Sonntagen in dieser kleinen Kirche Gottesdienst gehalten und das Schloßpredigeramt verwalteten gewöhnlich ein examinirter Magister, oder die zwei Ersten der ältesten Magisterpromotion im theolog. Stift, welche Repetentenkost und Wein dafür zu geniessen hatten. In den neuesten Zeiten trat aber hier eine Veränderung ein durch das von Prof. Bahnmaier (1816) gestiftete und organisirte Predigerinstitut — eine neue Einrichtung, der zu Folge die älteren Kandidaten der Theologie aus dem Stift und aus der Stadt an jedem Sonntag (wo Vormittag und Nachmittag gepredigt wird) und Donnerstag in dieser Kirche sich in öffentlichen Vorträgen üben. Dieses Institut, das der Schloßkirche einen meist zahlreichen Besuch verschafft, steht jezt in seiner Blüthe unter der Direktion des Professors Schmid.

Katholische Kirche. Eine neue Kirche zunächst hinter dem Konvikt, wo früher das Ballhaus gestanden, welche im Jahr 1818 mit einem Aufwand von mehr als 8000 fl. ausschließlich für des katholischen Kultus erbaut worden ist. Die Banart ist durch nichts ausgezeichnet und einfach; das Innere hell und freundlich, und der Hochaltar mit einem schönen Oelgemälde geziert, welches eine Szene aus der Geschichte der Märtyrer darstellt. Die aufgestellte Orgel war früher ein Eigenthum der ehmaligen Dominikanerkirche zu Mergentheim.

Ueber die katholisch-kirchlichen Angelegenheiten

der Stadt Tübingen knüpfen wir in historischer Hinsicht noch folgende Bemerkungen an *).

Die katholische Pfarrei in der hiesigen Universitätsstadt wurde erst zu Ende des Jahres 1806 auf Befehl des verstorbenen Königs Friedrich errichtet. Man räumte desfalls den Katholiken die Hospitalkirche provisorisch und in Gemeinschaft mit den Evangelischen zur Ausübung ihres Gottesdienstes ein. Zum ersten Stadtpfarrer wurde der bisher als Kaplan in Rottenburg am Neckar angestellte Priester Joh. Georg Dürlewanger ernannt; der Jahrgehalt desselben wurde nebst freier Wohnung und 4 Meß hartes Holz auf 600 fl. festgesezt, und auf den Ueberschuß der katholischen frommen Stiftungen des Landes angewiesen. Im J. 1807 gieng auf königl. Befehl die, eine kleine Stunde von Tübingen entlegene, katholische Pfarrei Ammern ein. Das Landgut Ammern (der Ammerhof genannt) war nämlich ehmals eine Statthalterschaft des Klosters Marchthal, und fiel bei der allgemeinen Säkularisation der deutschen Klöster und Siftungen dem Fürsten von Thurn und Taxis zu. Dieser erhob im J. 1803 die dortige Kirchenstelle zu einer förmlichen Pfarrei, und warf für den Pfarrer in Ammern

*) Wir verdanken diese historische Notizen der gefälligen Mittheilung des gegenwärtigen Hrn. Stadtpfarrers und Konviktdirecktors L. Koch.

eine sehr ansehnliche Kompetenz aus, nach welcher zu Folge eines bischöflich-konstanzischen Erlasses vom Jahr 1805 die Pfarrbesoldung in 619 fl. 40 kr. an Geld, in freier Wohnung, Scheune und Gartengenuß, so wie auch in einem beträchtlichen Quantum von Naturalien bestehen sollte. Aus diesem Gehalt wurde bei der Vereinigung der Pfarrei Ammern mit Tübingen dem katholischen Stadtpfarrer zur Remuneration der dortigen Pastorationsdienste eine Besoldungszulage von 250 fl. ausgemittelt, und auf den Ammerhof versichert. Eben so erhielt der katholische Küster in Tübingen von dorther jährlich 60 fl. Ausserdem mußten sämmtliche Kirchengeräthschaften und Paramente, wie sie in der Kirche zu Ammern sich vorfanden, an die katholische Pfarrkirche in Tübingen frei abgeliefert werden.

Nachdem im Herbst 1817 die akademische Lehranstalt für katholische Theologie von Ellwangen nach Tübingen verlegt, und ein höheres Konvikt für die dem Priesterstand sich widmende akademische Zöglinge errichtet war, so fühlte und erkannte man sogleich das nothwendige Bedürfniß einer eigenen Kirche für die jezt bedeutend vermehrte katholische Einwohnerschaft, und es wurde zum Bau der obengenannten Kirche aufs schleunigste Hand angelegt. Jezt verband man aber die Stadtpfarrei mit der Konviktdirektorsstelle, und der Gehalt beider nun vereinigten Stellen wurde auf 1200 fl. an Geld, freie Wohnung und andere Emolumente festgesezt. Begriffen sind darunter die 250 fl., welche der Eigenthümer des Ammerhofs, gegenwärtig Herr v. Spittler, zu bezahlen hat. Bei diesen veränderten Verhältnissen wurde der bisherige Stadtpfarrer Dürlewanger als Pfarrer nach Apfelbach bei Mergentheim versezt; an seine Stelle trat der neue Konviktsdirektor Joseph Sperl, nach dessen Abgang auf die Pfarrei Dürmentingen bei Riedlingen, der vormalige Schulinspektor und Professor Leopold Koch von Ravensburg gefolgt ist. Sämmtliche Repetenten des Konvikts nebst den sogenannten Lehrpräparanden sind Vikarien an der katholischen Stadtpfarreikirche.

Im Ganzen sind gegenwärtig 12 Haushaltungen von katholischer und 10 von gemischter Konfession vorhanden. Die Gesammtzahl der Katholiken beträgt laut der Bevölkerungstabelle vom J. 1821, nach Abzug von 5 Repetenten und 167 Studirenden, 52 Seelen.

## Unterrichtsanstalten.

### Pädagogarchat.

Schon 1590 visitirte der Dekan der philosophischen Fakultät als Pädagogarch alle Landesschulen ob der Steig, nachher wurde diese Würde einem Professor der Fakultät auf immer überlassen. Seit der neuen Einrichtung vom März 1821 erstreckt sich seine Aufsicht nicht mehr über alle Schulen des Oberlandes, sondern bloß noch hauptsächlich auf die des Schwarzwaldkreises, dagegen visitirt er auch katholische Schulen und Gymnasien. Gegenwärtig ist Prof. Schott Pädagogarch.

### Scholarchat.

Das hiesige Scholarchat besteht aus dem gemeinschaftlichen Oberamt, beiden Diakonen und dem Stadtschultheiß, auch dem Rektor des Lyzeums, welcher ein votum consultativum dabei hat. Das Lyzeum wird jedes Frühjahr vom Pädagogarchen, jeden Herbst vom Scholarchat visitirt.

### Schulen.

So sehr sonst die stillwirkenden Künste des Friedens durch die rauschenden Begebenheiten der politischen Geschichte übertäubt zu werden pflegen, so hat uns doch der fleißige Crusius die Nachricht aufbewahrt, daß sich schon 1377 zu Tübingen eine Schule befand, wo man Grammatik, Logik und Philosophie lehrte. Daß das Pädagogium von einer eigentlichen Schule verschieden war, ist oben bei dem Kontubernium angegeben. Die Schola anatolika (österbergische Schule) entstand ungefähr in der Mitte des sechzehnten Jahrhunderts und hatte vier Klassen; der Lehrer der vierten oder höchsten Klasse hieß Rektor dieser Schule *). Auch ließ Herzog Christoph eine be-

---

*) Eine Aufzählung der Lehrer in allen 4 Klassen, von den ältesten Nachrichten an, findet sich in der Vorrede von M. J. Ferber's Schuljubelfest, heraus-

sondere Schreib- und Rechnungsschule (Modistenschule) errichten. Im J. 1589 wurde das 1497 gemachte Beinhäuschen der Georgenkirche eingerissen und die Mädchenschule an seine Stelle gebaut. 1819 wurde der anatolischen Schule der Rang eines Lyzeums ertheilt und eine fünfte Klasse damit verbunden.

Diese fünfte Klasse ist für sich bestehend unter Aufsicht und Mitwirken von Prof. L. J. Tafel, welcher darin die griechische Sprache lehrt. Den Unterricht in der Religion, in der lateinischen Sprache, Geschichte, Geographie und die deutschen und lateinischen Stilübungen besorgt Helfer M. Pressel, den Unterricht in der hebräischen Sprache giebt Rektor Kaufmann, in Mathematik Joh. Erchinger. Ueber die untern 4 Klassen hat Rektor L. Fr. Kaufmann, 47 J. alt, die Aufsicht; er ist zugleich Lehrer der vierten, in der dritten ist Präzeptor Ludw. Friedr. Bärlin, 32 Jahre alt, in der zweiten Phil. Heinr. Werner, 61 J. alt, in der ersten Joh. Heinrich Mayer, 45 J. alt. Das Rechnen in allen 4 Klassen lehrt Joh. Erchinger. Das seit 1811 mit großen Kosten

---

gegeben von M. J. F. Scholl, Lehrer der zweiten Klasse. Tübingen 1746. Dieser Ferber, von Kirchheim unter Teck gebürtig, war Rektor hier, und begieng 1746 öffentlich die Feier seines 50jährigen Schuldienstes, das erste Beispiel dieser Art in Würtemberg.

hergestellte und vergrößerte Lyzeumsgebäude ist eines der schönsten unserer Stadt und wird von dem jedesmaligen Rektor des Lyzeums bewohnt.

Der Mädchenschullehrer heißt Christoph Benjamin Weiß, 42 J. alt, (er ist zugleich Stifts-Organist); die Modisten- oder Knabenschule wird von dem Lehrer der 2ten Klasse, Wilh. Friedr. Wüst, 25 Jahre alt, versehen, weil der vorige Modist, Joh. Friedr. Groß, 70 J. alt, Alters halber zur Ruhe versezt wurde, jedoch mit dem Auftrag, einen Provisor an der 2ten Klasse zu halten, die sonst der 2te Lehrer mit dem Charakter eines Kollaborators versah. Beide Schulen haben 3 Abtheilungen, und in jeder sind 2 Provisoren angestellt.

Die gesammte Schülerzahl der hiesigen Diözese besteht aus 5629 Kindern. Es sind in dieser Diözese 29 Schullehrer in den Mutterorten und 12 auf den Filialen, 23 Provisoren, worunter 4 perpetuirliche. — In Tübingen selbst sind in der deutschen Schule 298 Knaben und 457 Mädchen; das Lyzeum hat 212 Schüler, nämlich die erste Klasse 43, die zweite 43, die dritte 41, die vierte 57, die fünfte 28. Die fünfte Klasse wird auch von vielen Auswärtigen aus allen Gegenden des Landes, besonders von Katholiken, welche sich der Theologie widmen wollen, und selbst von Ausländern besucht, sogar wenn eigene Anstalten dieser Art in ihrer Vaterstadt sind. (Angaben vom Sommerhalbjahr 1821).

## Anstalt für höhere weibliche Bildung.

Es scheint hier der passendste Ort, die seit dem 14. Juli 1818 vom Staat unterstüzte und dem Dekanatamt untergeordnete, aber schon seit 15 Jahren hier bestehende weibliche Erziehungs- und Unterrichts-Anstalt des Fräuleins Julie von May aus Bern aufzuführen. Sie ist für in- und ausländische Adliche und Töchter aus gebildeten Ständen bestimmt; die Unterrichtsgegenstände in derselben sind deutsche und französische Sprache, Sprechen und Schreiben, Religion, Geschichte, Geographie, Naturkunde, Rechnen, Zeichnen und Musik. Mit diesen Gegenständen werden Uebungen in allen weiblichen Arbeiten nach einer richtigen Stufenfolge verbunden. Sittlich-religiöse Erziehung ist der Hauptcharakter dieser Anstalt. Sämmtliche Lehrgegenstände haben das erforderliche Lehrpersonal. Die Anstalt selbst befindet sich in einem an der Stadt liegenden, in einem Garten erbauten, gesunden und geräumigen Wohnhause und die Unternehmerin sorgt für ihre Elevinen mit mütterlicher Sorgfalt. Die Bedingungen, über die man mit derselben schriftlich übereinkommt, sind billig und der Zeit angemessen. Auch für Eltern aus der Stadt ist mit dem Institut eine Unterrichtsanstalt in weiblichen Arbeiten in Verbindung gesezt.

## Anstalten für Arme und Kranke *).

Im Jahre 1528 wurde das Betteln verboten, und vor dem Salzstübchen (salinarium hypocaustulum) Almosen ausgetheilt, 1709 wurde eine Almosenanstalt eingeführt, sie gieng aber bald wieder ein und der Gassenbettel nahm mehr überhand als vorher, bis 1743 von Seiten der Regierung eine neue Almosenordnung gemacht wurde, wornach die Bedürftigen wöchentlich mit Geld und Brod unterstüzt wurden, dafür aber ein blechernes Zeichen vorne an ihren Kleidern öffentlich tragen mußten. Im J. 1775 wurden die hiesigen Polizei, Bettel- und Armenanstalten durch einen eigens dazu abgeordneten Kommissär, den gewesenen Oberamtmann Müller von Sulz eingerichtet und ein Armen- und Polizeiinspektor aufgestellt. Im J. 1795 legte Kaufmann Wucherer für die Bewohner der Oberämter Tübingen und Bebenhausen ein Spinninstitut an, es entsprach aber seinem Zwecke nicht, die Industrie zu wecken, und wurde 1799 aufgehoben, dagegen aber Aufmunterung der Industrie von der Regierung befohlen.

Im Anfange des Jahres 1815 bildete sich unter den hiesigen Einwohnern ein freiwilliger Verein, mit dem Vorsaze, der überhandnehmenden Armuth und dem sittenverderblichen Gassenbettel

*) Mit Ausnahme des schon oben beschriebenen Klinikums.

durch nüzliche Beschäftigung der Armen, durch Vermehrung und zweckmäßige Anwendung der Armenunterstüzungsmittel wirksam zu begegnen. Dieses Vorhaben wurde in einem Reskript der Sektion der Krondomänen (11. April 1815) genehmigt und die Stiftungs-Verwaltung legitimirt, diese Anstalt durch monatliche vertragsmäßig bestimmte Beiträge nach Möglichkeit zu unterstüzen. So nahm die Anstalt im Juni 1815 wirklich ihren Anfang; man miethete hiezu ein Haus in einer stillen Gegend der Stadt mit den zugehörigen Gebäuden. In diesem, (das seit 1817 mit einem eigens im Spitalhofe erbauten Hause vertauscht ward, welches leztere bedeutende Erweiterungen durch Privatbeiträge gewonnen hat), waren die Arbeitszimmer der Kinder, die Wohnung eines Aufsehers und andere ökonomische Einrichtungen. Zwei Arbeitszimmer waren bestimmt für 12 Knaben (im Jahr 1817 waren es 27, jezt gegen 40 — 50 von 7 — 14 Jahren), welche Wolle strichen und spannen, auch Strohböden, geflochtene Schuhe und dgl. verfertigten. Zwei andere Arbeitszimmer anfangs für 60 (1817 für 110, jezt ungefähr 160) Mädchen von 6 — 17 Jahren, welche allerlei weibliche Arbeiten unter Anleitung von Lehrerinen verrichteten, deren jezt drei sind. Statt der Kost wurden ihnen ihre Arbeiten bezahlt und zum Besten des Institutes verkauft, auch wurden sie durch besondere Belohnungen zum Fleiß und Sittsamkeit aufgemuntert, und ausserdem zum Besuchen der Kirchen und Schulen angehalten; sie erhalten auch wöchentlich Religionsstunden von einem der Geistlichen, der zugleich das in sittlicher Hinsicht zu Rügende berichtigt. Zuvor hatten sie Morgens und Abends Brod, Mittags aber eine hinreichende Portion Suppe erhalten, was aber bald nicht mehr als zweckmäßig erkannt wurde. — Diese Kinderbeschäftigungsanstalt erfreut sich der besondern Theilnahme und mütterlichen Aufsicht mehrerer hiesigen Frauen. Eben solche Suppenportionen nebst wöchentlicher Unterstüzung durch Brod und Geld erhielten auch andere arme Familien. Für Kranke wurde durch die von dem Physikatamt in dem hiesigen Spital angeordnete Speise gesorgt. Auch Hausmiethen, Kleider und Holz in verminderten Preise wurde den Bedürftigen bewilligt. Zur zweckmäßigen Vertheilung der Beiträge wurde die Stadt unter 4, seit 1817 aber unter 8 Distriktsvorsteher eingetheilt, deren Amt es war, dafür zu sorgen, daß die Unterstüzung der Armen ihres Distrikts im Verhältniß mit ihren wirklichen Bedürfnisse stehe, daß jeder Mißbrauch der Unterstüzung verhütet werde, daß die Armen durch gewissenhaftes Arbeiten sich selbst soviel als möglich verdienen, und daß arme Familien, die schlecht leben oder gar dem Bettel nachgehen, zur Besserung ermahnt werden.

So bestand das Institut als die Königin Katharina 1817 einen Bericht über dasselbe verlangte, den sie den 17. Jan. erhielt; aus demselben erhellt, daß ausser dem monatlichen Beitrag der Stiftungsverwaltung von 375 fl. die 19 Mitglieder, woraus damals der Verein bestand, sich jährlich zu 223 fl. 54 kr. und 1 Scheffel Dinkel (Spelz) und zu Besorgung und Leitung der verschiedenen Geschäfte dabei anheischig gemacht hatten. Die gesammten jährlichen Beiträge von Privatpersonen machten 1445 fl.

Damals waren im Ganzen 390 Arme hier, welche in gewöhnlichen Jahren gegen 7000 fl. jährlich gekostet haben würden, bei der damaligen Theürung aber 9 bis 10,000 fl. erfoderten, zu deren Herbeischaffung sich der wohlthätige Sinn der Einwohnerschaft sehr thätig bewies. Einer besondern Erwähnung verdient ausser andern frühern und spätern Stiftungen mit gleicher Bestimmung noch ein Geschenk des Prof. L. v. Dresch von 200 fl. um für die jährlichen Zinsen dem fleißigsten und sittsamsten Mädchen bei ihrer Konfirmation oder Firmelung die nöthigsten Kleidungsstücke anzuschaffen.

Ausserdem ist hier, wie in allen württembergischen Städten ein sogenannter Heiligenkasten nebst vielen Stiftungen, vermöge welcher den Armen wöchentliche Almosen abgetheilt werden, auch werden häufig Kollekten veranstaltet.

Für Kinder armer Eltern ist eine sogenannte Pauperanstalt errichtet, für welche das Schulgeld und andere Bedürfnisse aus Stiftungen und freiwilligen Beiträgen bestritten werden. Zu diesem Zwecke singen sie alle Donnerstage vor den Häusern. Die Inspektion über dieselbe hat der Rektor des Lyzeums, ihr Lehrer und Oberzensor ist der Pauperpräfekt Albrecht. Nach einer neuern Einrichtung sucht man sie zu Schullehrern zu bilden; ihre Anzahl belauft sich gegenwärtig auf acht.

Der Bürgerspital für Arme, Alte und kränkliche Personen beiderlei Geschlechts stand schon 1413; er enthält gegen 90 Arme, einen Spitalvater, Spinnmeister und eine Köchin. Das Gutleuthaus, eine Viertelstunde von der Stadt entfernt, unter der Aufsicht eines Gutleuthausvaters, enthält 20 Arme, die zum Theil bloß freie Wohnung erhalten. In genauer Verbindung damit ist das hinter demselben stehende Siechenhaus (Lazarethhaus *), welches 1612 erbaut wurde und für eckelhafte, ansteckende und unheilbare Kranke dient, auch zwei Tollstuben für

*) Damit ist nicht zu verwechseln das Universitäts-Lazarethhaus, welches unweit des Schmitthors, zwischen diesem und dem Lustnauerthore stand, wo sich noch ein Schöpfbrunnen mit dem Universitätswappen befindet; auch das Pesthaus auf dem Wege nach Lustnau zwischen dem botanischen Garten und der Kelterei führte diesen Namen. Beide sind jezt an Privatleute verkauft und werden nicht mehr benüzt.

Wahnsinnige enthält. Diese beiden Häuser bewahrten im lezten Kriege die Stadt vor ansteckenden Krankheiten. Eine dazu gehörige Kapelle wurde im J. 1817 abgebrochen. Das Seelhaus in der untern Stadt wird von dem Bettelvogte und armen Familien bewohnt, die im Almosen stehen. Im Oberamtsbezirke befinden sich ausserdem noch zwei Armenhäuser: eines in Lustnau und eines in Derendingen. — Doch nicht bloß auf die Menschen, sogar bis auf die Thiere hat sich die Mildherzigkeit der hiesigen Einwohner erstreckt, wie die Breuningswiese beweist, auf welcher abgetriebene Fuhrmannspferde unentgeldlich weiden durften.

Der jezige Kirchhof ausserhalb der Stadt wurde aus Gelegenheit der Pest im Jahr 1548 angelegt und 1815 beträchtlich erweitert.

## Beschreibung der Stadt.

Tübingen liegt am Zusammenfluß des Neckars und der Ammer *) auf dem Sattel eines Gebirges, dessen westlicher Theil von dem darauf erbauten Schlosse den Namen Schloßberg erhalten hat, (ehmals hieß er auch der Kauzenbühel), der östliche heißt wegen dieser Lage der Oesterberg (Mons anatolicus) **).

*) Eine kleine Strecke unterhalb der Stadt nimmt der Neckar auch die Steinlach auf.

**) Dieser Berg wurde durchgraben, so daß die Stadt noch auf einem Theile desselben steht und zwischen

Die Abwechslung der zum Theil bewaldeten Berge, in deren Hintergrunde die hohen Alpen herüberragen, mit weiten und mehrere Stunden langen ebenen Thälern, das Ganze voller Fruchtfelder, Wiesen und Weinberge gewähren unserer Gegend alle Reize der anmuthigsten Landschaft. Einer der schönsten Standpunkte ist die Kuppe des Oesterberges, welche von dem, in jeder Rücksicht für das Wohl und die Verschönerung Tübingen's so thätigen, Kanzler v. Autenrieth eine Art englischer Anlagen erhalten hat (die Autenriethshalde). Nicht weit davon steht auch das Gartenhäuschen, in welchem der berühmte Wieland zu seinem Oberon begeistert worden seyn soll.

---

beiden Theilen die Ammer durchgeleitet wurde, welche jedoch auch noch einen Arm gegen Lustnau zu macht und dort in ihrem alten Bette in den Neckar fällt. Diese Durchgrabung eines ganzen Berges war ein ungeheures Werk; ein langer Kanal mußte geführt werden und in einem Theile der Stadt unter der Erde, seine Größe beweisen die vielen hiesigen Mühlen, die einzig von der Ammer getrieben werden. Die bei dem Bau verbrannten Lichter sollen troz der Wohlfeilheit jener Zeiten allein 100 fl. gekostet haben. So merkwürdig dieses Werk ist, so kann man doch weder seinen Zweck, noch die Zeit seiner Entstehung mit Gewißheit angeben. Der Zweck war nach einigen Quellen, den das ganze Thal verheerenden Ueberschwemmungen der Ammer vorzubeugen, nach andern, den hiesigen Gewerben Mühl-

Aber eben diese Lage an einem Berge und das hohe Alter unserer Stadt gaben ihrem Innern ein unregelmäßiges und häßliches Ansehen, doch gewinnt sie von Jahr zu Jahr durch neue geschmackvolle Gebäude. Sie theilt sich in den Theil am Schloßberg, die obere Stadt, (welche erst seit der Gründung der Universität entstand) und in die untere oder ursprüngliche Stadt. Die meisten Honoratioren bewohnen den obern Theil, wodurch sie alle in einen kleinen Bezirk vereinigt sind. Die untere Stadt hat wieder vier Theile; der von dem Lustnauer-Thore bis zur langen Gasse gehende heißt das Rübenloch, die Gegend von da bis zum Schmidtthore heißt „am Bache",

---

wasser zu verschaffen. Nach einigen wurde es von der hiesigen Bürgerschaft auf ihre Kosten im J. 1450 ausgeführt, nach andern von Eberhard im Bart und zwar im J. 1482. Auch Herzog Christoph ließ einen langen Kanal für die Ammer graben. Der Neckar, welcher ehmals viele Krümmungen machte, wurde gleichfalls von Rottenburg bis Tübingen mittelst eines Dammes in beinahe ganz gerader Richtung geführt, wodurch gegen 1000 Morgen Wiesen gewonnen wurden. Schon Herzog Christoph wollte ihn bis oberhalb Tübingen schiffbar machen und im Jahre 1714 wäre dieses Unternehmen beinahe zur Ausführung gekommen, wenn nicht politische Verhältnisse, namentlich mit der Reichsstadt Eßlingen, im Wege gestanden wären.

von hier bis zum Haagthor ist der Brül *), der Theil am nördlichen Abhange des Oesterberges heißt „unter dem Haag", weil hier wahrscheinlich ehmals ein Haag (Hecke) war. Die Stadt hat 5 Thore, das Lustnauer-, Neckar-, Hirschauer-, Haag- und Schmidtthor, (das Lustnauer-, Hirschauer- und Haagthor wurden 1482 erbaut), über jedem derselben steht nach alter Art ein Thurm mit Gefängnissen, bloß der über dem Neckarthor wurde 1805 weggebrochen und ein Staketenthor dafür errichtet.

## Das Schloß.

Die alte Pfalz der Herren von Tübingen stand auf dem westlich von der Stadt gelegenen Schloßberge, sie war größtentheils von Holz erbaut. Herzog Ulrich ließ sie 1535 abbrechen und ein neues steinernes Gebäude aufführen **). Das Schloß konnte bloß ehmals fest genannt werden, auch hat es selten dem Feinde großen Widerstand geleistet, bloß 1164 und 1547 konnte es nicht

*) Von Crusius auch Brolium (Thiergarten), von Sattler Brügel genannt. Das Wort Briel, Bryl hatte in der alten teutschen Sprache die Bedeutung „ein eingeschlossener Plaz", verwandt dem französischen breuil. Auch in Venedig hat der Broglio (περιβολαιον) eine ähnliche Bedeutung.

**) Er baute 5 Jahre lang daran, und der Bau kostete 64,287 fl.

eingenommen werden. Gegen die Stadt zu hat es eine Bastion und einen Wall, beide sehr massiv von Quadersteinen erbaut, auf welchen man einer herrlichen Aussicht genießt; eine dritte Bastion steht in der Neckarhalde gegen dem Neckar zu. Das Schloß selbst ist ein viereckiges Gebäude mit einem Hofe in der Mitte, worin ein laufender Brunnen mit 4 Röhren *), wiewohl es gegen 200 Fuß über der Neckarfläche steht. In den 4 Ecken standen sonst 4 Thürme, wovon aber zwei abgebrochen sind, und der vierte zur Sternwarte eingerichtet ist. Von hinten gegen den Berg zu, wo man am leichtesten beikommen konnte, war das Schloß am meisten befestigt. Ausser den beiden genannten Thürmen stand in der Mitte der hintern Fronte ein dritter, der Pulverthurm genannt, und ein Bollwerk gegen die Ammer zu, dann kommt ein breiter tiefer gefütterter Graben, aus dem ein unterirrdischer Gang in den Berg geht, der, wie man sagt, einst bis zu der Wurmlinger Kapelle führte. Hinter dem Graben ist eine Flesche von Quadersteinen aufgeworfen. Der Ausfall auf den Berg geschah durch überwölbte Gänge, wo noch starke eiserne Angeln das Daseyn mehrerer festen Thore anzeigen, und Fallgatter den schon eindringenden Feind abschneiden konnten. Der Zugang zu dieser Thüre

*) Er bekommt sein Wasser aus der Maderhalde hinter dem Käsebach.

geschieht auf einem steilen Weg, der vom Schlosse aus leicht gesehen und beschossen werden kann und auf dem die Feinde doch die Ausfallenden nicht erblickten. Um bei Belagerungen nie Mangel zu leiden, grub man in einem unterirrdischen Gewölbe einen tiefen Ziehbrunnen bis auf die Neckarfläche hinab, dessen Tiefe vom obern Rande an gerechnet noch gegenwärtig 137 par. oder 155½ württ. Fuß beträgt. Auf der andern Seite war ein schön und starkgewölbter Keller (die Dicke des Gewölbes soll 22 Fuß betragen). Zwischen 1546 und 1548 wurde hier ein großes Faß gemacht, das große Buch genannt. Es ist 24 Fuß lang, 13 hoch, und hält 286 württembergische Eimer, jezt ist es unbrauchbar.

Das Schloß hat mehrere nach alter Art schöne Zimmer, sie sind groß, ganz getäfelt, an den Wänden befinden sich zum Theil sehr kunstreiche, eingelegte und geschnizte Arbeiten. In dem sogenannten Tafelzimmer gegen Norden, das eine Zeit lang den Studirenden als Fechtboden eingeräumt war, jezt aber für die Bibliothek bestimmt ist, befand sich noch vor Kurzem *) eine schwarze Tafel, worauf die Namen der Ritter, die das Schloß 1519 so schändlich übergaben, mit goldnen Buchstaben verzeichnet stehen. Unter dem Tafelzimmer befand sich der Rittersaal und das Zeughaus, worin alte Rüstungen und Waffen

*) Sie wird jezt an einem andern Orte aufbewahrt.

auch ein kleiner Kugelvorrath war, es wurde aber abgeführt und der Saal ist jezt zur Bibliothek eingerichtet. In dem Flügel gegen Mittag ist die Schloßkirche, die oben beschrieben wurde. Neben derselben ist das chemische Laboratorium und der chemische Hörsaal und in der südwestlichen Ecke der tiefe Brunnen und ein sogenanntes Jauner-Gefängniß mit einer hölzernen und einer eisernen Thüre. Im obern Stockwerke sind die naturhistorischen Sammlungen und zwei Hörsäle. Im östlichen Flügel ist eine modern eingerichtete Professorswohnung, vor welcher sich ein steinerner Altan befindet, ein Hörsaal, der Saal für Experimentalphysik und die Sternwarte. Auf dem Vorwerke steht eine eiserne Lärmkanone. Im westlichen Flügel ist oben eine Professorswohnung, unten eine für den Unterbibliothekar, zwei Hörsäle, und ein Lesezimmer für die Bibliothek, alles neu eingerichtet. Ganz unten ein Marstall und die Ueberreste eines ungewöhnlich grossen Backofen nebst den überwölbten Gängen, an dem Thurm auf der nordöstlichen Ecke eine Schlaguhr, unter demselben der Schloßkeller. Inwendig sind auf zwei Seiten bedeckte Gallerien, die bei Regenwetter häufig von Spaziergängern besucht werden. Zwischen diesem Flügel und dem Graben steht die Wohnung des Schloßwachtmeisters, die kalte Herberge genannt, darneben ist ein sehr tiefes Gefängniß, in welches man ehmals hinuntergehäspelt wurde.

Als die Stadt an Württemberg kam, so erhielt das Schloß seine eigene Jurisdiktion unter dem Schloßkommandanten, von welchem auch einige in der Stadt wohnende Personen, der Schloßkiefer u. s. w. abhängig waren, doch durfte der Stadtmagistrat vier Schildwächter auf das Schloß sezen, dieses Recht nahm ihm aber der Kaiser 1520, als das Schloß in seine Gewalt kam.

## Einzelne öffentliche Gebäude.

Das Rathhaus, ein beräuchtes, häßliches, hölzernes Gebäude wurde 1435 erbaut. Gegen den Markt zu hat es eine 1511 verfertigte Uhr, die ausser den Stunden auch den Lauf des Mondes und der übrigen sogenannten 7 Planeten anzeigt. Neben derselben ist ein Balkon, auf welchem sonst die Herzoge von Württemberg in eigner Person die Huldigung einnahmen. In demselben wurde früher auch das Hofgericht gehalten. Unter ihm ist der Spitalkeller, welcher 300 Eimer Wein fassen kann.

Der Bebenhäuser Pfleghof, ein Gebäude, das sehr zwecklos einen großen Raum in der Stadt wegnimmt, steht an dem abgeschnittenen Stücke des Oesterbergs. Schon 1291 wird er unter andern Fron- und Freihöfen erwähnt, er hieß auch der Abthof. Mit ihm war das Patronatrecht von Tübingen verbunden, das Graf Gottfried 1295 dem Kloster schenkte. Als Tübingen verkauft wurde, blieb der Hof dem Kloster, welches damals auch noch einen Hof in der Münzgasse behielt, wahrscheinlich da, wo jezt das Universitätshaus steht, 1492 wurden die massiven Mauern aufgebaut. Noch in der Mitte des vorigen Jahrhunderts hatte dieser Hof einen eigenen jezt zugemauerten Ausgang in der Stadtmauer. Mit ihm wurde der Blaubeurer Pfleghof vereinigt, der schon vor 1440 hier war, er soll in dem jezigen Marstalle gewesen seyn, und auch das Nonnenhaus besessen haben. Im Jahre 1664 war er noch für sich bestehend. Auf dem Pfleghof werden jezt die Fechtübungen unter Leitung des Fechtmeisters von den Studirenden gehalten.

Auf dem Kornhause war ehmals ein Fecht- und Tanzboden, es soll das älteste Gebäude seyn, und die Jahrszahl 600 daran stehen, dieses ist jedoch nicht wahrscheinlich, da es durchaus von Holz erbaut ist.

## Brunnen.

Von Brunnen sind hier 12 Röhren- und mehrere Schöpfbrunnen. Der Schloßbrunnen, Konvikts- und Klostersbrunnen wurden schon erwähnt, der Marktbrunnen und Georgenbrunnen (dieser bei der Stadtkirche 1523 erbaut) haben jeder 4 Röhren. 1524 wurde der Spitalbrunnen gemacht *).

*) Die Quelle des Marktbrunnen ist im Heiland und der Deglichkling; die des Georgenbrunnen im Roth-

Die Quellwasser und Brunnen in Tübingen zeigen sowohl in ihren chemischen Bestandtheilen als in ihrer Temperatur viele Verschiedenheiten. Sie enthalten alle etwas freie Kohlensäure mehr oder weniger erdige Bestandtheile mit einigen Salzen; unter diesen Bestandtheilen ist bei allen diesen Quellen kohlensaure Kalkerde der vorherrschende Bestandtheil.

Folgende Zusammenstellung giebt eine nähere Vergleichung der verschiedenen Reinheit der Hauptquellen der Stadt, von welchen die verschiedenen einzelnen Brunnen ihren Zufluß erhalten; wir fügen zugleich die Hauptbestandtheile des Neckar-, Ammer- und Steinlachwassers zur Vergleichung bei, da auch diese Wasser zu manchen Zwecken, namentlich das Neckarwasser zu Bädern angewandt wird.

Das Wasser dieser Flüsse wurde bei völlig klarem Zustand derselben zu Ende Oktobers 1812 bei heiterer trockner Witterung zur Untersuchung geschöpft, nachdem es mehrere Wochen nur sehr wenig geregnet hatte; es wurde vor dem Abdampfen filtrirt und war vollkommen klar, so daß es nicht durch mechanisch beigemengte Erden verun-

bad oder Zieglichsloh; der Spitalbrunnen hat drei Quellen im Hasenbühl, beim Stöcklein und an der Wiese. Der Pfleghofbrunnen hat seine Quelle in dem linken Oesterberg. Ausserhalb der Stadt steht der Lützel- oder sogenannte Philosophenbrunnen.)

reinigt war, sondern diese wirklich chemisch aufgelöst enthielt, wie dieses in Quellwässer gewöhnlich der Fall ist.

| Wasserarten. | Bestandtheile. | | | |
|---|---|---|---|---|
| | Erden und Salze überhaupt in | | Kohlensaure Kalkerde in. | |
| | 100 Unzen | 1 Pfd. zu 16 Unzen | 100 Unzen | 1 Pfd. zu 16 Unzen |
| Lüzelbrunnen | 18,7 Gr. | 2,99 Gr. | 7,3 Gr. | 1,81 Gr. |
| Georgenbrunen | 21,5 — | 3,47 — | 14,2 — | 2,27 — |
| Schloßbrunnen | 26,4 — | 4,22 — | 19,0 — | 3,04 — |
| Marktbrunnen | 29,9 — | 4,79 — | 17,6 — | 2,81 — |
| Hospitalbrunnen | 38,4 — | 6,14 — | 23,2 — | 3,71 — |
| Neckarwasser | 37,5 — | 6,00 — | 20,8 — | 3,33 — |
| Ammerwasser | 69,7 — | 11,09 — | 22,1 — | 3,54 — |
| Steinlachwasser | 17,4 — | 2,78 — | 13,6 — | 2,18 — |

Das Hospitalbrunnwasser hat die Eigenschaft, daß sich Hülsenfrüchte darin weniger leicht weich kochen lassen, es besizt auch einen auffallend größern Erdengehalt als die übrigen hiesigen Brunnenwasser. Das Neckar-, Ammer- und Steinlachwasser enthält ausser der kohlensauern Kalkerde zugleich salzsaure und schwefelsaure Salze, am meisten von diesen Salzen enthält das Ammerwasser, dessen Quellen auch meist aus Gegenden kommen, welche reich an Gyps sind *); am wenigsten Salze enthält das aus dem Kalkgebirg kommende Steinlachwasser, auch enthält dieses weniger freie Kohlensäure; die kohlensaure Kalkerde, womit die Quellen der Alp sonst reichlich versehen sind, scheint sich bald nach ihrem Ursprung meist am Abhang und in den Thälern der Alp schon niederzuschlagen und daher im Steinlachwasser selbst weniger bis hieher zu kommen.

Die nähere Untersuchung der 3 Hauptquellen der Stadt ergab in 100 Unzen dieser Quellen folgende Bestandtheile.

**Lüzelbrunnen:**

| | |
|---|---|
| Kohlensaure Kalkerde | 7,386 Gran. |
| — — Bittererde | 4,545 — |
| Schwefelsaures Kali mit Kohlensaurem Natrum | 3,976 — |
| Salzsaures Natrum (Kochsalz) mit Salzsaurer Bittererde | 2,272 — |
| Kieselerde | 0,566 — |
| | 18,745 Gran. |

*) Das Ammerwasser enthält in einem Pfund Wasser 3 Grane Gyps aufgelöst. Der starke Salz- und Erdengehalt des Ammerwassers stimmt sehr mit den schlechten Quellwassern überein, woran mehrere Gegenden des Ammerthals selbst auf eine der Gesundheit nachtheilige Art leiden, namentlich ist dieses der Fall in den Umgebungen von Herrenberg, Mönchberg, Braitenholz, Entringen, Jesingen und Kayh; im Pfarrhaus des leztern Orts findet sich eine etwas bittersalzig schmeckende Quelle, welche in einem Pfund sogar 24 Gran feste Bestandtheile enthält, und

Georgenbrunnen:

| | |
|---|---|
| Kohlensaure Kalkerde . . . . | 14,204 Gran. |
| — — Bittererde . . . | 2,840 — |
| Schwefelsaure Kalkerde (Gyps)<br>Schwefelsaures Kali mit<br>1 Spur kohlensaurem Natrum | 2,272 — |
| Salzsaures Natrum (Kochsalz)<br>Salzsaure Bittererde | 1,136 — |
| Kieselerde . . . . . . . . | 0,863 — |
| | 21,315 Gran. |

Marktbrunnen:

| | |
|---|---|
| Kohlensaure Kalkerde . . . . | 17,613 Gran. |
| — — Bittererde . . | 0,566 — |
| Kohlensaures Natrum . . . . | 3,977 — |
| Salzsaure Bitterde<br>Salzsaures Natrum (Kochsalz)<br>Salpetersaures Kali | 2,272 — |
| Schwefelsaures Kali . . . | 2,840 — |
| Schwefelsaure Kalkerde (Gyps) | 1,704 — |
| Kieselerde . . . . . . . . | 0,965 — |
| | 29,937 Gran. |

Die Temperatur der einzelnen Brunnen zeigt viele Verschiedenheiten, einige verändern das ganze Jahr hindurch ihre Temperatur wenig, bei andern steigt die Temperatur-Verschiedenheit in den verschiedenen Jahrszeiten selbst bis auf 10 — 11 Grade. Die vom Nov. 1820 bis zum Jan. 1822

zwar 11 Grane Gyps, 5 Grane kohlensaure Kalkerde mit einigen andern salzsauern und schwefelsauern größtentheils erdigen Salzen.

zu verschiedenen Jahrszeiten hierüber mit demselben Thermometer angestellten Beobachtungen ergaben folgendes *).

| Tag der Beobachtung. | Temperatur der Luft an diesen Tagen | Temperatur folgender Quellen. | | | | | | | | | |
|---|---|---|---|---|---|---|---|---|---|---|---|
| | | Lützel. | Hirschauerthor | Spital. | Markt. | Georgen | Schloß. | Neckarthor. | Neckarhalde. | Kloster. | Konvikt. |
| 16. Nov. | −3° R. | + 8 | + 7 | 5½ | 4½ | 4 | 4½ | 3 | 3 | | 3½ |
| 5. Jan. | + 3 | | 5 | 3 | 2½ | | 2 | 1 | 1 | 2 | |
| 29. Jan | − 3 | | 6 | 3 | 2½ | 2 | 2 | 3 | 1 | 2 | |
| 3. Febr. | − 4½ | | 6 | 3 | 2½ | 2 | | 3 | | 1½ | |
| 23. Aug. | + 20 | +9¼ | 10 | 12½ | 13 | 12 | 11 | | | | 13 |
| 27. Aug. | + 14 | +9¼ | 10½ | 13 | 13 | 12 | 11½ | 13¾ | | | 13½ |
| 27. Okt. | + 9 | +9 | 9¼ | 8½ | 8 | 8 | 8 | | 7 | | 7½ |
| 23. Jan. | + 3 | | 5 | 3½ | 3 | 2½ | | 2 | 2 | | 3 |

*) Manche dieser Brunnen laufen nicht das ganze Jahr hindurch regelmäßig, oder es traten andere Hindernisse am Tage der Beobachtung ein, daher die Temperatur nicht von allen jedesmal aufgezeichnet werden konnte.

Es ergiebt sich aus diesen Beobachtungen, daß die Quellen, welche eine kürzere tiefere Leitung besizen oder mehr unmittelbar aus dem Gebirg selbst kommen, das ganze Jahr hindurch eine weit gleichförmigere Temperatur besizen als die übrigen. Der Lüzelbrunnen und Brunnen am Hirschauerthor zeichnen sich in dieser Beziehung sehr vortheilhaft vor den übrigen aus, sie sind im Winter wärmer und im Sommer kälter als die übrigen Brunnen der Stadt.

## Einwohnerzahl.

Tübingen hatte nach der Bevölkerungsliste vom 1. Nov. 1820. 7659 Einwohner, worunter sich 1150 Fremde befanden; die Zahl der sämmtlichen Ortsangehörigen aber betrug 6637. (Im Jahre 1800 betrugen die Einwohner nur 5428, die Ortsangehörigen aber 5700). Von diesen Ortsangehörigen waren im J. 1820. 3302 männlichen und 3435 weiblichen Geschlechts, davon waren unter 14 Jahren 896 Knaben und 899 Mädchen, die Anzahl des männlichen Geschlechts verhielt sich ferner so: von 14 bis 18 Jahren 239; von 18 bis 25 J. 374; von 25 bis 40 J. 738; von 40 bis 60 J. 710 Individuen, und 300 waren über 60 J. alt. Die Anzahl der bestehenden Ehen betrug 1087. Von dieser Bevölkerung ist der größte Theil der evangelischen Religion zugethan, indem sich nur 44 Katholiken und 2 Reformirte darunter befanden. Es waren ferner darunter

40 Personen, die ohne Gewerbe von ihrem Vermögen leben, 950 Handelsleute, Wirthe und Professionisten, 300 Bauern und Weingärtner, 20 Tagelöhner und 350 in Almosen stehende. Die Einwohnerzahl des Oberamtsbezirks, die Stadt noch einmal mitgerechnet, beträgt 26318; die der Amtsangehörigen 25893, so daß wenn wir die Stadt selbst mit ihren vielen Fremden weglassen, mehr Amtsangehörige abwesend, als Fremde anwesend sind. Nehmen wir Memminger's Angabe der Oberfläche unseres Oberamts auf $3\frac{1}{2}$ QM. als richtig an, so kommen auf die Quadratmeile 7519 Einwohner oder 7398 Amtsangehörige, dadurch erscheint unser Oberamt als eines der bevölkertsten des Königreichs. Im ganzen Oberamt sind 12772 männlichen und 13121 weiblichen Geschlechts; 91 die vom bloßen Vermögen, 2437 die von bürgerlichen Gewerben leben, 1394 Bauern und Weingärtner, 706 Tagelöhner und 561 in Almosen stehende. Der evangelischen Religion sind 25694 zugethan, der katholischen 125, der reformirten 3; Juden giebt es 63, die sich bloß in Wankheim aufhalten, von andern christlichen Sekten 9 Separatisten, nämlich 5 zu Schlaitdorf und 4 zu Altenrieth.

## Verhältnisse des physischen Lebens der Einwohner.

Aus Vergleichung der Seelenzahl von zwölf Jahren von 1809 bis 1820, beides einschließlich, (wobei die Studirenden nicht gerechnet sind, wohl aber die ansäßigen Mitglieder der Universität) ergiebt sich, daß die Zahl derer, die in der Ehe leben, zur Zahl der einzeln Lebenden überhaupt genommen, sich verhält = 173 : 527 (also nahe zu wie 1 : 3;) daß von 55,05 Einwohnern überhaupt jährlich eines heirathet, oder von 37 Einzeln lebenden eines. In der Mittelzahl dauert eine Ehe 18 Jahre und 2 Monate. Auf eine Ehe kommt im Durchschnitt an Kindern 4,885. — Die Zahl der unehlichen Kindern zu den ehlichen war (die in der Gebähranstalt des Klinikums von auswärtigen, bloß ihrer Niederkunft wegen hieher kommenden, Müttern Gebornen nicht gerechnet) wie 1 : 13, 34. Die beiden Jahre 1810 und 1814, in welchen die geringste Zahl unehlicher Kinder hier geboren wurde, nämlich nur 8 und 7, entsprechen in Absicht auf ihre Erzeugung, den Jahren 1809 und 1813, in welchen auswärtige Kriege in Oesterreich und Rußland geführt wurden.

Innerhalb 40 Jahren von 1780 bis 1819, beides einschließlich, wurden geboren: Knaben 4475, Mädchen 4279. Das Verhältniß der gebornen Knaben zu den gebornen Mädchen ist also = 1045 : 1000. In den 1ten 20 Jahren aber = 1013 : 1000, in den 2ten 1077 : 1000, was also, da man anzunehmen berechtigt ist, daß gleich viel Knaben und Mädchen erzeugt werden, eine größere Anzahl von Abortus, die immer zahlreicher das erzeugte weibliche Geschlecht betreffen, anzeigen würde; und da aus andern Beobachtungen sich zeigt, daß nur diejenigen Familien sich ausbreiten, in welchen im Allgemeinen genommen, gleichviel reife Knaben und Mädchen geboren werden, während im Gegentheil diejenige Familien abnehmen, wo ein auffallendes Mißverhältniß des Geschlechts bei den Gebornen eintrifft, wobei nicht bloß von einer Scheinabnahme der Familien die Rede ist, dadurch, daß die Mädchen bei ihrer Verheirathung ihren elterlichen Namen verlieren, (vergleiche die in Tübingen erschienene Dissert. Autenrieth et Baur Topogr. med. Pagi Ergenzingen 1810) so würde, wenn dieses Mißverhältniß hier wachsen sollte, wahrscheinlich die Zunahme der Einwohnerzahl sich wieder beschränken. Der Ueberschuß der Gebornen über die Gestorbenen beträgt in jenen 40 Jahren 750, wovon auf die lezten 12 Jahre 344 kommen, bei einer im Durchschnitt 6591 betragenden Einwohnerzahl, die sich also, das Wegziehen hier Geborner und das Hereinziehen Fremder nicht gerechnet, in 230 Jahren erst verdoppeln würde, wenn nicht sogar Einschränkungen, die vielleicht in der Vermehrung der Einwohner auf einen beschränkten Bezirk selbst liegen, eine steigende Zunahme noch mehr verhindern. Es starben hier in den angegebenen 40 Jahren 8004 Personen; derer aber, welcher Alter mit Ausschluß der Todtgebornen in den Kirchenbüchern angegeben ist, sind es 7622; von Jahgetauften, deren 234 waren, wird man im Durchschnitt das Leben eines auf 1 Tag sezen können, von denen 801, die innerhalb der ersten 6 Wochen starben, auf 3 Wochen, die 1601 die zwischen 6 Wochen und 2 Jahren starben auf 55 Wochen. Die 897, zwischen 2 und 7 Jahren verstorben, auf $4\frac{1}{2}$ Jahre; 285 zwischen 7 und 15 auf 11 Jahr; 301 von 15 bis 25 Jahr auf 20 Jahr; 539 zwischen 25 und 40 auf $32\frac{1}{2}$; 1000 zwischen 40 und 60 auf 50; 1672 zwischen 60 und 80 auf 70; von den 292 die über 80 geworden, wird man jeden im Durchschnitt zu 83 rechnen können. Somit wäre das mittlere Lebensziel aller Lebendiggebornen 29 Jahre 17 Wochen.

Todtgeborne waren unter 8004 Gestorbenen 330, somit also zur Zahl der Todten überhaupt = 100 : 2426; zur Zahl der Gebornen aber (die wegen des Auswanderns aus der Stadt und Einwanderung in dieselbe von der Zahl der Gestorbenen verschieden seyn kann) = 100 : 2653; die Zahl der Lebendiggebornen, aber von der Geburt an bis zum 2ten Jahr Verstorbenen, welche 2636 beträgt, verhält sich zu der der Gestorbenen überhaupt = 100 : 303, und zwar das Verhältniß in den ersten 20 Jahren dieser Gestorbenen zu der in dieser Periode überhaupt Gestorbenen 3947 nur wie 100 : 311; während in den leztern 20 Jahren ihr Verhältniß zu den in diesem Zeitraum Gestorbenen 4057 war wie 100 : 296; ein Beweis weiter, daß das Inokuliren der Kuhpocken, was in den lezten 20 Jahren allgemein wurde, nicht, wie man anfangs glaubte, die Sterblichkeit der kleinen Kinder überhaupt genommen vermindert hat. Das Alter, wo die kleinste Sterblichkeit ist, zwischen 7 und 15 Jahren, in welchem nämlich in jenen 40 Jahren nur 285 starben, verhielt sich in den ersten 20 Jahren = 100 : 3289; in den zweiten 20 Jahren = 100 : 2459. In diese lezten 20 Jahre fallen aber die vielen theils sporadischen theils epidemischen Nervenfieber in Tübingen, welche schon das angegebene Alter berühren. Im Alter von 15 — 25 Jahren, das in jenen 40 Jahren 301 Todte zählte, verhielten sich in den ersten 20 Jahren die Gestorbenen dieses Alters zur Summe aller Gestorbenen = 100: 2741; in den leztern 20 Jahren = 100: 2584. Die Zahl derer, welche über 60 Jahre zurückgelegt hatten, und deren in diesen 40 Jahren überhaupt 1964 waren, verhielt sich zur Zahl der in dem betreffenden Zeitpunkt Gestorbenen überhaupt in den ersten 20 Jahren = 100: 404; in den zweiten 20 Jahren aber = 100: 410. Rechnet man aber von den Todtgebernen an bis zum 40sten Jahr des Lebens alle Gestorbenen zusammen, welche in den ersten 20 Jahren die Summe von 2408 betragen, so ist das Verhältniß derselben zu den in diesen 20 Jahren überhaupt Gestorbenen = 100 : 163; in den zweiten 20 Jahren, wo 2565 innerhalb dieses Alters starben, ist das Verhältniß dieser zu den in solchem Zeitraum überhaupt Gestorbenen = 100 : 157, daraus folgt, daß die früheren Zeiten dem Erreichen eines höhern Alters günstiger waren als die neuern, in welche Nervenfieber, Theuerung, und mehr fühlbarer Druck der Abgaben bei zunehmender Bevölkerung fallen.

Diese Zeiten sind vorüber, Frieden, eine Regierung, welche auf keine Art die körperlichen Kräfte des gemeinen Mannes zu Anstrengungen in Anspruch nimmt, welche nicht zu seinem eigenen Erwerbe dienen und fruchtbare Jahre mit einem Ueberfluß an allem, was zum Leben nothwendig ist, dürften wohl bald günstigere Verhältnisse herbeiführen. Wenn gleich der fehlende Ertrag der Weinberge und ein im ganzen Land noch fühlbarer Geldmangel, noch für einen großen Theil Tübingen's, wie Württemberg's überhaupt, große Verlegenheiten herbeiführen; so sind sie doch mehr solche, die sein Verhältniß zu den künstlichen Einrichtungen des Staats betreffen, als daß sie die Quellen des physischen Lebens selbst zu untergraben vermöchten.

In Absicht auf die verschiedene Sterblichkeit der verschiedenen Geschlechter in den ersten und in den zweiten 20 Jahren starben vom 14ten Jahr an gerechnet, in den Jahren 1780 — 1799 (beides einschließlich) vom männlichen Geschlecht, Studirende nicht gerechnet, über 14 Jahre, oder die Konfirmationszeit 796, vom weiblichen Geschlecht 1090. Jene also zu diesen im Verhältniß wie 100 : 137; in den zweiten 20 Jahren starben vom männlichen Geschlecht 803, vom weiblichen 1077; jene also im Verhältniß zu diesen = 100 : 134. Dieses Mißverhältniß, nach welchem am Ende die Summe der Männer ausserordentlich über die der Weiber überwiegen müßte, gleicht sich aus durch die Zahl der in Kriegsdiensten und als Handwerksbursche auswärtsgehenden jungen Männer, während die Personen weiblichen Geschlechts in ihrem Geburtsort zurückbleiben; daher im J. 1820 gegen 3435 weiblichen Geschlechts, 3302 männlichen Geschlechts unter den Ortsangehörigen gezählt wurden, so daß also die Auswanderung der Männer nicht bloß den Ueberschuß der gebornen Knaben aufhebt, sondern auch was jährlich in Tübingen weniger von Männern als Weibern stirbt.

Nach einem Durchschnitt von 15 Jahren von 1793 — 1807 (beides einschließlich) ist die Sterblichkeit in den verschiedenen Jahrszeiten kaum um $\frac{1}{3}$ unter sich verschieden, indem der Monat Julius, in welchem die wenigsten starben, 203 Todte zählte, während der März 307 hatte. Ueberhaupt kommen in zunehmender Sterblichkeit die Monate in folgender Ordnung: Julius 203, Nov. 205, Okt. 207, Sept. 210, Dez. 212, Aug. 234, Juni 235, Febr. 238, Jan. 243, Mai 280, April 281, März 307; so daß also das Frühjahr die gefährlichste Zeit hier ist, hier rauf die strengste Kälte im Januar und Februar kommt und endlich die stärkste Sommerhize, der Herbst und anfangende Winter als die gesundeste Jahrszeit sich zeigt.

Die Krankheiten, welche in Tübingen vorkommen, zeichnen sich im Ganzen genommen durch eine Bestimmtheit in ihren Kennzeichen und in ihrem Gange aus, welche ihren Charakter leichter erkennen läßt, und seltener als in großen Städten einen Zweifel, zu welcher Klasse sie zu rechnen seyen, gestattet. Ihre Ursachen sind weniger, so wie die Lebensart durch alle Klassen von Einwohnern eine einfachere ist. Tübingen ist in so fern durch die Natur seiner Uebel zu einer medizinischen Schule geeignet. So ist noch nie ein Mädchen von Tübingen somnambül geworden, weder von selbst noch durch künstlichen Lebensmagnetismus; so ist Hysterie, wenn sie vorkommt, höchst selten einem allgemein geschwächten Nervensystem zuzuschreiben, sondern nur leicht erkennbarer Ursache von Schwächung durch Geburten, angestrengtes Säugen, oder einem zurückgetriebenen Hautausschlag und im höheren Alter der Schärfe, die sich in allen Säften zu entwickeln anfängt.

So viel Gelehrte auch Tübingen enthält, so selten ist die eigentliche Hypochondrie, mehr kommt sie in leichterem Grade unter Studirenden vor, die angestrengt sizen und arbeiten. Im Ganzen auch sind schwerere Hämorrhoidalzufälle selten und leichtere Anfälle derselben häufiger noch unter der gemeinen hart arbeitenden Menschenklasse, als unter den Wohlhabenden. Doch zeigt sich hie und da das chronische Blutbrechen, eigentliche Milz- und Magenhämorrhoiden. Schwindsuchten des blühenden Alters, wenn sie nicht durch zurückgetriebene Kräze entstanden sind, sind äusserst selten, so häufig auch eine eigenthümliche Art mit Brustwassersucht verbundener Schwindsucht dem Leben älterer Leute aus der hartarbeitenden Menschenklasse ein Ende macht. Podagra ist hier unbekannt, wenigstens seit Menschengedenken. Eines Falles von Steinkrankheit, die hier entstanden wäre, erinnert sich kein Arzt, selbst die Operateurs der vorangegangenen Generation, so geübt unter ihnen in der Operation des Steinschnitts einige waren, hatten es immer nur mit auswärtigen Kranken zu thun. Venerische Krankheit in allen ihren Formen gehört in Tübingen zu den Seltenheiten; und höchstens kommt hie und da ein Fall derselben bei einem Einheimischen vor; eigentliche Aneurysmen an den Gliedern, Kopf oder Hals sieht man mit aus dieser Ursache gar nicht und sehr selten den eigentlichen Mutterkrebs. Skropheln und daraus entstehende Uebel kommen unter den Kindern, die in schmuzigen Wohnungen aufgezogen werden, vor, doch nicht in beträchtlicher Menge, eben so giebt es Beispiele, doch gleichfalls nicht häufig, vom Rhachitis. Kröpfe sind hier häufig, besonders bei dem jungen weiblichen

Geschlechte und vorzüglich in dem untern an der Ammer gelegenen Theile der Stadt. Doch ist selten mit ihnen Kretinismus verbunden, der in den weiter aufwärts an der Ammer sumpfig gelegenen Dörfern so oft vorkommt.

Kleine Kinder leiden aus Mangel an zweckmäßiger Nahrung oft an der eigenen Atrophie der Säuglinge, welche am besten durch Eichelkaffee und Baden geheilt wird. Eben so häufig werden sie elend durch, von den Eltern mitgetheilte Kräze, die sogenannte crusta serpiginosa des Wichmanns. Milchschorf jeder Art ist höchst selten, häufiger noch kommt Erbgrind vor, leproser Natur. Die im Schmuz erzogenen Kinder der gemeinen Klasse sind bleich, dickbauchig und zu Kopfausschlägen geneigt, die häufig durch Abschneiden der Haare und Einreiben von Fett vertrieben werden, und nun zu skrophulösen Augenentzündungen und nicht selten zu Gliedschwamm an verschiedenen Gelenken, am meisten aber an einem Knie, Veranlassung geben. Selten sieht man den morbus maculosus oder haemorrhagicus des Werlhof's. Spulwürmer sind häufig bei den Kindern, Bandwurm ist selten bei den Erwachsenen, Askariden kommen, doch nicht sehr häufig, vor. Im Knabenalter ist eine, nicht von Würmern herrührende, mit einem Schmerzen um den Nabel anfangende, vom Bauch aus fühlbar gegen den Kopf zu aufsteigende Fallsucht nicht selten, die heilbar ist, aber unbeachtet auch in unheilbare Hirnepilepsie übergehen kann. Die hizigen Fieber der kleinen Kinder, welcher Art sie seyen, ergreifen gerne den Kopf und gehen in Hirnwassersucht über, oder es entsteht von da aus lähmende Entzündung des Magens bis zu seiner Erweichung und Durchbohrung an einzelnen Stellen. Die Kuhpockenimpfung ist hier, wie im ganzen Land allgemein eingeführt. Masern und Scharlachfieber, welche von Zeit zu Zeit, wie auch der Krampfhusten, ohne eingebrachte Ansteckung, erkennbar hier erst entstehen, bilden nicht selten sehr gefährliche Epidemien, bei welchen Scharlach im Verlauf des hizigen Fiebers selbst tödtlich wird, Masern häufig Herzkrankheiten zurücklassen, die oft erst nach Jahren tödtlich werden, namentlich gern durch Stockung des Bluts, in der dadurch sich auftreibenden Leber, und daraus entstehende, endlich tödtende Fallsucht; oder aber auch es folgt eiternde Lungenschwindsucht auf die Masern.

Kräze war eine häufige Krankheit jedes Alters und die Quelle des allergrößten Theils der chronischen Leiden, durch die Gewohnheit mit Salben sie zurückzutreiben. Diese Krankheit war es eigentlich, welche die neuere medizinische Schule in Tübingen zuerst zu dem ausgezeichneten Charakter veranlaßte, in allen vorzüglich in den chronischen Krankheiten immer nur auf den ersten Ursprung zurückzugehen. In neuern Zeiten nimmt diese Krankheit, vorzüglich aber die unvorsichtige

Behandlung derselben durch Salben, unter den Einwohnern und in der Gegend stark ab, weil diese eine Reihe von Jahren hindurch unabläßig auf ihre fürchterliche Nachkrankheiten bei einer falschen Behandlung aufmerksam gemacht wurden. Gewöhnlich wurden zur Zeit der Konfirmation die Kinder durch Salben gereinigt; im männlichen Geschlecht entstand dann Krätzschwindsucht, oder beständiges Erbrechen, oder nächtliche Fallsucht; in beiden Geschlechtern, zuweilen Geistesverwirrung; im weiblichen Geschlechte Verspätung der monatlichen Periode, eine Art von Bleichsucht, die sich nicht durch Eisen heben ließ, und mit hysterischen Symptomen verbunden war; und weißer Fluß. Jünglinge mehr als Mädchen wurden durch Zurücktreibung dieses Hautausschlags nicht selten von Hüftgelenkskrankheiten und Beinfraß an der Hand- oder Fußwurzel befallen.

Brüche sind mittelmäßig häufig, in der Kindheit und im Alter kommen mehr derselben vor, als in der Blüthe des Lebens. Blutspeien, das in jüngern Jahren öfters erscheint, hat hier selten Schwindsucht zur Folge, aber dem jugendlichen Alter sind die sporadischen Nervenfieber gefährlich, die nach Erhizung und darauffolgender Erkältung mit anscheinend unbedeutendem Fieber, aber tiefem Mattigkeitsgefühl beginnen und unerwartet mit den gefährlichsten Zeichen von Bauchlähmung und Angreifen des Kopfs nicht selten den Tod herbeiführen. Ueberhaupt ist Tübingen äusserst geneigt, in sich typhose Fieber zu erzeugen, welche sporadisch beinahe jedes Jahr vorkommen, nicht ganz ohne Ansteckungsfähigkeit sind, und sowohl in der wohlhabenden und reinlichen Klasse der Einwohner als unter den armselig und schmuzig Lebenden sich entwickeln. Die Lage von Tübingen, das von fliessendem Wasser fast von allen Seiten umgeben und hoch gelegen ist, weßwegen auch der Wasserluft ungeachtet keine kalte Fieber als endemisch vorkommen, und nur selten welche epidemisch sich zeigen, mag zur leichtern Entstehung der Nervenfieber beitragen. Dagegen bringen typhose Ansteckungen von aussen eingebracht nie, wenigstens in neuern Zeiten nicht, große Verheerungen hervor. Starrkrampf kommt auch bei schweren Verwundungen ausserordentlich selten vor; eher zur Zeit der anfangenden Eiterung unerwartete tödtliche Ohnmachten; Brand aber gesellt sich leichter zu großen Verlezungen. Luftröhren-Entzündung und Bronchitis; so wie hizige Lungenlähmung kommt überhaupt nicht häufig, doch gerne am Anfang oder Ende einer typhosen Konstitution und dann zuweilen epidemisch vor. Sonst ist der Charakter der meisten hizigen Krankheiten im Allgemeinen ein entzündlicher, daher auch viele Lungenentzündungen, doch ist jener entzündliche Fiebercharakter nie reiner Art, sondern gewöhnlich mit einem Anstrich von gastrisch-gallichter Entmischung verbunden, und deßwegen häufig rothlaufartiger Natur; daher auch rothlaufartige Halsentzündungen mit Abszessen in den Mandeln und Ohrdrüsengeschwulsten zuweilen erscheinen; oder aber es ist der Charakter der hizigen Krankheiten entzündlich nervos. Friesel kommt nicht selten bei den hizigen Fiebern hier vor, deßwegen auch sporadisches Nervenfieber in manchen Jahren. Lange sich hinausziehende, halb akute Fieber sind häufig. Epidemische Ruhren kommen in langen Zwischenzeiten, nicht bedeutende schnelle Brechungen im Sommer, Diarrhöen aber in jedem Alter ziemlich häufig vor, hie und da durch übermäßigen Genuß von Obst und Obstmost zu Lienterien sich steigernde Husten, an welchen vorzüglich ältere Leute gern leiden, sind kleine Lungenentzündungen; bei der gemeinen Volksklasse, die frühe altert, gehen sie gerne in Lungeneiterung über schon im annähernden höhern Alter. Jeden Sommer hört solcher Husten, Fieber und Eiterauswurf wieder auf, um im nächsten Winter wieder auf's Neue anzufangen mit immer steigender Kurzathmigkeit und Bangigkeit während der rauhen Jahrszeit, bis nach einer Reihe von Jahren wassersüchtige Symptome sich hinzugesellen, und die Kranken zwischen dem 40ten und 60ten Jahre mehr an Brustwassersucht und allgemeiner Wassersucht als an schwindsüchtigen Fiebern sterben. Dieß ist die allerhäufigste Todesart unter den ältern gemeinen kenten. Bei **Wohlhabendern** sind Herzfehler nicht selten, namentlich Erweiterungen desselben, zuweilen aber auch Atrophie, so wie auch Entzündungen der großen Pulsaderz und es entwickelt sich gerne bei ihnen mit zunehmenden Jahren allgemeine und Brustwassersucht, ohne besonderes Angreifen der Lungen, aber dann mehr mit schweren Hämorrhoidalzufällen, namentlich mit Knotenbildung verbunden. Eigentliche ursprüngliche Leberkrankheiten sind aber sehr selten. Bei der **niedern Klasse** der Einwohner kommt schon mit nachlassender Funktion der Geschlechtstheile die Entwicklung einer eigenen Art von Schärfe, welche im weiblichen Geschlecht durch periodischen Ausbruch von Rothlauf am Kopf, oder wenn Fußgeschwüre, die nicht selten sind, vorher da waren, hier sich ausspricht, oder noch häufiger eine ebenfalls periodisch erscheinende Art von chronischem Friesel veranlaßt, der zurücksinkend die größten Bangigkeiten erzeugt. Weniger, laugenartig konzentrirter, beim Ablassen etwas brennender Harn, Kreuzweh, Gliederschmerzen, ohne daß eigentliche knotigte Arthridis sich entwickelte, und namentlich viele Magenbeschwerden begleiten diese Entwicklung von Altersschärfe, der auch nächtliche, juckende Hautausschläge und Augenentzündungen zuzuschreiben sind. Männer mehr als Weiber, doch kein Geschlecht häufig, bekommen zuweilen Erhärtung des untern Magenmundes, Krebs an Brust und Gesicht hängt gewöhnlich mit jener Schärfe zusammen, und kommt vor, doch nicht ungewöhnlich häufig. Schlagfluß zeigt sich mehr bei den wohlhabenden Klassen als bei den ärmern; blind werden im Alter nicht sehr viele, mehr aber übelhörend. Der sogenannte Nachlaß der Natur ist gewöhnlich ein kaum bemerkliches gastrisches Fieber mit oder ohne Katarr.

Unter 5064 Gestorbenen, deren Krankheiten in den Kirchenregistern jener öfter schon berührten 40 Jahre benannt sind, kommen 73 vor als an den Folgen der Geburt gestorben, also 1, 4 auf Hundert; 142 als am Keuch- oder Stickhusten gestorben, also 2, 8 auf Hundert; 230 als an Masern und Scharlachfiebern somit 4, 5 a. H.; 848 an verschiedenen Arten hiziger nervoser Fieber, oder 16, 7 a. H.; 163 an Ruhren und Diarrhöen, oder 3, 2 a. H.; an Brustentzündungen 99, oder 1, 9 a. H.; an Auszehrung und Lungenfraß 890, oder 17, 6 a. H.; 531 an der Wassersucht, oder 10, 5 a. H.; 673 an Entkräftung und Nachlaß der Natur, oder 13, 3 vom Hundert.

## Gewerbe.

Der Aufenthalt so vieler Studirenden und anderer Honoratioren, das den Mühlen günstige Wasser der Ammer, das Zusammentreffen von 6 Hauptstrassen könnten für die Tübinger Gewerbe sehr vortheilhaft seyn, demungeachtet fehlt es hier im Allgemeinen an Sinn für Industrie.

Die Gewerbe zeigt folgende Tabelle von 1819:

| Gewerbe. | Meister | | Gesellen. | |
|---|---|---|---|---|
| | Stadt. | Amt. | Stadt. | Amt. |
| Antiquar | 1 | 1 | — | — |
| Apotheker | 3 | 3 | 4 | 4 |
| Barbierer | 6 | 19 | 8 | 12 |
| Bäcker | 46 | 134 | 12 | 18 |
| Bierbrauer | 7 | 15 | 3 | 4 |
| Bortenwirker | 3 | 5 | — | — |
| Branntweinbrenner | 56 | 127 | — | — |
| Buchbinder | 5 | 5 | 6 | 6 |
| Buchdrucker | 5 | 5 | 18 | 18 |
| Buchhändler | 2 | 2 | 2 | 2 |
| Bürstenbinder | 2 | 2 | — | — |
| Drechsler | 5 | 5 | 3 | 3 |
| Färber | 6 | 6 | 2 | 2 |
| Feldmesser | 3 | 13 | — | — |
| Fischer | 2 | 7 | — | 2 |
| Flaschner | 4 | 5 | 1 | 1 |
| Gärtner | 1 | 1 | — | — |
| Glaser | 9 | 13 | 3 | 4 |
| Goldarbeiter | 4 | 4 | 1 | 1 |
| Gürtler | 1 | 1 | — | — |
| Häfner (Töpfer) | 13 | 19 | 3 | 3 |
| Hammerschmiede | 1 | 1 | — | — |
| Hutmacher | 6 | 6 | — | — |
| Ipser | 3 | 3 | — | — |
| Kaminfeger | 1 | 1 | 2 | 2 |
| Kammmacher | 2 | 2 | 2 | 2 |
| Kaufleute | 15 | 16 | 2 | 2 |
| Keßler | | 5 | — | 1 |
| Kleemeister | 1 | 1 | — | — |
| Knopfmacher | 3 | 3 | 1 | 2 |
| Korbmacher | 3 | 6 | — | — |
| Krämer | 12 | 34 | — | — |
| Kübler | 12 | 18 | — | — |
| Küfer | 12 | 43 | — | 5 |
| Kupferschmiede | 4 | 4 | 3 | 3 |
| Kupferstecher | 1 | 1 | — | — |
| Kürschner | 3 | 3 | — | — |
| Leistschneider | 2 | 3 | — | — |
| Maler | 1 | 1 | — | — |
| Maurer | 10 | 46 | 6 | 66 |
| Messerschmiede | 5 | 5 | 3 | 3 |
| Mezger (Fleischer) | 74 | 94 | 5 | 29 |
| Nadler | 2 | 2 | — | — |
| Nagelschmiede | 7 | 13 | 2 | 2 |
| Orgelmacher | 1 | 1 | — | — |
| Perückenmacher | 6 | 6 | — | — |
| Petschierstecher | 1 | 3 | — | — |
| Pflästerer | 2 | 2 | — | — |
| Rothgerber | 6 | 6 | 1 | 1 |
| Sattler | 6 | 7 | — | — |
| Schäfer | 2 | 25 | 1 | 7 |
| Scheerenschleifer | | 1 | — | — |
| Schlosser | 9 | 10 | — | — |
| Grobschmiede | 7 | 57 | 2 | 19 |
| Schneider | 68 | 190 | 15 | 43 |
| Schreiner (Tischler) | 29 | 42 | 11 | 20 |
| Schuhmacher | 61 | 157 | 28 | 49 |

| Gewerbe. | Meister. | | Gesellen. | | Gewerbe. | Meister. | | Gesellen. | |
|---|---|---|---|---|---|---|---|---|---|
| | Stadt. | Amt. | Stadt. | Amt. | | Stadt. | Amt. | Stadt. | Amt. |
| Seifensieder | 16 | 16 | 2 | 2 | Wagner | 5 | 60 | 1 | [illegible] |
| Seiler | 7 | 15 | 2 | 2 | Weber | 28 | 495 | 5 | [illegible] |
| Sackler | 11 | 13 | — | — | Weißgerber | 3 | 3 | — | — |
| Siebmacher | 2 | 2 | 1 | 1 | Schildwirthe | 18 | 57 | — | — |
| Silberarbeiter | 4 | 4 | 1 | 1 | Gassenwirthe | 75 | 119 | — | — |
| Sporer | 1 | 1 | — | — | Zeugmacher | 4 | 4 | — | — |
| Steinhauer | 2 | 13 | 2 | 2 | Ziegler | 4 | 5 | 2 | [illegible] |
| Strumpfstricker | 5 | 7 | — | — | Zimmerleute | 6 | 28 | 16 | [illegible] |
| Strumpfweber | 6 | 10 | 2 | 3 | Zinkenisten (Musikanten) | 1 | 2 | — | — |
| Tuchmacher | 7 | 10 | 3 | 7 | Zinngießer | 3 | 3 | — | — |
| Tuchscheerer | 2 | 2 | — | — | Zirkelschmiede | 1 | 1 | — | — |
| Uhrmacher | 4 | 4 | — | — | Zuckerbäcker | 8 | 9 | — | — |

In dieser Tabelle sind bei dem Amte die in der Stadt befindlichen Professionisten noch einmal hinzugerechnet.

| Ferner sind in und bei der Stadt: | | | im ganzen Oberamt: |
|---|---|---|---|
| Mahlmühlen | 4 | — | 11 |
| Gerbgänge | 4 | — | 10 |
| Mahlgänge | 15 | — | 31 |
| Lohmühlen | 1 | — | 1 |
| Oelmühlen | 1 | — | 9 |
| Papiermühlen | — | — | 1 |
| Reibmühlen | 1 | — | 2 |
| Sägmühlen | 1 | — | 3 |
| Schleifmühlen | 1 | — | 1 |
| Walkmühlen | 2 | — | 2 |

Soweit gehen die amtlichen Angaben, ausserdem befinden sich hier eine Pulvermühle *) und ein Kupferhammer; von den Walkmühlen ist die eine für Weißgerber bestimmt, die andere für Strumpfweber. Es sind hier zwei Ziegelhütten und eine Geschwindbleiche. Unser ganzes Oberamt ist einer der Hauptsize der württembergischen Linnenspinnerei und Weberei; vieles wird davon auf den Verkauf gesponnen und auf die Schnellermärkte nach Tübingen gebracht; hauptsächlich besteht diese Waare aus Zwillich und Drillich, die dann in die Schweiz gehen. Auch wird in Tübingen viel Tuch gemacht. Optische, mathematische und physikalische Instrumente werden hier von besonderer Güte verfertigt; auch handelt Kaufmann Bossert mit einzelnen Naturalien- und ganzen Mineralienkabineten. Universitäts-Antiquar Haselmaier verfertigt Basreliefs aus einer rothen wachsartigen Masse, welche hauptsächlich Gegenstände aus der Anatomie des Menschen und aus der heiligen Geschichte darstellen.

---

*) Es ist sehr häufig der Fall, daß diese Pulvermühle sich entzündet, sie ist erst im vergangenen Jahre wieder in die Luft geflogen. Ihre Nähe bei den Häusern und der Stadt macht sie daher sehr gefährlich, schon 1538 finde ich die Nachricht von einem solchen Unglück, wobei 6 Menschen das Leben verloren.

## Landwirthschaftliche Verhältnisse *).

Von den Bestandtheilen des Bodens und der Erdarten der hiesigen Gegend wird unten in der naturhistorischen Abtheilung die Rede seyn, so daß ich hier sogleich auf die eigentlichen landwirthschaftlichen Verhältnisse übergehen kann.

Das Land ist in folgendem Verhältnisse vertheilt:

| | | |
|---|---|---|
| Aecker ungefähr | 1300 | Morg. |
| Neuumgebrochene Aecker **) | 163 | — |
| Wiesen ungefähr | 1000 | — |
| Weinberge | 835 | — |
| Gärten | 150 | — |
| Gemeinwald | 5 | — |
| Spitalwald | 309 | — |
| Allmanden: a) Viehweide | 250 | — |
| b) Schafweide | 42 | — |
| c) zur Urbarmachung vertheilte | 403 | — |
| Zusammen: | 4457 | Morg. |

*) Dieser Gegenstand wurde von Ludw. v. Nuft gegenwärtig Güterbesizer in Hessenthal bei Hall, mit solcher Gründlichkeit behandelt, daß ich hier blos einen Auszug aus der in Varrenbüler's Annalen der württ. Landwirthsch. B. 2. H. 4. (Stuttg. 1821) p. 398—451 befindlichen Abhandlung zu geben im Stande bin. Die Angaben beziehen sich auf das Jahr 1819, in dem die Abhandlung geschrieben wurde. Blos die Tabelle über den hiesigen Viehstand und einiges andere über diesen Gegenstand wurde von mir hinzugefügt.

**) Im Ganzen wurden der Bürgerschaft 566 Morgen zur Urbarmachung ausgetheilt, die übrigen 403 M. werden aber derzeit noch von Schafen beweidet.

Unter den angebauten Gewächsen findet folgendes Verhältniß statt:

| | |
|---|---|
| Halmfrüchte . . . . . . . | 900 Morg. |
| Hülsenfrüchte . . . . . . | 10 — |
| Hackfrüchte . . . . . . . | 500 — |
| Handelsgewächse . . . . . | 10 — |
| Klee . . . . . . . . . . | 50 — |
| Mais . . . . . . . . . . | 20 — |
| Zusammen: | 1490 Morg. |

Der Morgen zinsfreier Aecker von guter Beschaffenheit kostet . . . 400 bis 500 fl.
von mittlerer — . . . 250 — 300 —
von schlechter — . . . 150 — 200 —

Wenn Bäume auf einem Grundstücke stehen, so erhöhen sie oft seinen Werth beträchtlich, in den Thälern des Neckars und der Ammer, und auf dem Riederberge finden sich jedoch wenige Bäume.

Das hiesige Feld ist sehr vertheilt, unter Professionisten, Weingärtner und Tagelöhner; eigentliche Bauern findet man hier nicht. Die größten Wirthschaften bestehen aus 5 bis 16 Morgen und deren giebt es wenige. Der Ackerbau wird fast ausschließlich durch Pferde betrieben, das Feld wird größtentheils von den in der Nähe liegenden Ortschaften im Gedinge gebaut.

Die Sommerfrüchte werden vom Januar bis März gedüngt, das Winterfeld gleich nach der Erndte, zuweilen aus Mangel an Dünger noch später. In der Regel werden die Felder alle Jahre gedüngt, nur die auf die Hackfrüchte folgenden Zerealien erhalten keinen Dünger. Man rechnet auf den Morgen 8 bis 9 Karren voll (48 bis 54 Zntnr oder nach Thär $2\frac{2}{5}$ bis $2\frac{7}{10}$ Fuder) halbvermoderten, sogenannten speckigen Dünger.

Das hiesige Ackerfeld ist nicht in Zellgen oder Desche abgetheilt, jeder Grundbesitzer darf bauen, was und wie er will. Zehnten, Hut- und Triftgerechtigkeiten giebt es zwar, sie sind aber mit keinem Kulturzwange verbunden. — Hauptgegenstände der Kultur sind der Winterspelz (Dinkel) und Sommergerste, weniger Emmer und Hafer. Erbsen, Linsen, Bohnen und Mais werden meistens in den Vorlagen der Weinberge gebaut. Kartoffeln und Kohlrabi gehören ebenfalls zu den Hauptgegenständen. Kleebau kömmt erst seit einiger Zeit etwas empor, die zu große Vertheilung der Grundstücke ist ihm nachtheilig.

---

Man kann die Bodenarten nach der unten bei den Gebirgsarten vorkommenden Tabelle in 3 Klassen eintheilen. In den Feldern der ersten Klasse werden 5 bis 8 Jahre nacheinander Halmfrüchte gebaut, läßt das Feld in seinem Ertrag nach oder nimmt das Unkraut überhand, so werden Hackfrüchte gebaut, reine Brache wird nicht gehalten, auf die Hackfrüchte folgt gewöhnlich Sommergerste, unter welche auch Klee gesäet wird. — Bei der zweiten Klasse: 1tes Jahr Emmer; 2tes Kartoffeln; Kohlrabi, Kraut, gedüngt; 3tes Sommergerste. — Bei der dritten Klasse: 1tes Jahr Winterspelz; 2tes Brache, gewöhnlich gedüngt auch gepfercht; 3tes Hafer; oder auch 1tes Jahr Hafer, 2tes Brache, 3tes Dinkel.

## Körnerertrag

nach Abzug des Zehnten.

| Klassen. | Früchte. | Einsaat. | Ertrag | |
|---|---|---|---|---|
| | | | in guten Jahren. | im Mittel |
| I. | Dinkel | 1 Schffl. | 10 | 6 |
| | Sommergerste | 4 Sri. | 7 | 4 |
| II. | Emmer | 6 Sri. | 10 | 6 |
| | Gerste | 4 Sri. | 6 | 3 |
| III. | Dinkel | 1 Schffl. | 3 | 1 |
| | Hafer | 6 Sri. | 2 | Oft nicht einmal das Saatkorn. |

Der Dinkel (Triticum spelta) wird hier als Hauptfrucht gebaut und Korn genannt; der hier gebaute ist ohne Grannen, und unserm Boden sehr angemessen. Auch die große zweizeilige Gerste (Hordeum distichon nutans) kömmt als Hauptfrucht vor und wird über den Sommer gebaut; Boden und Klima sind ihr zuträglich. Der Emmer (Triticum dicocoon) ist weniger häufig, man wählt für denselben einen lockern nicht sehr thonigten Boden, besonders pflanzt man ihn in Neubrüche, weil er sich wegen seines starken Halms nicht leicht lagert. Hafer (Avena sativa) wird hier wenig gebaut, avena orientalis äusserst selten, schwarzer Hafer gar nicht. Die hier gebaute Brodfrucht (Dinkel) reicht bei weitem nicht zu, man muß daher fremden kaufen; die Fruchtschranne ist am Montag und Freitag offen, am Freitag ist aber der Handel am stärksten und von den Bewohnern der Steinlach besucht. Die zwischen hier und Rottenburg gepflanzte Gerste hält man weit umher für die beste, schon im Oktober wird sie von den Bierbrauern des Oberlandes meistens um einen theuern Preis aufgekauft. Sonst wird sie theils von den Einwohnern niederer Klasse mit Dinkel vermischt zu Brod, größtentheils aber zu Bier benuzt. Der Hafer wird auf der Schranne gekauft.

Die Kartoffeln werden etwas stärker gedüngt als die Halmfrüchte, man pflanzt sie mit der Haue in Stufen von ungefähr 5″ Tiefe, 1½ bis 3′ auseinander. In eine Stufe kommt eine große oder 3 kleine Kartoffeln, zu große werden in zwei Stücke zerschnitten und in eine Stufe gelegt. Man pflanzt sie zu Ende des April, und rechnet gegen 40 Sri Aussaat auf den Morgen, und

320 bis 440 Sri. Ertrag. Bei dem Mangel an Nahrungsmitteln 1817 wurden die Augen aus den Kartoffeln geschnitten und in die Stufen gelegt, man erhielt einen guten Ertrag. Die Rumkelrüben (Beta cicla altissima) sind hier unter dem Namen Burgunderrüben auch Saurüben bekannt, werden wenig und immer nur unter Kraut und Kohlrabi durch Verpflanzen gebaut; häufiger sind die Kohlrabi (Brassica oleracea gangyloides und napobrassica) und zwar die erstern am häufigsten, man rechnet 4800 bis 6000 Sezlinge auf den Morgen, und erhält 8 zweispännige Wagen voll. Kopfkohl, Kraut (Brassica oleracea capitata) wird wenig gepflanzt.

Klee (Trifolium pratense sativum) wird mehr in Vorlagen und einzelnen Weinbergsmauern als im Ackerfeld gebaut und beibt daselbst oft 3 Jahre lang stehen. Auf einen Viertelsmorgen rechnet man 1 Maaß Samen, welcher aber hier nicht gezogen wird. Im Ackerfelde wird er gewöhnlich unter die Gerste gesäet, und bleibt zwei Jahre bis zu seinem Umbruche stehen. Wenn er handhoch ist, wird er mit ungebranntem gemahlenen Gyps gegypst, dem oft auch Asche beigemischt wird, zuweilen geschieht dieses zweimal. Auf den Morgen rechnet man 8 Sri Gyps. Der Klee wird hier grün gefüttert und nie zu Heu gemacht. Die Luzerne (Medicago sativa) wird gleichfalls in Weinbergs-Vorlagen und Mauern gepflanzt, kömmt sehr gut fort, und giebt ein frühes Fütterungsmittel. Man läßt sie 4 bis 5 Jahre auf demselben Boden stehen.

Hanf (Canabis sativa) wird ebenfalls im Kleinen, meistens in Weinbergs-Vorlagen, weniger auf dem Ackerfeld gepflanzt; er wird stark, besonders mit Mistjauche gedüngt. Auf den Morgen rechnet man 20 Sri Samen. Der Hanf kommt 4 bis 5 Jahre hintereinander auf demselben Boden fort, wird aber alle Jahre gedüngt, auch wohl gegypst, dann läßt man Halmfrüchte und Mais auf ihn folgen. Von 1 Sri Samen erhält man 24 bis 25 Pfund Hanf und 5 bis 6 Pfund Werg. Sonst wird der Same auch zu Oel benützt, das Sri giebt 8 bis 10 Schoppen Oel. Ueberhaupt gehört unser Oberamt und die Steinlach zu den vorzüglichsten Hanfgegenden im Lande. — Flachs, Rübsen und Farbekräuter werden hier nicht gebaut, wiewohl Waid und Wau wild wachsen. Mais, Welschkorn (Zea Maïs) wird nur in Weinbergen und Gärten gepflanzt, in Stufen von 5 bis 6" Tiefe, 3 bis 4' Entfernung, und stark gedüngt. In die Stufe kommen 4 bis 5 Kerne, man läßt aber nicht mehr als 2 bis 3 Pflänzlinge stehen.

Die Wiesen liegen in großen Flächen in den Thälern und an den Bergen umher, sie sind alle zweischürig. Der Preis eines zinsfreien Morg. Wiesen ist bei guter Lage 400 bis 500 fl., bei mittlerer 250 bis 300 fl., bei schlechter 150 bis

200 fl. Ein Morgen erträgt an Heu und Oehmd bei guter Lage 30 bis 40 Zentner, bei mittlerer 25 bis 30, bei schlechter 10 bis 15 Zentner. Schlechte und saure Wiesen giebt es hier nur wenige. Seit 30 bis 40 Jahren sind wegen erhöhten Fruchtpreises viele Wiesen in Aecker verwandelt worden. Die Wiesen werden mit Ausnahme des Neckarthales beinahe alle Jahre gedüngt und zum Theil gepferchet, und von einigen gegypst.

In den Gärten werden viele Gemüße und Küchenkräuter gepflanzt, daß man sogar nach Rottenburg und Hechingen davon verkauft, der Morgen kostet 400 bis 1200 fl.

Die Obstbäume finden sich meistens auf den Bergen, auch sind die Landstrassen auf beiden Seiten damit besezt. Junge Bäume erhält man gewöhnlich aus der Baumschule des botanischen Garten. Man pflanzt viele Birn, weniger Aepfelbäume, der Ertrag ist im Durchschnitt jährlich 4000 bis 5000 Sri. Man benuzt sie zu Most und Branntwein; auf 1 Eimer Most rechnet man 36 Sri Aepfel oder 25 Sri Birnen. Zwetschgenbäume sind häufig, seltener Kirschen-, sehr selten Quitten- und Pfirsichbäume. Aus den hiesigen Waldungen werden jährlich 40 Klafter Brennholz gehauen, ausserdem wird alles nöthige Holz eingeführt, das meiste von der Alp und von Hechingen.

Die Weinberge liegen hauptsächlich gegen Mittag, weniger gegen Morgen, alle aber am Berge. An dem Fuße jedes Weinbergs befindet sich eine sogenannte Vorlage (ein nicht mit Reben bepflanzter Plaz) von $\frac{1}{4}$ bis $\frac{3}{8}$ Morgen, gewöhnlich mit einigen Bäumen besezt und abwechselnd mit Halmfrüchten, Hülsenfrüchten, Futtergewächsen und Hanf, auch Gemüßen angebaut. Der Morgen zinsfreier Weinberge kostet bei guter Lage 500 bis 600, bei mittlerer 250 bis 400, bei schlechter 100 bis 200 fl. Der Ertrag ist aber so schlecht, daß die Weingärtner nur in den guten Weinjahren ihre Abgaben entrichten können; der Wein ist mittelmäßig, bald trinkbar, aber läßt sich nicht halten, wird auch fast aller hier konsumirt. Bei der lezten Weinlese betrug das spezifische Gewicht des Mostes im Mittel 1,050 bis 1,060, während die Neckarweine des Unterlandes 1,070 bis 1,080 anzeigten. Die Weinberge sind terrassenförmig angelegt, werden selten gedüngt, aber öfters mit Erde übertragen, auch mit schiefrigem Thonmergel (Leberkies) gemengt, wobei man dem dunkelrothen den Vorzug giebt, er soll den Boden mehr erwärmen als der weißlichte. Es herrscht hier die löbliche Gewohnheit, daß, wenn ein armer Weingärtner krank wird, mehrere andere zusammen treten und seinen Weinberg bauen.

Allmanden sind ungefähr 42 Morgen hier.

Laut amtlichen Berichten von 1819 ist der **Viehstand** folgender:

| | | In Tübingen und Ammern. | | Im Oberamte. (Tübingen dazu gerechnet.) |
|---|---|---|---|---|
| Pferde | über 2 Jahr alt | 125 | — | 680 |
| | unter 2 Jahren | 10 | — | 205 |
| Ochsen und Stiere über 2 Jahre | | 16 | — | 1803 |
| Kühe | | 732 | — | 4167 |
| Schmalvieh | | 115 | — | 2167 |
| Esel | | — | — | 7 |
| Schafe | spanische | 727 | — | 927 |
| | Bastarde | 104 | — | 651 |
| | Inländische | 1097 | — | 3705 |
| Schweine | | 100 | — | 523 |
| Ziegen | | 10 | — | 229 |
| Bienenstöcke | | 40 | — | 596 |

Der häufige Gebrauch der Pferde zum Reiten und Fahren macht, daß man in Verhältniß zu der Feldfläche nur sehr wenig Zugochsen hält. Das **Rindvieh** ist von mittelmäßiger Größe; die Nachzucht erstreckt sich bloß auf Kuhkälber, es werden für Tübingen 6 Farren gehalten. Eine gutgenährte Kuh giebt 4 Maaß Milch; Butter und Käse werden hier nicht gemacht. Die Miethpferde sind gewöhnlich schlecht, eine Nachzucht im Großen findet nicht statt, übrigens ist ein königl. Marstall hier. Eben so wenig findet bei den Schweinen eine Nachzucht statt. Die hiesige Schafweide gehört der Stadt; der Pächter darf 225 Stück einschlagen, die Winterweide steht jedem Bürger offen, und es laufen dann oft 1200 Stück zum Theil von der Alp kommend darauf. Auf 10 Schafe rechnet man über den Winter 2 Wannen Heu.

Die hiesigen Kaufleute Baur und Schmidt besizen eine der schönsten Merino-Heerden von 1800 Stück, deren Stamm sie aus Frankreich erhielten, und welche sie seit 12 Jahren mit der größten Sorgfalt pflegen; auch haben sie durch strenge Auswahl der Widder die Wolle so verfeinert, daß sie der feinen sächsischen gleich kommt, sie verkauften schon mehrere Widder zu 15 Carolin das Stück, wovon einer 10½ Pfund im Fluß rein gewaschener Wolle lieferte. — Oberfinanzrath v. Spittler zu Ammern hat gleichfalls gegen 1000 Stück veredelte Schafe.

## Geographische Lage und Klima.

Tübingen (das Observatorium) liegt unter einer geographischen Länge von 26° 43′ 24″ östlich von Ferro und einer nördlichen Breite von 48° 31′ 10″. Die Fläche des Neckars an der steinernen Brücke liegt nach den auf correspondirenden Beobachtungen mit Carlsruhe abgeleiteten Barometer-Höhenmessungen 978 pariser Schuhe über der Fläche des mittelländischen Meers. Sein Klima selbst gehört noch unter die mildern von Württemberg; es ist insbesondere milder als die benachbarte Fildern, ein großer Theil Oberschwabens, der schwäbischen Alp- und Schwarzwalds. Seine etwas hohe Lage und die benachbarten Gegenden der schwäbischen Alp und des Schwarzwalds machen seine Temperatur jedoch schon weniger mild, so daß Wein und feinere Obstsorten nicht mehr die Güte erreichen, wie in den tiefern wärmern Gegenden des Neckarthals, es liegt schon zum Theil an der Gränze des Weinbaues.

Die mittlere Barometerhöhe beträgt nach den bis jezt von Hrn. Prof. v. Bohnenberger angestellten Beobachtungen auf dem Schloß in den Wohnzimmern unter dem Observatorium, welche 205 pariser Schuhe über dem Wasserspiegel des Neckars unter der Brücke liegen, 27 Zoll 0,43 Lin. paris. Maas bei einer mittlern Temperatur des Quecksilbers von + 14° Reaum. Der seit vielen Jahren beobachtete höchste Barometerstand ereignete sich den 6. Febr. 1821 mit 27 Zoll 10,4 Lin. bei 14° Temperatur des Quecksilbers; der seit vielen Jahren beobachtete tiefste Barometerstand ereignete sich den 25. Dez. desselben Jahrs mit 25 Zoll 9,9 Lin. bei derselben Temperatur des Quecksilbers; die Größe der jährlichen Veränderung betrug daher in diesem Jahr 24 $\frac{1}{2}$ Linien, gewöhnlich beträgt jedoch diese jährliche Veränderung hier nur 15 — 18 Linien.

Die mittlere Temperatur der freien Luft ist auf dem Schloß + 6,7° R. In dem Thal selbst ist Morgens und Abends nach den im botanischen Garten zu Tübingen angestellten Beobachtungen die Temperatur gewöhnlich um einen Grad geringer als auf den benachbarten Anhöhen, von 200 — 300 Schuhen über dem Neckarthal, an einzelnen heitern Tagen steigt die Verschiedenheit der Temperatur in der Frühe selbst bis auf 3 — 4 Grade, weßwegen auch die tiefern Gegenden des Neckar- und Ammerthals im Frühjahr und Herbst häufiger Frost und Reifen ausgesetzt sind.

Ueber die Menge des jährlich hier fallenden Regen und Schneewassers werden hier erst seit einigen Jahren nähere Beobachtungen im botanischen Garten und am Abhang des Schloßbergs angestellt; in Vergleichung mit der auf der benachbarten schwäbischen Alp fallenden Regenmenge ergiebt hieraus das merkwürdige Resultat, daß hier regelmäßig bedeutend weniger Regen und Schneewasser fällt, als auf dieser Gebirgskette. Die Menge des auf die Fläche von einem pariser Quadratschuh gefallenen Regen und Schneewassers betrug hier im

| | | | | | |
|---|---|---|---|---|---|
| J. 1819. | 3577 | p. Cubikzolle od. | 24″ | 10‴ | Höhe |
| — 1820. | 1780 | — — — | 12″ | $4\frac{1}{9}$‴ | — |
| — 1821. | 3512 | — — — | 24″ | $4\frac{2}{3}$‴ | — |

Auf der benachbarten Alp in Genkingen, 2400 Schuh über dem Meer, $1\frac{3}{4}$ Meilen südöstlich von Tübingen, betrug nach den Beobachtungen von Hrn. Pfarrer Klemm, welcher diese Beobachtungen auf Ersuchen von Prof. Schübler auf dieselbe Art und mit denselben Instrumenten wie in Tübingen anstellte, die Menge des gefallenen Regen- und Schneewassers in jedem der lezten 18 Monate bedeutend mehr als in Tübingen; im Jahr 1821 betrug die Regenmenge daselbst 5513 Cubikzolle oder 38 Zoll 3 Lin. Höhe, also über die Hälfte mehr als hier. Auch in dem benachbarten Schönbuch beträgt die Regenmenge gewöhnlich mehr als hier nach den von Hr. Dr. Kloz auf dem Schaichhof 1576 Schuh über dem Meer $1\frac{1}{2}$ geographische Meilen nördlich von Tübingen auf dieselbe Art angestellten Beobachtungen betrug die Menge des gefallenen Regen- und Schneewassers in den lezten 11 Monaten daselbst um $\frac{1}{12}$ mehr als in Tübingen.

Eine nähere Uebersicht der verschiedenen hohen Lage der nähern Umgebungen von Tübingen ergiebt sich aus folgender Zusammenstellung:

| Höhen bei Tübingen. | Höhe in par. Schuhen | |
|---|---|---|
| | über dem Neckar zu Tübingen. | über dem Meer. |
| Wasserfläche d. Neckars unt. d. Brücke | 0 | 978 |
| Leimengrube b. Tüb. nördl. v. d. Amer | 112 | 1090 |
| Bebenhausen, Erdfl. am Forsthaus | 168 | 1146 |
| Schloßberg, Erdfläche im Schloßhof | 174 | 1152 |
| Schloß, Beobachtungszimmer . | 205 | 1183 |
| Bläsiberg, Erdfläche . . . | 212 | 1190 |
| Schloß, Spize der Sternwarte . | 249 | 1227 |
| Einsiedel im Schönbuch, Erdfläche | 368 | 1346 |
| Roßeck, Schloß . . . . . | 370 | 1348 |
| Oesterberg . . . . . . . . | 387 | 1365 |
| Spizberg, eine d. höh. Stell. i. Wald | 455 | 1433 |
| Krespach, Erdfläche am Schloß | 463 | 1441 |
| Wurmlinger Berg Kapelle . . | 505 | 1483 |
| Jordan, Berg bei Bebenhausen | 511 | 1489 |
| Steinenberg, höchste Weinberge der hiesigen Gegend . . . . . | 512 | 1490 |
| Waldhauser Höhe . . . . . | 537 | 1515 |
| Eckhof, Bergrücken südlich v. Neckar | 539 | 1517 |
| Schaichhof im Schönbuch, Erdfläche am Wohnhaus . . . . . | 598 | 1576 |
| Dettenhäuser Höhe im Schönbuch | 601 | 1579 |
| Grafenberg bei Kayh am Schönbuch | 760 | 1738 |
| Mössingen am Fuß der Alp . | 456 | 1434 |
| Gönningen am Fuß der Alp . | 654 | 1632 |
| Genkingen, auf d. Alp am Roßberg | 1422 | 2400 |
| Farrenberg . . . . . . . . | 1559 | 2537 |
| Roßberg . . . . . . . . . | 1701 | 2679 |

## Fall des Neckars, der Ammer und der Steinlach bei Tübingen.

Der Fall des Neckars von Rottenburg bis Tübingen beträgt 70 pariser Schuhe, von Tübingen bis Neckardenzlingen 90 par. Schuhe; der mittlere Fall auf die Entfernung von einer schwäbischen Reisestunde beträgt daher zunächst über Tübingen 29, unter Tübingen aber 25 pariser Schuhe, oder auf geographische Meilen reduzirt, über Tübingen 50 und unter Tübingen 40 Schuhe, der mittlere Fall bei Tübingen selbst kann daher zu 27 Schuhe auf die schwäbische Stunde angenommen werden. — Der Fall der Ammer ist stärker, er beträgt von Altingen bis Tübingen 180 Schuhe, der mittlere Fall auf eine schwäbische Reisestunde beträgt daher 62 und auf eine geogr. Meile 102 Schuhe. — Bedeutend stärker ist der Fall der Steinlach, sie fällt von Mössingen bis Tübingen 450 Schuhe, der mittlere Fall auf die schwäbische Stunde beträgt demnach 155 und auf die geogr. Meile 257 par. Schuhe.

## Gebirgsarten in den Umgebungen von Tübingen.

Tübingen und die zu seinem Oberamt gehörigen Gegenden liegen im Flözgebirg und aufgeschwemmten Land. Neckar und Ammer haben bei Tübingen ihr Beet im Flözsandstein eingegraben, erst oberhalb Tübingen bei Rottenburg ist das Beet des Neckars aus dem unter dem

Sandstein liegenden blauen Kalkstein gebildet, dessen Schichten von da gegen Horb und Sulz dem Schwarzwald zu ansteigen, bei Tübingen dagegen vom Sandstein selbst völlig bedeckt sind.

Die Flözgebirgsarten der Umgebungen von Tübingen sind, wenn mit dem ältesten Glied der Anfang gemacht wird, folgende: 1) älterer Kalk; 2) junger bunter Sandstein mit schiefrigem Mergel und Gyps; 3) jüngerer Kalk mit bituminösem Mergelschiefer, vorzüglich am Fuß der Alp; 4) Jurakalk der schwäbischen Alp.

1) Der ältere Kalkstein (Alpenkalkstein Keferstein's)

fehlt zwar zunächst bei Tübingen selbst, verdient jedoch hier einer Erwähnung, indem er schon bei Rottenburg und Niedernau zum Theil in mächtigen Felsen zu Tage ausgehend ist; er verbreitet sich von da westlich, oft die Ufer des Neckars bildend gegen den Schwarzwald an dessen östlichen Rand er sich an den rothen Sandstein anlagert, in ihm ist die Saline bei Sulz. Er ist deutlich geschichtet, hat im Großen einen muschlichen im Kleinen aber ebenen feinsplittrigen Bruch, gewöhnlich eine dunkel bläulichgraue Farbe, wird aber durch Verwitterung heller und rauchgrau; nicht selten enthält er Adern vom weißem Kalkspath; von Versteinerungen enthält er hie und da Entrochiten und Pectiniten, dagegen scheinen ihm die Gryphiten völlig zu fehlen. Am einigen

Stellen findet sich auf diesem Kalk die unter dem Nämen Rauchwacke bekannte Abänderung dieses Kalksteins namentlich auf der Höhe zwischen Rottenburg und Niedernau, welche durch ihre rauchgraue Farbe, rauhen erdigen Bruch und durch die blasige poröse zellige Struktur ausgezeichnet ist u. oft sind diese Zellen schön mit einem abwechselnd roth und bläulich gefärbten erhärteten Thonmergel (sogenannten Leberkies) ausgefüllt.

2) Der bunte Sandstein

bildet in den nähern Umgebungen von Tübingen selbst die vorherrschende Gebirgsart, er ist gewöhnlich grobkörnig, und von weißlicher Farbe, seine tiefern Schichten sind oft dichter feinkörnig und fester; seine höhern Schichten zunächst an der Oberfläche sind meist von geringer Festigkeit und hie und da sehr locker, so daß er sich leicht zerschlagen läßt und selbst zu Streusand in Zimmern angewandt wird, wie dieses bei einigen Sandsteinschichten des Oesterbergs der Fall ist; der dichtere wird zu Baustein und hie und da, wie im Wald bei Bebenhausen, selbst zu Mühlsteinen verarbeitet. Er hat nicht selten kohlensauren Kalk als Bindemittel, nach dessen Auflösung er in quarzreichen Sand zerfällt, seine Gemengtheile bestehen oft deutlich aus röthlichem Feldspath, weißgrauem Quarz und bläulichgrauem erhärtetem Thon; hie und da findet man ganze Spalten dieses Sandsteins von 1 — 3 Zoll Breite mit weiß gelblichem Kalksinter ausgefüllt wie auf der

Bergkette zwischen dem Schloß und Spizberg dieses an verschiedenen Stellen der Fall ist. Dieser weiße grobkörnige Sandstein verbreitet sich auf ähnliche Art über viele der etwas höher liegenden Gegenden Württemberg's, auch die höhern Gegenden der Umgebungen von Stuttgart zeigen ihn unter ähnlichen Verhältnissen, er ist mit wenig Abweichungen horizontal geschichtet und liegt meistens 1100 bis 1500 Schuhe über dem Meer, unter ihm liegt gewöhnlich der feinkörnige bunte Thonsandstein, wie sich dieses in den Steinbrüchen bei Stuttgart deutlich beobachten läßt, oft liegt zunächst unter ihm und in ihm eingelagert Gyps mit schiefrigen Mergel, wovon sogleich näher die Rede seyn wird.

Die merkwürdigern Abänderungen des Sandsteins der hiesigen Gegend sind folgende:

1) in den höhern Schichten am Abhang des Viehweid- und Steinenbergs und gegen Waldhausen und Bebenhausen 400 — 500 Schuhe über dem Neckarthal finden sich einige Schichten eines sehr quarzreichen splittrigen grauen Sandsteins, welcher ein sehr feines Korn besizt, und aus überwiegend viel Quarz mit wenig Thon besteht, er ist in der Gegend von Tübingen unter der Benennung Viehweidstein bekannt, weil die Gegend, wo er sich findet, vorzüglich als Viehweide benuzt wird; die Steinarbeiter vermeiden beim Bauen diesen Stein in Gebäuden anzuwenden, indem er sich schwer verarbeiten läßt, weil

beim Behauen unregelmässig glasartig springt und zugleich die Eigenschaft hat die Feuchtigkeit aus der oft stärker als andere Steine an sich zu ziehen und auf sich abzusezen (zu schwizen), diese Eigenschaft scheint einen theils chemischen theils physischen Grund zu haben; chemische Versuche lassen nämlich in diesem Stein eine Spur von salzsaurem Kalk entdecken, welcher sich auch nicht selten in den Quellwassern der hiesigen Gegend findet, mehr als in diesem sehr geringen salzsauren Kalkgehalt dürfte jedoch der Grund von diesem Schwizen in der physischen Beschaffenheit des Steins zu suchen seyn, indem er einen weit dichtern Bau und auch ein grösseres spezifisches Gewicht besizt, als der gewöhnlich zum Bauen benüzte mehr grobkörnige Sandstein der hiesigen Gegend (das spezif. Gewicht des feinkörnigen Viehweidsteins ist 2,461, das des grobkörnigen gewöhnlichen Sandsteins ist 2,426). Durch diese grössere Dichtigkeit bleibt die Kälte bei Thauwetter und überhaupt bei jedem Temperaturwechsel vorzüglich im Frühjahr länger in diesem Stein als in den locker gebildeten gewöhnlichen Sandsteinen, wodurch sich die Wasserdünste in grösserer Menge auf seiner Oberfläche niederschlagen als auf den benachbarten Stellen der Mauern und so die Erscheinung des Schwizens veranlassen.

2) In einigen in das Neckarthal auslaufenden Bergschluchten der Bergkette zwischen Schloß und Spizberg findet sich ein äusserst grobkörniger ...

fluhartig gebildeter Sandstein, welcher aus oft größern einige Linien im Durchmesser haltenden Bruch-
stücken von weißen abgerollten Quarzkörnern, hell-
röthlichem Feldspath und feinkörnigem dichten
Sandsteinstückchen zusammengesezt ist, das Bindemittel ist oft weißlicher Kalk oft auch ein bläu-
licher Thon, sein Gefüge ist meist nicht sehr fest,
er scheint nach seinen Lagerungsverhältnissen und
Gemengtheilen von jüngerer Bildung als der feinkörnige Thonsandstein zu seyn und hie und da in
den weißen grobkörnigen Sandstein der hiesigen
Gegend überzugehen; er entspricht in der Art seiner
Bildung der schweizer Nagelfluhe, ist aber deutlich
eine sehr grobkörnige Abänderung dieses Sandsteins.

3) Am Abhang des Bergrückens nördlich
vom Ammerthal zunächst bei Tübingen und auf
dem Bergrücken, welcher sich westlich vom Bebenhäuser Bach von Waldhäusen gegen Lustnau
zieht (Gaishalde), gegen 200 Schuh über dem Ne-
carthal finden sich hie und da dünne Schichten
von dichtem quarzigen Thonsandstein, auf welchen Sandsteincrystalle meist in geschobenen Wür-
feln aufsizen, ähnlich denen, welche sich auf den
Anhöhen bei Stuttgart, Eßlingen und in einzelnen Gegenden des Schönbuchs finden; sie finden
sich im Allgemeinen in hiesiger Gegend seltner
und oft undeutlicher auscrystallisirt, als bei Stuttgart, welches jedoch blos zufällig seyn kann,
wahrscheinlich, weil die Stellen, wo diese Sand-
steine hier vorkommen, meist angebaut sind, und

oft nur zufällig einzelne dieser Schichten aufgedeckt werden.

4) Auf den höchsten Stellen des Oesterbergs finden sich auf einem ähnlichen quarzigen feinkörnigen Sandstein hie und da eigenthümliche halbzirkelförmige Bildungen, von 2 — 3 Linien Breite und Höhe und 1, 2 bis 3 Zoll Länge, die aus derselben Sandsteinmasse bestehen und durchaus mit Versteinerungen keine Aehnlichkeit besizen, sie scheinen sich vielmehr an die oft neben den Sandsteincrystallen sich findende ebenfalls rundliche und regelmäßige Erhöhungen auszuschliessen und ihre Entstehung gestörten Crystallisationsverhältnissen zu danken zu haben; auch auf der Spize des Steinenbergs zeigt dieser quarzige Sandstein auf seiner Oberfläche zuweilen ähnliche unregelmäßige Erhöhungen.

Der Gyps

zeigt sich am Abhang der Bergketten nördlich vom Neckar- und Ammerthal an mehreren Stellen gewöhnlich zwischen 100 — 300 Schuh über dem Neckar zu Tage ausgehend. Der Gyps ist oft abwechselnd mit schiefrigem erhärteten Thonmergel vorkommend, welcher hier wie in den meisten Gegenden Württemberg's die Benennung Leberkies führt, namentlich finden sich diese Gyps- und Leberkiesschichten häufig in der Bergkette zwischen dem Schloß- und Spizberg, am Abhang des Wurmlingerbergs und am Abhang der Bergkette zwischen Tübingen und Herrenberg nördlich vom

Ammerthal. Die höhern Schichten dieser Bergketten sind meist aus dem schon erwähnten weißen grobkörnigen Sandstein gebildet und die Gypsschichten selbst scheinen theils zwischen den tiefer liegenden feinkörnigen Sandsteinschichten und dem höhern grobkörnigen Sandstein, theils in diesem selbst mit verschiedenen Unterbrechungen eingelagert zu seyn, sie sind auf der Höhe der Berge immer mit Sandstein bedeckt. Der Gyps der hiesigen Gegend zeigt viele Abänderung in Farbe Feinheit des Korns und Gefüge. In einigen Gegenden wie am Abhang des Wurmlingerbergs und im Ammerthal bei Kayh besizt er eine schöne weiße Farbe, hat ein feines Korn und läßt sich als Alabaster benüzen; oft ist er zugleich mit schwärzlichen und röthlichen Adern in verschiedenen Abänderungen durchzogen. Am südwestlichen Abhang des Schloßbergs in der sogenannten Pfalzhalde findet sich eine in andern Gegenden seltner vorkommende Art von blättrigem Gyps in grobkörnig abgesonderten Stücken, die leztern sind von bräunlich-rother Farbe oft von $\frac{3}{4}$ — $\frac{1}{2}$ Zoll Durchmesser und gewöhnlich in Menge in eine Masse von dichtem weißem Gyps eingewachsen; das Ganze hat dabei ein festes Gefüge, so daß sich dieser Gyps zu Platten wie Alabaster verarbeiten läßt, welcher durch seine übrigen von der Hauptmasse verschieden gefärbten Gemengtheile ein porphyrartiges Aussehen erhält (gewöhnlich ist die Gegend, wo sich dieser schöne Gyps findet, mit

Weinreben angepflanzt, weßwegen er meist nur dann gefunden wird, wenn bei der Bearbeitung des Bodens tiefer als gewöhnlich gegraben wird, hie und da wird derselbe auch absichtlich von Weingärtnern zur Benüzung aufgesucht.) — Ein schwärzlich-grauer schiefriger blättriger Gyps findet sich auf einigen steilen gegen Südwest vorspringenden Stellen der Bergkette zwischen dem Schloß- und Spizberg, er hat ein sehr lockeres Gefüge, verwittert bald und enthält wirklich etwas kohligte Theile beigemengt, er entwickelt durch bloßes Glühen ohne allen Zusaz von Kohle und nachheriges Uebergiessen mit einer Säure deutlich den bekannten Geruch nach Schwefelwasserstoffgas; selbst beim Verwittern läßt sich bei feuchter warmer Witterung zuweilen dieser Geruch ohne alle künstliche Vorrichtung im Freyen bemerken, welches ebenfalls auf eine Zersezung des Gyps durch die kohligte Theile hindeutet. Der dichte Gyps der hiesigen Gegend und des benachbarten Ammerthals wird häufig von den Bauern an der Donau (von Zwiefalten, Munderkingen, Ehingen, Riedlingen) zur Düngung ihrer Felder geholt.

Der schiefrige Mergel oder Leberkies, welcher sich meist in der Nähe oder abwesend mit dem Gyps selbst findet, zeigt nicht weniger Abänderungen in Farbe und Festigkeit. Er wechselt von graulichgrün, graublau, blauröthlich bis in's röthlich-braune, nicht selten folgt auf eine bläulich-gräulichte Schichte unmittelbar ein braunröthlich gefärbte; frisch aus dem Gebirg genommen, besizt dieser Mergel oft bedeutende Festigkeit, er zerfällt aber gewöhnlich bald, in viele kleine Schieferstückchen, so wie er einige Zeit an der Luft abwechselnd der Trockenheit und Feuchtigkeit ausgesezt ist, er bildet dadurch ein lockeres trockenes warmes Erdreich; durch diese Eigenschaft eignet er sich vorzüglich zum Weinbau, weßwegen die Gegenden, wo er sich findet, vorzüglich mit Weinreben angepflanzt werden, oft wird er in Menge zur Verbesserung des Bodens in die Weinberge getragen. Durch länger fortgesezte Verwitterung verliert er jedoch zulezt alle schieferige Textur und geht im Verlauf von einigen Jahren in gewöhnlichen mehr schweren Thonboden über, gewöhnlich muß er daher von Zeit zu Zeit auf's neue in die Weinberge gebracht werden. Es erklärt sich diese Erscheinung aus seinen chemischen Bestandtheilen, welche gewöhnlich vorherrschend aus Thon bestehen mit mehr oder weniger kohlensaurer Kalkerde und oft auch etwas Bittererde; seine verschiedene Farbe beruht auf dem in verschiedenen Graden oxydirten Eisen, welches an den Thon dieses Mergels gebunden ist; nur selten findet sich darin etwas Kupferoxyd.

Eine merkwürdige Abänderung von Steinmergel findet sich in einigen Gegenden am Abhang des Schloß- und Wurmlingerbergs gegen 200′ über dem Thal; die Schichte ist oft nur einige Zoll mächtig, hat aber größere Festigkeit als der gewöhnliche Leberkies, so daß sie an der Luft liegend, nicht mehr zerfällt, ist gewöhnlich von grauer und graurötlicher Farbe, braußt etwas mit Säuren und ist hie und da mit Adern von gelblich=weißem Schwerspath durchzogen; dieser Mergel ist so fest, daß er selbst Politur annimmt; auf seiner Oberfläche und in Spalten desselben finden sich hie und da Crystalle von gelblich=weißem und zuweilen auch gelblich=grünem Kalkspath gewöhnlich in kleinen dreiseitigen Pyramiden aufsizend.

In einem bläulichen schiefrigen Mergel, von weißem Sandstein bedeckt, findet sich auf dem benachbarten Einsiedel nesterweis Pechkohle, zuweilen mit etwas Schwerspath und Bleyglanz; schon vor mehreren Jahren wurde zur Gewinnung dieser Steinkohle eine Grube angefangen, die auch noch gegenwärtig geöffnet ist; die Ergiebigkeit zeigte sich jedoch so gering, daß die Unternehmung nicht weiter fortgesezt wurde.

3) Der blaue jüngere Kalkstein mit Gryphitenversteinerungen

bildet auf der nördlichen Seite des Neckars die obersten Schichten der Flözgebirge der hiesigen Gegend; er fehlt in den tiefern Gegenden und auf den Anhöhen um Tübingen, wie auf dem Schloßberg, Oesterberg und Spizberg und findet sich in den nähern Umgebungen von Tübingen bloß hie und da auf den Höhen zwischen Waldhausen und Bebenhausen, unter ähnlichen Verhältnissen

findet er sich in den höhern Gegenden des Schönbuchs gewöhnlich in Höhen von 500 — 700'
über dem Neckar oder 1500 — 1700 über dem
Meer. Weiter verbreitet und zusammenhängender
findet sich dieser Kalk auf der südlichen Seite von
Tübingen am Fuß der schwäbischen Alp gewöhnlich in Begleitung eines bituminösen Schiefer-
thons in ähnlichen Höhen. Er hat gewöhnlich
eine dunkle schwärzlich-blaue Farbe, im Bruch
ist er uneben oft mit etwas körniger Absonderung;
er ist hart, schwer zersprengbar, an der Luft be-
ständig, er entwickelt beim Reiben oder Auflösen
in Säuren oft einen starken bituminösen Geruch
und ist ausgezeichnet durch seine oft in einzelnen
Schichten gedrängt in Menge in ihm liegenden
Gryphiten (Gryphaea arcuata Lam.), ausser
diesen enthält er auch mehrere Versteinerungen
von andern Seethieren, welche sich unter den gegenwärtig lebenden Organisationen nicht mehr finden, namentlich finden sich in ihm (vorzüglich im
Schönbuch) Ammoniten von einigen Zollen bis
2 Schuh Durchmesser, deren Kammern nicht selten mit weißem Kalkspath auscrystallisirt sind;
Belemniten von 2 — 4 Zoll Länge am brei-
tern Ende von $\frac{1}{4}$ — $\frac{3}{4}$ Zoll Durchmesser; Terebratuliten mit gefalteter Schale von $\frac{1}{2}$ — 1 Zoll
Durchmesser; Turbiniten, Strombiten,
Venuliten, Musculiten, hie und da auch
Pentacriniten und Trochiten, jedoch beide
leztere meist nur zerstreut in einzelnen Bruchstü-

cken. Die Echiniten, welche sich im Kalk der schwäbischen Alp nicht selten finden, scheinen in der Formation dieses Kalks völlig zu fehlen.

Als eine der merkwürdigern Bildungen dieser Kalkformation verdient hier noch der Nagelkalk einer Erwähnung, welcher auch in hiesiger Gegend ähnlich wie auf den Fildern bei Stuttgart und ein gen andern Gegenden Würtemberg's in diesem Kalk in kleinen Schichten eingelagert ist; er findet sich hier namentlich am Weg von Waldhausen nach Bebenhausen hie und da zerstreut liegend.

4) Der bituminöse Schieferthon, Mergelschiefer, Lettenschiefer.

Begiebt man sich von hier an die benachbarte Alp, so findet man am Fuß derselben an mehreren Stellen (bei Gömmaringen, Reutlingen, Pfullingen) mächtige Schichten eines blauen Schiefers zu Tage ausgehend, welcher theils über dem eben erwähnten blauen Kalk liegt theils mit ihm wechselt; er ist horizontal geschichtet, besizt geringe Festigkeit und zerfällt meist leicht an der Luft in dünne Schieferplatten, er ist reich mit Erdharz durchdrungen, so daß er zwischen glühende Kohlen geworfen bald Feuer fängt und unter steinkohlenartigen harzigen Geruch mit heller Flamme brennt, er erhält durch das Brennen eine hellgraue Farbe; ausser dem Erdharz enthält er Thon, kohlensauren Kalk, oft auch etwas

Gyps und kohlensaure Bittererde; er findet sich auf ähnliche Art in vielen Gegenden am ganzen nördlichen Fuß der Alp. — Eine diesem Schiefer ähnliche Gebirgsart findet sich in einzelnen Schichten hinter Bebenhausen in Begleitung mit dem jüngern blauen Kalkstein, welcher zu derselben Formation zu gehören scheint, eine tiefer liegende Schichte dieses Schiefers findet sich am Ufer des Bachs bei Bebenhausen, dessen Beet an einigen Stellen in dem Schiefer selbst eingegraben ist, über ihm liegt Leberkies; dieser leztere Schiefer scheint hier mehr eine dem Leberkies untergeordnete Schichte zu bilden, dem er sich auch in chemischer Beziehung am meisten nähert, er ist übrigens auch hier mit Erdharz durchdrungen.

### 5) Der Kalk der schwäbischen Alp (Jurakalk).

Südwestlich ist der Horizont von Tübingen durch die Gebirgskette der schwäbischen Alp begränzt, welche hier in so fern eine nähere Erwähnung verdient, als ein Theil des Oberamts Tübingen in dieser Gebirgskette liegt, und mehrere ihrer merkwürdigern Punkte von Tübingen aus oft besucht werden. Diese Gebirgskette, deren höhere Punkte sich an mehreren Stellen 2200 — 2700' über das Meer und 1200 — 1700' über das Neckarthal bei Tübingen erheben, besteht aus einem gewöhnlich gelblichweißen dichten Kalkstein mit grauen, gelben und röthlichen Abänderungen, oft ist er mit Adern von Kalkspath durchzogen, sein Bruch ist im Großen muschlich und eben, im Kleinen splittrig, zuweilen in's blättrige übergehend, er springt in scharfkantige Bruchstücke, ist sehr luftbeständig und trozt gewöhnlich lange der Verwitterung; jedoch zeigt sich in dieser Beziehung einige Verschiedenheit, je nachdem er mehr oder weniger Thon beigemengt enthält. Der dichteste, reinste, meist heller gefärbte enthält nur 0,2 — 0,3 pro Cent Thon, häufiger enthält er 2 — 5 p. C. Thon, einzelne mehr oberflächliche Schichten enthalten aber auch bis 24 p. C. Thon, diese leztere verwittern meist leichter und zeigen die Erscheinung des sogenannten Erfrierens, das heißt, sie verwittern vorzüglich leicht durch abwechselnden Frost und Thauwetter. Im Allgemeinen zeigt dieser Kalk die größte Aehnlichkeit mit dem Kalk des Jura's der Schweiz, als dessen Fortsezung sich auch die ganze Gebirgskette von der Schweiz bis in unsere Gegenden verfolgen läßt, das Innere dieses Gebirgs ist auf ähnliche Art wie in der Schweiz mit großen Wasserhöhlen, welche mit Tropfsteinen besezt sind, durchzogen, die Lager von Bohnerz finden sich in dieser Gebirgskette auf ähnliche Art, wie im Jura der Schweiz; die in beiden Gebirgen sich findenden Versteinerungen zeigen gleichfalls die größte Aehnlichkeit. Merkwürdig ist es unter den Versteinerungen dieses Kalksteins mehrere von solchen Thieren zu finden, welche den gegenwärtigen Organisationen schon näher stehen, als bei mehreren der vorhin erwähnten Versteinerungen dieses der Fall ist, und welche auch bis jezt in den meist tiefer liegenden blauen Kalkschichten Württemberg's vergebens gesucht wurden; es spricht diese Erscheinung sehr dafür, diesen Kalk als die jüngste Formation unserer Kalkgebirge anzusehen, welches auch die neuesten bergmännischen Arbeiten in dem Bergwerke zu Wasseralfingen zu bestätigen scheinen und womit auch die Beobachtungen Leopold von Buch's und Keferstein's und die neuern Beobachtungen von Merian in den Umgebungen von Basel übereinstimmend sind *). Ausser den auch im blauen Kalk sich findenden Ammoniten, Belemniten und Terebratuliten finden sich nämlich in diesem Kalk folgende Versteinerungen:

Nautiliten, meist von 1 — 3 Zoll Durchmesser mit meist sehr platter Schale, einzelne von bedeutender Größe; Ostreo-pinniten (Cristaciten Schloth.) sogenannte Hahnenkämme, große flache austernartige Muscheln mit starkgefaltetem Rand, oft von 4 — 6 Zoll Länge und 3 — 4 Zoll Breite (Ostracites crista galli Schloth.) Echiniten, Seeigel, Seeäpfel von 1 — 2 Zoll Durchmesser hie und da mit gut

---

*) Merian, Uebersicht der Gebirgsbildungen in den Umgebungen von Basel, mit 1 Karte und Steintafel. Basel 1821. bei Schweighäuser. Keferstein geognostisches Deutschland. 1821. Weimar.

erhaltener Schale und regelmäßig gezeichneter Oberfläche, ähnlich den noch gegenwärtig in den Weltmeeren lebenden Arten (über der Nebelhöhle Roßberg, bei Genkingen ꝛc.) Echinitenstacheln, meist einzeln zerstreut liegend, ¼ — ¾ Zoll lang und einige Linien dick, oft mit gestreifter Oberfläche meist cylindrisch seltner bauchig. Tubiporiten, Madreporiten und Fungiten versteinerte Corallen verschiedener Art bei Heidenheim, Blaubeuren, Honau ꝛc. Ichthyolithen, versteinerte Fischzähne, Hayfischzähnen ähnlich, meist mit gut erhaltener Glasur von ¼ — 1 Zoll Länge, platt von dreieckiger Form mit einer scharfen Endspize, zuweilen an der Seite noch mit mehreren kleinen sägeartigen Nebenzähnen versehen (bei Ebingen, Sigmaringen), zuweilen finden sich diese Fischzähne ganz im Bohnerz der Alp eingewachsen *).

Das Erdreich auf der Höhe der Alp ist zwar gewöhnlich mit vielen Kalksteinen gemischt und oft von diesen größtentheils bedeckt, zeichnet sich aber oft durch auffallend schwarze Farbe und Lockerheit aus. 100 Theile dieses schwarzen Erdreichs bei

*) Die hier erwähnten Versteinerungen und Gebirgsarten finden sich alle in mehreren Abänderungen in den Sammlungen auf dem Schlosse zu Tübingen.

Genkingen ohnweit des Roßbergs zeigten sich zusammengesezt *)

aus 33,8 Theilen kohlensaurer Kalkerde,
— 47,0 — — Thon durch Eisenoxyd etwas gefärbt,
— 1,2 — Quarzsand,
— 4,6 — milder Humus durch Wasser und Kali ausziehbar,
— 13,1 — Fasern und Kohle durch Glühen verflüchtigbar.

## Das aufgeschwemmte Land

der Gegend von Tübingen zeigt viele Abänderungen, wie sich dieses schon aus der unebenen Beschaffenheit der Erdoberfläche erwarten läßt. Es gehören dahin die Lehmablagerungen, Kalktufflager, eigentlichen Ackererden und Geschiebe des Neckars.

### 1) Lehm oder Leimen

findet sich in hiesiger Gegend in mehreren Gruben, welcher zu gewöhnlichen Töpferwaaren und Ziegeln verarbeitet wird, unter ihnen verdient insbesondere eine Lehmgrube zunächst bei Tübingen eine nähere Erwähnung, in welcher hie und da fossile Knochen ausgegraben werden. Sie liegt nördlich vom Ammerthal nur einige 100 Schritte

---

*) Untersuchungen verschiedener Erdarten Württemberg's von Prof. Schübler bei Mezler. Stuttgart 1821. ein Foliobogen.

on der Stadt in einer kesselförmigen Vertiefung
es Bergrückens, welcher nördlich das Ammerthal
egränzt, 112 pariser Schuhe über dem Neckar.
Schon vor mehreren Jahren wurde in dieser Grube
in Backenzahn eines Mammuths, ähnlich denen
ei Canstatt und Stuttgart sich findenden, aus-
egraben, welcher noch gegenwärtig im Natura-
enkabinet in Tübingen aufbewahrt wird, und
st vor einigen Jahren wurden in derselben
irube Schenkelknochen von ungewöhnlicher Größe
funden, welche jedoch leider aus Unkunde von
n Arbeitern zerschlagen wurden. Der Lehm die-
r Grube ist von graugelblicher Farbe; hat im
ockenen Zustand ein etwas mageres Anfühlen,
brigens ein völlig gleichförmiges Aussehen ohne
merkbare, verschiedene Schichten zu zeigen, er
ird gewöhnlich blos zu Ziegeln benüzt.

2) Kalktuff

idet sich zunächst bei Tübingen nicht, wohl aber
n Fuß der benachbarten Alp bei Pfullingen im
hazthal; die Dörfer Ober- und Unterhausen
d selbst ein Theil von Pfullingen stehen auf
lem Tuffstein. Dieses Tuffsteinlager ist mehrere
iß mächtig, scheint jedoch von der neuesten
itstehung zu seyn, indem man in Unterhausen
on 6 Fuß tief unter der gegenwärtigen Ober-
che Gebeine von Menschen, Ziegel und bei drei

Schuhe Tiefe Geweihe von Hirschen gefunden hat*). Dieser Tuffstein dient als guter Baustein, da er sich leicht verarbeiten und mit wenigen Kosten transportiren läßt, er wird selbst bis Tübingen geführt, und scheint vorzüglich in frühern Zeiten häufiger als gegenwärtig zum Bauen in Tübingen selbst benützt worden zu seyn. Die starken Mauern des Schlosses zu Tübingen bestehen größtentheils aus diesem Tuffstein.

### 3) Die eigentlichen Erdarten.

Die Erdoberfläche der nähern Umgebungen von Tübingen ist meist mit fruchtbarer Erde bedeckt. Die obere Schichte der eigentlich fruchtbaren Ackererde zeigt im Neckar- und Ammerthal eine ziemlich gleiche Mächtigkeit von etwa einen Schuh Tiefe, weniger Gleichförmigkeit zeigt die Mächtigkeit und Beschaffenheit der obersten Erdschichte auf den benachbarten Bergen. Der Untergrund ist nach hiesiger Aussprache heilloser Boden; er besteht im Thal aus Lehm, unter diesem liegt oft Kies, welcher aus kleinen Kalkgeschieben mit wenig Quarzgeschieben besteht, zuweilen bildet dieser Kies auch sogleich die erste Schichte des Untergrunds. Auf den Bergen ist der Untergrund abwechselnd bald aus Lehm, bald aus Sandstein gebildet, auf der Höhe

*) Siehe Rößler's Beiträge zur Naturgeschichte Würtemberg's 2tes Heft in der Cotta'schen Buchhandlung 1790. pag. 113. Tübingen.

des Viehweidbergs besteht er aus einem sehr zähen das Wasser schwer durchlassenden Thon.

Das Neckar- und Ammerthal enthält die fruchtbarsten Felder, ihnen nähert sich der Niedernberg. Diese 3 Hauptfelder bilden zugleich die größte Fläche, worauf Ackerbau getrieben wird; minder fruchtbar ist der Schloß- und Oesterberg, welche auf ihrem südlichen Abhang mit Weinreben übrigens größtentheils mit Wiesen und Obstbäumen, auf ihrem nördlichen Abhang mit Wald bekleidet sind. Auf sie folgt der Viehweideberg und Steinenberg, welche den nächst vorhererwähnten Gegenden größtentheils ähnlich angebaut sind, jedoch trifft man auf diesen auch noch auf viel unangebautes Land; sie besizen theils einen zu steinigten, theils zu schweren thonigen Untergrund. Eine nähere physisch-chemische Untersuchung der Hauptterdarten der Umgebungen von Tübingen, verdanken wir Herrn von Ruff, welcher diese Versuche im Sommer 1819 zum Theil unter Leitung von Prof. Schübler anstellte, die Resultate dieser Versuche sind in folgender Tabelle enthalten, in welcher die Felder der hiesigen Umgebungen nach dem Grad der Fruchtbarkeit in 3 Hauptklassen getheilt sind.

| | Resultate der chemisch-physischen Untersuchung der Acker-Erden von Tübingen. | Chemische Bestandtheile. | | | | | Physische Eigenschaften. | | | | | |
|---|---|---|---|---|---|---|---|---|---|---|---|---|
| | Hauptfelder. | Quarz-Sand. | Thon. | Kohlensaurer Kalk. | Im Kali auflöslicher milder Humus. | Eisen-Oxydul. | Wasserhaltende Kraft. | Konsistenz des Bodens, die des reinen Thons = 100 gesezt | Gewicht eines Pariser Kubikzolls Erde im trocknen Zustand. | Gewicht eines Pariser Kubikzolls Erde im nassen Zustand. | Farbe und Anfühlen. | Agronomische Benennungen. |
| | | pCt. | pCt. | pCt. | pCt. | pCt. | pCt. | | Gr. | Gr. | | |
| I. Klasse. | Neckarthal, mehr der Ueberschwemmung der Steinlach ausgesezt. | 17,5 | 57,8 | 23,5 | 0,7 | 0,5 | 61,4 | 66,6 | 452 | 512 | weißlichgrau, fein | thonigter Kalkboden. |
| | Neckarthal, mehr der Ueberschwemmung des Neckars ausgesezt. | 17,2 | 64,7 | 16,4 | 1,0 | 0,7 | 61,3 | 74,3 | 440 | 517 | hellgrau, fein | thonigter Mergelboden |
| | Ammerthal . . . | 36 | 49,9 | 12,5 | 1,0 | 0,6 | 60,8 | 44,4 | 447 | 542 | röthlichbraun, sandig | lehmigter Mergelboden. |
| | Riedernberg . . | 25,3 | 69,8 | 3,7 | 0,9 | 0,3 | 58,8 | 75,9 | 467 | 528 | röthlichgrau, fein | gewöhnlicher Thonboden. |
| II. Kl. | Schloßberg . . . | 52,5 | 42,8 | 2,9 | 1,3 | 0,5 | 52,9 | 31,5 | 458 | 545 | schmuzíggrau, sandig | kalkhalt. sandig. Lehmboden. |
| | Oesterberg . . . | 38 | 52,3 | 8,4 | 0,6 | 0,7 | 58,5 | 64,7 | 441 | 532 | röthlichbraun, sandig | thonigter Mergelboden. |
| III. Kl. | Viehweideberg . | 31 | 64,4 | 3,0 | 0,8 | 0,8 | 59,6 | 55,5 | 434 | 511 | schmuzíggrau, fein | kalkhaltiger Thonboden. |
| | Steinenberg . . | 46 | 49,6 | 2,9 | 0,8 | 0,7 | 51,5 | 40,0 | 424 | 530 | röthlichbraun, sandig | kalkhaltiger Lehmboden. |

Es ergiebt sich aus diesen Versuchen, daß die Thäler bei Tübingen reich an kohlensaurem Kalk sind, vorzüglich ist dieses in dem Theil des Neckarthals der Fall, welcher den Ueberschwemmungen der Steinlach ausgesezt ist. Durch diesen großen Kalkgehalt bei übrigens vorherrschendem Thongehalt erklärt sich größtentheils die große Fruchtbarkeit dieser Thäler, indem durch diesen Kalk die Ueberreste von absterbenden Pflanzen und Thieren und Dünger überhaupt schneller in auflöslichen Humus zersezt und von den Pflanzen als Nahrungsmittel aufgenommen werden können; übereinstimmend ist damit der an sich geringe Gehalt von in Alkalien auflöslichem Humus, obgleich in diesen Gegenden gewöhnlich jährlich gedüngt wird. — Der größere Sandgehalt auf den Bergen stimmt mit den Sandsteinschichten überein, auf welchen diese Erdschichten ruhen.

4) Die Geschiebe des Neckars.

bestehen ausser feinem Kalk und Quarzsand meist aus abgerollten Stückchen von gelblichgrauem und blauem Kalkstein, welche größtentheils durch die Gebirgsflüßchen der Alp in den Neckar geführt werden, seltner findet man Geschiebe von jüngerem Sandstein, indem diese schneller in Sand verwittern, hie und da findet man auch Bruchstücke vom ältern rothen Sandstein des Schwarzwalds eben so von grauem und schwärzlichem Quarz und Feuerstein, nur sehr selten ein Stück vom Granit des Schwarzwalds. Zuweilen findet man im Neckar unter seinen Geschieben fremdartige Körper, Stückchen Eisen, eiserne Ringe, Nägel ꝛc., welche ganz in ein Conglomerat von Kalktuff und kleinen Steinchen eingewachsen sind, noch jezt scheinen sich daher durch Niederschlag des im Neckarwasser aufgelösten kohlensauren Kalks solche Conglomerate zu bilden; die Geschiebe des Neckars selbst werden vorzüglich zum Chausseebau benüzt.

Die chemischen Bestandtheile des Neckarwassers und der Quellen und Brunnen von Tübingen siehe oben pag. 592 ff.

## Pflanzenreich.

Die Flora der hiesigen Gegend ist reicher und mannigfaltiger als dieses in manchen mehr eben liegenden Gegenden des südlichen Deutschlands der Fall ist. Die in verschiedener Richtung die Gegend durchziehenden Thäler und Bergrücken und die damit gegebenen verschiedene Bodenarten und mannigfaltigen Temperaturs- und Feuchtigkeitsverhältnisse lassen dieses nicht anders erwarten, hiezu kömmt noch die Nähe der schwäbischen Alp, wodurch die hiesigen Umgebungen schon manche Pflanzen besizen, welche in den tiefern Gegenden des Neckarthals fehlen, obgleich die leztern ein gelinderes Klima und im allgemeinen auch eine grössere Fruchtbarkeit besizen. Es würde gegen den Zweck dieser Schrift seyn, hier eine

ollständige Flora der Gegend von Tübingen mit
eschreibungen der einzelnen Pflanzen geben zu
ollen, da ohnehin die hier sich findenden Pflan-
n in den meisten botanischen Handbüchern schon
schrieben sind; zweckmäßiger und den meisten
wünschter dürfte es dagegen seyn, hier eine kurze
ufzählung der in den hiesigen Umgebungen und
f der benachbarten Alp wild vorkommenden
lanzen mit Angabe ihrer Fundorte und Blüthezeit
sammengestellt zu erhalten, welche wir hiemit
der Beilage am Ende dieser Schrift mittheilen.

## Das Thierreich

gt in den hiesigen Umgebungen nichts von den
rigen Gegenden Württemberg's wesentlich ver-
iedenes, daher wir in dieser Beziehung ganz
f das systematische Verzeichniß der inländischen
iere verweisen zu können glauben, welches
of. Schübler vor Kurzem in der Geographie und
atistik Württemberg's von J. D. Memminger,
uttg. 1820, dem Publikum mittheilte, wo
merkwürdigern in der Gegend von Tübingen
findenden Thiere auch ausdrücklich aufgeführt
. Viele dieser Thiere sind ohne dies an keinen
immten Wohnort gebunden und sind oft nur
chziehend in unsern Gegenden sich einfindend;
u noch kommt, daß bis jezt die wenigsten
enden Württemberg's hinreichend von Kennern
hsucht sind, um mit Bestimmtheit sagen zu
ien, was in dieser Beziehung der Gegend von

Tübingen vor andern Gegenden Württemberg's eigenthümlich zukommend ist.

Als allgemeinere Merkwürdigkeiten und Eigenheiten im Thierreich der hiesigen Gegend dürften hier etwa folgende einer Erwähnung verdienen.

Das Wild, welches in den benachbarten Theilen des Schönbuchs früher durch seine Menge oft schädlich wurde und oft auf den Fruchtfeldern in der Nähe dieser Wälder Verheerungen anrichtete, hat sich seit einigen Jahren durch die neuern Einrichtungen bedeutend vermindert, jedoch findet man noch immer ausser dem gewöhnlichen kleinen Wild auch wilde Schweine, Hirsche und Rehe. Eigenheiten zeigen sich folgende:

Die Edelmarder, welche in den benachbarten Wäldern, vorzüglich des Schönbuchs, vorkommen, besitzen gewöhnlich nur eine weißliche schwach gelblich gefärbte Kehle, und zeigen nicht eine hochgelbe Farbe an dieser Stelle, wie dieses in mehreren andern Gegenden, namentlich im Schwarzwald der Fall ist; sie werden von den Jägern zum Theil für Bastarde von Haus- und Edelmardern gehalten.

Fischotter finden sich hie und da im Neckar, namentlich zwischen hier und Rottenburg und bei Kirchentellinsfurth.

Der Dachs findet sich in den hiesigen Umgebungen ziemlich häufig, namentlich an den Seitenbergen der Steinlach und am Kreuzberg bei Rosel.

Wilde Kaninchen fanden sich früher in hiesier Gegend am Abhang des Spizbergs, sie sind doch schon seit mehreren Jahren, wegen des Schadens, welchen sie in den Weinbergen anrichten, ausgerottet. Hamster fehlen hier völlig. Gelblichweiße Maulwürfe finden sich zuweilen im Neckarthal; im Sommer 1820 wurde ein schönes Exemplar gefangen. Die gewöhnliche schwarze Hausratte (Mus Rattus L.) scheint in neuern Zeiten in Tübingen zu fehlen, oder ist wenigstens sehr selten; häufiger findet sich dagegen die aus dem Orient zu uns eingewanderte große graue Wanderratte (Mus decumanus Pallas), vielleicht, daß diese größere Ratte hier die gewöhnliche vertrieben hat. Der Siebenschläfer (Glis esculentus) findet sich hie und da auf Feldern.

Von Vögeln besizt die Gegend die meisten auch in andern Gegenden Württemberg's vorkommenden Arten, jedoch fehlen ihr in neuern Zeiten mehrere Wasservögel, welche früher häufiger die Gegend besuchten; das Trockenlegen eines Seitenarms des Neckars, welches erst in neuern Zeiten geschah, scheint hievon die Ursache zu seyn; gegenwärtig stellen sich solche Wasservögel meist nur ein, wenn Neckar und Steinlach aus ihren Ufern treten. Seit dem Druck des oben erwähnten Verzeichnisses wurden so hier von Wasservögeln noch folgende geschossen:

Ardea minuta die kleine Rohrdommel. Scolopax major [?] quinata die Doppelschnepfe. S. Glottis die Regenschnepfe.

Tringa pugnax der Kampfhahn. T. Ochropus der punktirte Strandläufer. T. Cinclus die Meerlerche. Charadrius Hiaticula der Halsbandregenpfeifer. Larus canus die große nordische Sturmmöve. Larus ridibundus die schwarzköpfige Möve. Mergus Merganser die Sägegans; merkwürdig ist es, daß seit mehreren Jahren immer blos die Weibchen dieses leztern Schwimmvogels über die Gegend von Tübingen ziehen.

Fischreiher finden sich nicht selten im Steinlach-Thal; Storchen halten sich gewöhnlich einige Paare in der Gegend auf, ihre Ankunft erfolgt meistens Ende Februars, ihr Weggehen in der ersten Hälfte Augusts.

Zu den schönern Raubvögeln der hiesigen Gegend gehören der Falco Lagopus der rauhfüssige Falke und Falco subbuteo der Baumfalke.

Von Reptilien finden sich in den hiesigen feuchten Wäldern und Sümpfen die verschiedenen oft schön gezeichneten Salamanderarten namentlich Salamandra maculata Laurentii der Erdsalamander hier unter dem Namen Molch bekannt, und Triton cristatus, alpestris und palustris Laur. die Wassersalamander mit plattem Fischschwanz; vonSchlangen findet sich hier ausser der gewöhnlichen Natter und Blindschleiche auch die rothe Natter (Coluber laevis Lacep. Coronella austriaca Laurentii). Sie hält sich am Abhang der hiesigen Berge hie und da in Weinbergen auf und variirt hier oft sehr in Farbe; oft ist sie schön gezeichnet, ihre Farbe geht bei verschiedenen Exemplaren vom gelblichbraunen durch's rothbraune bis in's kupferrothe über, die auf ihrem Rücken der Länge nach stehenden braunen Flecken sind zuweilen in Linien

usammenfließend, welche zusammenhängend an den Sei-
en des Rückens vom Kopf bis zum After als paralell
aufende Linien hinziehen; sie ist nicht giftig.

An Fischen finden sich im Neckar und dessen Sei-
enflüßchen der hiesigen Gegend die in den kleinern Flüs-
en Württemberg's gewöhnlicher vorkommenden Arten;
ehrere Fische der Donau bei Ulm, des untern Neckars
ei Heilbronn und des Bodensees fehlen hier ganz. Die
ische der hiesigen Gegend sind nach den hiesigen Pro-
inzialnamen folgende, die lateinischen Benennungen sind
ach Bloch und Linné.

Muraena Anguilla der Aal. Cottus Gobio die Gruppe.
erca fluviatilis der gewöhnliche Versching. Gaste osteus
culeatus der Stichling (in der Ammer) Stachelfischchen.
obitis Barbatula die Bartgrundel, gemeine Grundel.
almo Fario die Forelle (in der Echaz bei Kirchentellins-
irth und in der Steinlach bei Ofterdingen). Salmo
hymallus Aesche, zuweilen einzeln im Neckar bei gro-
em Wasser. Esox Lucius der Hecht. Cyprinus Ery-
urophthalmus das breite Rothauge. C. Rutilus großes
hmales Rothauge oder Rothflosser in der Blaulache.
. Nasus die Nase, oft blos Weißfisch genannt. C. Bar-
us der Barbe. C. Jeses der Schubfisch. C. Tinca die
chleiche. C. Dobula der Gangfisch. C. bipunctatus die
lecke. C. Gobio die Gräsße. C. Phoxinus die Pfelle,
der Felle.

Karpfen finden sich hier im Neckar nicht, sie werden
er in verschiedenen Teichen gehalten und für den Ver-
uf von Fischern gezogen.

Edelkrebse (Cancer nobilis Schrank) finden sich hier
der Blaulache bei Kirchentellinsfurt und bei Weil im

Schönbuch; in den übrigen Bächen der hiesigen Gegend finden sich hier blos die kleinen sogenannten Steinkrebse (Cancer torrentium Schrank). Der merkwürdige Kiefen oder Kiemenfuß (Einaugt) (Monoculus Apus) findet sich hier zuweilen in stehenden Wassern des Wörths in Menge meist nach Ueberschwemmungen, fehlt aber auch oft wieder mehrere Jahre. Gammarus Pulex Fabr. der Flohkrebs, Flußgarnelle (Geichze vom hiesigen Landmann genannt) findet sich im Frühjahr oft häufig an Wasserpflanzen in den stehenden Wassern auf dem Wörth und u Mühlbach von Derendingen. Myrmeleon formicarius der Ameisenlöwe findet sich auf der Bergkette zwischen dem Schloß- und Spizberg und am Abhang der Würmlinger Kapelle.

Die Wanderheuschrecke (Gryllus migratorius), welche in Jahren 1339, 1693, 1747 und 1749 zum leztenmal verheerend auch über Teutschland aus dem Orient kam, scheint in neuern Zeiten hier völlig zu fehlen.

Aus der zahlreichen Familie der Käfer gehören zu den in hiesiger Gegend häufiger vorkommenden Arten namentlich folgende nach Panzer benannte:

Scarabaeus Typhoeus — nasicornis — subterraneus — fossor — porcus — fimetarius — stercorarius — vernalis — scrofa — lunaris — Taurus — Vacca — nuchicornis — scrutator — Schreberi — haemorrhoidalis — flavipes — quisquilius — emarginatus — sybalarius — nutans — ovatus — sylvaticus.

Hister unicolor — planus — glabratus — quadrimaculatus — obscurus.

Sphaeridium bipustulatum — Scaraboides — stercoreum.

**Byrrhus** Pilula — dorsalis

**Trox** arenarius.

**Blaps** Mortifaga.

**Tenebrio** molitor — ferrugineus — culinaris.

**Carabus** coriaceus — violaceus — glabratus — cyaneus — hortensis — irregularis — convexus — auratus — auronitens — granulatus — cathratus — planus — fulvipes — piceus — crepitans — holosericeus — coerulescens — cupreus — aeneus — melanocephalus — cyaneocephalus — prasinus — marginatus — striola — metallicus — cisteloides — helopioides.

**Cicindela** hybrida — germanica.

**Dytiscus** marginalis — fuliginosus — fenestratus — nigrita.

**Gyrinus** natator.

**Clerus** formicarius — apiarius — alvearius.

**Cantharis** fusca — dispar — melanura.

**Malachius** aeneus — bipustulatus — sanguinolentus — fasciatus.

**Dermestes** lardarius — Pellio — violaceus.

**Anobium** pertinax.

**Ptilinus** pectinicornis.

**Nicrophorus** germanicus — humator — Vespillo.

**Silpha** thoracica — atrata — obscura — quadripunctata.

**Anthrenus** Schrophulariae — Musaeorum.

**Coccinella** limbata — bipunctata — tripunctata — septempunctata — septemnotata — novempunctata — vigintipunctata — duodecimpunctata — conglomerata — quadriverrucata — decempustulata.

**Caspida** viridis — nebulosa.

**Chrysomela** tenebricosa — coriaria — goettingensis — graminis — haemoptera — cuprea — populi — salicis — pallida — limbata — sanguinolenta — speciosa — cerealis — litura.

**Crioceris** merdigera — duodecimpunctata — Asparagi.

**Galleruca** littoralis — Tanaceti — Alni — Salicis Raphani — nigricornis.

**Altica** nitidula — oleracea — Hyoscyami.

**Clytra** quadripunctata.

**Cryptocephalus** bipunctatus — cordiger — frumentus — sericeus — flavipes.

**Lytta** vesicatoria.

**Lampyris** noctiluca.

**Pyrochroa** coccinea — rubens — pectinicornis.

**Mordella** aculeata — abdominalis.

**Donacia** simplex — palustris.

**Trichius** Eremita — nobilis — fasciatus — hemipterus.

**Cetonia** aurata — fastuosa — hirta.

**Melolontha** vulgaris — villosa — solstitialis — horticola — farinosa — argentea — Vitis.

**Elater** ferrugineus — aterrimus — niger — pulverulentus — murinus — aeneus — pecticornis — cruciatus — castaneus — obscurus — sanguineus.

**Lucanus** Cervus — parallelipipedus — tenebroides — caraboides.

**Prionus** Serrarius.

**Cerambyx** moschatus — Cerdo.

**Lamia** Textor — aedilis — lineata.

**Stenocorus** Lamed — dispar.

**Rhagium** inquisitor — indagator.

**Saperda** Carcharias — populnea.

**Callidium** Bajulus — fennicum — violaceum — tropicum — plebeium — massiliense.

**Leptura** hastata — melanura — laevis — sanguinolenta — rubra — meridiana — testacea — quadrimaculata — attenuata — calcarata — octomaculata — nigra — quadrifasciata.

**Necydalis** melanocephala — rufa.

**Sinodendron** cylindricum.

**Bostrichus** cylindricus — Typographus — abietinus.

**Attelabus** Populi — Betuleti — Craccae — Coryli — frumentarius — Betulae — Bacchus.

**Curculio** Pini — Abietis — germanus — Scrophulariae — Raphani — carbonarius — Pomorum — Salicis — pollinosus — nebulosus — marmoratus — incanus — melancholicus — niger — nubilus — argentatus.

**Tritoma** bipustulata.

**Meloë** Proscarabaeus — majalis.

**Staphylinus** hirtus — erythropterus — fossor — splendens — melanocephalus.

**Anmerk.** Eine Aufzählung und Beschreibung der bis jetzt in der Gegend von Tübingen aufgefundenen Conchylien findet sich in der Dissertation: Diss. zoologica sistens Characteristicen et Descriptiones testaceorum circa Tubingam indiganorum auct. J. G. Klees praeside Schübler. Tübingen bei Reiſs. 1818.

---

## Gesellschaftliche Vergnügungen.

Schon seit vielen Jahren bestanden hier Kasino's, Konzerte, Bälle und Gesellschaften, wo Zeitungen gelesen, gespielt und getrunken wurde, aber alles war vereinzelt und größtentheils fehlte es an einem gehörigen Lokal. Ein zweiter Uebelstand war es, daß bei der großen Menge der hiesigen Studirenden nur wenige in Familien eingeführt werden konnten, ein Vortheil, der doch so wesentlich zur Bildung eines jungen Mannes beiträgt. Um diesen Mängeln zu begegnen und die Anstalten des geselligen Vergnügens mehr zu konzentriren, vereinigten sich die hiesigen Honoratioren mit den Studirenden, um ein besonderes Gebäude auf Aktien zu errichten, welches diese Zwecke sämtlich in sich vereinigen sollte. Es wurde auch wirklich im vergangenen Sommer ein ganz massives 128 Fuß langes und 82 Fuß breites Gebäude errichtet. Es ist in einem sehr edlen Geschmacke erbaut, und enthält 6 zum Lesen bestimmte Zimmer, 2 Billiard-Zimmer mit 3 Billiarden und 9 zur geselligen Unterhaltung. Da die leztern von Professoren und andern Beamten sehr häufig besucht werden, so entsteht dadurch eine sehr wohlthätige Annäherung zwischen diesen und den Studirenden. Besonders zeichnet sich aber ein prachtvoller, in griechischem Stil erbauter, 72 Fuß langer und 46 Fuß breiter mit einer gewölbten Decke versehener Saal aus, in welchem alle 14 Tage regelmäßig Kasino's und im Winter außerdem alle 14 Tage abonnirte Konzerte unter Leitung und Anordnung des Musik-Direktors Silcher gehalten werden. Auch sonst dient er bei feierlichen Anlässen zu Bällen, für fremde Künstler zu Konzerten und zu Deklamatorien. Derselbe ist zu beiden Seiten mit einer Reihe von 20 korinthischen Säulen verziert und hat im Hintergrunde eine Nische für die Musik. Nachts wird er durch zwei schöne Kronleuchter beleuchtet. An diesem Museum haben gegenwärtig 92 ansäßige und 380 nicht ansäßige Mitglieder Antheil, es werden daselbst 23 Zeitungen (worunter einige doppelt) und 28 Journale gelesen, auch werden viele neue Werke und Flugschriften auf eine gewisse Zeit aufgelegt, und bereits ist eine Bibliothek von 552 Werken und eine ziemliche Landkarten-Sammlung angeschafft. Die Folgen dieser erst entstandenen Anstalt lassen sich freilich noch nicht berechnen, aber sie ist gewiß für sittliche Bildung der Studirenden in ihrer Art einzig, um so mehr als sich mehrere Familien vereinigt haben, regelmäßig alle Freitage mit Frauen und Töchtern hier Thee zu trinken, und den Abend mit Gesellschafts-Spielen zuzubringen, wobei Studirende freien Zutritt haben. Um Sommers ins Freie sitzen zu können, sind in dem dazu gehörigen Garten terrassenförmige Anlagen gemacht worden. — Neuerer Entstehung ist ein zweites sogenanntes Bürger-Museum, welches im Eiffert'schen Garten einen Saal und 2 Zimmer gemiethet hat. Es bildete sich erst im November 1821 und hat gegenwärtig 70 Mitglieder gemischten Standes, welche gegen 12 Zeitschriften halten und durch freiwillige Beiträge eine Bibliothek angelegt haben, die auch durch den Ueberschuß der Kasse vermehrt wird.

Ausser den hier angeführten Unterhaltungen bietet Tübingen alles dar, was sich in einer Universitäts-Stadt und in einer so angenehmen Gegend erwarten läßt. Hievon will ich nur noch berühren, daß im Sommer alle acht Tage bei günstiger Witterung von dem Instrumental-Kollegium des theologischen Seminars auf dem Werd eine Musik mit Blaseinstrumenten veranstaltet wird, wobei dann gewöhnlich die schöne Welt im Grünen lustwandelt. — Endlich scheint noch hieher zu gehören, daß Tübingen zwei öffentliche Badeanstalten hat, das Neckar-Bad und das Weimar'sche. Beide haben aber blos gewöhnliches Wasser.

## Preise der hauptsächlichsten Bedürfnisse eines Studirenden.

Die Immatrikulation kostet 10 fl.; bei solchen die schon auf andern Universitäten gewesen sind, kostet die Erneuerung derselben 6 fl. 45 kr. Das Honorar für ein ganzes Kollegium beträgt bei der theologischen Fakultät für die Lektion 2 fl., für das Kollegium 4 fl.; bei der juristischen, medizinischen und kameralistischen 11 fl.; bei der philosophischen 5 fl. 30 kr. Das Fakultäts-Examen für Theologen, Juristen und Kameralisten 23 fl. 3 kr., für Mediziner 66 fl. 30 kr. Bei der Promotion betragen die Gebühren für den Gradus und das Disputiren 81 fl. 30 kr. Hiezu kommt noch der Druck der Disputation, nämlich: der Bogen in ordinär Disputations-Quartformat zu 4 — 500 Exemplar ohne Papier mit gewöhnlichem Disputationsdruck 6 — 7 fl. Der Bogen in groß Oktavformat mit kleinerem Druck 8 bis 10 fl. Bei der philosophischen Fakultät betragen Examen und Doktorsgebühren zusammen 46 fl., wovon 6 fl. für das nicht mehr gebräuchliche Bakkalaureat angerechnet werden.

Bücher zu broschiren kosten 3 — 10 kr., zu planiren und in Pappe zu binden 12 — 24 kr., halb Franzband 24 kr. — 1 fl., ganz Franzband 1 fl. 30 kr. bis 2 fl.

Eine Wohnung, je nachdem sie möblirt ist oder nicht, und aus einem oder mehreren Gemächern besteht, 30 — 80 fl. jährlich, ein Bette 12 fl., ein Sopha 11 fl., Bedienung durch einen Bedienten 10 — 15 fl. jährlich, die Kost 5 — 15 fl. monatlich, 1 Meß Holz 12 — 16 fl. 1 Pfund Lichter 18 kr. Ein Ueberrock zu machen 6 fl. 48 kr., ein Frak 5 fl. 40 kr., ein paar Beinkleider 1 fl. 50 kr., eine

Weste 1 fl. 44 kr., ein gewöhnlicher Mantel 3 fl. 30 kr., mit mehreren Kragen 4 fl. 58 kr. (alles mit Zugehör und Futter berechnet). Ein paar Schuhe kostet 2 fl. 42 kr. — 3 fl., Halbstiefel 5 fl. 30 kr. — 6 fl., Stiefel 9 — 10 fl., steife Stiefel 12 — 15 fl. Das Wäscherlohn beträgt für ein Hemd 4 — 6 kr., für ein Paar Strümpfe, für ein Hals- oder Taschentuch 2 kr., für eine Weste 5 kr., für ein paar Beinkleider 4 — 6 kr. Ein Reitpferd täglich taxmäßig 48 kr., ein einspänniges Gefährt täglich 2 fl., ein zweispänniges 2 fl. 45 kr. — 3 fl., wenn man selbst fährt, mit einem Kutscher kommt es auf 5 fl. täglich. Bei Bällen und Konzerten fremder Künstler bezahlt man 24 — 48 kr. Eintrittsgeld, die Kasino's kosteten bisher halbjährlich ein Abonnement 3 fl., die ansäßigen Mitglieder des großen Museums bezahlen jährlich 16 fl., Studirende, welche an der Cirkulation der Zeitschriften nicht Theil zu nehmen wünschen, zahlen die Hälfte.

---

Systema-

# Systematisches Verzeichniß
der bei
# Tübingen
und
in den umliegenden Gegenden
wildwachsenden
# phanerogamischen Gewächse
mit
Angabe ihrer Standorte and Blüthezeit.

---

Mitgetheilt
von
Gustav
Professor Schübler
als
Beilage
zu
Dr. Eisenbach's Geschichte und Beschreibung der Stadt
und Universität Tübingen.

---

Tübingen besizt schon längst eine Flora, welche vor fünfzig Jahren von Dr. J. Fr. Gmelin *) bearbeitet wurde; diese Flora ist jedoch jährlich weniger brauchbar, indem sie mehrere Pflanzen enthält, welche sich gegenwärtig nicht mehr in hiesigen Umgebungen finden, während andere sich gegenwärtig findende fehlen. Einzelne der darin aufgezählten Pflanzen scheinen zwar auf falschen Bestimmungen zu beruhen, welches bei den da-

---

*) Enumeratio stirpium agro tubingensi indigenarum auctore J. F. Gmelin, Med. Doct. Tubingae litteris Sigmundianis.

maligen Hülfsmitteln der Botanik leicht möglich war; mehrere Pflanzen scheinen aber auch wirklich seit diesen fünfzig Jahren hier ausgestorben zu seyn, wohin ich namentlich folgende Pflanzen zählen zu können glaube, welche sich schon seit mehreren Jahren hier nicht mehr finden, und in dieser Flora mit solcher Bestimmtheit oft mit kurzen Beschreibungen und deutschen Provinzial-Benennungen aufgezählt sind, daß ihr früheres Daseyn wohl nicht zu bezweifeln ist: Utricularia vulgaris. Valeriana Phu. Iris squalens. Schoenus albus. Asperugo procumbens. Echium violaceum. Menyanthes trifoliata. Lysimachia nemorum. Athamantha oreoselinum. Linum Radiola. Drosera rotundifolia. Alisma ranunculoides. Arenaria trinervia. Actaea spicata. Clematis flammula. Ranunculus lingua. Scutellaria galericulata. Prunella laciniata. Pedicularis palustris. Antirrhinum Elatine. Draba incana. Alyssum incanum. Cardamine bellidifolia und resedaefolia. Hesperis inodora. Chrysanthemum segetum. Anthemis tinctoria. Filago leontopodium.

Das hier folgende Verzeichniß beruht daher durchgehends auf neueren Beobachtungen, vorzüglich der leztern vier Jahre. Ich nahm in dasselbe nur solche Pflanzen auf, welche in neuern Zeiten in hiesigen Umgebungen wirklich gefunden wurden, und in gut erhaltenen Exemplaren in dem

Herbarium der Universität niedergelegt sind, um auch in Zukunft die nöthigen Vergleichungen anstellen zu können. Noch soll es zwar nicht als vollständig ausgegeben werden, indem zum Auffinden aller Pflanzen einer Gegend ein längerer Zeitraum nöthig ist; ich hielt es jedoch für zweckmäßiger, das bereits Gefundene jezt schon mitzutheilen, als durch längeres Warten weit langsamer das gewünschte Ziel zu erreichen; ich hoffe durch Mittheilung dieses Verzeichnisses erst die Auffindung einzelner, vielleicht hier noch fehlender Pflanzen zu veranlassen, deren Mittheilung ich jedesmal mit Dank annehmen werde, um so nach und nach zu einer vollständigen Flora der hiesigen Gegend zu gelangen.

Die Auffindung verschiedener der hier aufgezählten Pflanzen verdanke ich namentlich den Mittheilungen von Herrn Dr. Hehl, Herrn Kaufmann Fr. Bauer, und Herrn Fr. G. Märklin.

Durch die in diesem Verzeichnisse den Pflanzen beigesezte Zeichen suchte ich zugleich anzudeuten, ob eine Pflanze hier gegenwärtig häufiger oder seltner vorkomme; steht kein Zeichen vor einer Pflanze, so bedeutet dieses daß sie sich ziemlich häufig, hie und da an passenden Standorten, findet; ein einfaches Kreuz (†) zeigt an, daß sie seltner ist; mit einem doppelten Kreuz (‡) bezeichnete ich endlich solche Pflanzen, welche in neuern Zeiten nur in wenigen Exemplaren gefunden wurden, einzelne von diesen, namentlich aus der Familie der Orchiden und Hülsenfrüchte, drohen leider in Kurzem ganz aus der hiesigen Flora zu verschwinden; schon in dem lezten Sommer wurden einzelne derselben vergebens von mir und meinen Zuhörern an den Standorten gesucht, wo ich sie selbst noch vor wenigen Jahren gefunden hatte.

Möchten doch diese Pflanzen so sehr wie möglich geschont werden!

Die bis jezt aufgefundenen merkwürdigen Pflanzen der würtembergischen Alp, deren Gegenden in Ferien nicht selten von hieraus besucht werden, stellte ich in einem besondern Verzeichniß zusammen, da auch diese Gegenden in geognostischer Beziehung sehr von den hiesigen nähern Umgebungen abweichen, wovon schon oben bei den Gebirgsarten der Umgebungen von Tübingen näher die Rede war; nur dieses ist hier noch zu erwähnen, daß die meisten dieser Pflanzen sich nicht auf der Höhe dieser Gebirgskette selbst, sondern mehr am Abhang derselben und in den oft tief eingeschnittenen waldigen Thälern und Gebirgsspalten in Höhen von 2000 — 2500 pariser Schuhen finden. Das Verzeichniß dieser Pflanzen folgt zunächst auf die um Tübingen einheimischen Pflanzen. Die Pflanzen, bei welchen kein Schriftsteller bemerkt ist, sind sämmtlich nach Linné benannt; bei den übrigen sind die Botaniker jedesmal beigefügt, nach welchen sie benannt sind.

---

## Monandria.

ǂ Hippuris vulgaris. Juni. In Sümpfen bei Kilchberg und am Böblinger See.

Callitriche verna. April. In Sümpfen des Ammer- und Neckar-Thals.

— intermedia Schkr. Juni. In Sümpfen des Neckar-Thals auf dem Wörth.

## Diandria.

Ligustrum vulgare. Juni. An Hecken.

† Circaea lutetiana. Juli u. Sept. Bei Krespach und hinter Bebenhausen.

Veronica officinalis. Juni. In Wäldern auf dem Spitzberg, bei Krespach, Schwärzloch.

— Beccabunga. Sept. An der Ammer.

— Anagallis. Juni. An Bächen.

ǂ — scutellata. Juni. An sumpfigen Stellen bei Entringen und Rosek.

— Teucrium. Juni und Juli. An Wegen.

— Chamaedris. Mai und Juni. An Hecken und Wegen.

— agrestis. April. Auf Aeckern.

— arvensis. Mai. Auf Aeckern.

† — triphyllos. April. Auf Brachäckern, auf dem Rüdernberg.

† — serpillifolia. Mai. Am Schloßberg.

— hederaefolia. Mai. Auf Aeckern.

Lycopus europaeus. Aug. Auf dem Wörth am Bach.

Salvia pratensis. Juni. Auf Wiesen.

Anthoxanthum odoratum. Mai. Auf trocknen Wiesen.

## Triandria Monogynia.

Valeriana dioica April u. Mai. In feuchten Wäldern, Burgholz.

— officinalis. Juni u. Juli. In Wäldern.

— olitoria. Pers. Mai u. Juni. Auf Aeckern.

— dentata. Pers. Juni. Auf Aeckern.

Iris germanica. Mai u. Juni. An Weinbergmauern.

— Pseudacorus. Juni. Am Mühlbach von Derendingen und an Sümpfen des Neckars.

### (Cyperoideae Juss.)

† Cyperus fuscus. August. Auf sumpfigen Stellen des Wörths.

Scirpus palustris. Juni. In Sümpfen.

— lacustris. Juni. Auf sumpfigen Stellen des Neckar-Thals unweit des Schießplatzes.

† — maritimus. Juli und August. Am Chaussee-Graben an der Pappelallee nach Rottenburg.

— silvaticus. Juni. Am Ufer der Ammer.

† Schoenus compressus. Juni. In Sümpfen am Hirschauer-Steg.

† Eriophorum polystachium. Mai u. Juni. Auf sumpfigen Stellen am nördlichen Abhang des Steinebergs, auf den Waldhauser Wiesen, bei Bühl und am Hirschauer Wald.

† Nardus stricta. Mai u. Juni. Auf den Waldhauser Wiesen, Lustnau zu.

## Triandria Digynia.

### (Gramineae. Juss.)

† Milium effusum. Mai. In Wäldern, im Burgholz, Rüdernwald.

Agrostis arundinacea. Juli. Im Rüdernwald und hinter dem Bläsibad.

† — alba. Juli. Auf Wiesen auf der nördlichen Seite des Oesterbergs.

— Spica venti. Juni. Im Getreide.

— vulgaris Hofm. Juni. In Wäldern.

Aira aquatica. Juui. Auf dem kleinen Wörth am Wasser.

— coerulea. August. In Wäldern, Rüdernwald, Eichelberg.

— caespitosa. Juni. Auf feuchten Wiesen, Wald bei Derendingen.

† — flexuosa. Juni. Im Wald bei Schwerzlöch.

— cristata. Juni u. Juli. Auf dem Schloßberg, Oesterberg ꝛc.

† Melica ciliata. Juli. An den Mauern des Schlosses und am Wege nach Hirschau.

— nutans. Mai, In Wäldern.

Holcus lanatus. Juni. Auf Wiesen.

Phalaris arundinacea. Juni. Am Ufer des Neckars am Fuß des Oesterbergs.

Phleum pratense. Juli. Auf Wiesen.

— nodosum. Juli. Auf Waldwiesen, am Fuß des Eichelbergs.

Alopecurus pratensis. Mai. Auf Wiesen.

— agrestis. Mai. Auf Aeckern.

geniculatus. Juli. Auf sumpfigen Stellen des Neckar-Thals.

† Panicum Crusgalli. August. Auf sumpfigen Stellen am Gutleuthaus.

Panicum verticillatum. August. An Wegen und auf Aeckern.

Panicum viride. Juli. Ebendaselbst auch am Hirschauer-Berg.

— glaucum. Juli. — —

☩ — sanguinale. Sept. Im Wald am Weg nach Rosek und am Schloßberg.

☩ Cynodon Dactylon. Pers. Juli. Am Hirschauer-Weg.

Cynosurus cristatus. Juni. Auf Wiesen.

Dactylis glomerata. Juni. Auf Wiesen und an Wegen.

Poa trivialis. (scabra Ehrh.) Juni. In Wäldern (Oesterberg.)

— pratensis. Juni. Auf Wiesen.

— annua. An Wegen. Den ganzen Sommer.

— nemoralis. Juni. Auf dem Schloßberg.

☩ — compressa Juli. Am Fuß des Steinebergs und bei Bebenhausen.

☩ — sudetica. Haenke. Juli u. August. Im Wald hinter dem Bläsibad, auch im Wald des Oesterbergs.

Briza media. Juni. Auf dem großen Wörth.

Festuca rubra. Juni. In Wäldern.

☩ — ovina. Juni. Auf dem Oesterberg.

— duriuscula. Juni. Auf Waldwiesen.

☩ — decumbens. Juli. Im Schwerzlocher-Wald, und Wald hinter dem Waldhorn.

— elatior. Juni. Auf Wiesen.

— fluitans. Juni. In Sümpfen und Wassergräben.

☩ — loliacea. Pers. Juni. Auf dem Oesterberg.

Bromus secalinus. Juli. im Getreide.

☩ — velutinus Schrad. Jul. Auf d. Schloßberg.

Bromus multiflorus. Roth. (commutatus Schrad.) Juli. In Getreide-Aeckern.
— mollis. Juli. An Wegen.
† — inermis. Juli. Im Neckarthal bei Kilchberg.
— erectus. Jun. Auf Wiesen und an Wegen.
† — asper Ait. Juli. An Hecken und im Getreide.
— arvensis Pers. Mai. Am Hirschauer-Berg.
— sterilis. Mai. Im Neckarthal.
— tectorum. Mai. An Wegen.
— pinnatus. Juli. Auf Spitzberg und Oesterberg.
— giganteus. Juli und August. Am Neckar im Gebüsch zwischen Weiden.

Avena flavescens. Juni. Auf Wiesen.
— fatua. Juli. Im Getreide.
— sesquitertia. (pubescens Schrad.) Mai. Auf Wiesen.
— elatior. Juni. Auf Wiesen.

Arundo Phragmites. Juli. An der Ammer.
— Epigejos. Juli. Auf dem Oesterberg und Steineberg.

† Andropogon Ischaemum. Ende August. Am Hirschauer-Berg und Weg nach Lustnau.

Hordeum murinum. Juli. An Wegen und auf Mauern am Schloß.

Triticum repens. Juli. In Gärten und Feldern.

Lolium perenne. Juli. An Wegen.
† — tenue. — — —
— temulentum. August. Im Getreide.

† Holosteum umbellatum. Mai. Auf Aeckern.

## Tetrandria Monogynia.

### (Dipsaceae. Juss.)

Dipsacus sylvestris. August. An Wegen.
Scabiosa succisa. Septbr. Auf Wiesen des Schloßbergs und bei Waldhausen.
— arvensis. August. Auf Aeckern.
— sylvatica. August. In Wäldern.
— columbaria. August u. Sept. an Bergen.
† — β prolifera Willd. Aug. Auf dem Oesterberg.

### (Rubiaceae. Juss.)

Sherardia arvensis. Juli. Im Getreide.
† Asperula odorata. Juni. Im Wald bei Bebenhausen.
cynanchica. Juli. Am Viehweidberg, Neckarthal 2c.
Galium palustre. Juli. Auf sumpfigen Stellen des Spitzbergs u. in der Nähe des Schießplazes.
† — uliginosum. Juli. In Sümpfen des Spitzbergs.
— verum August. An Wegen.
— Mollugo. Juni. An Hecken.
— sylvaticum. August. In Wäldern.
† — glaucum. Ende Mai's. Auf dem Würmlinger Berg und Spitzberg.
— boreale. Mai. Auf dem Spitzberg.
— Aparine. Juli. An Hecken.
Valantia cruciata. Mai. An Hecken.
† — Aparine. Juli. Auf Aeckern bei Derendingen und am Schloßberg.

Plantago major. August. An Wegen am südlichen Ufer des Neckars.
— media. Juni. An Wegen.
— lanceolata. Mai. Auf Wiesen, an Wegen.
Sanguisorba officinalis. Juli. Auf feuchten Wiesen, häufig am nördlichen Abhang des Oesterbergs.
╤ Centunculus minimus. Ende August's. Auf der Höhe von Hagelloch, auch am Wege nach Walddorf.
Cornus sanguinea. Mai. An Hecken.
— mascula. März. In Gärten. (Wahrscheinlich nicht wild.)
Alchemilla vulgaris. Juni. Auf schattigen Wiesen.

## Tetrandria Tetragynia.

Potamogeton natans. Juli. In Sümpfen des Neckarthals und bei Waldhausen.
† perfoliatum. Aug. Im untern Theil des Derendinger Mühlbachs.
† — densum. Aug. In der Blaulache bei Kirchentellinsfurth.
— crispum. Aug. Im mittlern Theil des Derendinger Mühlbachs, auch bei Kilchberg und in der Ammer.
† pusillum. Juli. In Sümpfen am Gutleuthaus.
† pectinatum. Aug. Im obern Theil des Derendinger Mühlbachs.
╤ Sagina procumbens. Ende August. Auf Aeckern bei Waldhausen und Hagelloch.

## Pentandria Monogynia.

### (Boragineae Juss.)

Myosotis scorpioides. Willd. Mai. An Bächen.

Myosotis arvensis. Willd. Juni. Auf Aeckern.
— Lappula. August. Im Steinlacher-Thal.
† Lithospermum officinale. Juni. Im Wald zwischen Rottenburg u. Niedernau.
arvense. Juni. Auf Aeckern.
† purpureo-coeruleum. Anfang Junis. Im Steinriegel und bei Kirchentellinsfurth.
Cynoglossum officinale. Mai. Im Steinlacher-Thal und hinter Waldhausen.
† — montanum Pers. Juni. Bei Hirschau oberhalb den Weinbergen.
Pulmonaria angustifolia. April. Im Wald auf dem Spitzberg.
officinalis. April. In Wäldern auf Bergen.
Symphytum officinale. Juni. Im Ammerthal.
† Lycopsis arvensis. Juni. Bei Kilchberg.
Echium vulgare. Juli. An Wegen.

(Lysimachiae Juss.)

Primula veris Pers. April. Auf Wiesen.
— elatior Pers. — — —.
† Lysimachia thyrsiflora. Juli. An Sümpfen am Neckar unter Lustnau.
Lysimachia vulgaris. Juli. Am Käsebach und Bergschluchten des Spitzbergs.
— nummularia. Juli. Auf feuchten Wiesen und an Wegen.
Anagallis phoenicea Lam. Juli. Auf Aeckern.
† — coerulea. Schreb. Aug. Am Steineberg und bei Kilchberg.

(Campanulaceae. Juss.)

Campanula rotundifolia. Juni. An Hecken und Wegen.
— patula. Juli. An Waldrändern, auf Mauern.
— Rapunculus. Juni. Auf Aeckern.
— persicifolia. Juli. In Wäldern.
— rapunculoides. August. An Zäunen.
— Trachelium. August. In Wäldern, Rüdernwald.
† — latifolia. Aug. In Wäldern, an Wegen.
— glomerata. Juli. Am nördlichen Abhang des Oesterbergs, und am Schloßberg.
† Phyteuma orbiculare. Juni. Auf Waldhauser Wiesen.
— spicatum. Juni. In Wäldern.
† Jasione montana. Jul. u. Aug. Auf dem Schloßberg, auch bei Rosek.

(Solaneae Juss.)

Verbascum Thapsus. Juli. Im Steinlacher-Thal.
— Lychnitis. Aug. Im Steinlacher-Thal, Schnarrenberg, Weg nach Hirschau.
† — nigrum. Aug. Im Steinlacher Thal und Wald bei Niedernau.
Hyoscyamus niger. Juni. Im Steinlacher-Thal.
Atropa Belladonna. Juli. Im Steinriegel, in der Bergschlucht über dem Schinderwasen, bei Niedernau.
∓ Datura Stramonium. Aug. Im Neckarthal bei den Zimmerhütten.
∓ Physalis Alkekengi. Juni. Am Hirschauer-Berg.
Solanum Dulcamara. Juli. Am schattigen Bächen.
— nigrum. Aug. An Aeckern.

Convolvulus sepium. Juli. An Hecken.
— arvensis. Juli. Im Getreide.
Thesium linophyllum. Juli. Am Steineberg und bei Waldhausen.
† — montanum. Jun.—Jul. Auf d. Spitzberg.
Lonicera xylosteum. Mai. An Hecken.
Rhamnus catharticus. Mai. Auf dem Schloßberg und bei Kilchberg.
— Frangula. Juni. Auf dem Schloßberg und Eichelberg.
Evonymus europaeus. Juni. An Hecken.
Ribes rubrum. April. An Zäunen.
— alpinum. April. An Hecken im Steinlacher-Thal und bei Lustnau.
— Grossularia. Mai. An Hecken.
— uva crispa. Ebenso.
Hedera Helix. An Mauern.
† Viola hirta. Ende Aprils. Auf dem Spitzberg, und bei Bühl.
— odorata. Ende Aprils. An Hecken.
— canina. April. In Gebüsch.
† — mirabilis. April. Auf dem Schinderwasen.
— arvensis Roth. Mai. Auf Aeckern.
— tricolor. Mai u. Juni. An Gärten.
† Impatiens Noli tangere. August. Noch vor wenigen Jahren auf dem kleinen Wörth, Gänsewasen, bei Bebenhausen und bei Waldenbuch.
Vinca minor. April. An Hecken.
Asclepias Vincetoxicum. Juni u. Juli. An Weinbergen, am Hirschauer-Weg.

Erythraea Pers. (Chironia Schmidt) (Gentiana L.)
Centaurium. August. An Bergen.
✝ — ramosissima Ehrh. Sept. Bei Waldhausen u. bei Kilchberg.

## Pentandria Digynia.

Gentiana cruciata. Juli. Auf Schloß u. Spitzberg.
— Pneumonanthe. Sept. Bei Waldhausen u. zwischen Schloß und Spizberg.
✝ — verna. Anf. Mai's. Auf Wiesen bei Waldhausen, Pfrondorf, Waldenbuch.
— Amarella. Septbr. Bei Waldhausen und auf dem Schloßberg.
— ciliata. Sept. Am Steineberg und Viehweidberg.

✝ Cuscuta europaea. August. Am Fuß des Bläsibergs, Oesterbergs u. bei Kilchberg und Schwerzloch.
✝ Ulmus campestris. April. Am Weg nach Hirschau bei der Sonnhald.
✝ Herniaria glabra Ende Juni's. Am Neckarufer bei Neckarthailfinger.

## (Atripliceae. Juss.)

Atriplex patula. August. Auf Aeckern.
✝ Chenopodium murale. Aug. Bei Bühl.

| | | |
|---|---|---|
| — | album. | August. Auf Aeckern, an Wegen und Schutthauf. |
| | viride. | |
| — | hybridum. | |
| | vulvaria. | |
| — | polyspermum. | |
| — | bonus Henricus. | |

(Umbelliferae. Juss.)

† Sanicula europaea. Juni. Im Rüdernwald, bei Krespach u. bei Bebenhausen.

† Astrantia major. Juni. Im Wald ohnweit der Bebenhauser Leimengrube.

‡ Bupleurum rotundifolium. Juli. Auf Aeckern, an der Steinlach, und am Fuß des Eichelbergs.

— falcatum. Aug. Auf Anhöhen, an Wegen.

‡ Caucalis grandiflora. August. Auf Aeckern am Weg nach Hagelloch, häufiger bei Derendingen.

daucoides. Juli. Auf Aeckern.

† — latifolia. Juli. Im Getreide bei Waldhausen u. Hagelloch.

— Anthriscus. Pers. Juni. an Zäunen u. Wegen.

Daucus Carota. Aug. Auf Aeckern.

‡ Conium maculatum. Aug. Auf dem Schloßberg u. am Waldhauser Hof.

Selinum Carvifolia. Pers. Septbr. Auf Wiesen bei Waldhausen und auf dem Schloßberg.

Athamanta cervaria. Aug. Auf dem Schloßberg, Rüdernwald, Hasenbühl.

† Peucedanum officinale. Juli. Auf dem Spizberg, Hirschauer-Berg, Steinenberg.

— Silaus. August. u. Septbr. Auf dem Spizberg, u. bei Waldhausen.

† Laserpitium prutenicum. Ende Juli's. Im Rüdernwald, beim Waldhorn u. schwerzlocher Wald.

♀ Laserpitium latifolium. Ende Jul. Im Krespacher-Wald.

Heracleum Sphondylium. Juli. Auf Wiesen.

Angelica sylvestris. Aug. An Bächen in Wäldern.

Sium angustifolium. Aug. In Wassergräben auf dem Wörth u. im Ammerthal.

♀ — Falcaria. August. Bei Kilchberg, auch beim Bläsibad.

Aethusa Cynapium. Juli. Auf Aeckern.

♀ Coriandrum sativum. Juli. Auf dem Schloßberg u. an Gärten gegen Hagelloch.

♀ Scandix Pecten. Juli. Im Steinlacher-Thal auf Derendinger Aeckern.

Chaerophyllum sylvestre. Jun. Häufig auf Wiesen.

♀ — temulum. Juli. An Zäunen bei Derendingen.

— bulbosum. Juni. Auf feuchten Wiesen am Neckar-Ufer und bei Waldhausen u. auf d. Oesterberg.

Pastinaca sativa. Jul. Auf Aeckern an d. Steinlach, und bei Waldhausen.

Carum Carvi. Juni. Auf Wiesen im Neckarthal.

Pimpinella Saxifraga. Jul. An Wegen auf Anhöhen.

♀ — magna. Juni u. Juli. Am nördlichen Abhang des Oesterbergs.

♀ — dissecta. Juli. Am Krespacher-Wald und Fahrweg nach Waldhausen.

Aegopodium Podagraria. Juni. An Hecken.

## Pentandria Trigynia.

Viburnum Lantana. May. An Hecken.

— Opulus. Juni. An Hecken.

Sambucus Ebulus. Juli. Auf dem Spizberg, bei Rosek und Niedernau.

— nigra. Juni. An Hecken.

† — racemosa. Juni. Im Steinriegel.

Alsine media. Den ganzen Sommer. Auf Aeckern und in Gärten.

## Pentandria Tetragynia, Pentagynia und Polygynia.

Parnassia palustris. Septb. Auf Wiesen bei Waldhausen.

† Linum tenuifolium. Juli. Am Abhang des Viehweidbergs.

— catharticum. Juni und Juli. Auf Wiesen und Aeckern, auf Anhöhen.

‡ Myosurus minimus. Juni. Auf Aeckern bei Kilchberg.

## Hexandria Monogynia.

### (Asphodeli. Juss.)

‡ Allium Sphaerocephalum. Juli. Auf Aeckern bei Derendingen.

— carinatum. Aug. An Bergen.

† — angulosum. Juli. Zwischen Jesingen und Hagelloch.

— ursinum. Mai. Im Burgholz.

Lilium Martagon. Jun. Im Burgholz und auf dem Spizberg.

† Ornithogalum luteum. April. Am Fuß des Oesterbergs, und auf Aeckern bei Derendingen.

† Ornithogalum minimum. April. Auf Wiesen des Steinlacher Thals, bei Kilchberg und am Weg nach Jesingen.

Scilla bifolia. Ende März und Anfang April's. Am Neckarufer, im Wald unter Lustnau.

Anthericum ramosum. Juli u. Aug. Auf Bergen bei Hagelloch, Hirschauer Berg.

— Liliago. Juni und Juli. In Wäldern, Spizberg, Rüdernwald.

∓ Hyacinthus botryoides. April. Auf Wiesen am östlichen Abhang hinter dem Gutleuthaus.

(Asparagi. Juss.)

Asparagus officinalis. Juli. Am Hirschauer Weg.

Convallaria majalis. Mai. In Wäldern.

† — verticillata. Juni. Auf Waldwiesen im Schönbuch (Schaichhof.)

— multiflora. Juni. An Wäldern.

∓ — polygonatum. Juni. Unterhalb des Spizbergs an d. Kelter.

— bifolia. Juni. Am Krespacher und Bebenhauser Wald.

(Junci. Juss.)

Juncus conglomeratus. } Juli. Auf feuchten Wiesen.

— effusus. }

— articulatus. γ. L. salvaticus Pers. }

† — bulbosus. Juli. Auf dem Wörth.

† — bufonius. Aug. An Gräben bei Waldhausen und Kilchberg.

† — pilosus. Mai. In Wäldern.

Juncus albidus. Mai und Juni. In Wäldern.
— campestris. April. Auf Wiesen.

Berberis vulgaris. Mai. An Hecken.
† Peplis portula. August. Auf feuchten Stellen im Hirschauer Wald.

## Hexandria Trigynia.

Rumex crispus. Pers. Aug. und Sept. An Gräben und Wegen.
† — conglomeratus. Roth. Aug. Im Wald auf dem Hirschauer Berg.
— acutus. Juli. An Gräben und Bächen.
† — acetosella. Juni. Auf feuchten Waldwiesen.
— acetosa. Juni. Auf Wiesen.
† Triglochin palustre. August. Auf sumpfigen Stellen am Gutleuthaus, bei Kilchberg und am Schinderwasen.
Colchicum autumnale. Sept. Auf Wiesen.
† Tofielda palustris. Pers. (Helonias borealis Willd.) Ende Juni. Auf dem Eichelberg und im Wald zwischen dem Bläsibad und Waldhorn.

## Hexandria Polygynia.

Alisma Plantago August. In Wassergräben.

## Octandria Monogynia.

Acer Pseudoplatanus. Juni In Wäldern.
— campestre. Mai und Juni. In Wäldern und an Hecken.
Daphne Mezereum. Febr. u. März. In Wäldern.
Erica vulgaris. Aug. und Sept. Auf Anhöhen.

(Onagrae. Juss.)

† Oenothera biennis. Juni bis August. An der Ammer.

† Epilobium angustifolium. August. Im Hirschauer Wald und auf dem Steineberg.

— hirsutum. Aug. An Bächen.

pubescens. (parviflorum Hofm.) Aug. An Gräben.

† — montanum. Juli. Auf dem Eichelberg bei Bühl und Wald bei Derendingen.

## Octandria Trigynia u. Tetragynia.

Polygonum aviculare. Juli bis Sept. An Wegen auf Aeckern.

Bistorta. Juni. Im schwerzlocher Wald und bei Bebenhausen.

† — lapathifolium. Pers. Sept. Auf dem Wörth am Gebüsch.

— persicaria. Aug. An Wegen.

— amphibium. α. natans. August. An Sümpfen d. Neckarthals a.d. Lindenallee.

— β terrestre. Juni. Eben daselbst.

Hydropiper. August u. Septbr. Im Steinlacher Thal und am südlichen Ufer des Neckars an der Brücke.

Convolvulus. Juni — Aug. Auf Aeckern.

Paris quadrifolia. Mai. Im Burgholz, auf dem Oesterberg ꝛc.

† Adoxa Moschatellina. März. Im Burgholz.

## Decandria Monogynia.

† Monotropa Hypopithys. Jul. Im Tannenwald bei Niedernau.

† Vaccinium Myrtillus. Mai und Juni. Im schwerzlocher Wald.

Pyrola rotundifolia. Juni. Im Krespacher und Hirschauer Wald.

† Chrysosplenium alternifolium. April und Mai. Im Burgholz und Wald bei Bühl.

Saxifraga granulata. Mai. Im Burgholz, auf dem Oesterberg und bei Waldhausen.

† Scleranthus annuus. August. Auf Aeckern am Rüdernwald.

## (Caryophylleae. Juss.)

† Gypsophila muralis. Ende August's. Auf Aeckern bei Waldhausen.

Saponaria officinalis. Juni. Am Hirschauer-Weg, bei Bebenhausen und am Neckar-Ufer beim Schießplaz und auf dem Wörth.

† Saponaria Vaccaria. Juli. Am Hasenbühl.

Dianthus Carthusianorum. Juni. Auf Anhöhen.

† — prolifer. August und Sept. Am Spizberg und Steineberg.

— superbus. August. In Wäldern.

† — Armeria. Aug. Bei Krespach sam Rand des Walds.

## Decandria Trigynia.

Cucubalus Behen. Juni. An Wegen.
† Silene nutans. Mai u. Juni. In Wäldern und an Hecken.
† — noctiflora. Juni u. Sept. Auf Aeckern und an Wegen.
Stellaria Holostea. Mai u. Juni. In Gebüschen.
— graminea. Juli. An Hecken.
— aquatica. Pers. Juni und Juli. Im Steinlacher Thal und am Mühlbach.

## Decandria Pentagynia.

Agrostema Githago. Juli. Im Getreide.
Lychnis flos cuculi. Mai u. Juni. Auf Wiesen.
† — dioica α. alba. Juli. Auf Aeckern.
— — β. rubra. Mai u. Jun. Im Gebüsch.
Cerastium vulgatum. Juni u. Juli. Auf Aeckern.
— arvense. Mai. An Hecken.
† Spergula arvensis. Aug. u. Sept. Auf Aeckern bei Waldhausen.

---

† Sedum Telephium. Aug. Im Wald hinter dem Waldhorn.
† — reflexum. Aug. Am Weg nach Hagelloch, am Wald und auf dem Grafenberg bey Kayh.
— album. Aug. Auf Mauern.
— acre. Aug. Im Steinlacher Thal.
† — villosum. Juni u. Juli. Am Weg nach Dettenhausen und am Böblinger Wald.
Oxalis acetosella. Mai. In Wäldern auch im Hohlweg des Oesterbergs aufwärts von d. Traube.

## Dodecandria.

Asarum europaeum. April und May. In schattigen Wäldern, Burgholz.

Lythrum Salicaria. Juli und August. An Bächen und Gräben.

Agrimonia Eupatoria. August. An Wegen.

Reseda Luteola. Juli. Im Steinlacher Thal.
— lutea. Juli und Aug. An Wegen im Neckarthal.

Euphorbia Peplus. August und Septbr. Auf Aeckern.
— exigua. Juli und August. Im Getreide.
† — dulcis. Roth (fallax Hagenbach.) Mai. Im Burgholz und Kilchberger Wald.
† — verrucosa. Juni. Auf dem Steineberg und Hasenbühl.
— helioscopia. Juli und August. In Aeckern und Gärten.
— platyphyllos. Juli — Sept. Im Gebüsch an Wäldern und Gärten.
† — — β. stricta. Aug. Unter dem Hirschauer Steg und an der Blaulache.
— Cyparissias. April. Auf Viehweiden.
† — palustris. Aug. An Sümpfen unterhalb den Schiessmauern.

† Sempervivum tectorum. Aug. Auf Weinberg-Mauern.

## Isocandria.

### (Rosaceae. Juss.)

Prunus Padus. Mai. An Zäunen.
— Cerasus. Mai. An Zäunen und in Gärten.
— avium. Mai. An Hecken und in Wäldern.
— spinosa. April. An Hecken.

Crataegus Oxyacantha. Mai. An Hecken.
干 — monogyna. Mai. An einer Hecke bei Derendingen.
— torminalis. Juni. Im Wald auf dem Spizberg und Rüdernberg.

Pyrus communis Pyraster. Pers. Mai u. Juni. In Wäldern, im Rüdernwald.
— Malus sylvestris. Mai und Juni. In Wäldern.

Spiraea Aruncus. Juni und Juli. Am nördlichen Abhang des Oesterbergs, am Spizberg und Schinderwasen.
— Ulmaria. Juli. Auf schattigen Wiesen und an Wäldern.
✝ — Filipendula. Juni. Im Wald zwischen Waldhausen und Bebenhausen, und bei Kilchberg.

Rosa canina. Juni. An Hecken.
干 — villosa. Juni. Auf dem Oesterberg.
— alba. Juli. Am Spizberg.
✝ — spinosissima. Jun. An d. Wurmlinger Kapelle.
— pumila. Juni und Juli. Im Rüdernwald und Spizberg.
— rubiginosa. Juni. An Hecken u. an Wäldern.

Rubus idaeus. Juni. Im Gebüsch bei Schwerzloch.
— caesius. Juni. Auf dem Spizberg und Oesterberg.
— fruticosus. Juli. An Hecken.
† — tomentosus. Willd. Juli u. Aug. Auf dem Spizberg.
† — saxatilis. Mai u. Juni. Im Schinderwasen und auf dem Eichelberg.
Fragaria vesca. Mai. Im Gebüsch.
Potentilla anserina. Juli. An Wegen.
† — supina. Juni. In Gräben bei Kilchberg.
— verna. April u. Mai. An Anhöhen.
alba. Mai. Auf dem Schloßberg, Eichelberg und im Rüdernwald.
— reptans. Mai. An Hecken und auf Aeckern.
† — fragariastrum. Pers. (Fragaria sterilis L.) April. Am Schinderwasen und am Bach bei Bühl.
Tormentilla erecta. Sept. In Wäldern.
† Geum urbanum. Juni. Im Gebüsch u. Wäldern.
— rivale. Mai und Juni. An Bächen.

## Polyandria.

Chelidonium majus. Mai. An Mauern.

Papaver Argemone. Mai. } Auf Aeckern.
— Rhoeas. Juni. }
— dubium. Juni. }

† Hypericum quadrangulare. Juli — Septbr. Auf sumpfigen Stellen des Steinebergs, bei Waldhausen u. Derendingen.

Hypericum perforatum. Aug. An Wegen.
† — montanum. Juli und Aug. Auf dem Spizberg, Hirschauerberg, und Oesterberg.
— hirsutum. Juli und August. Auf dem Spizberg und Wald am Ammerhof.
† — pulchrum. Aug. Auf dem Spizberg; im Steinriegel und Schwerzlocher Wald.
Tilia europaea. α u. β. Juni — Juli. An Wegen und in Wäldern.
Cistus Helianthemum. Juni — Aug. An Anhöhen.

(Ranunculaceae. Juss.)

Delphinium Consolida. Juni — Aug. Im Getreide.
‡ Aconitum Lycoctonum. Juni. Im Bebenhäuser Thal am Bach.
† Aquilegia vulgaris. Mai — Juni. Am Käsebach, bei Kilchberg und auf dem Spizberg.
† Nigella arvensis. Juli. Auf Aeckern im Neckarthal.
Anemone nemorosa. April. In Wäldern.
— ranunculoides. April. Am Schinderwasen.
Clematis Vitalba. Juni. An Hecken.
† Adonis miniata. Juni. In Getreidefeldern, zuweilen auch mit gelber Blüthe.
Ranunculus Ficaria. April. An Hecken.
‡ — Lingua. Juni. Am Böblinger See, bei Tübingen selbst fehlend.
Flammula. Juni. Auf sumpfigen Stellen des Eichelbergs u. Schloßbergs.

† Ranunculus auricomus. Mai. An Zäunen.
‡ — sceleratus. Juni. An sumpfigen Stellen hinter Waldhausen, an der Landstrasse nach Herrnberg, auch bei Mössingen und Nähren.
‡ — aconitifolius. Juni. Am Abhang des Spizbergs gegen das Neckarthal im Wald.
— bulbosus. Mai. An Wegen.
— repens. Mai. An schattigen Bergschluchten.
— acris. Mai. Auf Wiesen.
† — lanuginosus. Juni. Im Bebenhauser Wald.
— arvensis. Juni. Auf Aeckern im Getreide.
— aquatilis. (capillaceus Pers.) Mai und Juni. In Sümpfen des Ammer- nud Neckarthals.
† — fluviatilis. Willd. et Pers. Juni. Im obern Theil der Ammer und im Neckar bei Kilchberg.
† Trollius europaeus Mai — Juni. Auf Wiesen bei Waldhausen, Eck und beim Schaichhof.
Caltha palustris. April. An Bächen.

## Didynamia Gymnospermia.

### (Labiatae. Juss.)

† Ajuga genevensis. Juni. An Bergen, Bläsiberg, Hirschauer-Berg.
‡ — pyramidalis. Septbr. Am Weg nach Herrnberg.

Ajuga reptans. Mai. An Hecken.
† Teucrium Chamaepitys. Juni — Juli. An Weinbergmäuern bei Hirschau.
† — Chamaedrys. Juli. Am Hirschauer-Berg und bei Niedernau an der Land-strasse nach Rottenburg.
† Nepeta Cataria. Aug. Am Weg nach Hagelloch nördlich vom Ammerthal an Gärten.
Mentha sylvestris. Aug. An Wegen.
— aquatica. August. In Sümpfen auf dem Wörth.
— arvensis. Aug. — Sept. In Gärten bei Waldhausen.
Glechoma hederacea. Mai. An Hecken.
Lamium maculatum. April — Mai. An Hecken.
— album. — — —
— purpureum. Mai. Auf Aeckern.
† — amplexicaule. Juni. An Aeckern am Weg nach Wankheim.
Galeopsis Galeobdolon. Mai — Juli. An Gebüschen.
— Ladanum. Juli — Sept. Auf Aeckern.
— Tetrahit. Juli — Aug. — —
† Marrubium vulgare. Juli. Am Weg nach Hagelloch jenseits des Karl Bauerischen Gartens.
Betonica officinalis. Juli u. Aug. In Wäldern.
Stachys sylvatica. — — —
† — palustris. August. An der Ammer unter Schwerzloch.
— germanica. Juli — Aug. Im Steinlacher Thal.

Stachys recta. Juli — Aug. Auf dem Schloßberg.
† — annua. Sept. Auf Aeckern bei Kilchberg.
Ballota nigra. Juni — Juli. An Wegen, an Mauern.
† Leonurus Cardiaca. August — Sept. Am Weg nach Jesingen ohnweit des Schmidtthors, auch bei Kilchberg.
Clinopodium vulgare. August. Im Gebüsch an Wegen und in Wäldern.
Origanum vulgare. Aug. An Wegen.
Thymus Serpyllum. Juni — Sept. An Wegen.
— Acinos. Juni — Juli. An Anhöhen.
† Melissa Calamintha. Juli. Im Wald unterhalb Lustnau am Neckar.
Prunella vulgaris. Juli — Aug. An Wegen.
— grandiflora. Juli — Aug. Auf Bergen.

## Didynamia Angiospermia.

Verbena officinalis. Juni — Aug. An Wegen.

### (Pediculares. Juss.)

Euphrasia officinalis. Juli — Sept. Auf Wiesen.
† — lutea. Aug. Auf dem Hirschauer- und Wurmlinger-Berg.
— Odontites. August — Septbr. An der Steinlach und bei Waldhausen.
Rhinanthus Crista Galli. Juni. Auf Wiesen.
— villosus. Pers. Mai — Juli. Im Getreide.
Melampyrum cristatum. Juni. Auf dem Spitzberg und bei Waldhausen.

Melampyrum arvense. Juni. Im Getreide.
— pratense. (vulgatum Pers.) Juli — Aug. In Wäldern.

Pedicularis sylvatica. Mai — Juni. In Wäldern. Spizberg ꝛc.

∓ Orobanche ramosa. Sept. In Hanffeldern gegen Rottenburg.

## (Scrophulariae Juss.)

Antirrhinum Cymbalaria. Mai — Sept. An Mauern.
† — arvense. Juli. Auf Aeckern.
∓ spurium. August. Im Neckarthal auf Aeckern.
minus. Juli. Auf Aeckern.
— Linaria. Sept. Auf Ackerrändern, und Wiesen.

Scrophularia nodosa. Juli — Aug. In Wäldern.
— aquatica. August — Septbr. An Bächen.

Digitalis purpurea. Juni — Aug. Im Steinriegel.

## Tetradynamia siliculosa.

## (Cruciferae. Juss.)

∓ Myagrum perfoliatum. Juli. In Ackerfeldern bei Hagelloch.
paniculatum. Juli. Auf Aeckern des Neckarthals.
— sativum. Juli. Am Steineberg.

† Cochlearia Coronopus. Juli — Septbr. Am südlichen Ufer des Neckars an der Brücke, auch bei Derendingen, Jesingen und Kilchberg.

Lepidium ruderale. Juli. — Aug. Auf der Neckar- und Steinlach-Brücke, auch an Mauern am Schmidthor.

Thlaspi arvense. Juni — August. Auf Aeckern.

— campestre. Mai — Juni. An Wegen.

— perfoliatum. Mai. Auf Aeckern und an Rainen.

— Bursa pastoris. Mai — Septbr. An Wegen.

Draba verna. April. Auf dem Wörth bei den Zimmerhütten.

Alyssum calycinum. Mai. An Wegen.

Isatis tinctoria. Juni. Am Schloßberg.

Cardamine pratensis. Mai. Auf Wiesen.

† — amara. Mai. In Gräben bei Waldhausen.

Sisymbrium Nasturtium. August — Oktbr. In Wassergräben.

sylvestre. Mai — Juli. Am Neckar bei Lustnau und Kilchberg.

— palustre. Pers. — —

— amphibium. Pers. Juli. An der Ammer unterhalb Schwerzloch.

— Sophia. Juni — August. Im Getreide und an Wegen.

Erysimum officinale. Juni — Aug. An Wegen

— Barbarea. Mai — Juni. Im Neckarthal an feuchten Stellen.

— Alliaria. Mai. An Zäunen.

— cheiranthoides. (parviflorum Pers.) Mai. Auf Aeckern und an Wegen.

† Erysimum strictum. Flor. Wetter. Juni. Am Hirschauer Berg und Fuß des Spizbergs.
† Turritis glabra. Juni. Im Steinriegel.
† — hirsuta. Mai — Juli. Am Fuß des Spizbergs und Eichelbergs.
† Brassica orientalis. Juni. Im Getreide.
Sinapis arvensis. Mai — Juni. Im Getreide.
— nigra. Juni — Oktob. Auf dem Wörth am Neckar-Ufer.
Raphanus Raphanistrum. Mai — August. Im Getreide.

## Monadelphia.

### (Gerania. Juss.)

Erodium cicutarium. April — Aug. An Wegen und auf Aeckern.

Geranium sanguineum. Juni — Juli. An Bergen, Spizberg 2c.
— sylvaticum. Juni — Juli. In Wäldern.
† — palustre. Juli. Im Wald an der Blaulache und bei Derendingen und Waldhausen.
— pratense. Juni — Juli. Auf Wiesen im Neckarthal.
— columbinum. Juni — Juli. An Zäunen.
— dissectum. — — —
— rotundifolium. Mai — Juni. An Wegen.
† — pusillum. Juni. An Wegen.
— robertianum. Mai — Okt. An Mauern, Hecken und auf Schutthaufen.

(Malvaceae. Juss.)

† Althaea hirsuta. Mai — Sept. Am Hirschauer Berg und am Wege nach Jesingen.

Malva sylvestris. Juni — August. An Wegen.

— rotundifolia. Juni — Sept. —

† — Alcea. Aug. Bei Schwerzloch und Niedernau, und am Weg nach Jesingen.

## Diadelphia Hexandria und Octandria.

† Fumaria bulbosa. März — April. Im Schinderwasen.

— officinalis. Mai — Aug. Auf Aeckern.

Polygala vulgaris. Mai — Juni. An Aeckern im Gebüsch.

† Polygala amara. Mai — Juni. In Bergschluchten am Schloßberg und Viehweidberg.

## Diadelphia Decandria.

(Leguminosae. Juss.)

† Spartium scoparium. Mai — Juni. Auf dem Steinriegel und bei Rosek.

† Genista sagittalis. Mai. Auf dem Schloßberg und Viehweidberg.

— tinctoria. Juli — Aug. Auf Bergen.

† — germanica. Mai — Juli. — —

Ononis spinosa. Juni — Sept. Auf Aeckern.

† — hircina. Willd. Aug. — Sept. Am Steinberg, Hirschauer Wald ꝛc.

Anthyllis vulneraria. Mai — Juli. An Anhöhen.

Orobus vernus. Mai. In Wäldern, Burgholz ꝛc.

— tuberosus. Mai — Juni. In Wäldern.

† Orobus niger. Juni — Juli. Im Wald beim Bläsiberg und bei Schwe:loch.
† — tenuifolius. Roth. Mai. Auf dem Wurmlinger Berg.
† Lathyrus Aphaca. Juni. Auf Aeckern.
— tuberosus. Juli — Aug. Im Getreide.
— pratensis. Jun. Im Gebüsch an Hecken.
† — sylvestris. Juni. Auf dem Spizberg, Steineberg.
† Vicia sylvatica. Juni — Juli. Auf d. Spizberg,
— Cracca. Juli. An Hecken im Neckarthal.
— sativa. Juni — Juli. Im Getreide.
† — dumetorum. Juni — Juli. Am Kresbacher Wald.
— sepium. Mai — Juni. An Hecken.
† Ervum tetraspermum. Willd. Juli — August. Im Getreide.
— hirsutum. Juli — Aug. Im Getreide.
† — monanthos. Juli. Im Getreide auf dem Viehweidberg.
† Cytisus nigricans. Juni. Auf dem Spizberg Eichelberg, auch am Weg nach Reutlingen.
† Coronilla varia. Juli. Auf dem Spizberg und bei Hagelloch.
Hippocrepis comosa. Juni — Juli. Auf Bergen, Spizberg, Oesterberg.
Hedysarum Onobrychis. Juni. An Wiesen auf Anhöhen.
† Astragalus pilosus. Juli. Am Hirschauer Berg.
† — glycyphyllos. Juni. Auf dem Spizberg und Oesterberg.

Trifolium Melilotus officinalis. Juni — Jul. An Wegen.

† — hybridum. Juli — Sept. Bei Waldhausen und auf dem Spizberg.

— repens. Juni — Sept. Auf Wiesen und an Wegen.

— rubens. Juni — Juli. Auf d. Spizberg, Schnarrenberg u. Eichelberg.

— pratense. Juni — Aug. Auf Wiesen.

— medium. Juni — Juli. In Wäldern.

† — alpestre. Juni. Auf d. Spizberg am Wald.

† — ochroleucum. Juli. Auf dem Spizberg, Steineberg und im Krespacher Wald.

— montanum. Mai und Juli. Auf dem Spizberg, Hasenbühl ꝛc.

— arvense. Juli — Aug. Auf Aeckern bei Waldhausen und Hagelloch.

† — fragiferum. Aug. Auf feuchten Wiesen auf dem Wörth u. am Viehweidberg.

— agrarium. Juli. Auf dem Spizberg.

† — filiforme. Juni — Juli. Auf schattigen Wiesen auf dem Schloßberg.

† Lotus siliquosus. Juni. Auf Wiesen am nördlichen Ufer der Ammer.

— corniculatus. Juni — Aug. Auf Wiesen.

Medicago sativa. Juli. Auf Wiesen.

† — media. Pers. Juli. Am Neckar bei Lustnau und Kilchberg.

— falcata. Juli — August. Auf Anhöhen.

— lupulina. Mai — Juli. In Gebüschen.

## Syngenesia aequalis.

### (Cichoraceae. Juss.)

Tragopogon pratense. Juni. Auf Wiesen.
† Scorzonera humilis. Mai. Auf sumpfigen Stellen des Schloßberges und auf der südlichen Seite des Eichelbergs.
† — laciniata. Juni. Am Fuß des Spizbergs und bei Jesingen.

Sonchus arvensis. Juni — Juli. Auf Aeckern.
— oleraceus. Juli — Sept.

† Lactuca Scariola. Juni. Am Fuß des Spizbergs, am Hirschauer Weg und am Wege nach Jesingen.
† — perennis. Juni. Auf der Südseite des Spizbergs am Abhang.
† Prenanthes purpurea. Juli. Im Wald hinter dem Spizberg, Bebenhausen und auf dem Eichelberg.
† — muralis. Juli — Aug. Im Steinriegel.
Leontodon Taraxacum. April — Jul. Auf Wiesen.
Apargia hastilis. Juni — Juli. An Wegen.
— hispida. — — —
— autumnalis. Juli — Sept. An Hecken.
Picris hieracioides. Juli — Sept. Auf Aeckern und an Wegen.
Hieracium Pilosella. Mai — Aug. Auf Anhöhen an Wegen und Aeckern.
— dubium. Ebendaselbst.
— Auricula. Mai. An Anhöhen und im Neckarthal.

† Hieracium cymosum. Dec. (fallax Willd.) Jul. Auf dem Spitzberg.

— murorum. Juli. In Wäldern und auf Mauern.

† — murorum. β. nemorosum. Pers. (maculatum Schrank. sylvaticum. Gouan.) Auf dem Spitzberg und im Krespacher Wald.

† — praemorsum. Mai — Juni. Am Spitzberg.

† — paludosum. Juni — Juli. Bei Rosck.

† — sabaudum. Aug. — Sept. Auf dem Spitzberg.

† — umbellatum. Juli — Sept. In Wäldern, bei Waldhausen.

Crepis tectorum. Juni — Sept. Auf Wiesen und an Wegen.

— biennis. Juni — Juli. Auf Wiesen.

Hypochaeris radicata. Juli. Im Krespacher Wald.

† — maculata. Juni. Im Wald bei Hagelloch.

Lapsana communis. Juni — Juli. Auf Aeckern.

Cichorium Intybus. Juli — Sept. An Wegen.

## (Cinarocephalae. Juss.)

Carlina vulgaris. Juli — Sept. Auf Anhöhen am Viehweidberg.

— acaulis. Aug. — Sept. Auf Bergen.

† — caulescens Lam. August — Septbr. Am Viehweidberg.

Arctium Lappa. Aug. — Sept. An Wegen.

— tomentosum. Pers. August. Im Steinlacher Thal.

Onopordon Acanthium. Aug. — Sept. An Wegen.
Carduus nutans. — — —
— crispus. Willd. Juli — Sept. Im Neckarthal an Wegen.
— palustris. Juli — Sept. Auf schattigen Wiesen.
— lanceolatus. Juli — Aug. An Wegen.
— eriophorus. Aug. Im Steinlacher Thal.
╤ — acaulis. Aug. Am nördlichen Abhang des Steinebergs.
Cnicus oleraceus. Juli — Aug. Auf Wiesen.
Serratula arvensis. Juli — Sept. Auf Aeckern.
† — tinctoria. Aug. Im Wald beim Schwerzloch und Waldhorn.

(Corymbiferae.)

Bidens tripartita. Aug. — Sept. An Sümpfen und Bächen.
† — cernua. Sept. Am südlichen Ufer d. Neckars.
† Eupatorium cannabinum. Juli — Sept. Im Hirschauer und Schwerzlocher Wald und am Abhang des Viehweidbergs.
╤ Chrysocoma Linosyris. Juli — Aug. Am Wurmlinger und Hirschauer Berg.

## Syngenesia superflua.

Tanacetum vulgare. Aug. An Wegen u. Mauern.
† Artemisia pontica. Aug. Am südlichen Abhang des Schloßbergs und am Weg nach Herrenberg.
† — Absinthium. Aug. Am Hirschauer Weg unter dem Spizberg.

Artemisia vulgaris. Juli — Sept. An Wegen.
Gnaphalium dioicum. Mai — Juli. Auf dem Schloßberg.
† — sylvaticum. August — Sept. Auf Bergen, in Wäldern.
Filago arvensis. Aug. — Sept. Auf Aeckern bei Waldhausen.
† Conyza squarrosa. Aug. — Sept. An Wegen und Anhöhen.
Erigeron canadense. Aug. — Sept. An Wegen am Ufer der Steinlach.
— acre. Juli — Aug. An Wegen.
Senecio vulgaris. Das ganze Jahr. An Wegen und Schutthaufen.
† — viscosus. Aug. — Sept. Im Ammerthal auf Aeckern.
† — sylvaticus. Juli — Aug. In Wäldern.
† — erucaefolius. Pers. Juli — August. Im Steinlacher Thal.
— Jacobaea. Juli — Aug. An Wegen auf Anhöhen.
† — saracenicus. Aug. In Wäldern bei Niedernau und bei Bebenhausen.
† Aster Amellus. August — Sept. Am Schloßberg und Grafenberg bei Kaih.
Solidago virgaurea. Aug. — Sept. In Wäldern.
Inula dysenterica. Sept. An feuchten Gräben.
† — salicina. Juni — Aug. Am Spizberg, Eichelberg rc. im Gebüsch.
† — hirta. August. Im Gebüsch in einer Bergschlucht bei Hagelloch.

Tussilago Farfara. März und April. An Wegen, vorzüglich auf neuen Mergel-Umbrüchen.

— Petasites. April. An der Ammer, Steinlach und am Käsebach.

† — hybrida. April. An der Steinlach.

Bellis perennis. Das ganze Jahr. Auf Wiesen.

Chrysanthemum Leucanthemum. Juni — Juli. Auf Wiesen.

† — corymbosum. Juli — August. In Wäldern.

— inodorum. Juni — Okt. An Wegen.

Matricaria Chamomilla. Juni — August. Auf Aeckern bei Waldhausen und Krespach.

Anthemis arvensis. Juni — August. Auf Aeckern und an Wegen.

— Cotula. August. Auf Aeckern bei Waldhausen 2c.

† Achillea Ptarmica. Aug. — Sept. In feuchten Gräben bei Waldhausen und am östlichen Abhang des Rüdernwalds, auch bei Niedernau.

— Millefolium. Juli — Aug. An Wegen.

## Syngenesia frustranea.

### (Cynarocephalae. Juss.)

† Centaurea nigra. Aug. Auf dem Eichelberg.

† — montana. Juni. Im Wald bei Bebenhausen und auf dem Eichelberg.

— Cyanus. Juni — Aug. Im Getreide.

— Scabiosa. Juli — Aug. Auf Wiesen und Aeckern.

— Jacea. Mai — Aug. Ebenso.

## Gynandria Digynia.

### (Orchideae. Juss.)

Orchis bifolia. Mai — Juni. Auf dem Spizberg, Oesterberg. rc.

— Morio. — — —

† — mascula. Mai. In schattigen Wäldern.

† — ustulata. Mai — Juli. Auf Wiesen bei Waldhausen.

∓ — militaris. Mai. Auf dem Spizberg.

† — latifolia. Mai. Auf Wiesen an der Landstrasse nach Reuttlingen.

— maculata. Mai — Juni. Auf d. Spizberg rc.

— conopsea. Juni. Auf dem Spizberg, Eichelberg und Steineberg.

∓ — odoratissima. Juli. Bei Bebenhausen ohnweit eines ehemaligen See's.

∓ Ophrys Monorchis. Juli. Ebendaselbst.

∓ — Myodes. Pers. Juni. In einer Bergschlucht am westlichen Abhang des Spizberges.

∓ — arachnites. Pers. Juni. Bei Waldhausen auf Wiesen.

† — spiralis. August — Sept. Auf Wiesen hinter Waldhausen.

† Serapias latifolia atrorubens. Hofm. Juli bis August. Im Wald bei Waldhausen und Krespach.

∓ — latifolia viridiflora. Hofm. Aug. Im Wald bei Bebenhausen u. Krespach, bei Niedernau und auf dem Eichelberg.

∓ — palustris. Pers. (longifolia. L.) Juli. In Schluchten des Viehweidbergs.

╪ Serapias grandiflora (lancifolia Ehrh.) Juli. Im Wald nordöstlich vom Bläsiberg.

† Epipactis Nidus avis. Pers. Mai — Juni. Im Burgholz.

† — ovata. Pers. Juni. Am nördlichen Abhang d. Oesterbergs u. b. Waldhausen.

╪ Cypripedium Calceolus. Juni. In Wäldern südwestlich von Tübingen.

## Gynandria Hexandria.

Aristolochia Clematitis. Juni. Am Hirschauer-Weg.

## Monoecia Monandria.

† Zannichellia palustris. Juni — Juli. In Wassergräben des Ammerthals unterhalb Schwerzloch.

† Chara vulgaris. Juni — Juli. Auf sumpfigen Stellen des Viehweidbergs beim Gutleuthaus, in der Blaulache rc.

## Monoecia Diandria.

Lemna major. Juli — Aug. Auf stehenden Wässern.

† — trisulca. Juli. In der Blaulache.

## Monoecia Triandria.

Typha latifolia. Juli — Aug. Bei Waldhausen und Kilchberg.

† Sparganium ramosum. Juli. In Sümpfen.

— simplex. — —

† Carex Davaliana. Pers. (dioica Host.) April. Auf feuchten Waldwiesen des Eichelbergs und Oesterbergs.

† Carex praecox. Pers. Juni. Auf feuchten Wiesen des Neckarthals.
† — brizoides. Mai. Am Schinderwasen.
— divulsa. Pers. Mai. Im Neckarthal.
— montana. Pers. April. Auf Waldwiesen, auf dem Eichelberg und bei Bühl.
† — ciliata. Pers. April. Auf dem Spizberg.
— verna Pers. April. Auf Wiesen des Neckarthals.
† — digitata. April. Im Wald bei Bühl und am Käsebächle.
† — pedata. Schk. Mai. Bei Krespach und im Gehölz oben im Hasenbühl.
— flava. Mai — Juni. Am Hirschauer Berg.
— distans. Mai. Auf Waldwiesen.
— clandestina. April. Am Eichelberg.
— pallescens. April — Mai. Auf feuchten Waldwiesen, Burgholz.
— panicea. Mai. Auf sumpfigen Waldwiesen.
— sylvatica. Mai — Juni. In Wäldern, Burgholz.
— glauca. Pers. (flacca Schkr.) Mai. Auf feuchten Wiesen.
— acuta. Pers. Mai. Auf sumpfigen Stellen.
† — paludosa. Pers. Mai. Auf dem Spizberg in Sümpfen.
— hirta. Pers. Mai. Auf feuchten Wiesen.
— ovalis. Pers. Mai. Im Schinderwasen.
† — vesicaria. Pers. Juni. Im Burgholz.
† — vulpina. Mai. Im Lustnauer Wald.

## Monoecia Tetrandria.

Urtica urens. August — Sept. An Wegen.
— dioica. — — —

## Monoecia Polyandria und Monadelphia.

Myriophyllum spicatum. Juli. In Sümpfen bei Tübingen, Waldhausen, Weilheim.
† — verticillatum. Juli. In der Blaulache, bei Waldhausen und Weilheim.

Poterium Sanguisorba. Juni. An Anhöhen.

Quercus Robur. Willd. Mai. In Wäldern.
— pedunculata. Willd. — —

Corylus Avellana. Februar. An Hecken.

Fagus sylvatica. Mai. In Wäldern.

Betula alba. April — Mai. In Wäldern.
— Alnus. März — April. An Bächen.

Carpinus Betulus. April. An Hecken.

† Arum maculatum. Mai — Juni. Im Burgholz und beim Bläsibad.

Pinus sylvestris. Juni. Im Wald auf dem Spizberg.
— Picea. Du Roi. Mai. Wald bei Kilchberg.
— Abies. Du Roi. Mai. Ebendaselbst einzelne Bäume.

Bryonia alba. Juni. An Zäunen.
— dioica. — —

## Dioecia Diandria und Monadelphia.

Salix triandra. Mai. Im Neckarthal.
— vitellina Hofm. April — Mai. An Bächen.
— alba. Hofm. — —
— fragilis. April. Im Neckarthal.
— monandra. April. Am Fuß des Oesterbergs am Neckar.
— aurita. Mai. Auf dem Steineberg, Spizberg und Eichelberg.
† — caprea. April. In Gebüschen an Bergen.
— acuminata. Mai. Im Wald bei Bühl.
— viminalis. April. Im Neckarthal.

Fraxinus excelsior. Mai. Einzeln in Wäldern.

Viscum album. März. Auf Obstbäumen.

Humulus Lupulus. August — Sept. An Hecken.

Populus tremula. März. In Wäldern.
— nigra. April. An Bächen.

Mercurialis perennis. April. Im Schinderwasen und auf dem Eichelberg.
annua. August. An Aeckern und Schutthaufen.

Juniperus communis. Mai. In Wäldern.

# Merkwürdigere Pflanzen der Württembergischen Alp, welche in den nähern Umgebungen von Tübingen fehlen, oder nur selten vorkommen.

## Diandria.

† Pinguicula vulgaris. Mai — Juli. Selten am Fuß der Alp im Blauthal und bei Boll.

Veronica prostrata. Juni. Auf Bergen bei Blaubeuern.

— scutellata. Juli. Bei Heidenheim.

† Circaea lutetiana. Juli. Auf dem Roßberg *).

## Triandria und Tetrandria.

† Valeriana tripteris. Juni. Auf Felsen bei Seeburg.

Scirpus compressus. Pers. Juni. An der Lauter bei Offenhausen.

Eriophoron angustifolium. Pers. Juni. An der Glemser Steige bei Urach.

Cynosurus coeruleus. L. (Sessleria Pers.) Ende April's. Auf dem Roßberg, Lochen, bei Balingen, auf Ebinger und Tuttlinger Bergen ꝛc.

*) Unter Roßberg ist hier immer der Roßberg bei Gönningen, nicht der bei Urach zu verstehen, welcher übrigens eine ähnliche Lage besitzt.

Elymus europaeus. Juli. Am Fuß des Roßbergs.

† Festuca glauca. Juni. Bei Blaubeuern.

† Dipsacus pilosus. Juli. Am Roßberg und im Seeburger Thal.

† Aphanes arvensis. Juni. Bei Weisenstein.

## Pentandria.

† Lithospermum officinale. Juli. Im Seeburger Thal und bei St. Johann.

† Lysimachia thyrsiflora. Juli. Bei Pfullingen.

† — nemorum. Juli. Auf dem Lochen, bei Balingen und am Roßberg.

Phyteuma orbiculare. Juli — Aug. Auf Waldwiesen der Alp.

† Polemonium coeruleum. Juli. Bei Grafeneck.

Menyanthes trifoliata. Juli. Am Heidenheimer und Itzelberger See, bei Schopfloch rc.

Verbascum nigrum. Juli. Auf dem Roßberg.

Campanula Speculum. Juli. Bei Heidenheim.

† — hybrida. Juni. Auf dem Sternenberg bei Offenhausen.

† — caespitosa. Scop. Juni. Bei Lichtenstein.

Rhamnus saxatilis. Juni. Auf Felsen bei Holzelfingen.

Ribes alpinum. April. in Thälern der Alp, Steinlacher Thal rc.

Gentiana lutea. Juli. In den meisten höhern Gegenden der Alp, Roßberg, Farrenberg, auf den Bergen bei Willmandingen, Ebingen, Urach rc.

— verna. April — Mai. Auf Wiesen der Alp häufig.

Sanicula europaea. Juli. Auf dem Roßberg, Lochen, auf Bergen bei Urach 2c.

Astrantia major. Juli. Ebendaselbst.

✝ — minor. Juli. Auf Bergen zwischen Engen u. Hohentwiel.

✝ Bupleurum longifolium. Jul. An der Pfullinger Steige und bei Blaubeuern.

✝ Oenanthe fistulosa. Juli. Bei Pfullingen.

✝ Phellandrium aquaticum. August. Im Blaugraben bei Ulm.

Caucalis grandiflora. Juli. Bei Tuttlingen, Heidenheim, Hengen 2c.

✝ Cicuta virosa. Aug. Bei Schnaitheim an d. Brenz und bei Ulm.

Conium maculatum. Aug. Bei Heidenheim.

✝ Athamantha Libanotis. Aug. Am Ruessenschloß bei Blaubeuern und im Lauterthal bei Herrlingen.

Laserpitium latifolium. Juli. Auf dem Roßberg und Farrenberg, Eselsberg bei Ulm u. bei Wiesensteig.

✝ Staphylea pinnata. Mai. Am Farrenberg bei Mössingen dicht im Wald ein einzelner großer Baum.

Drosera rotundifolia. Juni. In der Schopflocher Torfgrube.

✝ Linum flavum. Jacq. Juli. An der Weilersteige bei Blaubeuern und am Michelsberg bei Ulm.

## Hexandria.

Leucojum vernum. April. An der Teck.

Allium angulosum. Juli. Bei Hohenurach und Blaubeuern.

Tofielda palustris. Pers. (Helonias borealis Willd.) Juni. Zwischen Urach und Hülben.

Convallaria verticillata. Juni. Auf dem Roßberg, Farrenberg, über der Nebelhöhle ꝛc.

Hyacinthus botryoides. Apr. Auf Wiesen der Alp.

Ornithogalum luteum sylvaticum. Pers. April. Im Wald bei Gönningen.

Lilium Martagon. Juli. In Wäldern des Roßbergs Farrenbergs ꝛc.

† Rumex scutatus. Mai — Juni. Im Tiefenthal bei Blaubeuern und bei Urach.

† — Hydrolapathum. Juli. An der Blau bei Ulm.

## Octandria.

† Daphne Cneorum. Mai. Bei Hohentwiel.

Vaccinium Vitis idaea. Mai und Juni. Auf der Schopflocher Torfgrube.

— Oxycoccos. Ebendaselbst.

† Stellera passerina. Aug. Michelsberg bei Ulm.

## Decandria und Dodecandria.

† Pyrola secunda. Juli. Am Fuß des Lochen bei Balingen.

Andromeda polifolia. Mai — Juni. Auf der Schopflocher Torfgrube.

† Saxifraga Tridactylites. Mai. Auf Felsen bei Blaubeuern und Urach.

— Aizoon. Jacq. Juni. Auf Felsen der Alp, bei Lichtenstein, Blaubeuern ꝛc.

— Aizoon. β. Dec. (recta Lapeyr.) Juni. Ebendaselbst.

— decipiens. Pers. (villosa Willd.) Juni. Im Tiefenthal bei Blaubeuern und bei Heidenheim.

Dianthus deltoides. Juli. Bei St. Johann und bei Lautlingen.

— sylvestris. Juni. Auf Felsen der Alp, bei Blaubeuern, Seeburg ꝛc.

† Arenaria serpyllifolia. Juni. Auf dem untern Roßberg bei Gönningen.

† Stellaria Alsine. Pers. April. Bei Urach.

† — palustris. Pers. Juni — Juli. Auf der Friedrichsau bei Ulm.

Euphorbia sylvatica. Pollich et Hagenbach. Jun. In den meisten Wäldern der Alp, Roßberg, Farrenberg ꝛc.

## Icosandria.

Crataegus Aria. (Pyrus Aria. Willd.) Juni. Auf dem Roßberg, Farrenberg ꝛc.

† Mespilus Amelanchier. Juni. Auf Felsen bei Holzelfingen und der Nebelhöhle, am Blau und Lauterthal.

† — Cotoneaster. Mai. Auf Felsen bei Holzelfingen, Lichtenstein u. Hohentwiel. Hohenurach, Blaubeuern und Hohen-Gerhausen.

Rosa cinnamomea. (foecundissima. Roth.) Juni. Auf Felsen bei Holzelfingen, Lichtenstein und bei Ulm.

† — pimpinellifolia. Jul. Auf Felsen der Altsteig bei Glems und bei Lichtenstein.

† — villosa. Juli. Auf dem Roßberg.

† Rubus saxatilis. Mai. Auf dem Roßberg, Farrenberg ꝛc.

Comarum palustre. Juni. Auf der Schopflocher Torfgrube, auch bei Langenau.

Potentilla opaca. Mai. Bei Höhen-Gerhausen.

## Polyandria.

Actaea spicata. Juni. Auf dem Farrenberg, Sternenberg, Nebellochberg, bei Blaubeuern.

Aconitum Lycoctonum. Juni. Auf dem Roßberg, Farrenberg, Sternenberg rc.

† Thalictrum aquilegifolium. Juni. Am Roßberg, bei Mössingen, Sternenberg; im Tiefenthal bei Blaubeuern und bei Hohen-Urach.

Helleborus foetidus. April. Am Abhang der Alp.

† — hyemalis. März. Auf dem Michelsberg bei Ulm.

† — viridis. April — Mai. Ebendaselbst.

Ranunculus lanuginosus. Mai — Juni. Auf dem Farrenberg.

Anemone Pulsatilla. Mai. Auf den meisten Bergen der Alp.

— hepatica. April. Auf dem Farrenberg auch bei Tuttlingen, Urach, Heidenheim

† Hypericum humifusum. Juli. Bei Weisenstein

## Didynamia.

Ajuga genevensis. Mai. Bei Urach, Blaubeuern, auf Tek und auf dem Farrenberg.

Teucrium Chamaedrys. August. Auf dem Roßberg und bei Blaubeuern.

† — montanum. Juni — August. — —

†† — Botrys. Juni. Auf dem Roßberg, Achalm.

Stachys alpina. Juli. Auf dem Roßberg, im Seeburger Thal, Tiefenthal und bei Lichtenstein.

† Melittis melissophyllum. Juni. Im Hochberg bei Heidenheim, bei Langenau und Söflingen bei Ulm.

Orobanche major. Juni. In dichten Wäldern des Roßbergs und bei Lautlingen.

— caryophyllacea. Smith. Juli. Bei Heidenheim, Gruibingen, Böhnstetten und am Roßberg.

— coerulea. Smith. Juli. Bei Heidenheim, und im Tiefenthal bei Blaubeuern.

Digitalis ambigua. Jacq. Juli. Auf dem Roßberg, bei Lichtenstein u. im Seeburger Thal.

† — lutea. Juli. Auf der Romeshalde bei Ebningen und am Uracher Schloßberg.

Lathraea squamaria. April. Im Betlinger Holz bei Ulm.

## Tetradynamia.

Draba Aizoon. Hoppe. Mai. Auf Felsen bei Urach und Blaubeuern.

† Lunaria rediviva. Mai. Bei Lichtenstein und bei Blaubeuern.

Alyssum montanum. Jun. — Jul. Auf dem Roßberg, Lochen, bei Urach, im Blauthal bei Gerhausen.

Thlaspi montanum. Mai. Auf dem Roßberg, auf Bergen bei Ebingen, Balingen und im Tiefenthal.

† Sisymbrium obtusangulum. Pers. (Schleicher et Dec.) Juli. Bei Lichtenstein.

Erysimum Cheiranthus. Pers. (Cheiranthus erysimoides Lin.) Juni — Juli. Auf dem Lochen und Schloßberg bei Heidenheim.

Arabis arenosa. Scop. Juni. Bei Lichtenstein, Blaubeuern, Urach ꝛc.

† Turritis glabra. Juni. Bei Heidenheim, Teck, Roßberg.

† Dentaria bulbifera. Juli. Bei Guffenstadt und am Sternenberg, auch auf d. Herdtfeld bei Neresheim.

Cardamine impatiens. Mai — Juni. An der Uracher und Wittlinger Steige bei Urach.

## Diadelphia.

Polygala amara. Mai — Juni. In Thälern der Alp, am Roßberg, Farrenberg ꝛc.

† Vicia dumetorum. Juli. Im Wald der Romelshalde bei Ehningen.

†† Coronilla coronata. Juni. Auf dem Roßberg bei Lichtenstein und Tuttlingen.

† Lotus siliquosus. Juli. Am Fuß der Alp bei Gönningen.

† Lathyrus heterophyllus. Jun. Bei Lichtenstein und im Tiefenthal.

Trifolium alpestre. Juni. Auf dem Roßberg.

Astragalus Cicer. Juli. Auf d. Eselsberg bei Ulm.

## Syngenesia.

† Hieracium humile. Jacq. Jun. — Jul. Auf Felsen bei Blaubeuern, Eybach u. Seeburg.

— praemorsum. Mai — Juni. Am Fuß d. Roßbergs, auch bei Neresheim.

— alpestre. Jacq. Jun. Bei Hohenurach, Heidenheim, Unterkochen, Neresheim ꝛc.

Apargia incana. Mai. Im Tiefenthal.

Carduus defloratus. Juni. Auf dem Roßberg und bei Blaubeuern.

Eupatorium cannabinum. Juli — August. Am Fuß des Roßbergs.

Artemisia Absinthium. Juli — August. Auf dem Hohenzollern, Hohenurach, Zollerberg bei Hausen.

† Gnaphalium germanicum. Smith. Sept. Bei Heidenheim.

† Chrysanthemum montanum. Willd. Juni. bei Lichtenstein am Fuß des Bergs.

† Anthemis tinctoria. August. Auf Getreide-Aeckern bei Salmandingen, Schopfloch u. Münsingen.

Doronicum Bellidiastrum. Mai — Juni. Auf dem Roßberg, Farrenberg und bei Lichtenstein.

† Arnica montana. Juli. Im Wald bei Donnstetten Urach und bei Weidenstetten.

Inula hirta. Juni. Auf Felsen bei Holzelfingen.

Cineraria integrifolia. Mai — Juni. Auf dem Farrenberg.

Senecio saracenicus. August. Auf dem Roßberg.

Buphthalmum salicifolium. Juli — August. Auf dem Roßberg, Tek und bei Blaubeuern.

Centaurea montana. Juni. Bei Blaubeuern, Lichtenstein und auf dem Farrenberg.

— paniculata. Juli. Im Blauthal b. Ulm.

## Gynandria.

† Orchis pyramidalis und odoratissima. Aug. Auf dem Roßberg und auf der Teck.

† — globosa. Juni — Juli. Zwischen Urach und Neuffen.

Satyrium viride. Juli. Auf dem Roßberg, Sternenberg, bei Grafeneck auch bei St. Johann rc.

Ophrys Myodes und Arachnites. Juni. Am Abhang von Hohenurach u. b. Blaubeuern.

† — Anthropophora. Mai. Im Blauthal hinter Arnegg.

Ophrys Monorchis. Juli. Auf dem Roßberg, Urach, Grafeneck, Schopfloch, Arnegg rc.

† Serapias rubra und ensifolia, Pers. Juni bis Juli. Auf dem Roßberg.

— grandiflora. Juni. Ebendaselbst. Auch bei Lichtenstein und Urach.

† Cypripedium Calceolus. Mai. Bei Tek und Blaubeuern.

## Dioecia.

† Taxus baccata. Mai. Bei Eybach und in der Elbensteig oberhalb Hechingen.

---

Ueber die Vegetationsgränzen einzelner Pflanzen am Abhang der Alp und der Berge in den Umgebungen von Tübingen überhaupt, stellte ich schon seit mehreren Jahren Beobachtungen an, zu welchem Zwecke ich auch grössere Excursionen gewöhnlich mit Höhenmessungen verbinde; die bis jezt hierüber erhaltene Resultate sind folgende:

Wein und Mays (Zea Mays L.) wird hie und da noch am Abhang der Alp in einigen gegen Süden und Südwesten geneigten Thälern an Bergabhängen gepflanzt, wie bei Reutlingen, Mezingen, Urach, Owen, Neuffen rc. dieses der Fall ist: die obere Gränze des Weinbaues ist in diesen Gegenden unter 48 ½ Grad nördlicher Breite im Mittel bei 1500 — 1600 pariser Schuhen über dem Meer; auch die höchsten Weinberge bei Tübingen auf dem Steinenberg reichen bis 1490 Schuhe, im benachbarten Ammerthal am Grafenberg bei Kayh reichen sie bis 1600 Schuhe; bessere Weine werden jedoch kaum bis auf 1000 Schuhe Höhe gezogen. (In der Schweiz unter 47° nördlicher Breite reichen die

Weinberge bis 2000 Schuhe Höhe; in der mittlern Breite von Deutschland unter 50° nördl. Breite reichen sie in der Gegend von Trier nur bis 800 Schuhe Höhe.)

Obst und Wallnüsse gedeihen noch 500 — 600 Schuhe höher als Wein, jedoch verlangen sie zum guten Fortkommen eine gegen Winde etwas geschützte Lage; so finden sich bei Roßwangen am nordwestlichen Fuß der Alp 1950 Schuhe über dem Meer noch schöne Obst- und Nußbäume, selbst in dem 2700 Schuhe hoch liegenden Alpthal des Lochenhofs bei Balingen finden sich bei einer geschützten Lage noch Obstbäume; (in der Schweiz reichen die Wallnüsse bis 3500 Schuh Höhe, werden jedoch nur bis 2500 Schuh Höhe mit Vortheil gezogen) bei freier Lage auf der Fläche des Gebirgs zeigen sie jedoch schon bei 2000 Schuhen kein gehöriges Fortkommen. Der Arlesbaum oder die Weislaube (Pyrus Aria. Willd.) zeigt dagegen selbst auf den höchsten Gegenden oft zwischen den steilsten Felsen baum- und strauchartig ein gutes Gedeihen; hie und da finden sich auf der Höhe des Gebirgs von dieser Baumart mannsdicke Stämme, wie man sie in den tiefern Gegenden Würtembergs nie findet, man versuchte daher auch seit Kurzem die Landstrassen einzelner dieser Gegenden, statt der Obstbäume, mit diesen Bäumen zu besezen.

Die Wälder dieser Gebirgskette sind vorherrschend aus Laubholzarten bestehend, namentlich: aus Buchen (Fagus sylvatica), auch Eschen (Fraxinus excelsior) und Bergahorne (Acer Pseudoplatanus) gedeihen gut; hie und da findet man auch Espen (Populus tremula) und Steineichen (Quercus Robur); nur selten sieht man einzelne Erlen und Birken, welche aber gewöhnlich kein schönes Wachsthum zeigen. Von Nadelholzarten findet man, vorzüglich in den dem Schwarzwalde näher liegenden Theilen der Alp in ganzen Wäldern, Rothtannen (Pinus Picea Du Roi); seltner sind Kiefern und Weißtannen.

Von Getreidearten wird im Großen vorzüglich Spelt (Triticum Spelta. L.) und Hafer, übrigens auch Einkorn, Roggen und Gerste gebaut. Der Hafer wird vollkommener und schwerer, als in den tiefern Gegenden Würtembergs. In Höhen von 2200 — 2500 Schuhen sind noch schöne zusammenhängende Fruchtfelder; selbst bei 2820 Schuhen Höhe wird auf ebenen Flächen noch Getreide gebaut, wie bei Burgfelden dieses der Fall ist, höher fand ich bis jezt keine Gegend der Alp, wo noch Getreide gebaut würde; auch in der Schweiz hört der Getreidebau bei 3000 Schuhen Höhe gewöhnlich auf.

Von den krautartigen Pflanzen scheinen vorzüglich folgende mehr ausschliessend den höhern Gegenden dieser Gebirgskette anzugehören, und nicht leicht nur 2000 Schuhe herabzusteigen; auch fehlen diese Pflanzen sämmtlich in den übrigens reichen Floren der untern Neckargegenden nach den neuesten Floren von Heidelberg und Mannheim, welche sich über die Gegenden am Ausfluß des Neckars in den Rhein und einen Theil des Odenwalds verbreiten *).

Sesleria coerulea Willd. Festuca glauca Lam. Elymus europaeus. Gentiana lutea. Astrantia minor. Bupleurum longifolium. Athamantha Libanotis. Daphne Cneorum. Vaccinium Oxycoccos. Convallaria verticillata. Saxifraga Aizoon und villosa Willd. Euphorbia sylvatica (amygdaloides Willd.) Aconitum Lycoctonum. Thali-

*) Flora Heidelbergensis auctore Dierbach. Heidelberg. 1819 und 1820 und Flora Mannhemiensis auct. Succow. Mannheim. 1821.

etrum aquilegifolium. Stachys alpina. Teucrium montanum. Digitalis lutea. Lunaria rediviva. Draba aizoon. Hoppe. Alyssum montanum. Thlaspi montanum. Arabis arenosa. Cheiranthus erysimoides. Melittis melissophyllum. Dentaria bulbifera. Coronilla coronata. Doronicum Bellidiastrum. Carduus deflo atus. Hieracium humile und alpestre. Buphthalmum salicifolium. Potentilla opaca. Helleborus hyemalis und viridis.

Auch noch tiefer in den nähern Umgebungen von Tübingen selbst, in Höhen von 1000 — 1600 Schuhen, finden sich mehrere andern Gegenden oft fehlende Pflanzen, welche zum Theil von den Gebirgsgegenden der Alp abzustammen scheinen, wo mehrere derselben auch noch gegenwärtig häufiger als bei Tübingen vorkommen; auch diese Pflanzen fehlen in den untern Neckargegenden bei Heidelberg u. Mannheim, (welche noch gegen 600 — 700 Schuhe tiefer als Tübingen und gegen 30 Stunden von der Alp entfernt liegen) mit Ausnahme der mit einem Sternchen bezeichneten, welche die Flora von Mannheim gleichfalls enthält.

Poa sudetica. Agrostis arundinacea. Melica ciliata.* Galium boreale.* Viola mirabilis. Ribes alpinum.* Cynoglossum montanum. Lysimachia thyrsiflora. Gentiana verna. Astrantia major. Caucalis grandiflora. Laserpitium prutenicum und latifolium. Selinum carvifolia.* Sedum villosum. Potentilla alba.* Ranunculus lanuginosus. Trollius europaeus. Melampyrum cristatum.* Myagrum perfoliatum und paniculatum. Althea hirsuta. Trifolium ochroleucum, fragiferum* u. rubens.* Lactuca perennis.* Scorzonera humilis* u. laciniata.* Hypochaeris maculata.* Carlina acaulis. Artemisia Absinthium.* Serapias longifolia.* Cypripedium Calceolus. Zannichellix palustris.* Potamogeton densum, pectinatum und pusillum.

Die Ursache dieser abgeänderten Vegetation mit zunehmender Tiefe der Gegenden ist übrigens nicht blos in der verschiedenen Höhe derselben, sondern zugleich auch in den verschiedenen Gebirgs- und Bodenarten zu suchen, welche diesen Gegenden zur Unterlage dienen; in den Gegenden der Alp ist kohlensaurer Kalk die vorherrschende Gebirgsart, während in den tiefern Neckargegenden sand- und thonreiche Gebirgsarten vorherrschender werden.

---

## Zusäze und Verbesserungen zu dieser Beilage.

---

Pag. 2 Linie 6 von unten: Einige Aerzte der damaligen Zeit sollen sich bemüht haben, merkwürdige Pflanzen in der Gegend von Tübingen auszusäen und anzupflanzen, welche dann als schon einheimisch in die Flora von Gmelin aufgenommen wurden, später aber wahrscheinlich wieder ausgiengen; von den hier aufgezählten Pflanzen mag dieses so der Fall gewesen seyn mit Clematis Flammula, Hesperis inodora, Iris squalens, Echium violaceum, Filago Leontopodium; die Cardamine bellidifolia wurde vielleicht mit Arabis thaliana verwechselt.

Pag. 8 Linie 11 von oben lies scabra
— 12 — 2 — — — der Weinberg
— 15 — 6 — — — cruciata
— 16 — 13 — — —
— 18 — 1 von unten —
— 19 — 1 von oben — Neckern
— 19 — 25 — — —
— 20 — 1 — — —
— 24 — 4 von unten: Di

— 43 — 10 von unten lies
— 46 — 1 von oben —, bis
— 47 — 6 von unten —' Se
— 47 — 12 von oben zuzusezen
— 47 — 13 — —
— 48 — 16 — —
— 48 u. ff. Mehrere den h
Ulm

---

# Druckfehler:

Seite 5 Zeile 5 von oben lies einiger statt einer.
— 48 — 8 — unten — Recht — Necht.
— 61 — 13 von oben — , — ;
— 76 — 14 v. u. l. Zeittheologie st. Zeittheologen.
— 82 — 1 v. ob. nach „Hochschulen“ seze: „besonders“.
— 87 — 13 — l. Tungern st. Teugern.
— 91 — 8 v. unt. l. seinem Freunde st. seinen Freunden.
— 93 — 1 — l. miserum st. miseram.
— 105 — 4 — l. die leztere st. jene.
— 106 — 5 v. ob. nach „zwei“ seze: ,
— 114 — 15 — l. Poissy st. Soissy.
— 116 die Note ist Seite 125 zu „vorrückte“ zu sezen.
— 119 Z. 4 v. ob. l. Konkordienformel st. Konkordia.
— 126 — 5 — nach „Lust“ seze: „zu“.
— — — 2 v. u. nach „waren“ seze: „abzuschliessen“.
— 136 — 12 — die Worte: „klagte er“ sind nach gerügt hatte (Zeile 11) zu sezen.
— — — 9 v. ob. l. ohne st. ihre.
— 139 — 15 — l. recitirte st. recidirte.
— 140 — 11 — l. Höe u. nachher Höe's st. Hön.
— 144 — 12 — l. Höe v. Höenegg st. Hönn v. Hönnegg.
— 145 — 16 — nach „seine“ seze: „eigene“.
— 165 — 8 v. unt. l. Christoph st. Joseph.
— 167 — 3 — l. freisinniger st. freiwilliger.
— 169 — 11 v. ob. l. Brüdergemeine st. Brüdergemeinen.
— 177 — 9 — l. noch legte er es st. und legte es.
— — — 14 v. u. l. feiner statt seiner, und statt tiefen lies tiefer.
— 179 — 6 v. o. l. einschlagenden st. entschlagenden.
— 184 — Mitte l. reeller st. reeler.
— 184 — 7 v. u. l. Herrschaft st. Herrschsucht.
— 187 — Mitte l. Streben st. Strebung.
— 188 — 2 v. u. l. ihm st. ihn.
— 193 — 5 — l. manches st. manche.
— 194 — 8 — l. in Zeller's. Merkwürdigkeiten von Tübingen st. in Zeller.
— 195 — 9 v. o. l. loquentem st. loquentam.
— 197 — 7 — l. Degen st. Dekan.
— 200 — 9 v. u. l. ein st. wie.
— 207 — 5 — ist „gestorben“ auszustreichen.
— 219 — 4 v. o. l. Auf st. Auch.
— 224 — 4 — l. , statt ;

S. 236 Z. 8 von unten lies und statt und.
— 241 — 10 — l. sacrorum st. ascrorum.
— — — 3 — l. ecci st. eeci.
— 244 — 12 — l. denn st. dann.
— 248 — 2 — l. und bei Bebel Croaria st. bei Bebel und Cronaria.
— 249 — 5 — l. Cicerone st. Cicerove.
— — — 2 — l. apud st. apod.
— 250 — 16 v. o. l. Eblingerum st. Fblingerum.
— 274 — 11 v. u. l. . Als st als.
— — — 6 — l. daß sie ihm st. daß ihm die Universität.
— 277 — 1 v. o. l. folgten st. folgte.
— 279 — 3 — del. jedoch.
— 288 — 2 v. u. l. eröffnend st. eröffnete.
— 304 — 11 — l. jener st. jene.
— 307 — 13 v. o. l. passul st. pacul.
— 354 — 9 v. u. l. pegnesischen st. Regensischen.
— 365 — 14 v. o. l. cruere st. erruere.
— — — 15 — l. methodum st. methodum,
— 372 — 11 v. u. nach ihre lies: Verdienste.
— 383 — ult. nach Theodos. l. im Occident nebst etlichen und 70 bisher unbekannten Konstitutionen aus dem ersten Buch des Cod. Theodos.
— 402 — 7 v. u. l. gonorrhoeam st. gonorrhoeam.
— 463 — 21 v. o. l. keine st. eine.
— 464 — 5 — l. günstigere st. günstige.
— 483 — 1 — del. hat.
— 487 Note Z. 1 v. unt. adde. Hallische A. L. Z. 1821. Nro. 330. S. 905.
— 488 Z. 4 v. o. l. Eine st. Diese.
— 500 — 9 — l. berichten st. berichtigen.
— 504 — 2 v. u. l. fein kurz st. fein, kurz.
— 531 — 2 v. o. l. Helleborus st. Helleberus.
— 531 — 1 — l. Aizoon st. Aizoides.
— 536 — 8 v. u. l. Falco Cyaneus, Tetrao Lagopus, Alca Torda (Polarente) 2c. statt Haemantopus Ostralegus (Austerndieb),
— 538 — 9 — l. Vespa Crabro st. Vesp. Crabr.
— 539 — 8 v. o. l. Simbipuri od. Kauri st. Simlipyri.
— 580 — 5 v. u. l. ausgetheilt st. abgetheilt.
— 591 — 11 — l. 1821 st. 1812.

Der Leser wird noch auf folgende Druckfehler, die erst nach Vollendung des Druckes entdeckt wurden, aufmerksam gemacht:

Vorrede Seite XV. Linie 6. von unten lies Morgenseite statt Abendseite

Seite 222. Lin. 2. v. o. l. Wolfgang Krafft st. Wolfg.-Krafft
— 299. lezte Linie l. leprosos st. leprosus
— 396. Lin. 24. v. o. l. begleitete st. bekleidete
— 404. Lin. 6. v. o. l. phthisin st. phtisin
— 450. lezte Linie l. v. Eschenmayer st. v. Eschenmeyer
— 545. Lin. 19. v. o. l. kostbare st. kostbarer
— 553. Lin. 3. v. u. l. Fakultäten st. Fakultät
— 599. lezte Linie l. mit Ausschluß ohnehin der Todgebohrenen st. mit Ausschluß der Todgebohrenen.
— 604. Lin. 3. v. o. l. anfangende Sommer st. anfangende Winter
— 607. Lin. 19. v. o. l. Wassersucht st. Fallsucht
— 610. Lin. 12. v. o. l. Brechruhren st. Brechungen
— — Lin. 15. v. o. l. sich steigernd. Husten st. sich steigernde Husten
— 611. Lin. 23. v. o. l. Arthritis st. Arthridis
— 612. Lin. 8. v. o. l. Catarrh st. Catarr
— — Lin. 12. v. o. l. des Gebährens st. der Geburt

Lightning Source UK Ltd.
Milton Keynes UK
UKHW010348281218
334537UK00008B/328/P

Scheubel 221

Simon Grynaeus 96

Crusius 116

Next start: 182